ADMIRÁVEL NOVO MUNDO

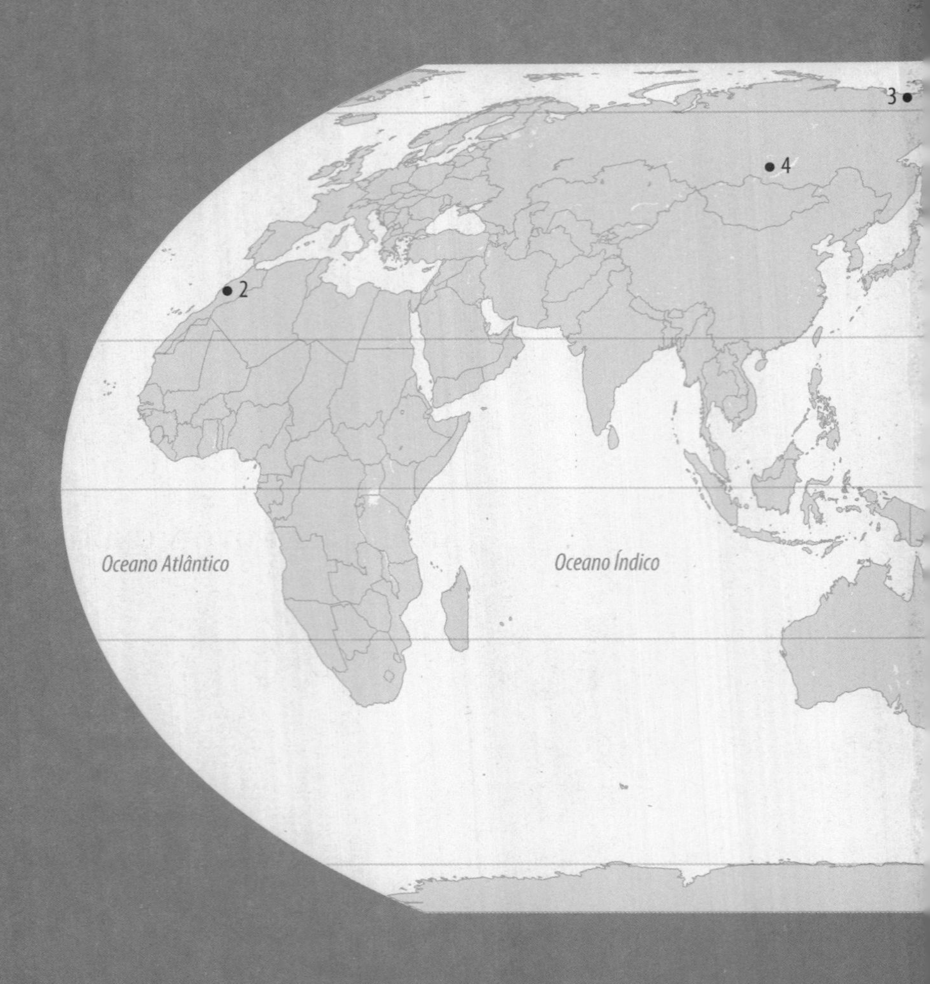

1 **Gruta do Sumidouro,** Minas Gerais, Brasil
2 **Jebel Irhoud,** província de Safi, Marrocos
3 **Yana RHS,** Sibéria, Rússia
4 **Mal'ta,** Sibéria, Rússia
5 **Arroyo La Tigra,** província de Buenos Aires, Argentina
6 **Blackwater Draw,** Novo México, Estados Unidos
7 **Meadowcroft Rockshelter,** Pensilvânia, Estados Unidos
8 **Boqueirão da Pedra Furada,** Piauí, Brasil
9 **Lapa Vermelha IV,** Minas Gerais, Brasil
10 **Monte Verde,** província de Llanquihue, Chile

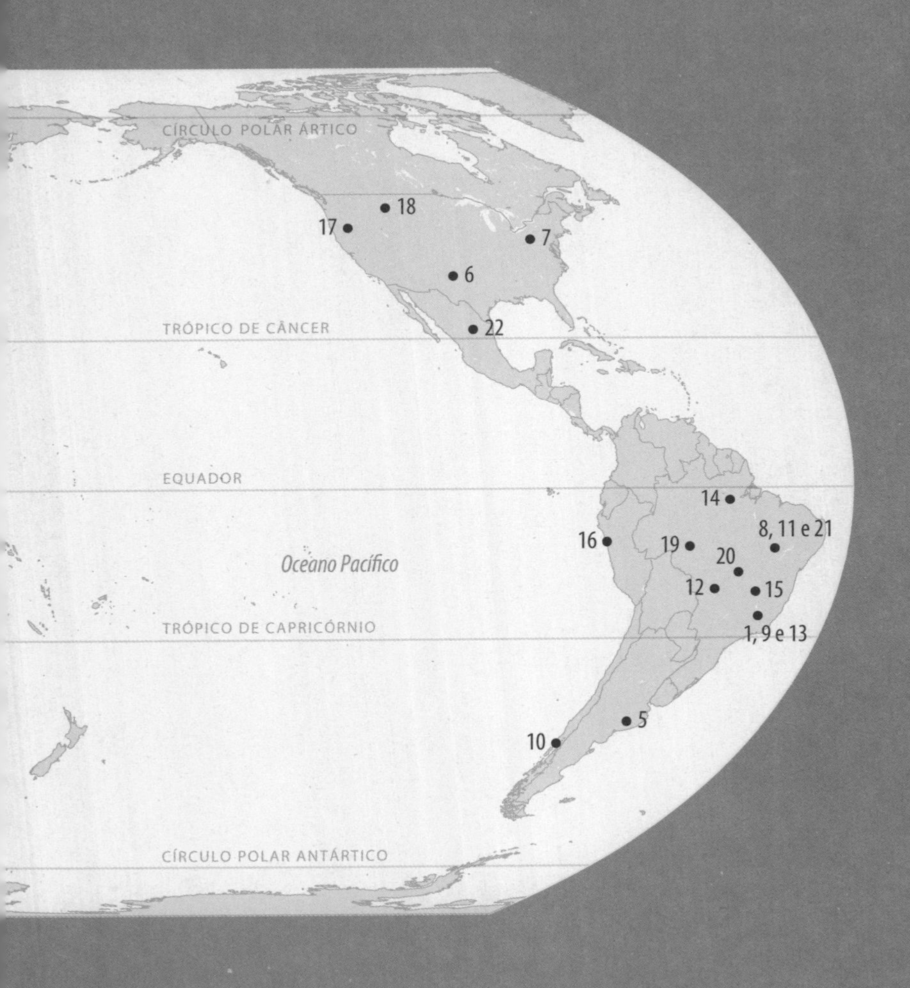

11 **Toca da Tira Peia,** Piauí, Brasil
12 **Santa Elina,** Mato Grosso, Brasil
13 **Lapa do Santo,** Minas Gerais, Brasil
14 **Caverna da Pedra Pintada,** Pará, Brasil
15 **Lapa do Boquete,** Minas Gerais, Brasil
16 **Huaca Prieta,** Departamento de La Libertad, Peru
17 **Paisley Caves,** Oregon, Estados Unidos
18 **Anzick,** Montana, Estados Unidos
19 **Terra Indígena Sete de Setembro,** Rondônia, Brasil
20 **Terra Indígena Wedezé,** Mato Grosso, Brasil
21 **Vale da Pedra Furada,** Piauí, Brasil
22 **Chiquihuite,** Zacatecas, México

BERNARDO ESTEVES

Admirável novo mundo

Uma história da ocupação humana nas Américas

1ª reimpressão

COMPANHIA DAS LETRAS

Este livro contou com apoio do Instituto Serrapilheira.
serrapilheira

Grafia atualizada segundo o Acordo Ortográfico da Língua Portuguesa de 1990, que entrou em vigor no Brasil em 2009.

Capa
Alceu Chiesorin Nunes

Imagem de capa
Rio Vida, de Aislan Pankararu, 2021. Tinta acrílica sobre tela, 30,5 × 21,5 cm.

Caderno de fotos
Mariana Metidieri

Mapas
Marcelo Pliger

Preparação
Richard Sanches

Índice remissivo
Luciano Marchiori

Revisão
Huendel Viana
Clara Diament

Dados Internacionais de Catalogação na Publicação (CIP)
(Câmara Brasileira do Livro, SP, Brasil)

Esteves, Bernardo
Admirável novo mundo : Uma história da ocupação humana nas Américas / Bernardo Esteves. — 1ª ed. — São Paulo : Companhia das Letras, 2023.

Bibliografia.
ISBN 978-85-359-3547-9

1. América – Descobrimento e exploração 2. América – História 3. Arqueologia 4. Civilização 5. Colonização – História I. Título.

23-161984 CDD-970.01

Índice para catálogo sistemático:
1. América : Descobrimento e exploração : História 970.01

Eliane de Freitas Leite – Bibliotecária – CRB-8/8415

EDITORA SCHWARCZ S.A.
Rua Bandeira Paulista, 702, cj. 32
04532-002 — São Paulo — SP
Telefone: (11) 3707-3500
www.companhiadasletras.com.br
www.blogdacompanhia.com.br
facebook.com/companhiadasletras
instagram.com/companhiadasletras
twitter.com/cialetras

Sumário

“Réquiem para Clovis”

Santa Fé, Novo México, Estados Unidos

Em 1570, o jesuíta espanhol José de Acosta foi enviado a Lima, a sede do Vice-Reino do Peru, que reunia as terras sob domínio espanhol na América do Sul. Sua missão era promover a catequização dos povos nativos do chamado Novo Mundo. “Novo” para os europeus, claro: aquelas terras eram casa para os humanos que estavam no continente havia pelo menos 15 mil anos, como sabemos hoje. Naturalista de formação, Acosta passou quase duas décadas nas colônias espanholas, incluindo uma temporada de três anos no México. De volta à Europa, publicou em 1590 a *História natural y moral de las Índias*, um dos primeiros tratados enciclopédicos sobre o continente americano, com a descrição dos costumes dos incas e dos astecas. O jesuíta notou a semelhança física entre os povos originários das Américas e os asiáticos e postulou que aqueles deviam ter chegado ao continente americano por meio de uma ligação terrestre com a Ásia.

A conexão com a Ásia de fato existe, como há muito sabem os povos que habitam o extremo leste da Sibéria e a porção mais ocidental do Alasca. Hoje essa ligação está submersa, e as duas pontas são separadas por uma faixa de mar que tem uma centena de quilômetros no seu trecho mais curto. Trata-se do estreito de Bering, batizado em homenagem ao explorador dinamarquês Vitus Bering, que constatou a existência do acidente geográfico numa expedição a mando do tsar russo mais de um século depois de Acosta lançar seu livro.

Mas nem sempre foi assim: na Era do Gelo, durante a última glaciação, o nível do mar estava 130 metros abaixo do atual, e apareceu uma extensa faixa de terra ligando a Ásia à América do Norte. A Beríngia — como hoje chamamos esse território — ficou emersa até por volta de 13 mil anos atrás, quando o derretimento das geleiras levou ao aumento do nível dos oceanos.

Acosta propôs sua hipótese para a origem dos americanos mais de dois séculos antes da consolidação da arqueologia como disciplina científica, ao longo do século XIX, mas estava certo em seu argumento central. A maioria dos estudiosos hoje concorda que os indígenas americanos descendem de povos asiáticos que atravessaram a Beríngia. Evidências obtidas por linhas de investigação distintas — da arqueologia, da antropologia biológica (ou bioantropologia), da genética e da linguística — apontam que os primeiros americanos tinham origem asiática. Mas esse é dos poucos pontos de consenso no estudo do povoamento inicial das Américas, campo que reúne pesquisadores de muitas especialidades.

No entendimento de Mark Hubbe, um bioantropólogo brasileiro, são quatro as questões centrais do campo. Quem eram os primeiros americanos? De onde vieram? Quando chegaram? Como viviam? "Passaram-se quase quinhentos anos desde José de Acosta, gastamos milhões em pesquisa e ainda não sabemos responder a nenhuma dessas perguntas", alega Hubbe, que é professor da Universidade Estadual de Ohio e foi um dos palestrantes do congresso Paleoamerican Odyssey [Odisseia paleoamericana], sobre o povoamento das Américas, organizado na cidade de Santa Fé, nos Estados Unidos.

Um número tão grande de lacunas não impediu que os especialistas avançassem no entendimento dessas questões. No entanto, por mais paradoxal que possa parecer, hoje temos menos certezas sobre o povoamento do continente do que tínhamos algumas décadas atrás. Questionado sobre quem foram os primeiros americanos, um arqueólogo dos anos 1980 responderia sem muita hesitação que foi o chamado povo de Clovis, um grupo que caçava mamutes e outros grandes mamíferos com a ajuda de pontas de projétil de pedra lascada com tecnologia sofisticada. Por volta de 13 mil anos atrás, os fabricantes dessas ferramentas estavam espalhados por praticamente todo o atual território dos Estados Unidos. Foi decerto esse povo, concluíram os estudiosos, que colonizou as Américas Central e do Sul, e por isso esse modelo ficou conhecido como Clovis First, ou "primazia de Clovis", em tradução livre.

Essa narrativa caiu por terra no final do século XX, quando os especialistas admitiram que os vestígios encontrados no sítio de Monte Verde, no sul do Chile, provavam de maneira inequívoca a presença humana no extremo sul do continente americano por volta de 14,6 mil anos atrás. Os primeiros resultados das escavações de Monte Verde, comandadas pelo norte-americano Tom Dillehay, haviam sido publicados em 1988, mas levou quase uma década até que fossem amplamente aceitos por seus colegas.

A ideia de que o povo de Clovis tinha sido o primeiro a se espalhar pelo continente estava muito entranhada entre os especialistas. O horizonte dos 13 mil anos virou um limite intransponível, a velocidade da luz da arqueologia das Américas. Tudo que fosse mais velho que Clovis seria recebido com ceticismo e resistência.

Com Monte Verde não foi diferente, mas a profusão de vestígios encontrados pela equipe de Dillehay fez dele um sítio de antiguidade irrefutável. Aqueles humanos estavam a 1500 quilômetros de Ushuaia, na extremidade da América do Sul, há 14,6 mil anos, mais de um milênio antes da cultura Clovis.* E não era só uma questão de idade. Para complicar, o material encontrado ali não parecia ter qualquer parentesco cultural com as pontas de projétil encontradas nos Estados Unidos.

A conferência Paleoamerican Odyssey foi realizada em 2013 no centro histórico de Santa Fé, dominado pelos tons de ocre dos prédios baixos de adobe. Santa Fé fica no Novo México, assim como a cidade de Folsom, palco de uma descoberta que mudou a história da ocupação das Américas. Ali foi encontrada nos anos 1920 uma ferramenta de pedra junto com a costela de um bisão gigante extinto. Aquela era a primeira prova definitiva de que os seres humanos já estavam no continente durante a Era do Gelo, quando viveram grandes mamíferos que hoje estão extintos. Na década seguinte, foi encontrada em Blackwater Draw, também no Novo México, outra ponta de lança, a primeira ferramenta característica do povo de Clovis. Nos dois casos, os sítios só foram validados depois que arqueólogos reconhecidos foram pessoalmente examinar os achados com seus próprios olhos.

Aquela não era a primeira conferência sobre o povoamento das Américas realizada em Santa Fé. A primeira delas — chamada Paleoamerican Origins: Beyond Clovis [Origens paleoamericanas: além de Clovis] — aconteceu em 1999, dois anos após se formar um consenso com relação a Monte Verde. "Nesses catorze anos de pesquisas acumuladas entre as duas conferências, ficou claro que o modelo Clovis First não funciona mais", disse-me o ar-

* As distâncias citadas no livro referem-se à distância em linha reta entre dois pontos calculada com a ferramenta Distance Calculator, disponível em: <https://www.distancecalculator.net/>. Acesso em: 5 abr. 2023.

queólogo norte-americano Michael Waters, diretor do Centro para o Estudo dos Primeiros Americanos, sediado na Universidade Texas A&M, que promoveu os dois eventos. "Hoje está tudo em aberto, estamos livres do modelo Clovis First e podemos explorar ideias novas. Estamos vendo o fim de um paradigma, e um novo modelo tem de emergir."

Um paradigma é o conjunto de conceitos, pressupostos e métodos em torno dos quais se organiza uma disciplina científica — como o evolucionismo na biologia ou a deriva continental na geologia. Paradigmas caducam e precisam ser substituídos quando deixam de conseguir explicar resultados aparentemente incongruentes que os cientistas encontram em seus experimentos, conforme explicou Thomas Kuhn no livro *A estrutura das revoluções científicas*, um clássico da filosofia da ciência lançado em 1962.[1] Quando isso acontece, os especialistas precisam propor um novo paradigma que explique os resultados anômalos — no caso da arqueologia, uma cronologia e uma rota para a ocupação das Américas que deem conta dos sítios com datas anteriores a Clovis, encontrados em número cada vez maior nas Américas do Sul e do Norte. Mas nem todos eles têm a mesma credibilidade.

Waters acredita que a genética vai ser o fiel da balança para definir que modelo será capaz de substituir a primazia de Clovis. Nos últimos anos, análises do DNA antigo extraído de fósseis revolucionaram a arqueologia e estão ajudando a recontar a história dos primeiros americanos. O norte-americano acredita que os estudos genéticos vão dar mais confiança ao trabalho dos arqueólogos, caso as duas linhas de investigação cheguem a resultados parecidos. "Os artefatos e materiais que desenterramos do solo são passíveis de alguma interpretação. A beleza da evidência genética é que essa é uma ciência dura, replicável e inegável", afirmou o pesquisador. "Em algum momento as evidências genéticas e arqueológicas vão convergir, e aí teremos uma nova história para contar."

Mas a genética não é tão infalível e inquestionável quanto Waters a descreve. Há limitações e incertezas nas contribuições que o DNA pode dar para entendermos o passado do povoamento. Mas é certo que o paradigma que vai substituir Clovis terá que estar alinhado com a história que os genes contam. "Há relatos de humanos nas Américas há 20 mil ou 30 mil anos", continuou Waters. "Se não encontrarmos evidências genéticas que sustentem isso, vamos ter de recuar e nos perguntar se há algo de errado com esses sítios arqueológicos." O norte-americano é ele próprio autor de descobertas que estão ajudando a moldar a nova maneira de entender o povoamento do continente. Waters escavou vários sítios arqueológicos norte-americanos com ocupações anteriores a Clovis, como Debra L. Friedkin, no Texas, e Page Ladson, na Flórida. "Estes são tempos muito empolgantes para quem trabalha com o povoamento das Américas", afirmou.

É um momento privilegiado também para quem se interessa por como os cientistas constroem suas convicções. Atualmente, o povo de Clovis já não é visto como pioneiro, mas ainda não há um consenso para explicar a ocupação das Américas. Em Santa Fé, o arqueólogo argentino Luis Alberto Borrero, professor da Universidade de Buenos Aires, resumiu assim as incertezas do campo: "Temos que ser humildes e aceitar que simplesmente não sabemos o que está acontecendo".

Enquanto vivemos o interregno entre as décadas de domínio da primazia de Clovis e a consolidação do paradigma que vai substituí-lo, temos a oportunidade de assistir de camarote às discussões acaloradas sobre quais pré-requisitos um sítio arqueológico precisa preencher para ser aceito pela comunidade científica. Controvérsias abrem uma janela para enxergarmos o processo de construção do conhecimento científico. Quando os cientistas estão de acordo sobre os conceitos centrais de suas disciplinas — ou quando estão fazendo "ciência normal", nos termos de Kuhn —, não gastam tempo pondo esses pilares à prova; quando entram em desacordo, porém, eles se obrigam a questionar os fundamentos daquilo que sabem, e aí conseguimos enxergar com mais clareza os passos pelos quais suas certezas são consolidadas.

O sociólogo italiano Tommaso Venturini costuma usar a imagem do magma para descrever as controvérsias: elas são pontos em que o próprio tecido social está se forjando, uma mistura em que não se pode distinguir o que é sólido do que é líquido. Venturini poderia perfeitamente estar se referindo às discussões sobre o povoamento das Américas, em que afirmações amplamente consensuais circulam lado a lado com alegações da presença humana antiga que são endossadas por poucos especialistas — para quem assiste ao debate de fora, nem sempre é fácil discernir umas das outras.

Que o diga Niède Guidon, a arqueóloga franco-brasileira que desde os anos 1980 vem defendendo que há indícios de presença humana muito antiga nos sítios arqueológicos da Serra da Capivara, no sudeste do Piauí. Em 1986, Guidon publicou, junto com a colega Georgette Delibrias, um artigo científico relatando os resultados das escavações feitas no Boqueirão da Pedra Furada. Encontraram restos de fogueira e artefatos produzidos por humanos que viveram ali há quase 40 mil anos, muito antes do povo de Clovis.[2]

O artigo foi publicado pela *Nature*, talvez a mais respeitada revista científica do mundo. Essa é a publicação em que foram propostos a existência dos nêutrons no núcleo dos átomos, em 1932, e o formato em dupla-hélice da molécula de DNA, em 1953. Mas o prestígio do periódico britânico não bastou para convencer os colegas de Guidon. Para muitos deles, as supostas ferramentas nada mais eram que seixos lascados pela própria natureza, despencados da falésia que domina o Boqueirão da Pedra Furada. Portanto, não eram qualificados para destronar a primazia de Clovis.

O caso parece ilustrar uma ideia ousada que Bruno Latour propôs em 1987 no livro *Ciência em ação*.[3] Ele argumenta que a factualidade — em outras palavras, a verdade — de uma afirmação científica não está contida nela própria, mas depende do destino que ela terá nas mãos de outros cientistas e atores da sociedade. Ou seja, não basta publicar na *Nature* que havia humanos no Piauí há quase 40 mil anos se isso não se tornar um fato aceito pela comunidade científica, reconhecido na literatura e registrado nos manuais. Com o Boqueirão da Pedra Furada, não foi o caso.

A controvérsia em torno da antiguidade humana na Serra da Capivara é o ponto de partida da reportagem "Os seixos da discórdia", que saiu em janeiro de 2014 na *piauí* e constitui o embrião deste livro.[4] A reportagem relatou a retomada das escavações no Piauí pela Missão Franco-Brasileira sob a condução do arqueólogo francês Eric Boëda desde o final da década de 2000. Os resultados dessa retomada começaram a ser publicados em 2013. O primeiro artigo da nova leva relatou a descoberta de artefatos de origem humana na Toca da Tira Peia, um sítio arqueológico a quinze quilômetros do Boqueirão da Pedra Furada.[5] Os artefatos mais antigos foram encontrados numa camada cuja idade foi estimada em 22 mil anos. A data é mais modesta que as alegadas em trabalhos anteriores da equipe de Guidon, mas seria suficiente para fazer daqueles os mais antigos vestígios da presença humana no continente — caso fossem aceitos.

Boëda — um pesquisador da Universidade de Paris Nanterre que se especializou no estudo de ferramentas feitas de pedra — avalia que apenas questões de geopolítica científica podem explicar que os resultados não sejam amplamente aceitos pelos demais estudiosos. "Se as ferramentas da Serra da Capivara tivessem sido encontradas no Alasca, não teria havido o menor problema", disse-me o arqueólogo. "É simples assim."

O francês não é o único a atribuir a um certo imperialismo científico a resistência de muitos pesquisadores em aceitar as evidências da presença humana antiga nas Américas. No artigo que apresentou na conferência de Santa Fé, Tom Dillehay reconheceu que a arqueologia norte-americana continua ditando os padrões para o estudo do povoamento de todo o continente e que as críticas aos achados anteriores a Clovis muitas vezes "se baseiam em sentimentos temperamentais, relatos anedóticos e pouca ou nenhuma evidência científica"*.[6] Escaldado ele próprio pela resistência que enfrentou inicialmente, até que a tese de Monte Verde fosse aceita, Dillehay conclamou seus colegas a descolonizar o conhecimento científico e abrir a cabeça para novos modelos de ocupação das Américas. "O modelo Clovis First está morto há pelo menos quinze anos", disse o norte-americano numa entrevista durante a conferência. "É hora de trabalhar com novas questões, novas gerações de estudiosos e mais pesquisa interdisciplinar."

Dillehay vem reconsiderando as críticas que fez no passado aos achados arqueológicos do Piauí. Nos anos 1990, após visitar o local a convite de Niède Guidon, Dillehay publicou, junto com outros dois colegas dos Estados Unidos, um artigo que refutava categoricamente a origem humana dos supostos artefatos escavados no Boqueirão da Pedra Furada e que foi a peça central da condenação do sítio aos olhos da comunidade.[7] Mas o pesquisador disse que o acúmulo consistente de dados ao longo do tempo o fizera mudar de ideia, embora ainda tivesse objeções a alguns aspectos das análises conduzidas por Eric Boëda. "Olhando de novo para os sítios escavados por Niède Guidon e pela equipe do Eric, estou ficando mais convencido de que havia pessoas ali há 20 mil ou 25 mil anos."

* Todas as traduções de referências bibliográficas em outros idiomas citadas ao longo do livro são do autor.

O apelo de Dillehay para que os colegas abandonassem de vez a primazia de Clovis deu o tom da Paleoamerican Odyssey. Na leitura da arqueóloga Adriana Schmidt Dias, uma das palestrantes do evento, a programação parecia pensada para exorcizar o espírito de Clovis, conforme escreveu num artigo sobre a conferência. "A sucessão dos simpósios tinha uma cadência que lembrava uma missa de réquiem, voltada a apaziguar os espíritos atormentados do purgatório acadêmico em que a pesquisa sobre o povoamento da América havia se transformado nos últimos cinquenta anos", escreveu a pesquisadora da Universidade Federal do Rio Grande do Sul (UFRGS), de quem tomei emprestada a ideia para o título deste prólogo.[8]

A ocupação inicial do continente americano é uma das grandes questões em aberto da história humana no planeta. Seu apelo vem de uma dúvida essencial da condição humana: de onde viemos? Que ela esteja envolta num ambiente de intriga acadêmica marcada por rancor e ressentimento só acrescenta um tempero muito humano a uma das mais instigantes controvérsias da ciência contemporânea.

Essa polêmica fascina porque não diz respeito apenas ao mistério sobre quem foram os primeiros americanos, de onde vieram e quando chegaram, mas também porque põe em questão o que é um achado arqueológico confiável e quem tem legitimidade para validá-lo. Este livro pretende tratar das duas dimensões do debate, contando a história do povoamento inicial das Américas ao mesmo tempo que busca compreender como os estudiosos desse campo consolidam suas verdades.

O livro parte de uma perspectiva sul-americana, com ênfase nos esforços de cientistas que trabalharam nos sítios arqueológicos no Brasil. Para além dos territórios, descolonizar a história das

Américas passa também por uma revisão crítica dos conceitos com que ela vinha sendo contada até aqui. A começar pela noção de "pré-história", que convencionalmente designa o período anterior à invenção da escrita, uma inovação que transformou a natureza dos registros da passagem humana pelo planeta (o termo nomeia também a disciplina responsável pelo estudo desse período).

O marco que separa a história da pré-história divide a trajetória humana em dois segmentos muito assimétricos. De um lado, os 3,3 milhões de anos transcorridos desde que os ancestrais dos humanos modernos começaram a fabricar ferramentas de pedra; do outro, os cerca de 5 mil anos desde o surgimento da escrita na Mesopotâmia e no Egito (depois disso essa inovação surgiu de forma independente em outras civilizações, inclusive no continente americano). O recorte e a adoção do termo "pré" parecem sugerir que todo o período anterior à escrita foi um longo e uniforme prelúdio que culminou com a era gloriosa iniciada desde então. História e pré-história são disciplinas surgidas na Europa e construídas com conceitos que enxergam o mundo a partir da trajetória de suas populações. Os marcos usados na sua definição não se aplicam com a mesma facilidade para contar outras histórias. No caso das Américas, convencionou-se que a pré-história termina com a invasão dos colonizadores europeus, quando os povos indígenas do "Novo Mundo" teriam entrado em contato com a escrita.

A convenção é problemática por mais de um motivo. Por um lado, ela passa por cima do fato de que os maias, os olmecas ou os zapotecas já usavam formas de escrita muito tempo antes da chegada dos europeus. Além disso, ela estipula um marco inicial arbitrário para a história de regiões que já estavam povoadas havia muito tempo, como me disse numa entrevista o arqueólogo Lucas Bueno, da Universidade Federal de Santa Catarina (UFSC).

Bueno é um dos cientistas que vêm problematizando as implicações do conceito de pré-história, um termo que chapa numa palavra toda a diversidade da experiência humana no continente ao longo dos milênios. Ele defende que, se é para definir um marco fundador da história indígena, que seja o processo de povoamento das Américas, e não a chegada dos europeus. Sob essa perspectiva, em vez de "pré-história", é preferível falar em "história profunda" ou "histórias profundas", no plural, como fizeram os historiadores australianos Ann McGrath e Tom Griffiths e arqueólogos como Peter Schmidt e Stephen Mrozowski, além do próprio Bueno. É a minha opção neste livro.

Ele se estrutura em 22 capítulos, cada um construído em torno de um local emblemático para reconstituir a trajetória dos humanos pelo continente: vinte sítios arqueológicos e duas terras indígenas. Nossa primeira parada é a Gruta do Sumidouro, em Lagoa Santa, no interior de Minas Gerais, onde o naturalista dinamarquês Peter Lund encontrou esqueletos humanos junto a fósseis de grandes mamíferos extintos na década de 1840 e inaugurou a busca pela antiguidade humana no continente.

Os três capítulos seguintes acompanham a trajetória do *Homo sapiens* até chegar à porta de entrada das Américas. O capítulo 2 vai a Jebel Irhoud, no Marrocos, onde foram encontrados os mais antigos fósseis de humanos modernos, e conta a história da dispersão da nossa espécie pelo planeta. A parada seguinte é na Sibéria, onde ficam os sítios abordados nos capítulos 3 e 4. Em Yana RHS, foi identificada a mais antiga ocupação humana acima do Círculo Polar Ártico, perto da Beríngia. Já em Mal'ta, no sul da Sibéria, foi achado o fóssil de um menino que viveu há 24 mil anos e cujo DNA fez revelações surpreendentes sobre os ancestrais dos primeiros americanos.

Fincamos pé nas Américas nos dois capítulos seguintes (5 e 6), que apresentam sítios que ajudaram a entender a antiguidade da presença humana no continente. A primeira parada é o Arroyo La Tigra, na Argentina, onde Florentino Ameghino julgou ter encontrado as origens do *Homo sapiens*, ainda que sem ter conseguido convencer seus colegas. Dali vamos a Blackwater Draw, na América do Norte, onde foram achadas as primeiras pontas de projétil fabricadas pelo povo de Clovis, que deram origem ao paradigma dominante da arqueologia americana ao longo do século XX.

Nos capítulos 7 e 8 visitamos sítios emblemáticos escavados nos anos 1970, época em que a arqueologia da ocupação das Américas era vigiada pela "polícia de Clovis", como foi chamada a legião de pesquisadores que atuaram como fiscais do limite cronológico dos 13 mil anos para a presença humana no continente. Meadowcroft Rockshelter, na América do Norte, e o Boqueirão da Pedra Furada, na Serra da Capivara, foram dois sítios pré-Clovis contestados por essa brigada. No capítulo 9, visitamos a Lapa Vermelha IV, na região de Lagoa Santa, onde foi encontrado o esqueleto de Luzia, que alguns defendem ser o fóssil humano mais antigo do continente.

Dali seguimos para Monte Verde, no Chile, o sítio que rompeu a primazia de Clovis no fim dos anos 1990, o que diminuiu a resistência a outros sítios antigos espalhados pelo continente. Os capítulos 11 e 12 abordam dois desses sítios encontrados no interior do Brasil, que apontavam para uma ocupação muito antiga do território, embora não fossem aceitas de forma unânime: a Toca da Tira Peia, na região da Serra da Capivara, e Santa Elina, no interior do Mato Grosso.

Nos capítulos 13 a 15, passamos por sítios brasileiros que mostram que, entre 12 mil e 13 mil anos atrás, o território estava praticamente todo ocupado por povos adaptados a meios muito diferentes: a Lapa do Santo, na região de Lagoa Santa; a Caverna da Pedra Pintada, no meio da Amazônia; e a Lapa do Boquete, no vale do rio Peruaçu, no norte de Minas Gerais.

Os capítulos 16 e 17 apresentam sítios anteriores a Clovis que continuam aparecendo nas Américas do Sul e do Norte, como é o caso de Huaca Prieta, no Peru, ou de Paisley Caves, no noroeste dos Estados Unidos, onde foi achado um cocô humano fossilizado com mais de 14 mil anos.

Os capítulos 18, 19 e 20 jogam luz sobre achados da genética que mudaram nosso entendimento sobre quem eram os primeiros americanos. Em Anzick, nos Estados Unidos, foi encontrado o único sepultamento conhecido associado à cultura Clovis, de um menino que morreu há quase 13 mil anos e teve seu DNA recuperado. Visitamos em seguida duas terras indígenas — a Sete de Setembro, em Rondônia, e a Wedezé, no Mato Grosso — para apresentar a última reviravolta na história da ocupação do continente: a descoberta do sinal genético de uma população misteriosa que confundiu os estudos da ancestralidade dos primeiros americanos. Ali problematizamos as coletas de sangue indígena que estão na origem dessa descoberta e discutimos o espaço que os povos originários deveriam ocupar na busca pela antiguidade humana nas Américas.

Por fim, os capítulos 21 e 22 oferecem uma tentativa de síntese a partir das evidências disponíveis sobre o povoamento inicial das Américas. Numa visita ao Vale da Pedra Furada, de onde vêm as novidades mais recentes da Serra da Capivara, discutimos como conciliar os resultados divergentes da arqueologia e da genética para a origem dos primeiros americanos. Dali seguimos para Chiquihuite, um sítio recém-encontrado no México com uma ocupação humana com mais de 30 mil anos, a partir da qual passamos em revista os principais modelos para explicar a ocupação inicial das Américas.

O livro foi construído com base em uma pesquisa que se estendeu de 2013 a 2023 e envolveu 116 entrevistas com 59 pessoas, incluindo representantes de povos indígenas e pesquisadores de várias disciplinas — antropologia, arqueologia, bioantropologia, biologia, biomedicina, física, genética, geografia, geologia, história, história da ciência, linguística, medicina, museologia, odontologia, paleontologia, pré-história, primatologia e sociologia. Algumas delas foram feitas na apuração para reportagens da *piauí*, e outras, diretamente para este livro. Em benefício da fluência da leitura, as entrevistas estão citadas de forma livre ao longo do texto e listadas ao final do volume. A pesquisa incluiu também a consulta a centenas de livros, artigos científicos, relatórios, reportagens e outros documentos. Pelo mesmo motivo, apenas os itens diretamente citados foram referenciados nas notas; a lista completa do material consultado se encontra nas referências.

Linha do tempo

HISTÓRIA DO PLANETA

Anos atrás

3,5 MILHÕES	Soerguimento do istmo do Panamá, que conecta as Américas do Norte e do Sul, permite o intercâmbio de espécies de animais entre os dois continentes
2,6 MILHÕES-11,7 MIL	Pleistoceno
115 MIL-11,7 MIL	Era do Gelo (glaciação mais recente)
35,7 MIL	Aparecimento da Beríngia, a faixa de terra que conecta a Sibéria à América do Norte
26 MIL-19 MIL	Último Máximo Glacial. Nível do mar chega a 130 metros abaixo do atual
26 MIL-13,8 MIL	Bloqueio da passagem entre as geleiras da América do Norte
14,7 MIL-12,9 MIL	Aquecimento abrupto ao final da última Era do Gelo que levou ao derretimento de geleiras e aumento do nível do mar
13,8 MIL	Abertura da passagem entre as geleiras da América do Norte
13,8 MIL-11,4 MIL	Extinção da megafauna da América do Norte
12,9 MIL-10,9 MIL	Extinção da megafauna da América do Sul
12,9 MIL-11,7 MIL	Breve retorno a condições mais frias ao final do Pleistoceno
11,7 MIL-PRESENTE	Holoceno
11 MIL	Inundação da Beríngia e abertura do estreito de Bering

HISTÓRIA DO *HOMO SAPIENS*

Anos atrás

315 MIL	Vestígios mais antigos da espécie em Jebel Irhoud, Marrocos
118 MIL	Ocupam o Levante (es-Skhul, Israel)
85 MIL	Ocupam o Oriente Médio (Al Wusta, Arábia Saudita)
68 MIL	Ocupam o Sudeste Asiático (Lida Ajer, Indonésia)

HISTÓRIA DO *HOMO SAPIENS*

Anos atrás

45,5 MIL	Mais antiga representação figurativa (Sulawesi, Indonésia)
45 MIL	Ocupam a Austrália (Lago Mungo)
45 MIL	Ocupam a Europa (Bacho Kiro, Bulgária)
32 MIL	Ocupam a região ártica (Yana RHS, Rússia)
25-16 MIL	Cultura solutrense no sudoeste da Europa
24,9-18,4 MIL	Isolamento na Beríngia — ancestrais dos primeiros americanos param de trocar genes com povos asiáticos
20-16 MIL	Entrada nas Américas dos ancestrais dos povos indígenas atuais
16 MIL	Presença mais antiga na Sibéria após o Último Máximo Glacial (caverna Diuktai)

SÍTIOS ARQUEOLÓGICOS NAS AMÉRICAS

Anos atrás

130,7 MIL	Cerutti
100 MIL-50 MIL	Boqueirão da Pedra Furada
100 MIL-150 MIL	Calico Hills
41 MIL	Vale da Pedra Furada
36 MIL	Toca da Sebastiana
34 MIL	Lago E5
33 MIL	Monte Verde I
32 MIL	Chiquihuite
31 MIL	Arroyo del Vizcaíno
30 MIL	Pendejo Cave
28 MIL	Sítio do Meio
26 MIL	Santa Elina
24 MIL	Cavernas de Bluefish
23 MIL	Toca do Serrote das Moendas
23 MIL	Meadowcroft Rockshelter
22 MIL	Toca da Tira Peia
22 MIL	White Sands
20 MIL	Abrigo do Sol
17 MIL	Cactus Hill

SÍTIOS ARQUEOLÓGICOS NAS AMÉRICAS

Anos atrás	
16 MIL	Gault
16 MIL	Cooper's Ferry
15,5 MIL	Debra L. Friedkin
15 MIL	Taima-Taima
15 MIL	Huaca Prieta
14,8 MIL	Hebior
14,6 MIL	Monte Verde II
14,5 MIL	Page Ladson
14,3 MIL	Paisley Caves
14,2 MIL	Schaefer
14,2 MIL	Toca do Gordo do Garrincho
14,1 MIL	Swan Point
14,1 MIL	Arroyo Seco 2
13,8 MIL	Manis
13,4 MIL	Lapa do Dragão
13,3 MIL	Tibitó
13,3 MIL	Lapa do Boquete
13,2 MIL	Painel do Pilão
13,2 MIL-12,8 MIL	Sítios associados à cultura Clovis
13,1 MIL	Caverna da Pedra Pintada
13 MIL	Lapa Vermelha IV (Luzia)
13 MIL	Santana do Riacho
12,8 MIL	Caverna Fell
12,7 MIL	GO-JA-04
12,7 MIL	Laranjito
12,7 MIL	Milton Almeida
12,6 MIL	Serrania La Lindosa
12,5 MIL	Lapa do Santo
12,5 MIL	Lapa das Boleiras
12,4 MIL	Diogo Lemes
11,6 MIL	Gruta Capela
11,1 MIL	Lapa Mortuária de Confins
11 MIL	Cerca Grande
11 MIL	Breu Branco
10,8 MIL	Dona Stella
10,4 MIL	Gruta do Sumidouro
10,4 MIL	Capelinha
9,6 MIL	Toca dos Coqueiros

HISTÓRIA DA CIÊNCIA

1590	José de Acosta postula a origem asiática dos povos indígenas americanos
1830	Charles Lyell publica os *Princípios de geologia*
1835-44	Peter Lund explora a Gruta do Sumidouro e outras cavernas na região de Lagoa Santa
1858	Charles Darwin e Alfred Wallace apresentam a teoria da evolução das espécies por seleção natural
1858	Naturalistas britânicos atestam que os fósseis humanos encontrados na caverna de Brixham eram do final da Era do Gelo, encerrando a controvérsia sobre a antiguidade da espécie humana
1910	Aleš Hrdlička vai a Buenos Aires refutar o *Homo pampaeus* proposto por Florentino Ameghino
1927	Ponta de projétil acanalada encontrada junto a costelas de bisão em Folsom, Estados Unidos, põe fim à controvérsia sobre a antiguidade humana nas Américas
1932	Descoberto o primeiro artefato da cultura Clovis em Blackwater Draw, Estados Unidos
1944	Oswald Avery, Colin MacLeod e Maclyn McCarty mostram que a herança genética dos seres vivos é transmitida pela molécula de DNA
1949	Willard Libby desenvolve a datação por carbono-14
1953	James Watson e Francis Crick desvendam a estrutura da molécula de DNA
1974-75	Annette Laming-Emperaire e colegas escavam Luzia na Lapa Vermelha IV
1978-88	Niède Guidon e colegas escavam o Boqueirão da Pedra Furada
1985	Svante Pääbo extrai moléculas de DNA de uma múmia egípcia de 2,4 mil anos, inaugurando a arqueogenética
1997	Consenso em torno da antiguidade da ocupação de Monte Verde
2000-9	Projeto Origens, conduzido por Walter Neves, promove novas escavações na região de Lagoa Santa
2010	Eske Willerslev e colegas sequenciam o primeiro genoma humano a partir de DNA antigo
2015	Descoberta da população Y a partir do estudo do DNA de povos indígenas brasileiros

1. Um dinamarquês em Lagoa Santa

Gruta do Sumidouro, Minas Gerais, Brasil

No inverno de 1843, uma seca incomum castigou a região de Lagoa Santa, no interior de Minas Gerais, quarenta quilômetros ao norte de onde hoje fica Belo Horizonte, que só seria fundada mais de meio século depois. A estiagem secou a lagoa do Sumidouro, que na maior parte do tempo inundava as galerias de uma gruta de mesmo nome cuja entrada fica às suas margens. Aquela era uma oportunidade preciosa para Peter Lund, um naturalista dinamarquês de 42 anos que morava em Lagoa Santa e vinha explorando as cavernas da região em busca de fósseis. Lund já tinha tentado visitar a gruta do Sumidouro, mas só conseguira chegar a poucas galerias. Graças à seca extrema, desta vez acessou câmaras que nunca tinha visitado — o interior da gruta guarda cerca de 650 metros de passagens.

O acesso à gruta ficou liberado ao longo de uma janela curta de duas semanas. Nesse período, Lund reuniu uma equipe de auxiliares e comandou uma escavação em ritmo frenético para resgatar o máximo de material que conseguisse coletar antes que a água voltasse a impedir a entrada na caverna. Nas galerias da gruta seca, eles encontraram uma fina camada de terra na qual estavam espalhados ossos petrificados de peixes, répteis, aves e mamíferos de diferentes idades e estados de preservação. O grupo coletou fósseis de pelo menos trinta indivíduos humanos, alguns deles com o esqueleto ainda articulado. Havia "desde recém-nascidos até velhos decrépitos", conforme descreveu Lund numa carta enviada em 1844 a um colega dinamarquês.[1]

Lund e seu grupo encontraram também uma profusão de ossos pertencentes a animais imensos que tinham habitado a região no passado, mas que já não existiam. Havia fósseis de um felino mais de duas vezes maior que as onças encontradas em Lagoa Santa, e de cavalos "muito diferentes de todas as espécies vivas", conforme relatou o naturalista. A julgar por seu aspecto petrificado, deviam ser bem antigos.[2]

Hoje sabemos que a região de Lagoa Santa — e todo o continente americano — foi povoada até o fim da última Era do Gelo, por volta de 11 mil anos atrás, por mamíferos parecidos com os atuais, só que bem maiores — a megafauna, como é chamada pelos estudiosos. Entre eles estavam o gonfotério, um primo peludo dos elefantes modernos, e o gliptodonte, um bicho com a forma de um tatu e o tamanho de um fusca. Algumas preguiças-gigantes podiam chegar a seis metros de comprimento, e havia versões maiores e mais parrudas de lhamas e cavalos. Um dos mais impressionantes era o dentes-de-sabre, o maior felino que já existiu nas Américas, um animal que pesava quase meia tonelada e tinha um canino do tamanho de um antebraço.

A existência da megafauna extinta estava começando a ser revelada na época em que Lund explorou as cavernas de Lagoa Santa. O dinamarquês era cristão e, como os demais naturalistas de seu tempo, tentava acomodar os seus achados dentro da narrativa bíblica que os estudiosos compravam pelo valor de face. E não havia, no Velho ou no Novo Testamento, qualquer menção aos animais gigantes esquisitíssimos cujos vestígios começavam a aparecer na Europa e em outros continentes — muitas vezes por consequência da intensificação da mineração impulsionada pela Revolução Industrial.

Muitos naturalistas contemporâneos de Lund aceitavam sem maiores questionamentos que o planeta Terra tinha cerca de 6 mil anos de idade. O arcebispo irlandês James Ussher chegou a fazer, no século XVII, um cálculo da idade do universo com base na Bíblia e em outras fontes documentais. De acordo com ele, o mundo teria sido criado às nove da manhã de 23 de outubro de 4004 a.C., um domingo.

Essas ideias estavam começando a ser contestadas nas ciências da terra. Em 1830, cinco anos antes de Peter Lund se estabelecer em Lagoa Santa, o britânico Charles Lyell tinha publicado o livro *Princípios de geologia*, que mostrou que as paisagens geológicas eram fruto de um processo lento e gradual de modificação, e que o planeta tinha uma história bem mais remota do que a indicada pela Bíblia.

Lyell foi uma das inspirações para o naturalista britânico Charles Darwin desenvolver a teoria da evolução das espécies por seleção natural, que permitiu explicar a existência de espécies extintas. Quando Lund chegou a Lagoa Santa, porém, o britânico ainda estava a bordo do *Beagle* na viagem de circunavegação durante a qual fez as primeiras observações que o levariam a formular sua teoria. O livro em que Darwin apresentou sua ideia revolucionária — *A origem das espécies* — só seria publicado em 1859 (com uma menção à "fantástica coleção de ossadas fósseis recolhidas nas grutas do Brasil" por Lund).[3]

Quando visitou as grutas de Lagoa Santa, porém, o dinamarquês só tinha os elementos da história natural pré-evolucionista para interpretar os achados. O naturalista francês Georges Cuvier tinha formulado uma hipótese, o catastrofismo, para explicar a existência dos animais extintos. Para Cuvier, a Terra teria sido objeto de uma série de catástrofes — como o dilúvio da arca de Noé — que teriam levado à extinção daqueles bichos que vinham aparecendo em número cada vez maior nos sítios paleontológicos. A espécie humana só teria surgido depois da última dessas catástrofes, quando os representantes da megafauna já não habitavam o planeta.

Mas os ossos da megafauna extinta que Lund encontrou na gruta do Sumidouro não eram o único motivo de assombro. O dinamarquês ficou perturbado porque tinha encontrado fósseis humanos que pareciam tão antigos quanto os daqueles animais.

Ainda não existiam técnicas de datação absoluta que pudessem determinar a idade do material. Mas alguns daqueles ossos tinham virado pedra, e Lund sabia que deviam ser muito antigos. Na primeira vez em que deparou com fósseis humanos no Sumidouro, ele registrou no diário que havia encontrado "dois esqueletos extraordinariamente velhos de humanos em uma condição completamente petrificada".[4]

Os fósseis dos humanos e dos animais extintos foram encontrados juntos e em estado de conservação parecido. Teriam vivido na mesma época? Seria possível que já houvesse humanos na região de Lagoa Santa no final da Era do Gelo? A dúvida deu um nó na cabeça do naturalista, que esbarrou na questão que mobilizaria os cientistas nos séculos por vir: afinal, há quanto tempo os humanos estão no continente americano?

Quando Lund chegou, em 1835, Lagoa Santa era um arraial com não mais que oitenta casas e aproximadamente quinhentos habitantes, conforme o relato que o naturalista alemão Hermann Burmeister fez de uma visita ao colega dinamarquês. O povoado tinha sido fundado pelo bandeirante Felipe Rodrigues no começo do século XVIII à beira de uma lagoa cujas águas tinham a fama de terem propriedades medicinais, daí o nome Lagoa Santa.

O naturalista decidiu se instalar ali para explorar os fósseis que vinham aparecendo nas centenas de cavernas e abrigos rochosos da região. Ricas em salitre, nome comum do nitrato de potássio, as grutas eram exploradas para a obtenção desse composto usado como matéria-prima na fabricação de pólvora. A atividade se intensificou no começo do século XIX, quando a família real portuguesa veio para o Rio de Janeiro e instalou na nova sede do reino uma fábrica de pólvora. Ao final do processo de extração do salitre, costumavam sobrar nas cavernas ossos de animais que a população atribuía a gigantes misteriosos.

Lund tomou conhecimento desses fósseis numa viagem que fez ao interior mineiro em sua segunda passagem pelo Brasil. A revelação veio numa visita à fazenda que Peter Claussen, um conterrâneo, tinha na região de Curvelo, município situado pouco mais de cem quilômetros a noroeste de Lagoa Santa. Claussen já tinha visto fósseis da megafauna extinta em museus da Europa e sabia que os ossos que estavam aparecendo durante a extração de salitre das grutas de sua propriedade não eram de animais fantasiosos, tanto que vinha negociando o material com instituições europeias.

O naturalista ficou fascinado com os fósseis mostrados por Claussen — que, no Brasil, preferia ser chamado de Pedro Cláudio Dinamarquês. Depois de conhecer a região de Curvelo, Lund decidiu se instalar no interior de Minas Gerais. Mas não queria ficar muito perto de Claussen, com quem nutriu uma relação ambígua. Achava o colega insuportável, mas julgou estratégico não tê-lo como inimigo, conforme contam os historiadores Birgitte Holten e Michael Sterll na biografia *Peter Lund e as grutas com ossos em Lagoa Santa*.[5] Lund achava Claussen pouco rigoroso nas escavações e inescrupuloso. O colega tinha se apropriado de fósseis destinados a Lund, e alegou que também era responsável por achados que o naturalista tinha feito sozinho. Por tudo isso, ele preferiu ficar a uma distância segura de Claussen, e se radicou em Lagoa Santa, onde também havia cavernas com ossos.

Comprou do padre local a melhor casa da cidade, um grande sobrado com quintal à beira da lagoa que dava para a praça da igreja. Dinheiro não era uma preocupação para Lund, que era herdeiro de um comerciante bem-sucedido de Copenhague. Ele financiou com recursos próprios suas viagens em lombo de burro pelo interior do Brasil e as escavações das grutas (também recebeu recursos da Coroa para coletar espécimes de animais brasileiros para o Museu de História Natural da Dinamarca). Lund foi bem acolhido pela população de Lagoa Santa e morou ali por mais de quatro décadas. Ficou amigo do vigário, patrocinou uma banda de música, virou médico e conselheiro dos moradores.

O naturalista montou em sua casa uma reserva tropical particular onde encontrou paz e inspiração. Plantou árvores frutíferas e orquídeas e criava preguiças, tatus e outros animais no vasto quintal onde ficavam também as casas de seus empregados e aquelas que abrigavam suas coleções de fósseis e materiais encontrados nas cavernas. Era ali que ele preferia passar o tempo, especialmente no caramanchão onde ia escrever ao ar livre.

O calendário de trabalho era ditado pelas estações do ano: Lund escavava no inverno, durante os meses de seca, e no verão, quando se concentravam as chuvas, trabalhava em casa organizando as coleções e analisando o material. A escavação nas cavernas era feita à luz de tochas e velas por uma equipe de auxiliares comandados por ele. O naturalista visitou mais de oitocentas delas entre 1835 e 1844, e coletou fósseis de mais de 12 mil indivíduos pertencentes a 149 espécies animais. Descreveu ao todo 32 espécies de bichos extintos, incluindo o dentes-de-sabre, que ainda é conhecido pelo nome científico com que foi batizado pelo dinamarquês: *Smilodon populator*. É considerado o pioneiro de pelo menos três disciplinas no continente americano: a arqueologia, que estuda os grupos humanos do passado a partir dos vestígios deixados por eles; a paleontologia, que se interessa pelas formas extintas de vida; e a espeleologia, que investiga as cavernas.

Lund colocou Lagoa Santa no mapa da arqueologia mundial. Em nenhuma outra localidade do continente americano foram encontrados tantos esqueletos humanos antigos. Seguindo os passos do dinamarquês, várias gerações de arqueólogos continuaram exumando remanescentes humanos nos sítios da região nas décadas seguintes — o mais famoso deles é Luzia, encontrada nos anos 1970. Escavações arqueológicas até hoje acontecem na região de Lagoa Santa, que continua a trazer pistas valiosas para retraçar a história humana nas Américas.

A geologia ajuda a explicar por que tantos achados arqueológicos importantes foram feitos nos sítios daquela região. Ali ocorre uma formação que os especialistas chamam de carste, um tipo de relevo caracterizado por rochas calcárias formadas a partir da dissolução da pedra pela água ao longo do tempo. O carste de Lagoa Santa — que abrange também parte dos municípios de Pedro Leopoldo, Matozinhos, Prudente de Morais, Vespasiano, Funilândia e Confins — é fruto da sedimentação de um mar que havia no interior do Brasil por volta de 600 milhões de anos atrás, muito antes das datas que nos interessam para reconstituir a história da ocupação do continente pelos humanos.

A paisagem do carste é marcada por paredões calcários íngremes com as bordas recortadas pelos processos de dissolução mineral através dos tempos, como se fossem edifícios rochosos em ruínas, conforme a imagem usada pelo bioantropólogo Walter Neves e pelo geomorfólogo Luís Beethoven Piló no livro *O povo de Luzia*.[6] No sopé desses paredões é possível encontrar lagoas temporárias que drenam a água das chuvas para galerias subterrâneas no interior dos maciços. A água acidulada que penetra as rochas vai aos poucos dissolvendo-as, abrindo fendas e dando origem, com o tempo, às cavernas calcárias características da região. Nenhuma outra região do Brasil tem tantos abrigos desse tipo.

As cavernas estão por trás da riqueza arqueológica de Lagoa Santa, pois são propícias para acumular os sedimentos formados na superfície do relevo, nos quais são encontrados os vestígios da passagem de humanos e de outros animais por aquela paisagem. Mas é improvável que as pessoas morassem no interior dos abrigos — os estudiosos acreditam que eles faziam acampamentos ao ar livre ou ao pé de paredões inclinados, e que frequentavam as cavernas com outras finalidades.

Quando Lund encontrou ossos da megafauna ao lado de fósseis humanos na gruta do Sumidouro, sua primeira reação foi rejeitar a ideia de que aquelas pessoas tinham convivido com os animais da Era do Gelo. Lund assistira a cursos de Cuvier na Europa e era um catastrofista quando chegou a Lagoa Santa. Tanto que deu um título totalmente alinhado com a teoria do francês ao tratado em que apresentou os primeiros resultados de suas escavações na região: *Olhar sobre o mundo animal do Brasil antes da última convulsão da Terra*.

Naquele momento, os naturalistas ainda não tinham encontrado provas de que a história humana no planeta fosse tão profunda. A primeira evidência convincente disso só surgiria em 1858, quando um grupo de naturalistas que examinou artefatos de pedra encontrados na caverna de Brixham, no sudoeste da Inglaterra, concluiu que eles estavam diretamente associados com fósseis de animais extintos da Era do Gelo. (Um deles era o geólogo Charles Lyell, que mostrou que o planeta Terra tinha uma história muito mais profunda do que se acreditava.)

O naturalista tinha estudado os processos de deposição dos fósseis nas cavernas e sabia que materiais de origem e idade distintas podiam estar apresentados lado a lado. Em uma monografia escrita em 1841 e publicada um ano depois, ele reconheceu que seus achados não eram suficientes para cravar que os humanos tinham convivido com os animais extintos.[7]

Lund acreditava que, caso fossem contemporâneos, os humanos não sobreviveriam ao convívio com o dentes-de-sabre e outros animais ferozes de grande porte. "[...] por que deveria o homem, que é tão fraco na disputa com animais tão formidáveis, ter escapado ao destino que acometeu numerosas vítimas muitas vezes mais fortes que ele?", questionou o naturalista numa carta dirigida ao Instituto Histórico e Geográfico Brasileiro (IHGB).[8]

No entanto, o dinamarquês começou a questionar essas ideias e se afastar do catastrofismo à medida que ia vislumbrando a antiguidade da presença humana na região, atestada pelos fósseis que não paravam de aparecer. O indício mais forte disso era o fato de os ossos humanos e de mamíferos extintos encontrados por ele estarem na mesma camada de sedimentos e apresentarem um grau similar de fossilização. O naturalista se convenceu de que eles foram contemporâneos — e que os humanos já estavam na região de Lagoa Santa no fim da Era do Gelo. Registrou assim sua nova conclusão numa carta de 1844:

> Não pode subsistir nenhuma dúvida quanto à existência do homem neste continente datar de um tempo anterior à época em que cessaram de existir as últimas espécies de animais gigantescos cujos restos abundam nas cavernas deste país, ou, em outros termos, antes dos tempos históricos.[9]

Lund foi possivelmente o primeiro estudioso a postular a presença tão antiga do *Homo sapiens* no continente. E ele estava certo: de fato havia gente em Lagoa Santa no final da Era do Gelo, e aquelas pessoas conviveram com os grandes mamíferos extintos. Lund morreu convicto disso, mas não tinha como provar sua hipótese com os métodos à disposição na época. Uma confirmação definitiva veio no século XXI, quando Walter Neves e Luís Beethoven Piló mandaram datar dezenas de fósseis da megafauna da região com o método do carbono-14. Num estudo publicado em 2003, eles mostraram que tanto preguiças-gigantes quanto dentes-de-sabre foram contemporâneos dos humanos no carste mineiro, por volta de 12,5 mil anos atrás.[10]

Neves, Piló e outros colegas conseguiram visitar as galerias da gruta do Sumidouro graças a outra seca histórica no inverno de 2002, 159 anos depois da estiagem que permitiu a entrada de Lund em 1843. Depois do dinamarquês, o único a voltar à caverna tinha sido o arqueólogo amador Hélio Diniz, nos anos 1950. "Ninguém havia mapeado a caverna e tentado compreender a estratigrafia da gruta e as escavações feitas por Lund", disse Neves numa entrevista, referindo-se ao estudo das diferentes camadas de sedimentos encontradas num sítio arqueológico. Explorando a caverna à luz dos escritos de Lund, os cientistas identificaram as galerias em que o dinamarquês tinha feito suas coletas no século XIX. "Nós lemos o relatório do Lund dentro da gruta mais de cinquenta vezes para tentar localizar cada fenômeno e cada situação que ele descreveu", contou o bioantropólogo. Admirador de Lund desde a adolescência, Neves considera esse o momento mais emocionante de sua carreira.

Piló também se emocionou ao visitar a gruta que tinha inspirado as ideias revolucionárias do dinamarquês. "Tivemos momentos de arrepiar na gruta do Sumidouro", afirmou. "Essa gruta é um marco paleoantropológico do continente americano." Lund propôs hipóteses muito ousadas para a sua época — a antiguidade do homem americano e o convívio entre ele e os mamíferos extintos —, continuou o pesquisador. "Foi incrível vivenciar o espaço que foi a base para a construção dessas hipóteses que posteriormente foram perseguidas por todos os pesquisadores que vieram trabalhar em Lagoa Santa." Especializado na evolução do carste, Piló foi um dos coordenadores de um projeto liderado por Walter Neves que escavou sítios na região de Lagoa Santa no começo dos anos 2000. Durante a pesquisa, ele se mudou para uma casa que alugou nas proximidades da gruta do Sumidouro.

Nas cartas que mandava regularmente para sua família, Peter Lund anunciou o desejo de voltar ao seu país e chegou a despachar suas coleções científicas para Copenhague — dos dezessete crânios humanos completos que coletou na gruta do Sumidouro, um único permaneceu no Brasil, um presente que o naturalista ofereceu ao IHGB (outro espécime foi dado a Peter Claussen, que o negociou com o Museu de História Natural de Londres). Apesar disso, não vendeu sua casa e nem tomou outras providências para voltar à Dinamarca. Em vez disso, foi ficando em Lagoa Santa, para contrariedade da família.

A decisão reflete o apego à vida que levava no interior mineiro, que ele sintetizou numa carta que mandou em 1849 ao amigo Johannes Reinhardt: "O que me mantém é o fruto principal da filosofia: resignação, a vista do céu tropical, de palmeiras e bananeiras, o ar e o clima do Brasil, a relação livre com a natureza, dispensa de conduzir política e 2 mil milhas de separação da Europa delirante".[11] (A distância era ainda maior do que afirmou Lund: Lagoa Santa fica a quase 10 mil quilômetros, ou pouco mais de 6 mil milhas, de Copenhague.)

Lund morreu em casa em 1880, aos 78 anos. Foi enterrado no cemitério protestante de Lagoa Santa, que ele mesmo construiu num pequeno terreno que comprou. O local funciona hoje como um parque em memória do dinamarquês no centro de Lagoa Santa, onde está um dos dois bustos em sua homenagem na cidade — o outro fica na praça central. A casa em que o naturalista morou virou uma escola que leva seu nome. O habitante ilustre de Lagoa Santa batiza também um museu, um hotel, um centro cultural, um bar e até uma farmácia.

Quem desejar ir atrás dos rastros deixados pelo dinamarquês no Brasil pode visitar também o Parque Estadual do Sumidouro, criado em 1980. Uma das trilhas oferece uma visão panorâmica da lagoa a partir de um mirante no topo do carste, logo acima da entrada da gruta do Sumidouro. Dali se desce por uma escada de madeira até a entrada pela qual Lund acessou a caverna, que hoje fica protegida por uma cerca (há ainda outro acesso à gruta, mais usado pelos pesquisadores atualmente). A caverna ainda passa a maior parte do tempo inundada, e assim estava quando estive ali em 2022. Não é possível percorrer as galerias, mas o visitante pode experimentar parte da vertigem que Lund deve ter sentido há quase dois séculos ao se esgueirar por aquela fenda para começar a escrever a história da antiguidade humana nas Américas.

2. A conquista do globo

Jebel Irhoud, província de Safi, Marrocos

A chegada às Américas é a etapa final da dispersão do *Homo sapiens* pelo globo. Quando vieram para o continente americano, os humanos já estavam espalhados pelo resto do planeta — somos a única espécie de animal terrestre que fez isso. O início dessa jornada aconteceu na África, e esse é um dos poucos pontos consensuais entre os estudiosos da nossa história evolutiva. É de lá que vêm os fósseis humanos mais antigos, e os estudos genéticos indicam que as populações atuais descendem de um mesmo grupo que saiu da África e se disseminou pelo planeta.

O leste da África subsaariana é o berço mais provável da nossa espécie. Fósseis encontrados nos anos 1960 na Etiópia foram até o início deste século os mais antigos remanescentes conhecidos do *Homo sapiens*. Eram ossos de três indivíduos achados no sítio de Omo Kibish, no sudoeste do país, nas proximidades da fronteira com o Quênia. Escavado pela equipe do paleoantropólogo Richard Leakey, dos Museus Nacionais do Quênia, o material teve sua idade estimada em 195 mil anos e ajudou a consolidar a ideia de que a origem dos humanos modernos — os *Homo sapiens* — se deu por volta de 200 mil anos atrás. (Uma nova datação dos fósseis de Omo Kibish, publicada em 2022, concluiu que eles são um pouco mais velhos: têm 233 mil anos de idade.)[1]

Em 2017, de um dia para outro, nossa espécie ficou 100 mil anos mais velha, depois que dois artigos na revista *Nature* relataram a descoberta de fósseis humanos com 315 mil anos de idade.[2] A localidade onde o material foi encontrado surpreendeu os estudiosos: o maciço de Jebel Irhoud, no Marrocos, no noroeste do continente africano, a cerca de cinquenta quilômetros do oceano Atlântico e acima de onde hoje fica o deserto do Saara — território que, centenas de milhares de anos atrás, era coberto por uma savana verdejante cortada por rios e lagos.

Um crânio humano praticamente completo foi encontrado por acaso, nos anos 1960, por um operário de uma mina de sulfato de bário que estava explorando um afloramento calcário nas montanhas de Jebel Irhoud. Depois, o sítio — uma antiga caverna cujo teto cedeu por causa da mineração — foi escavado por arqueólogos profissionais. O crânio foi datado inicialmente em cerca de 40 mil anos, e uma mandíbula de criança achada mais tarde teve a idade estimada em 160 mil anos, mas a falta de informações sobre a posição e as camadas de sedimentos em que os fósseis foram encontrados no sítio arqueológico deixava dúvidas sobre sua antiguidade.

Intrigado pela aparência primitiva dos fósseis de Jebel Irhoud, o paleoantropólogo francês Jean-Jacques Hublin, do Instituto Max Planck de Antropologia Evolutiva, em Leipzig, na Alemanha, quis retomar o trabalho no sítio. Pretendia datá-lo com técnicas mais precisas, desenvolvidas nas últimas décadas, e promover novas escavações, desta vez em condições mais controladas. O grupo encontrou vinte novas amostras de ossos humanos pertencentes a cinco indivíduos, incluindo uma mandíbula inteira e pedaços de crânio.

A retomada da pesquisa identificou também mais ferramentas de pedra lascada produzidas pelos humanos que habitaram aquela região, com uma matéria-prima que só era encontrada a dezenas de quilômetros dali. As pedras tinham sido transformadas para produzir lâminas que podiam ser usadas para arrancar couro de bichos, descarnar ossos ou retirar sua medula. Podiam ainda ser acopladas a pedaços de madeira, formando lanças capazes de abater pequenos mamíferos — no sítio foram encontrados também ossos de gazelas, então presentes naquela região, com marcas de intervenção humana.

No passado, os artefatos haviam sido esquentados em fogueiras feitas pelos humanos, talvez porque estivessem enterrados nas proximidades do fogo. Por isso, puderam ter sua idade estimada por termoluminescência, um método de datação que permite apontar quanto tempo se passou desde que um determinado material de estrutura cristalina foi exposto ao calor ou à luz do sol pela última vez. Durante o procedimento, o material analisado é aquecido, e os elétrons que estavam aprisionados na estrutura cristalina são liberados na forma de luz; ao medir a intensidade de seu brilho, os cientistas conseguem determinar a quantidade de elétrons aprisionados no material e, com isso, o tempo transcorrido desde a última exposição do objeto à luz ou ao calor.

No caso de Jebel Irhoud, esse método determinou que as ferramentas de pedra tinham sido aquecidas entre 280 mil e 350 mil anos antes, com uma média estimada em 315 mil anos. Como os fósseis foram encontrados na mesma camada de sedimentos que os artefatos, os pesquisadores consideraram que são da mesma idade. O resultado foi reforçado por uma nova datação do dente infantil encontrado nos anos 1960, que teve sua idade avaliada em cerca de 286 mil anos por um método diferente, a ressonância por spin de elétrons — que, assim como a termoluminescência, também se baseia na medição da radiação natural a que as estruturas cristalinas foram expostas. Resultados convergentes obtidos por métodos distintos, como nesse caso, costumam ser vistos pelos arqueólogos como um sinal de que a datação é confiável.

Este é um momento oportuno para uma digressão sobre datações na arqueologia. Os diferentes métodos empregados para determinar a idade de fósseis e artefatos têm limitações e imperfeições e geram resultados com alguma margem de incerteza. Nos artigos científicos, os resultados dessas datações costumam ser apresentados junto com uma estimativa de incerteza análoga à margem de erro de uma pesquisa de intenção de voto. Neste livro, as datações, na maior parte dos casos, vão aparecer sem essas margens de incerteza, em benefício da fluidez da leitura. É recomendável que essas datas sejam consideradas com um grão de sal, já que representam uma aproximação das idades reais.

De volta a Jebel Irhoud, alguns aspectos dos crânios de 315 mil anos parecem distintos daqueles vistos nos humanos contemporâneos. Os dentes são ligeiramente maiores, e a caixa craniana não é tão esférica quanto a dos *Homo sapiens* atuais — seu formato lembra mais o de uma bola de futebol americano. Apesar disso, os fósseis marroquinos têm alguns dos traços distintivos dos humanos modernos, a exemplo do rosto achatado, e não projetado para a frente, como acontece nos ancestrais do *Homo sapiens*. O grupo de Hublin fez uma comparação com fósseis humanos de diferentes idades e espécies e concluiu que o material de Jebel Irhoud podia ser atribuído ao *Homo sapiens*. "É um rosto com o qual você poderia cruzar hoje em dia", declarou Hublin numa reportagem sobre a descoberta publicada pela própria *Nature*.[3]

Mas a conclusão não foi aceita de forma unânime pelos estudiosos. Quando comentou os achados para o jornal *The Guardian*, o arqueólogo John Shea, da Universidade Stony Brook, em Nova York, se mostrou relutante em atribuir os fósseis ao *Homo sapiens*. Afirmou ainda que prefere a cautela ao avaliar alegações de muita antiguidade, como aquela. "É melhor não julgar pelo grande impacto que achados como esse provocam quando são anunciados, mas esperar alguns anos para ver se as ondas geradas pelo impacto vão alterar a linha costeira."[4]

Sete anos após a publicação dos resultados, os argumentos centrais da equipe de Hublin não haviam sido refutados, mas na arqueologia há sempre a possibilidade de que futuros achados nos levem a contar a história de outra forma.

Os parentes vivos mais próximos do *Homo sapiens* são os chimpanzés, com quem dividimos um ancestral comum que viveu por volta de 7 milhões de anos atrás. Somos os únicos sobreviventes desse galho da árvore evolutiva, que reúne os chamados hominínios, mas ele teve muitos representantes no passado. A melhor maneira de entender quem eles eram é pelo estudo dos fósseis que são prova direta de sua passagem pelo planeta. Mas a preservação de ossos e outros tecidos é uma exceção na história da vida e depende de uma conjuntura improvável de circunstâncias físicas e químicas.

O destino mais provável para o cadáver de um humano que tenha vivido e morrido em Jebel Irhoud há 300 mil anos era ser devorado e ter seus restos decompostos e reciclados no meio ambiente. Para virar fóssil, ele precisaria ser enterrado pouco depois de morrer, de preferência nas imediações de um lago ou curso d'água que favorecesse a formação de sedimentos; além disso, o solo não poderia ser ácido demais ou ter micro-organismos que degradassem os restos humanos. Nessas condições, haveria alguma possibilidade de os ossos se mineralizarem, formando um fóssil. O processo é mais frequente com dentes que com ossos, porque o esmalte é mais resistente às forças que promovem a degradação da matéria orgânica. Em casos bem mais raros, músculos, tendões, vísceras e outros tecidos moles também podem se petrificar. Seja como for, não basta que vestígios humanos sejam preservados, o que já é um evento improvável; eles só ajudarão a contar a história humana se alguém os encontrar no futuro e eles forem estudados por cientistas. Quando isso acontece, como foi o caso no Marrocos, é motivo para abrir uma garrafa de champanhe.

Na ausência de fósseis, os pesquisadores têm de se virar com outros vestígios para reconstituir a trajetória dos humanos pelo planeta, como restos de fogueiras ou instrumentos fabricados por eles. As ferramentas de pedra estão entre os achados mais frequentes nos sítios arqueológicos. Não porque fossem mais comuns ou mais importantes para os humanos, mas simplesmente porque são feitas de matéria-prima que se preserva mais facilmente com o tempo. Na verdade, é provável que os artefatos de pedra — ou líticos — fossem uma minoria na caixa de ferramentas de humanos antigos. Eles confeccionavam também instrumentos de madeira, fibras vegetais, ossos e outros materiais de mais difícil conservação.

Antes de seguirmos em frente, é importante fazer uma outra digressão para a definição de conceitos. Neste livro, tomei o partido de adotar os termos "ferramenta" e "artefato" como sinônimos para designar os instrumentos produzidos pela ação humana a partir de vários tipos de materiais. Mas os arqueólogos se dividem quanto ao uso dessas palavras. Há os que prefiram reservar "ferramenta" para designar somente os objetos que são o produto final da fabricação, ou seja, os instrumentos prontos e acabados; já "artefato" compreende também todos os resíduos gerados pela fabricação do objeto, como lascas e fragmentos de pedra. Há ainda, entre os arqueólogos brasileiros, aqueles que evitam usar o termo "ferramenta" para designar instrumentos de pedra, já que a palavra deriva de "ferro", um material que só seria usado para a fabricação de artefatos alguns milênios após a ocupação inicial das Américas.

De volta aos desafios enfrentados pelos arqueólogos, o mesmo tipo de viés encontrado no caso das ferramentas se aplica ao tipo de sítios que acabaram preservados no registro arqueológico. Os sítios em que foram encontrados vestígios de ocupação provavelmente não são representativos de todos os locais onde transcorria a vida dos humanos antigos. Conhecemos, por exemplo, uma grande quantidade de sítios em cavernas e abrigos sob rocha, mas apenas uma parte limitada do cotidiano desses grupos se desenrolava ali. Os arqueólogos têm a tarefa ingrata de reconstituir a história desses povos a partir de um registro muito incompleto e enviesado das atividades deles, como se tivessem que deduzir a paisagem de um quebra-cabeça a partir de um número restrito de peças.

As mais remotas ferramentas de pedra de que se tem notícia têm 3,3 milhões de anos e vêm do sítio de Lomekwi-3, perto da margem do lago Turkana, no Quênia — que, com isso, se tornou o mais antigo sítio arqueológico conhecido. Nas margens de outro lago — o Vitória —, no mesmo país, foram escavados objetos cuja idade pode chegar a 3 milhões de anos. Alguns deles estavam junto a ossos de hipopótamo que apresentavam marcas de cortes, um sinal de que naquele momento os homininios já usavam artefatos de pedra para processar carne e tutano de carcaças de animais.

Nunca saberemos ao certo quem foram os fabricantes das ferramentas mais antigas encontradas na África. Entre os possíveis candidatos estão os australopitecos, ancestrais do *Homo sapiens* que viveram naquele continente entre 4,2 milhões e 1,9 milhão de anos atrás. O indivíduo mais conhecido desse grupo — e talvez de toda a linhagem de ancestrais humanos — é Lucy, uma fêmea da espécie *Australopithecus afarensis* que viveu há cerca de 3,2 milhões de anos. Seu esqueleto fragmentado foi encontrado em 1974 no vale do rio Awash, na Etiópia. Lucy era bípede e podia andar em posição vertical, mas seu cérebro era pouco maior que o de um chimpanzé. Seu nome homenageia a canção "Lucy in the Sky with Diamonds", dos Beatles, lançada sete anos antes e tocada à exaustão no acampamento dos pesquisadores durante o trabalho de campo.

Outro indivíduo emblemático da linhagem evolutiva humana é o chamado "Homem de Java", que viveu por volta de 700 mil anos atrás nessa ilha da Indonésia. Foi descoberto no final do século XIX pelo paleoantropólogo holandês Eugène Dubois, em escavações nas margens do rio Solo, nas quais foram encontrados uma calota craniana, um dente molar e um fêmur. Dubois ficou intrigado com aquela criatura. Os ossos mostravam que ela andava em posição ereta e tinha um cérebro bem maior que o dos chimpanzés, mas ainda não tão grande quanto o nosso. O holandês julgou estar diante de um elo perdido entre os humanos modernos e os macacos e, por isso, batizou a espécie de *Pithecanthropus erectus*.

A hipótese de Dubois causou controvérsia tão logo foi lançada, e muitos colegas não enxergaram nos fósseis um ancestral dos humanos modernos. Hoje, a ideia de "elo perdido" é problemática, porque parece designar um processo linear de evolução, muito diferente do que mostra a história contada pelos fósseis. Essa falsa ideia de um percurso linear é cristalizada na famosa imagem do macaco que vai caminhando e se transformando até se tornar um humano moderno — uma ilustração tão conhecida quanto execrada pelos estudiosos da evolução. Seja como for, o "Homem de Java" apresentava características intermediárias entre humanos modernos e os chimpanzés, nossos parentes vivos mais próximos. Nos anos 1950, a espécie foi rebatizada como *Homo erectus*, já incluída no gênero dos humanos modernos. (O primeiro representante conhecido desse gênero é o *Homo habilis*, que surgiu por volta de 2,3 milhões de anos atrás, muito provavelmente derivado dos australopitecos.)

Os *Homo erectus* continuaram a lascar pedras de um jeito parecido com o dos australopitecos, até que, por volta de 1,6 milhão de anos atrás, introduziram uma inovação tecnológica. Eles passaram naquele momento a produzir artefatos que exigiam claramente uma concepção formal do instrumento em sua mente antes de começar a lascar a pedra. Passaram a fazer talhadores e machados de mão que serviam para finalidades múltiplas.

Se os australopitecos ainda tinham uma aparência algo simiesca, os *Homo erectus* já lembram mais os humanos modernos, com o rosto um pouco mais retraído. Foram provavelmente os primeiros a dominar o fogo, uma inovação tecnológica crucial na história humana. Além de lhes fornecer luz e calor, o domínio do fogo foi fundamental porque permitiu aos humanos cozinharem seus alimentos, o que representou um meio mais rápido e eficaz de consumo de nutrientes. Essa teria sido a inovação que permitiu o grande desenvolvimento do cérebro humano, uma hipótese que o antropólogo britânico Richard Wrangham propôs em 1999 e que foi reforçada por estudos conduzidos pela neurocientista brasileira Suzana Herculano-Houzel no início deste século.

Os *Homo erectus* surgiram na África e se espalharam por outras partes do planeta. Cinco crânios, com idade estimada em 1,8 milhão de anos, foram atribuídos à espécie depois de serem encontrados em Dmanisi, na Geórgia, e descritos em 2013. Eram então os mais antigos vestígios de humanos fora da África, mas achados mais recentes mostraram que os *Homo erectus* não foram os primeiros da linhagem humana a ganhar o mundo.

Em 2018, foi revelada a descoberta de um conjunto de ferramentas encontrado no platô Loess, na China, com data estimada em 2,12 milhões de anos — anterior, portanto, ao surgimento do *Homo erectus*. Os artefatos são possivelmente obra do *Homo habilis*. A data da dispersão dos ancestrais do *Homo sapiens* para fora da África pode ser ainda mais antiga, a julgar pela análise do material escavado no vale do rio Zarqa, na Jordânia, feita por um grupo que incluiu os brasileiros Walter Neves e Astolfo Araujo, da

Universidade de São Paulo (USP). Num estudo de 2019, os cientistas concluíram que as ferramentas ali encontradas têm até 2,48 milhões de anos, o que confirma que havia hominínios na Ásia bem antes do surgimento do *Homo erectus*.[5]

Se chegaram à China e a Java, os *Homo erectus* não poderiam ter esticado o caminho até a Sibéria e, dali, atravessado a Beríngia para adentrar o continente americano? Hoje a ideia não é levada a sério pelos estudiosos da ocupação das Américas, pois faltam evidências convincentes da presença do *Homo erectus* na região. Mas, no século passado, a hipótese foi levantada por cientistas como a arqueóloga brasileira Maria Beltrão, pesquisadora aposentada do Museu Nacional, da Universidade Federal do Rio de Janeiro (UFRJ).

A ideia surgiu de escavações feitas nos anos 1980 e 1990 na Toca da Esperança, que faz parte de um sistema de três grutas inseridas num conjunto de centenas de sítios arqueológicos em Central, na Chapada Diamantina. Beltrão encontrou ali supostos artefatos de quartzo e quartzito, restos de fogueira e ossos de animais, alguns dos quais lhe pareceram ter marcas provocadas pela ação humana. O material estava numa camada de sedimentos que, pelo método de termoluminescência, teve a data estimada em pelo menos 300 mil anos. Se a brasileira estivesse correta, aquele seria o sítio arqueológico mais antigo das Américas. Beltrão atribuiu os achados ao *Homo erectus* e argumentou que seria perfeitamente possível que esse hominínio tivesse atravessado várias vezes o estreito de Bering.[6]

A alegação ousada nunca foi respaldada por outras evidências e raramente é citada nos trabalhos acadêmicos que examinam as diferentes hipóteses sobre o povoamento do continente. Foi, porém, lembrada — e refutada — no livro que Tom Dillehay publicou sobre o tema em 2000, *The Settlement of the Americas* [A ocupação das Américas].[7] Para o autor norte-americano, os artefatos de quartzito escavados por Beltrão são rochas que ocorrem naturalmente naquela área, e os ossos mais antigos provavelmente foram parar nas cavernas por causa de inundações, tendo mais tarde se misturado com material muito mais recente.

A dispersão do *Homo sapiens* pelo globo ainda é uma história em construção. A forma como ela é contada pode mudar à medida que novos achados vêm a público. Em geral, as descobertas que recuam muito no tempo a presença humana em uma determinada região são recebidas com alguma resistência, a exemplo do que se vê com a ocupação das Américas.

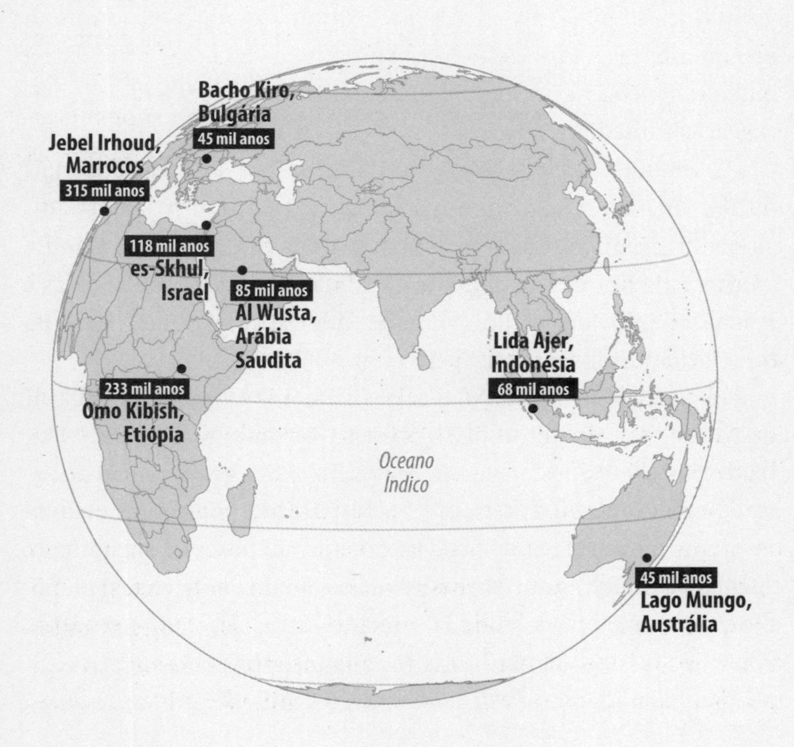

Até recentemente, os fósseis de *Homo sapiens* mais antigos encontrados fora da África vinham de duas cavernas em Israel, em es-Skhul, junto ao monte Carmelo, e Qafzeh, perto de Nazaré, com datações que chegavam, respectivamente, a 120 mil e 115 mil anos atrás. Contudo, evidências mais recentes indicam que os humanos modernos podem ter se aventurado fora da África dezenas de milhares de anos antes disso.

As novas evidências vêm da caverna Misliya, que também fica numa encosta do monte Carmelo, em Israel. Ali foi encontrada, em 2002, metade de um maxilar superior humano com dentição bem preservada, da raiz do primeiro incisivo ao terceiro molar. Datações feitas com três métodos distintos em laboratórios independentes apontam que o fóssil tem entre 177 mil e 194 mil anos de idade, conforme relata o grupo de Israel Hershkovitz em artigo publicado em 2018 na *Science*.[8] Foram encontradas também ferramentas de pedra lascada com a chamada técnica Levallois, na qual um bloco de pedra é preparado para dar origem a uma ou várias lascas afiadas.

O estudo concluiu que os humanos saíram da África há mais de 200 mil anos, o que implicaria um recuo substantivo para o início da dispersão humana pelo planeta. A conclusão ainda não foi confirmada por outros achados de idade similar na região, mas é respaldada por um estudo genético que estimou a data da saída do continente africano em pelo menos 220 mil anos.[9]

A partir do Oriente Médio, os primeiros *Homo sapiens* a sair da África parecem ter tomado primeiro o rumo do leste e se espalhado pelas latitudes baixas da Ásia. Uma falange humana encontrada no sítio de Al Wusta, na Arábia Saudita, indica que eles estavam na península arábica há 85 mil anos. É possível que tenham chegado à ilha de Sumatra, na Indonésia, vizinha à Malásia, no Sudeste Asiático, por volta de 70 mil anos atrás. Isso é o que indica a datação de dois dentes humanos encontrados na caverna de Lida Ajer, cuja idade foi estimada entre 63 mil e 73 mil anos atrás, de acordo com dois métodos diferentes. Embora a atribuição dos fósseis ao *Homo sapiens* não seja discutível, o trabalho tem uma fragilidade: os fósseis foram encontrados no fim do século XIX por Eugène Dubois — o mesmo que descobriu o *Homo erectus* em Java. A idade do material foi determinada de forma indireta, com base na datação das camadas de sedimentos do sítio arqueológico. O problema é que só sabemos em qual camada os dentes estavam pelas anotações do caderno de campo de Dubois, o que acrescenta uma margem considerável de incerteza à conclusão.

Há ainda alegações da presença antiga de humanos modernos no sudeste da China, na caverna Fuyan. Foram encontrados ali 47 dentes humanos com data estimada entre 80 mil e 120 mil anos. No artigo que descreve os achados, publicado em 2015 na *Nature*, o grupo de Wu Liu apresentou os vestígios como "os humanos modernos inequivocamente mais antigos no sul da China".[10] Mas alguns colegas relutaram em concordar com o advérbio e alegaram que não é possível afirmar com certeza que os dentes estavam de fato na camada de sedimentos que foi datada.

A data de ocupação da Austrália pelo *Homo sapiens* também é motivo de impasse. Ferramentas encontradas no abrigo rochoso de Madjedbebe, na costa norte da ilha, podem ter 65 mil anos de idade, conforme alegou o grupo liderado por Chris Clarkson num artigo de 2017 publicado na *Nature*.[11] Mas críticos apontaram inconsistências nas datações e afirmaram que os artefatos poderiam ter se deslocado entre as camadas de sedimentos, indo parar em níveis mais antigos do que a idade de sua fabricação. Além disso, o resultado não é corroborado pelos estudos genéticos — se havia humanos na Austrália há 65 mil anos, eles não deixaram descendentes entre os aborígenes de hoje.

A idade mais aceita para a chegada do *Homo sapiens* à Austrália se situa entre 40 mil e 49 mil anos atrás, conforme atestam datações feitas por mais de um método em vários sítios pelo continente. O fóssil mais antigo da região é um esqueleto com 42 mil anos de idade escavado em 1974 no sudeste da Austrália às margens do lago Mungo, que hoje está seco. Para chegar até a Oceania, era preciso fazer uma travessia marítima de algumas dezenas ou centenas de quilômetros, mesmo com o nível do mar mais baixo — o que indica que os *Homo sapiens* talvez já conseguissem naquele momento construir barcos capazes de levá-los até ali.

Se essas estimativas estiverem corretas, a colonização da Austrália aconteceu ao mesmo tempo que o *Homo sapiens* ocupava a Europa. Nesse continente, os fósseis mais antigos diretamente datados vêm da caverna Bacho Kiro, na Bulgária, e foram escavados pela equipe de Jean-Jacques Hublin — o mesmo que esteve à frente das pesquisas em Jebel Irhoud, no Marrocos. Num artigo publicado em 2020, o grupo apresentou um dente e fragmentos de ossos que foram datados em 45 mil anos e atribuídos ao *Homo sapiens*.[12] Mas um estudo publicado em 2022 pôde recuar a chegada ao continente europeu em quase 10 mil anos: um dente molar de uma criança e artefatos de confecção humana foram encontrados na gruta Mandrin, no sudeste da França, numa camada de sedimentos com idade estimada em 54 mil anos.[13]

Na casa de 40 mil anos atrás, os humanos modernos já estavam também no oeste da Sibéria, como mostra um pedaço de fêmur encontrado às margens do rio Irtysh, perto do acampamento de Ust'-Ishim. O local fica no coração da Ásia, a cerca de quatrocentos quilômetros da atual fronteira entre a Rússia e o Cazaquistão, e a mais de 5 mil quilômetros do estreito de Bering.

Alguns pesquisadores notaram que, na mesma época em que se aventuraram por cantos desconhecidos do planeta, os humanos passavam por uma grande transformação tecnológica. Depois de dezenas de milhares de anos produzindo um repertório limitado de artefatos, eles começaram a fabricar dezenas de ferramentas diferentes, com predomínio de lâminas. Deram início, também, à feitura de instrumentos com ossos, chifres ou presas de animais. Surgem naquele momento vestígios de acampamentos humanos com uma divisão estruturada de espaços para habitação e para processar e armazenar alimentos. Os caçadores-coletores estavam vivendo em grupos maiores e cooperando uns com os outros, criando redes de troca de matéria-prima que se estendiam por centenas de quilômetros.

Inovações como essas foram constatadas em sítios arqueológicos na Europa e no oeste da Ásia por volta de 45 mil anos atrás, e depois no sul e leste asiáticos, na Austrália e na África. Para alguns estudiosos, as transformações eram parte de uma mudança comportamental maior que estava em curso, que eles chamaram de Explosão Criativa ou Revolução do Paleolítico Superior. Foi esse o momento em que emergiu a espiritualidade humana, como sugerem os sepultamentos elaborados dos mortos, que aparecem no registro arqueológico e que apontam para algum tipo de elaboração sobre a vida após a morte.

É também quando a dimensão simbólica passa a existir para os *Homo sapiens*, com as primeiras manifestações estéticas e artísticas. Os humanos passam a representar o mundo à sua volta e a si próprios. Começam a se enfeitar com contas e pingentes feitos de conchas, dentes ou marfim, e se põem a fazer pinturas e esculturas. Uma das estatuetas mais antigas que conhecemos representa um humano com cabeça de leão esculpido com marfim de uma presa de mamute. A peça foi encontrada numa caverna alemã e teve sua idade estimada entre 35 mil e 40 mil anos de idade.

A estátua não é muito mais velha que as pinturas rupestres da caverna de Chauvet, no sul da França, feitas provavelmente entre 30 mil e 32 mil anos atrás — que, em 1994, quando foram descobertas, constituíram a mais antiga expressão figurativa de que se tinha notícia. As paredes da caverna estão tomadas por pontos vermelhos, marcas de mãos humanas e outros grafismos, com destaque para centenas de pinturas representando ursos, leões, hienas, rinocerontes e outros animais, num total de treze espécies identificadas. As pinturas de Chauvet impressionam pela beleza e pelo dinamismo dos traços; alguns desenhos parecem saltar da parede. Porém, mais do que isso, elas assombram porque fornecem uma janela inédita para a alma dos humanos que fizeram aquelas obras, para seus sonhos e temores. É possível seguir os rastros de um indivíduo específico que viveu há mais de 30 mil anos, como no caso do homem que tinha o dedo mindinho quebrado e que deixou impressões da palma de sua mão em várias paredes da caverna, conforme notou o cineasta alemão Werner Herzog no documentário que fez sobre Chauvet, *A caverna dos sonhos esquecidos*, de 2010.

Desde Chauvet, outros achados recuaram ainda mais a emergência da arte rupestre. As representações figurativas mais antigas conhecidas hoje vêm de Sulawesi, uma ilha da Indonésia a meio caminho entre a Ásia continental e a Austrália. A mais velha dessas pinturas representa um porco de pernas curtas e barriga enorme, possivelmente um ancestral de uma espécie que hoje em dia só é encontrada naquela região, o *Sus celebensis*. Datada com o método do urânio radioativo, ela teve a idade mínima estimada em 45,5 mil anos. Da mesma ilha vem também a pintura de uma cena de caça com idade mínima de 43,9 mil anos, na qual vários humanos confrontam porcos selvagens e uma espécie de búfalo anão.

A emergência da representação e da espiritualidade poderia ser um reflexo do começo do uso da linguagem articulada, uma hipótese engenhosa, mas difícil de provar. Não se sabe ao certo quais fatores podem ter estimulado as mudanças comportamentais e tecnológicas observadas no registro arqueológico a partir de 45 mil anos atrás. O biólogo Richard Klein propôs, no fim dos anos 1990, que uma mutação no cérebro que favoreceu o domínio da linguagem poderia explicar essas mudanças, mas a hipótese não tem lastro nos estudos do DNA antigo e é vista com reticência por estudiosos da evolução humana.

E há também pesquisadores que questionam a própria ideia de uma mudança profunda e abrupta de comportamento dos *Homo sapiens* e preferem enxergar uma transição muito mais sutil e gradual nos hábitos humanos, incompatível com os conceitos de "revolução" ou "explosão". Num artigo publicado em 2000 no *Journal of Human Evolution*, Sally McBrearty e Alison Brooks defendem que os principais padrões que caracterizaram a suposta explosão criativa na Europa — nos planos tecnológico e comportamental — apareceram antes em vários pontos da África. Para as autoras, a ideia de uma revolução "deriva de um profundo viés eurocêntrico e de uma incapacidade de apreciar a profundidade e a vastidão do registro arqueológico africano".[14]

Revolucionária ou não, ao que tudo indica, a cultura dos humanos modernos que ocuparam a Europa teve efeitos nefastos para os neandertais, outra espécie de hominínios que vivia naquele continente e que foi extinta pouco depois da chegada dos *Homo sapiens*. Os *Homo neanderthalensis* surgiram provavelmente na própria Europa, a partir do *Homo heidelbergensis* — uma espécie de origem africana que se aventurou por outros continentes (acredita-se que os *Homo sapiens* sejam derivados de populações de *H. heidelbergensis* que ficaram na África).

O neandertal mais antigo que se conhece foi encontrado na Sima de los Huesos, no norte da Espanha, e viveu há cerca de 400 mil anos. A espécie se espalhou pela Europa e pelo sudeste da Ásia e se extinguiu por volta de 40 mil anos atrás. Na Europa, os neandertais chegaram a conviver com os *Homo sapiens* por pelo menos alguns milênios, o suficiente para haver significativas trocas culturais e genéticas entre ambas as espécies.

Não se sabe quais eram as circunstâncias desses encontros entre humanos modernos e neandertais. Tampouco é possível dizer qual foi o papel da competição entre espécies na extinção destes últimos — fatores como mudanças climáticas e doenças também podem ter contribuído para seu fim. Seja como for, com o desaparecimento dos neandertais, o *Homo sapiens* se tornou o único hominínio do planeta, o que configura um fato inédito na história evolutiva do grupo.

Os humanos modernos foram contemporâneos também de uma espécie que viveu até por volta de 50 mil anos atrás na ilha de Flores, na Indonésia, no sudeste da Ásia. Trata-se do *Homo floresiensis*, descrito a partir de um esqueleto exumado em 2003. Pelo tamanho diminuto desse e de outros indivíduos também encontrados na ilha, que mal passavam de 1 metro de altura, foram apelidados de hobbits, em alusão aos personagens criados pelo escritor J. R. R. Tolkien. A existência da espécie foi questionada por alguns arqueólogos, para quem os fósseis pertenciam a *Homo sapiens* com microcefalia e outras doenças congênitas. Não há evidências de que os hobbits tenham convivido com os humanos modernos, mas esse encontro poderia estar por trás da sua extinção.

Em 2010, a família ganhou outro integrante, com a inclusão dos denisovanos, uma espécie batizada em homenagem à caverna Denisova, nas montanhas de Altai, no sul da Rússia, perto da fronteira com a Mongólia e com o Cazaquistão. Ali foi encontrada uma falange humana numa camada com idade entre 30 mil e 48 mil anos de idade. Era um pedaço de osso miúdo, pouco maior que um caroço de cereja, conforme a descrição do geneticista alemão Johannes Krause.[15] Os cientistas não sabiam dizer se aquela era a falange de um neandertal ou de um *Homo sapiens*. Só depois de analisarem o DNA do fóssil eles perceberam que se tratava de uma terceira espécie, desconhecida até então. Aquele ancestral dos humanos modernos foi descoberto de forma atípica — no laboratório, e não num sítio arqueológico —, conforme notou Krause, o responsável pela extração do DNA.[16]

O mais recente integrante dos hominínios foi apresentado em 2021, quando um grupo de pesquisadores estudou um crânio que tinha aparecido em 1933 na cidade de Harbin, no nordeste da China, e depois passou décadas escondido. O fóssil tinha cerca de 146 mil anos de idade e combinava traços modernos e primitivos, notaram cientistas liderados pelo paleoantropólogo Xijun Ni, da Universidade de Hebei GEO e da Academia Chinesa de Ciências. O grupo propôs que se tratava de uma nova espécie, o *Homo longi*, ou homem-dragão, que seria mais próxima do *Homo sapiens* que dos neandertais. Mas poderia se tratar também de um denisovano — nesse caso, seria o primeiro crânio conhecido dessa espécie.[17]

As descobertas recentes reforçam que a história humana no planeta foi marcada pela diversidade de espécies e que a existência solitária do *Homo sapiens* é atípica. A norma até então era a convivência de várias espécies de humanos. O *Homo erectus*, que existiu durante centenas de milhares de anos, conviveu com o *Australopithecus sediba*, com o *Homo habilis* e com o *H. heidelbergensis*, além dos próprios humanos modernos. "O mistério é o que fez dos humanos modernos um grupo tão bem-sucedido, a ponto de vir substituindo não só os neandertais, mas tudo", afirmou Jean-Jacques Hublin à revista *The New Yorker* em 2011. "Não temos muitas evidências de que os neandertais ou outros humanos arcaicos tenham levado à extinção de alguma espécie de mamífero ou outro bicho. No caso dos humanos modernos, há centenas de exemplos, e trata-se de algo que fazemos muito bem."[18]

Essa espécie bem-sucedida foi a que se espalhou por todo o planeta e alcançou recantos que ainda não haviam sido visitados por outros humanos. Os *Homo sapiens* foram os primeiros a avançar para as altas latitudes no norte da Ásia e chegar ao Círculo Polar Ártico. Por volta de 32 mil anos atrás, eles já estavam no extremo nordeste da Sibéria, na antessala das Américas.

3. Na antessala das Américas

Yana RHS, Sibéria, Rússia

Em 1993, um homem encontrou no vale do Yana — um rio que cruza a Sibéria rumo ao norte, até desaguar no mar de Laptev — a haste de uma lança construída com o chifre de um rinoceronte lanoso, um grande mamífero que habitou a região no passado e se extinguiu há mais de 15 mil anos. Anos depois, o homem guiou uma equipe de pesquisadores até o local e eles começaram a explorar um conjunto de sítios arqueológicos batizado de Yana RHS, as iniciais em inglês de "sítio do chifre de rinoceronte". A localidade fica a cerca de cem quilômetros da foz do rio, a uma latitude de mais de setenta graus ao norte, acima do Círculo Polar Ártico.

O sítio foi escavado em 2001 e 2002 pelo grupo de Vladimir Pitulko, do Instituto de História da Cultura Material, vinculado à Academia Russa de Ciências. A equipe encontrou uma grande quantidade de vestígios de uma ocupação humana no local datados de mais de 30 mil anos, incluindo ferramentas feitas de pedra e osso, esculturas e objetos de uso simbólico. E tudo isso num ambiente inóspito, onde não se suspeitava que houvesse humanos num tempo tão remoto — aquele achado duplicou as estimativas anteriores da antiguidade humana na região ártica.

O extremo nordeste da Sibéria é uma das regiões mais hostis do planeta, onde o inverno é uma noite longa e gelada que se estende por meses. Em Yana RHS, a temperatura em janeiro gira em torno de 38 graus negativos, ao passo que a média anual é de catorze graus abaixo de zero. Isso nos dias de hoje; há 30 mil anos, em plena Era do Gelo, o frio era ainda mais intenso.

Yana RHS fica a 2200 quilômetros do atual estreito de Bering e, há 30 mil anos, estava nas proximidades da provável rota de entrada para as Américas. A ponte de terra que ligava a Sibéria ao Alasca emergiu pela última vez por volta de 36 mil anos atrás, após ter ficado submersa nos 10 mil anos anteriores. A Beríngia era uma planície vasta e árida que chegou a ter mil quilômetros de norte a sul, quando o nível do mar estava baixo. Havia ali poucas árvores e uma vegetação rasteira, típica de tundra e estepe, que servia de alimento para grandes mamíferos herbívoros que habitavam a região — renas, bisões, cavalos, antílopes e bois-almiscarados, além dos mamutes e rinocerontes; carnívoros, como lobos, ursos e leões, também rondavam a paisagem.

Os artefatos encontrados em Yana mostram que os humanos que ocuparam o sítio caçavam e se alimentavam desses herbívoros, principalmente os bisões, além de aproveitar seu couro e ossos para outras finalidades. Os fabricantes daquelas ferramentas e estatuetas decerto faziam agasalhos pesados com a lã dos grandes mamíferos que abatiam — em Yana foram encontradas agulhas de tamanhos variados feitas de osso, além de estojos para guardá-las, que formavam um kit de costura paleolítico. (Também há evidências do uso de agulhas na mesma época no sudeste da China e ao sul de Moscou.)

As agulhas são apenas parte da coleção de artefatos escavada pelos arqueólogos russos. Eles encontraram mais hastes de lança feitas do marfim de mamutes ou do chifre de rinocerontes. As hastes serviam provavelmente para fazer a junção entre o corpo da lança e a ponta de pedra usada para matar a presa. A tecnologia lembra a que seria adotada milhares de anos depois pelo povo de Clovis, embora não haja grande semelhança na indústria lítica dos dois grupos. Tampouco há parentesco com os artefatos encontrados em outros sítios mais recentes na Sibéria, onde predominavam as microlâminas.

Mais impressionantes que as ferramentas talvez sejam os artefatos que trazem os mais antigos testemunhos de um tipo elaborado de atividade simbólica na região ártica. Os humanos que habitaram Yana faziam contas de osso e marfim, pingentes com dentes perfurados de vários animais, diademas e pulseiras que talvez ornassem seus braços e cabeças. Fabricaram ainda estatuetas de chifre e marfim representando mamutes, bisões e uma cabeça de cavalo, além de recipientes ornamentados com inscrições humanas — uma delas tinha figuras antropomórficas e grafismos variados. As manifestações simbólicas sugerem a existência de cultos xamânicos entre os primeiros habitantes conhecidos da Sibéria, conforme afirmou Pitulko ao apresentar no congresso de Santa Fé os resultados das escavações em Yana.[1]

A idade do sítio foi estimada a partir de métodos de datação independentes aplicados a objetos como a mandíbula de um cavalo que estava associada com lascas de pedra e o pedaço da haste feita de chifre de rinoceronte. Os resultados mostraram que o sítio Yana RHS estava ocupado havia cerca de 32 mil anos, conforme o grupo anunciou num artigo publicado em 2004 na revista *Science*.[2] As estimativas foram confirmadas posteriormente por um conjunto de dezenas de datações feitas por carbono-14, que mostraram que o sítio foi ocupado por pelo menos 2 mil anos antes de ser abandonado.

A datação por carbono-14 é um método desenvolvido em 1949 pelo químico norte-americano Willard Libby que revolucionou a arqueologia. Por convenção, desde então o ano de 1950 é usado como referência para a determinação de datas "antes do presente". A descoberta valeu a Libby um Nobel onze anos depois. "Raras vezes uma descoberta na química teve tanto impacto no pensamento de tantos campos da investigação humana", alegou um dos cientistas que propôs a candidatura do norte-americano ao prêmio.[3]

O carbono-14 é um isótopo raro do carbono, criado quando raios cósmicos bombardeiam a parte superior da atmosfera e arrancam um próton dos átomos de nitrogênio-14 (isótopos são átomos que pertencem a um mesmo elemento químico, mas têm um número de nêutrons diferente em seu núcleo. No caso do carbono, os isótopos existentes na natureza são ^{12}C, ^{13}C e ^{14}C). Os átomos do isótopo acabam se combinando com o oxigênio da atmosfera e formam moléculas de gás carbônico que, por sua vez, são absorvidas pelas plantas na respiração e entram na cadeia alimentar depois que estas são ingeridas por algum animal. Com o tempo, o carbono-14 tende a se transformar novamente em nitrogênio-14, e esse decaimento ocorre num ritmo previsível: a cada 5730 anos, metade dos átomos de carbono-14 de uma dada amostra passa por esse processo. Depois que um organismo morre, ele para de absorver novos átomos de carbono-14 da atmosfera, e os átomos desse isótopo presentes em seus remanescentes começam a decair conforme essa taxa: quanto mais tempo tiver transcorrido depois de sua morte, menor será a proporção de carbono-14 em relação aos demais isótopos. Com base nessa premissa, Libby notou que, se medisse a proporção de átomos de carbono-14 num fóssil, seria possível calcular quanto tempo se passou desde a morte daquela planta ou animal. (O princípio é o mesmo adotado por outros métodos de datação à base de elementos radioativos, como o que mede a taxa com que o urânio encontrado numa amostra decai e se transforma em tório.)

O nome técnico do método de carbono-14 é datação por radiocarbono, já que mede o decaimento de um isótopo radioativo de carbono. Mas essa técnica tem algumas limitações. Ela é indicada principalmente para a datação de materiais orgânicos, ou seja, que têm átomos de carbono em sua composição — o que não é o caso das ferramentas de pedra. E há um limite temporal para o qual as datações são confiáveis. Esse limite era da ordem de 50 mil anos até os anos 1980, mas aumentou depois que a datação passou a ser feita com aceleradores de espectrometria de massa. Essa técnica permitiu fazer a contagem direta dos átomos de carbono-14, com amostras de apenas alguns miligramas de material orgânico, o que reduziu drasticamente o tempo da análise e a margem de erro do resultado. A maioria das datas com que trabalham os estudiosos do povoamento das Américas cai dentro do limite de datação confiável por carbono-14, e, por isso, esse é um dos métodos preferidos pelos especialistas.

É preciso estar atento, porém, quando lidamos com datas obtidas por carbono-14. O resultado da análise não indica exatamente a idade real da amostra, uma vez que a proporção de carbono-14 variou na atmosfera e nos oceanos ao longo do tempo — em função, por exemplo, de mudanças no campo magnético da Terra que afetaram a quantidade de raios cósmicos que atingiram o planeta. Os resultados precisam ser calibrados para levar em conta essas variações. Alguns estudiosos preferem trabalhar com os dados brutos para evitar as distorções que podem surgir na calibragem, alegando que havia flutuações importantes na proporção de carbono-14 na atmosfera ao fim da Era do Gelo. Neste livro, optei por usar as datas calibradas, mais próximas das reais, mesmo sabendo da incerteza envolvida no processo.*

* Usei preferencialmente datas já calibradas pelos autores citados ao longo do texto. Nos casos em que não havia calibragem disponível, fiz a operação usando a ferramenta on-line *OxCal 4.4*. Disponível em: <https://c14.arch.ox.ac.uk/oxcal/OxCal.html>. Acesso em: 5 abr. 2023.

Quando os fabricantes de agulhas e estátuas ocuparam Yana RHS, o planeta estava atravessando a última Era do Gelo, como são chamados os períodos glaciais pelos quais a Terra passa periodicamente. Essas glaciações são causadas por pequenas oscilações na órbita e no eixo da Terra que fazem a radiação solar que incide sobre o planeta aumentar ou diminuir. Nos períodos glaciais, as temperaturas caem e o gelo avança sobre as terras das latitudes mais frias. Em seu último avanço, as geleiras cobriram cerca de um quarto da superfície do planeta, principalmente no hemisfério Norte (na América do Sul, só houve avanço das geleiras na Patagônia e nos Andes, em altitudes acima de 5 mil metros).

Em contrapartida, houve um expressivo recuo do nível do mar, já que parte da água evaporada dos oceanos ficava bloqueada na forma de gelo sobre os continentes. O nível do mar ficou até 130 metros abaixo do atual; há uma estimativa de que as geleiras mobilizaram até 3% do volume total do oceano. Com as terras que ficaram emersas por causa da descida do mar, o continente americano ficou até 445 mil quilômetros quadrados maior do que seu contorno atual, ganhando uma área do tamanho da Suécia.

As geleiras eram distribuídas de forma irregular. Elas não chegaram a cobrir o vale do rio Yana ou a Beríngia, que permaneceram áreas transitáveis, apesar do frio e das condições climáticas pouco amistosas da Era do Gelo. Ao leste da Beríngia, porém, uma espessa manta de gelo ocupou metade da América do Norte, chegando a três quilômetros de altura em alguns trechos. Tratava-se não de um, mas de dois grandes glaciares que se encontraram e formaram um único bloco de gelo que impediu o trânsito de humanos e de outros animais por milhares de anos. Do lado ocidental estava a geleira Cordilheiriana, que cobria o litoral e a série de cordilheiras que acompanham a linha da costa da América do Norte; no leste, havia a geleira Laurentidiana, que cobriu boa parte do atual território canadense, os Grandes Lagos e um pedaço do norte dos Estados Unidos.

Os estudiosos da história do planeta chamam de Pleistoceno a época geológica que compreende a mais recente sequência de ciclos glaciais. Ela teve início há cerca de 2,6 milhões de anos e se estendeu até 11,7 mil anos atrás. A mais recente dessas glaciações começou há 115 mil anos e durou até o fim do Pleistoceno — é esse o período que estamos chamando aqui de Era do Gelo. Seu auge se deu entre 26 mil e 19 mil anos atrás, durante o período conhecido como Último Máximo Glacial ou simplesmente UMG, quando a temperatura média do planeta estava cinco graus abaixo da atual. Um ponto que divide os estudiosos consiste em determinar se o continente foi ocupado antes ou depois desse período. Espalhados pelo continente há vários achados arqueológicos antigos que, se validados, implicariam um povoamento anterior ao UMG; nenhum deles, porém, é consensualmente aceito.

Seja antes ou depois desse marco, foi no apagar das luzes do Pleistoceno que o *Homo sapiens* se alastrou pelo planeta e chegou às Américas. O fim dessa época geológica foi determinado pela entrada no período interglacial que vivemos atualmente. As geleiras recuaram — hoje estão concentradas principalmente na Antártica, na Groenlândia e nas montanhas de grandes altitudes. O mar subiu, inundando os sítios onde os humanos estabeleceram suas primeiras ocupações costeiras naquele continente. Teve início então o Holoceno, uma época geológica marcada por um clima bem mais ameno, tanto que foi definido pelo cientista britânico William James Burroughs como "o fim do reino do caos".[4] Mas a chegada dessa nova época geológica significou também o fim da linha para a maior parte dos grandes mamíferos que povoaram o planeta na Era do Gelo — a chamada megafauna. Junto com o clima, mudaram a vegetação e a distribuição dos recursos de que se alimentavam esses animais. O mundo que emergiu desse processo era mais propício para animais menores, que se adaptaram melhor aos novos ambientes. As condições mais amistosas favoreceram também a domesticação de plantas e animais e a disseminação da agricultura, o que fez muitos grupos humanos planeta afora deixarem de viver como caçadores e coletores.

Oficialmente, o Holoceno ainda é a época em que vivemos, mas muitos cientistas defendem que entramos numa era caracterizada pelo impacto das atividades humanas sobre o sistema planetário: o Antropoceno. A ideia é que nossa presença na Terra está deixando rastros até então inéditos no registro geológico: plástico a perder de vista, ossadas dos animais criados para abate, vestígios químicos da agricultura industrial e de explosões nucleares. O reconhecimento formal de que vivemos no Antropoceno depende da deliberação de um grupo de trabalho vinculado à União Internacional de Ciências Geológicas. Em julho de 2023, o grupo propôs que o marco inicial da nova época seria o começo dos anos 1950. Seja qual for a decisão do comitê, que deve ser formalizada em 2024, a assinatura humana no planeta vai permanecer identificável por milênios.

Não há vestígios da presença humana no leste da Sibéria ou no Alasca durante o Último Máximo Glacial; em Yana, os sinais de ocupação desaparecem depois de 30 mil anos atrás. O registro arqueológico sugere que as populações que habitavam as latitudes mais altas do leste da Ásia recuaram para o sul para se refugiar do frio extremo. Se naquele momento grupos de caçadores-coletores já tivessem tomado o rumo do leste e atravessado a Beríngia, decerto teriam sido igualmente empurrados para o sul, sem saber que avançavam rumo a terras nunca antes exploradas por outros humanos.

Caso tenham feito a travessia da Beríngia nas imediações do Último Máximo Glacial, depararam com o caminho bloqueado pela imensa camada de gelo formada pelo encontro das geleiras Cordilheiriana e Laurentidiana, unidas desde o início do UMG. A barreira física para o acesso às Américas pelo interior do conti-

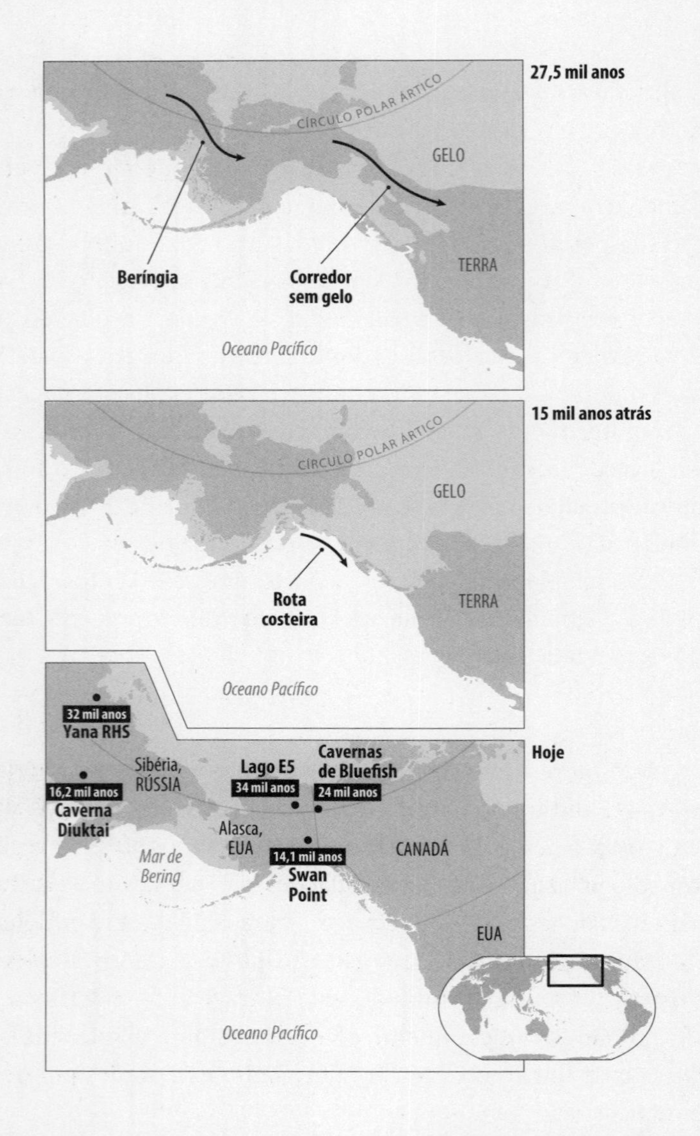

nente permaneceu ali pelo menos até por volta de 15 mil anos atrás, quando as geleiras começaram a recuar e abriu-se um corredor livre de gelo que permitiria o trânsito de humanos e de outros animais. Um estudo de 2022 fez a datação mais precisa desse evento e calculou que a abertura do corredor se deu há 13,8 mil anos.[5] No entanto, o registro fóssil e as análises ambientais mostraram que só por volta de 12,6 mil anos atrás o corredor estava povoado por bisões e outros animais, que permitiriam o sustento de humanos que estivessem por ali.

Diante de cada vez mais indícios seguros da presença humana ao sul das geleiras antes dessa data, a maioria dos estudiosos trabalha hoje com a hipótese de uma colonização costeira pelo litoral do Pacífico, caminho que restava aos primeiros visitantes do continente diante da imensidão de gelo. As condições não eram propriamente amigáveis, mas avançar pelo litoral talvez estivesse ao alcance dos humanos naquele momento. A ideia de uma migração costeira foi apresentada inicialmente pelo arqueólogo canadense Knut Fladmark, num artigo publicado em 1979, e desenvolvida nas décadas seguintes por outros colegas.[6]

Uma versão mais recente da hipótese da migração costeira foi formulada em 2007 por um grupo liderado pelo arqueólogo Jon Erlandson, da Universidade do Oregon, e ficou conhecida por alguns como a "rodovia de kelp".[7] Kelp é o nome que designa as macroalgas que ocorrem no litoral das regiões frias, formando verdadeiras florestas submarinas. Erlandson e seus colegas propuseram que, ao final da Era do Gelo, a costa do nordeste da Ásia e o litoral pacífico da América do Norte estavam tomados por grandes extensões dessas florestas de algas, que estavam na base de ecossistemas marinhos ricos que poderiam servir de sustento para as populações que estivessem de passagem por ali.

Pesquisadores supõem que havia, em ilhas ou na costa, refúgios livres de gelo que serviriam de base para humanos à medida que se deslocavam rumo ao sul, a bordo de embarcações. Num estudo que examinou a viabilidade da migração naquele ambiente, o grupo da geocronologista Alia Lesnek, então na Universidade de Buffalo, concluiu que uma rota costeira viável e livre de gelo se abriu por volta de 16 mil anos atrás, com o recuo da geleira Cordilheiriana.[8] Os humanos podem ainda ter descido o litoral a pé, alimentando-se de focas e peixes e empregando pequenas embarcações para transpor rios e outros obstáculos.

A navegação era conhecida por ao menos alguns grupos humanos desde dezenas de milhares de anos antes, como sugere a ocupação da Austrália. Mas não há vestígios conhecidos das embarcações que possam ter servido para o deslocamento dos primeiros povos que chegaram às Américas. A evidência mais antiga que se tem do uso de barcos no continente é indireta: trata-se de fósseis humanos achados numa ilha que estava a oito quilômetros do litoral. Os dois fêmures encontrados no sítio de Arlington Springs, no sul da Califórnia, tiveram a idade estimada em 12,8 mil anos.

As evidências dessa possível ocupação costeira das Américas estão decerto submersas, sob a pressão de cem metros ou mais de coluna de água. Com o início do Holoceno, a maior parte das geleiras do planeta derreteu e, como consequência, o nível do mar subiu rapidamente, num ritmo que chegou a algumas dezenas de metros em poucos séculos. No Pacífico, a linha de costa existente no final da Era do Gelo está cinquenta quilômetros além do limite atual do litoral; no Atlântico, a distância é de pelo menos cem quilômetros (a diferença se explica pelas variações no tamanho e na inclinação da plataforma continental nos dois lados do continente).

Será possível estudar ao menos uma parte desses sítios submersos? Alguns estudos têm feito avanços nessa direção usando veículos submarinos de operação remota e instrumentos variados de coleta. Um resultado surpreendente de um projeto de arqueologia submarina foi a recuperação de uma ferramenta de pedra incrustada com cracas, encontrada a 53 metros de profundidade na baía Werner, na costa oeste do Canadá. O artefato surgiu em meio a lama e restos orgânicos dragados do fundo do mar num local onde ficava o delta de um rio inundado no início do Holoceno. Trata-se de uma lâmina triangular de dez centímetros de comprimento e menos de um centímetro de espessura, feita de basalto negro. Ela foi encontrada em meio a sedimentos cuja idade foi estimada em 10 mil anos, mas não é possível cravar que a ferramenta estava de fato naquela camada, conforme reconhecem os autores do estudo publicado em 2000 na revista *Geology*.[9]

Alguns estudiosos do povoamento das Américas acreditam que há evidências em águas profundas, fora de nosso alcance, e depositam esperanças nos avanços da arqueologia subaquática. Essa especialidade vem aprimorando métodos para identificar, mapear e investigar sítios em áreas submersas, mas os achados mais relevantes ainda são esparsos e pontuais.

Depois do Último Máximo Glacial, as evidências mais antigas da presença humana em torno da Beríngia vêm da caverna Diuktai, no vale do rio Aldan, no leste da Sibéria, a cerca de 2700 quilômetros do estreito de Bering. Ali foram achados milhares de artefatos que permitiram caracterizar uma tradição de indústria lítica encontrada depois em outros sítios no mesmo vale. A presença de microlâminas de pedra retiradas de núcleos cuidadosamente esculpidos é uma das características marcantes dessa indústria. A ocupação mais antiga desse sítio descoberto em 1967 foi datada entre 17 mil e 15,5 mil anos atrás.

Já no Alasca, do outro lado da Beríngia, a evidência mais antiga de ocupação humana veio do sítio de Swan Point, no vale do rio Tanana, com 14,1 mil anos. A semelhança entre as microlâminas ali encontradas e as da tradição Diuktai, fabricadas com a mesma tecnologia, chamou a atenção dos arqueólogos e levou alguns deles a enxergar uma continuidade entre as duas ocupações.

Houve, é verdade, alegações de presença humana ainda mais antiga nas imediações do Alasca. Em 2015, a arqueóloga Lauriane Bourgeon, então na Universidade de Montreal, no Canadá, analisou marcas feitas em ossos de vários animais encontrados na caverna de Bluefish II, no Yukon, no noroeste do Canadá. A pesquisadora concluiu que era provável que as marcas deixadas em ossos de dois animais ungulados — possivelmente renas ou carneiros--selvagens — tivessem sido deixadas por humanos. Após uma nova análise e datação do material feita com outros dois colegas, em 2017, Bourgeon concluiu que a caverna tinha sido ocupada havia 24 mil anos.[10]

A ocupação daquele território pode ter sido ainda mais antiga, a julgar pelos resultados apresentados pelo paleoecólogo Richard Vachula, da Universidade Brown, nos Estados Unidos. Seu grupo analisou sedimentos escavados no lago E5, no norte do Alasca, e ali identificou marcadores bioquímicos que só são encontrados em fezes humanas. Para os pesquisadores, esses indícios eram prova de que aquele local estava ocupado por volta de 34 mil anos atrás, conforme defenderam num artigo de 2020 na revista *Boreas*.[11] Contudo, as evidências vindas tanto do lago E5 quanto das cavernas de Bluefish eram indiretas e foram recebidas com reticência pelos estudiosos do povoamento. Para eles, o sítio mais antigo do Alasca continua sendo Swan Point, com datas bem mais recentes.

Essa não é a única questão deixada em aberto pelo registro arqueológico da Beríngia. Não sabemos interpretar o hiato de milhares de anos entre a ocupação humana de Yana RHS e as da caverna Diuktai e Swan Point. Ele pode significar que os humanos não estavam na região quando o frio apertou e que só atravessaram a passagem terrestre para as Américas depois do Último Máximo Glacial. Mas também pode ser porque simplesmente não encontramos os vestígios de ocupações intermediárias que permitiriam retraçar de forma mais completa a rota dos primeiros americanos. É possível que não estejamos procurando nos lugares certos ou que esses sítios não tenham sido preservados, já que as primeiras ocupações eram feitas por grupos pequenos e pouco densos. De toda forma, os especialistas apostam que a genética trará pistas para preencher as lacunas do registro arqueológico na reconstituição dos passos dos primeiros americanos.

4. A revolução do DNA antigo

Mal'ta, Sibéria, Rússia

Um menino siberiano que morreu com três ou quatro anos de idade no auge da Era do Gelo mudou a forma como enxergamos os ancestrais dos primeiros americanos. A criança foi enterrada com um diadema de marfim, um colar de contas e um pingente em forma de pássaro, junto com ferramentas e um punhado de ocre. O sepultamento foi encontrado no sítio de Mal'ta, no sul da Sibéria, a cerca de cem quilômetros do lago Baikal e não muito distante de onde hoje fica a fronteira entre a Rússia e a Mongólia.

O sítio foi descoberto em 1928, à margem do rio Belaya, pelo arqueólogo russo Mikhail Gerasimov. Em escavações que se estenderam por três décadas, sua equipe encontrou ali objetos extraordinários, com destaque para trinta estatuetas de marfim representando figuras femininas que ficaram conhecidas como as Vênus de Mal'ta. Esculturas do mesmo tipo eram relativamente comuns na Europa e no oeste da Ásia, mas nunca haviam sido encontradas naquela região. A idade de ocupação de Mal'ta só foi conhecida décadas depois, com a invenção da datação por carbono-14. A análise mostrou que o sepultamento do menino tinha acontecido havia cerca de 24 mil anos, o que mostra que havia gente na Sibéria durante o Último Máximo Glacial.

Quando Gerasimov exumou o menino de Mal'ta, os cientistas ainda não sabiam que a herança genética dos seres vivos é transmitida através da molécula de DNA. Isso só foi demonstrado na década de 1940 pelos geneticistas Oswald Avery, Colin MacLeod e Maclyn McCarty. Os mecanismos celulares da transmissão hereditária ficaram mais claros em 1953, quando a estrutura do DNA foi apresentada num artigo na revista *Nature*.[1] A molécula de DNA tem a forma de uma dupla-hélice, com uma sequência de quatro tipos de bases nitrogenadas: adenina (A), timina (T), citosina (C) e guanina (G). Elas carregam as instruções para a produção das proteínas que dão forma a toda matéria viva.

A partir dos anos 1970, os cientistas desenvolveram métodos para sequenciar o genoma de um organismo, ou seja, determinar a ordem em que as bases A, T, C e G se sucedem. Começaram a sequenciar genes de organismos vivos, mas no fim dos anos 1980 conseguiram extrair o DNA preservado em fósseis de indivíduos mortos milhares de anos antes que não estavam completamente mineralizados. A novidade deu origem a uma nova disciplina — a arqueogenética —, mas ela só deslanchou duas décadas depois, com o desenvolvimento de uma nova geração de sequenciadores que aprimorou e popularizou essa tecnologia.

Um dos protagonistas dos estudos do DNA antigo é o geneticista dinamarquês Eske Willerslev, que dirige o Centro de Geogenética da Universidade de Copenhague e é pesquisador do Museu de História Natural da Dinamarca — o mesmo que abriga o material coletado por Peter Lund em Lagoa Santa. Seu grupo foi o primeiro a publicar o sequenciamento completo de um genoma antigo de *Homo sapiens*. O estudo saiu em 2010, na revista *Nature*, num momento em que apenas oito humanos contemporâneos haviam tido seu genoma todo sequenciado.[2] O DNA foi extraído de um fio de cabelo de 4 mil anos encontrado numa camada de solo congelado na Groenlândia. O material estava em excelente estado de conservação, a ponto de os geneticistas afirmarem que aquele homem tinha olhos castanhos e propensão à calvície.

Mas esse não foi o resultado mais surpreendente. O genoma do indivíduo revelou aos pesquisadores indícios de um movimento populacional que não havia deixado vestígios no registro arqueológico: a Groenlândia parecia ter sido ocupada cerca de 5,5 mil anos atrás por um grupo, vindo da Sibéria, que não tem parentesco com os indígenas americanos ou com os atuais inuítes da região ártica. Já em seus primórdios, o DNA antigo mostrou que seria uma ferramenta valiosa para reconstituir migrações humanas antigas.

Em 2009, Willerslev decidiu tentar tirar DNA do menino enterrado em Mal'ta, em busca de pistas sobre o povoamento das Américas. O garoto tinha vivido na Sibéria, de onde vieram os humanos que primeiro puseram os pés no continente. A julgar pela idade, talvez fosse parente dos grupos que cruzaram a Beríngia para ocupar o continente americano. Willerslev visitou o Museu Hermitage, em São Petersburgo, onde os remanescentes do menino e outros vestígios escavados em Mal'ta estavam guardados, e levou amostras para analisar em Copenhague.

Os resultados do sequenciamento foram publicados no fim de 2013 na revista *Nature* e trouxeram novidades inesperadas sobre a ocupação das Américas.[3] Por um lado, o estudo reforçou a hipótese de que os primeiros americanos vieram da Ásia, ratificando a conclusão de estudos genéticos anteriores, mas também a hipótese de José de Acosta, que já havia sido provada por outras linhas de evidência. Parte do genoma do menino de Mal'ta só é encontrada atualmente no DNA dos povos nativos das Américas do Norte e do Sul, e em nenhum outro canto do mundo. Mas os resultados mostraram também que essa história é um tanto mais complicada do que se acreditava.

O pequeno siberiano da Era do Gelo tinha em seu DNA sequências que hoje só são encontradas em populações que vivem na Europa ou no oeste da Ásia; além disso, o menino não tinha marcadores genéticos típicos dos povos que vivem atualmente na Sibéria e no leste asiático. O resultado era tão inesperado que a princípio foi atribuído por Willerslev à contaminação da amostra por DNA europeu contemporâneo. Por pouco a pesquisa não foi interrompida naquele momento.

O padrão encontrado no genoma do menino de Mal'ta não quer dizer que os povos que tinham aqueles marcadores genéticos viviam na Europa ou no oeste da Ásia há 24 mil anos; outros estudos mostraram que esses genes só chegaram à Europa há 4,8 mil anos. Por isso, o geneticista alemão Johannes Krause afirmou que a chegada de portugueses e espanhóis às Américas no fim do século XV significou o reencontro dos europeus com parentes distantes.[4]

Os resultados tampouco eram um sinal de que os habitantes daquela região tinham as feições caucasianas dos povos que hoje vivem ali. O mais provável é que o aspecto físico dos ancestrais do menino fosse mais genérico e tenha dado origem, por diferentes caminhos adaptativos, tanto aos europeus quanto aos asiáticos de hoje. Para explicar o resultado, Willerslev propôs que grupos vindos da Europa ou do oeste da Ásia migraram para a Sibéria e, ali, miscigenaram com populações vindas do leste da Ásia. Os primeiros americanos seriam descendentes desse cruzamento, que teria acontecido pouco depois do período em que viveu o menino de Mal'ta.

Mas é preciso prudência com as conclusões tiradas da análise do genoma de um único indivíduo. Futuras amostras de DNA recuperadas de fósseis da mesma região poderão pôr essa hipótese à prova. De todo modo, o genoma do menino de Mal'ta parecia corroborar uma tendência mostrada por outros estudos do

DNA antigo: as populações atuais são fruto de misturas profundas de grupos humanos através dos tempos e trazem inscrita em suas células a herança de povos que já não existem de forma isolada. Além disso, os genomas antigos têm mostrado uma mobilidade das populações muito maior do que se imaginava.

Além das moléculas de DNA presentes nos cromossomos que ficam abrigados no núcleo de cada célula, os animais e outros organismos vivos carregam também material genético presente dentro das mitocôndrias, organelas localizadas no citoplasma e que são responsáveis pela respiração celular. Quando um óvulo é fecundado por um espermatozoide, é o gameta feminino que cede as mitocôndrias para a célula do embrião resultante. Assim, o DNA mitocondrial — ou mtDNA — é passado exclusivamente da mãe para seus descendentes.

Essa característica torna o mtDNA uma ferramenta apropriada para retraçar a ancestralidade de uma população pela linhagem materna. Uma pessoa qualquer tem a mesma sequência de mtDNA de sua mãe, que por sua vez é a mesma de sua avó, e de sua bisavó, e assim sucessivamente. Isso em teoria: na prática, o mtDNA acaba sofrendo alterações aleatórias com o passar do tempo. Só que essas mutações acontecem com alguma regularidade, e os cientistas conseguem estimar o ritmo com que elas se acumulam. Com isso, eles acertam o chamado relógio molecular: comparando as diferenças no perfil genético de populações distintas, é possível dizer há quanto tempo esses dois grupos se separaram e há quanto tempo viveu sua ancestral comum.

O potencial dessa ferramenta para contar a história humana foi demonstrado num artigo da *Nature* publicado em 1987 por um grupo de geneticistas da Universidade da Califórnia, em Berkeley.[5] Rebecca Cann, Mark Stoneking e Allan Wilson fizeram ali uma análise comparada do mtDNA de 147 mulheres de várias regiões do planeta. As mitocôndrias confirmaram, primeiramente, a história que os fósseis contam: está na África a origem dos humanos contemporâneos. Além disso, os autores usaram o relógio molecular para calcular há quanto tempo isso aconteceu. Aplicando uma taxa de mutação de 2% a 4% a cada milhão de anos, eles estimaram que o ancestral comum de todos os tipos de mtDNA observados hoje remonta a um momento entre 140 mil e 280 mil anos atrás, e que o grupo que deu origem à diversidade genética atual saiu da África entre 90 mil e 180 mil anos atrás. A imprensa apelidou a ancestral comum de todos os humanos vivos de "Eva mitocondrial", levando alguns cientistas a torcerem o nariz.

Apesar do grande apelo popular, o termo sugere a figura de uma fundadora pioneira da espécie, o que não é exatamente o caso. Seria mais apropriado pensar na Eva mitocondrial como a mulher que, dentre tantas contemporâneas de seu grupo na África, foi aquela cujo mtDNA foi transmitido adiante e sobreviveu até hoje — é deles que deriva toda a diversidade observada hoje.

Se o DNA mitocondrial ajuda a reconstituir a história das linhagens maternas, o equivalente para as linhagens paternas é o cromossomo Y, que é transmitido do pai para os filhos homens, em sua maior parte sem qualquer recombinação. Ele também tem seu próprio relógio molecular que ajuda a mapear as misturas e migrações de grupos humanos antigos. Tanto num caso como no outro, o que se tenta fazer é buscar no DNA das populações atuais os rastros moleculares de sua ancestralidade.

Tudo mudou de patamar quando passou a ser possível olhar diretamente para os genes dos povos ancestrais preservados nos fósseis, como no caso do menino de Mal'ta. O geneticista brasileiro Thomaz Pinotti gosta de evocar o jogo de xadrez para ilustrar a diferença entre estudar DNA antigo e moderno. Reconstituir o processo de ocupação a partir dos genes dos povos indígenas atuais é como contar a história de uma partida olhando para a posição final das peças. O tabuleiro mostra como o jogo terminou, mas não diz muito sobre como cada peça se movimentou ao longo da partida. "Com o DNA antigo, conseguimos vislumbrar momentos passados do jogo e enxergar onde estavam as peças nas rodadas anteriores", disse Pinotti.

O DNA antigo revelou aos cientistas migrações e cruzamentos entre populações antigas que não tinham ficado gravados no registro arqueológico, ou que ainda não foram descobertos. A arqueogenética deu mais resolução à história humana e virou uma ferramenta indispensável para reconstituir a passagem do *Homo sapiens* pelo planeta.

O nome principal no desenvolvimento das técnicas para estudar o DNA antigo é o do geneticista sueco Svante Pääbo, do Instituto Max Planck de Antropologia Evolutiva, em Leipzig, na Alemanha. Filho de um ganhador do Nobel de Fisiologia ou Medicina — o bioquímico Sune Bergström —, Pääbo também levou o prêmio, em 2022, por suas contribuições para a arqueogenética, um campo que ele inventou praticamente sozinho. Fascinado pelo Egito antigo desde que a mãe o levou, ainda criança, para conhecer as pirâmides, o sueco decidiu que iria tentar extrair DNA de uma múmia. Obteve uma amostra de uma criança sepultada há mais de 2 mil anos, cedida pelo Museu Egípcio de Berlim Oriental, e passou a analisá-la no tempo que sobrava do doutorado pela Universidade de Uppsala, no qual estudava adenovírus. E deu certo, ao menos aparentemente: Pääbo conseguiu identificar e clonar moléculas de DNA, conforme relatou num artigo de 1985 na *Nature*, o primeiro de dezenas que publicaria na revista britânica.[6]

Pääbo se especializou no estudo do genoma de espécies extintas de humanos (em contraste com Eske Willerslev, que estuda o DNA antigo dos *Homo sapiens*). Seu feito mais notável talvez seja o sequenciamento do genoma dos neandertais, que mostrou que a espécie procriou com humanos modernos e, mesmo extinta, deixou sua marca nos genes das populações contemporâneas — com exceção dos indivíduos descendentes das populações que não saíram da África, cada ser humano tem até 4% de seu genoma de origem neandertal. O sueco já estudou o DNA de dezenas de indivíduos, incluindo denisovanos e um *Homo heidelbergensis* que viveu há 400 mil anos onde hoje fica a Espanha — trata-se do humano mais antigo a ter o material genético sequenciado.*

Hoje sabemos que os resultados dos estudos pioneiros feitos por Pääbo devem estar errados. As sequências de DNA que ele isolou e clonou no estudo de 1985 provavelmente não vinham da múmia egípcia, mas sim de algum indivíduo contemporâneo — talvez dele próprio ou de algum técnico que tenha manuseado a amostra. Só na primeira década deste século foi possível desenvolver protocolos confiáveis para distinguir o DNA antigo do moderno, contornando o problema da contaminação, que é o que mais tira o sono dos arqueogeneticistas.

Os sequenciadores de nova geração tornaram possível a obtenção de dados em volume o suficiente para a execução desses protocolos. Além disso, eles baratearam o custo para se fazer a leitura de um genoma e tornaram a técnica acessível a um maior número de grupos de pesquisa. Estava configurada a "revolução do DNA antigo", nas palavras do geneticista norte-americano David Reich, um colaborador de Pääbo que criou um laboratório de arqueogenética na Universidade Harvard, nos Estados Unidos. O impacto dessa revolução para a arqueologia seria maior que o da datação por carbono-14, defendeu Reich no livro *Who We Are and How We Got Here* [Quem somos e como chegamos aqui], de 2018.

* A arqueogenética se limita aos estudos dos genes do *Homo sapiens*; numa acepção rigorosa do termo, os estudos de Pääbo se enquadram na paleogenética, que investiga o genoma de outras espécies.

Para o autor, o DNA antigo abriu nossos olhos para um universo insuspeito, assim como o microscópio que o holandês Anton van Leeuwenhoek usou no século XVII para fazer observações pioneiras de células, bactérias e protozoários.[7]

Ainda que tenham deixado muitas lacunas na história das migrações humanas, os estudos genéticos permitiram sedimentar convicções firmes nas últimas décadas. A origem asiática dos primeiros americanos é uma delas. A história que os genes contaram inicialmente é a de que os povos nativos atuais tinham parentesco com uma população que vivia na Sibéria nas imediações do Último Máximo Glacial e que, ao que parecia, não tinham outras fontes de ancestralidade. Isso é o que mostrava a distribuição dos haplogrupos dos povos nativos americanos — esse é o nome dado pelos biólogos às grandes categorias em que é possível classificar os indivíduos de acordo com sua linhagem genética. Os principais haplogrupos de DNA mitocondrial e do cromossomo Y encontrados nas Américas aparecem também no leste da Ásia, mas não em outros continentes.

O geneticista brasileiro Fabrício Rodrigues dos Santos, da Universidade Federal de Minas Gerais (UFMG), liderou em 1999 um estudo sobre o cromossomo Y que concluiu que as linhagens paternas dos povos indígenas americanos contemporâneos têm origem provavelmente no centro da Sibéria. O trabalho foi feito com colaboração de colegas dos Estados Unidos, Rússia e Austrália, e saiu no *American Journal of Human Genetics*.[8]

O grupo de asiáticos que povoou as Américas nasceu do cruzamento de populações do leste da Ásia e do norte da Sibéria, cada uma delas com sua história genealógica única, como mostrou o menino de Mal'ta. "Os filhos do encontro desses dois povos são aqueles que chamamos de nativos americanos em termos genéticos", disse Eske Willerslev numa entrevista de 2020 ao podcast *Tides of History*.[9] Se resta pouca dúvida disso, há mais incerteza quanto à data em que esse cruzamento teria acontecido. As evidências disponíveis apontam que a mistura de genes entre esses dois grupos humanos se deu entre 23 mil e 20 mil anos atrás, em pleno Último Máximo Glacial — e que, portanto, só depois disso os ancestrais dos povos indígenas contemporâneos povoaram as Américas.

Os genes mostram ainda que, no auge da Era do Gelo, o grupo surgido desse cruzamento — os ancestrais dos primeiros americanos — se isolou, em seguida, das demais populações asiáticas e parou de trocar genes com elas. As condições climáticas hostis certamente contribuíram para isolar essa população. Arqueólogos e geneticistas supõem que isso deve ter acontecido na Beríngia, na porta de entrada para as Américas. Ali fazia muito frio, mas os estudos paleoambientais mostram que as terras não estavam tomadas por geleiras; pelo contrário, eram cobertas pela tundra e habitadas por grandes mamíferos que podiam servir de sustento a grupos humanos.

Na origem dessa hipótese está um estudo de dois geneticistas brasileiros, Sandro Bonatto e Francisco Salzano, ambos da UFRGS. Num artigo publicado em 1997 na revista da Academia Nacional de Ciências dos Estados Unidos, conhecida pela sigla *PNAS*, eles analisaram o DNA mitocondrial de centenas de indivíduos e concluíram que os ancestrais dos primeiros americanos se instalaram e se diversificaram na Beríngia antes de ocuparem as Américas.[10] A ideia foi aprimorada num estudo de 2007 conduzido pela geneticista Erika Tamm, da Universidade de Tartu, na Estônia, que consolidou a hipótese de uma pausa ou parada na Beríngia antes de uma rápida conquista do continente.[11]

Outros estudos deram mais força a esse modelo, incluindo um trabalho conduzido por Thomaz Pinotti e publicado em 2019 na revista *Current Biology*. O artigo relata os resultados de sua pesquisa de mestrado em genética pela UFMG, orientado por Fabrício Rodrigues dos Santos. Pinotti e seus colegas analisaram as linhagens de cromossomo Y que deram origem à diversidade genética atual dos povos indígenas americanos.[12]

"A história que o cromossomo Y conta é de uma expansão populacional explosiva nas Américas", disse Pinotti. "Um grupo pequeno de homens entrou no continente e foi extremamente bem-sucedido, assim como seus filhos." É claro que também havia mulheres no grupo, igualmente bem-sucedidas, mas o estudo do cromossomo Y só permite tirar conclusões sobre a linhagem paterna dos primeiros americanos. A expansão explosiva é um sinal de que o grupo que estava isolado dos demais povos asiáticos havia enfim chegado às Américas. Isso é exatamente o que se observaria depois que uma população humana chegasse a um território novo, despovoado e com recursos abundantes.

A arqueologia pode ajudar a diminuir as incertezas em torno do cenário traçado pelos estudos genéticos. Não se sabe ao certo, por exemplo, quanto tempo teria durado o isolamento na Beríngia. O estudo de Erika Tamm de 2007 falava num período de até 15 mil anos de isolamento na Beríngia, mas trabalhos posteriores sugerem que a parada foi bem mais curta. O trabalho conduzido por Pinotti estimou que o isolamento deve ter durado no máximo 4,6 mil anos, e que os ancestrais dos povos indígenas atuais entraram nas Américas em algum momento depois de 19,5 mil anos atrás.

Mesmo no cenário de uma pausa mais curta na Beríngia, estamos falando de um intervalo de alguns milênios. Cada vez mais estudos genéticos indicavam que a Beríngia não foi um mero ponto de passagem dos primeiros americanos, conforme alguns modelos de ocupação sugeriam, mas uma terra onde seus ancestrais se instalaram e viveram por gerações, protegendo-se talvez do clima hostil, como notou a geneticista norte-americana Jennifer Raff no livro *Origin: A Genetic History of the Americas* [Origem: A história genética das Américas].[13]

Para Raff, a velocidade de dispersão dos primeiros americanos revelada pelos genes é mais um argumento a favor da hipótese de povoamento pela rota costeira do Pacífico. Ela notou que o corredor livre de gelo que se abriu no interior da América do Norte — o caminho originalmente proposto para a entrada no continente — deveria estar repleto de lagos, pântanos, lama, pedras e detritos trazidos pela água abundante que brotava das geleiras derretendo. "Não dava para ir rápido por ali", disse a autora numa entrevista em 2022 ao podcast *Tales from Aztlantis*. "Isso está em desacordo com o que vemos nos dados genéticos, que é uma diversificação rápida, sinal de uma população se movimentando com velocidade", continuou Raff, que é professora da Universidade do Kansas.[14]

Uma evidência curiosa que deu força à hipótese do isolamento na Beríngia veio da análise do DNA de cães encontrados em sítios arqueológicos na Sibéria, nas Américas e em outras localidades. O grupo da geneticista Angela Perri, da Universidade de Durham, no Reino Unido, analisou a distribuição do DNA mitocondrial canino e notou que os cachorros encontrados em sítios arqueológicos das Américas descendiam de animais siberianos, o que sugeria que tinham sido trazidos pelos primeiros americanos. Perri e seus colegas mostraram que havia uma correlação próxima entre o movimento e as divergências das linhagens humanas e caninas, e concluíram que os cães foram domesticados na Sibéria há cerca de 23 mil anos. Fazia sentido: no clima severo do Último Máximo Glacial, lobos e humanos acabaram isolados nos mesmos refúgios, já que buscavam presas parecidas. O convívio estreito entre as espécies pode ter levado a uma mudança na relação entre elas que culminou com a domesticação dos cães, conforme propuseram os autores em 2021 num artigo na revista *PNAS*.[15]

Outro ponto central da hipótese do isolamento na Beríngia e que a arqueologia pode ajudar confirmar é se ele de fato aconteceu naquele local. E isso por um motivo simples: os dados dos estudos genéticos permitem apontar quando duas populações se misturaram ou se separaram, mas nada conseguem dizer sobre onde elas estavam naquele momento. Por isso, a descoberta de novos sítios na Sibéria ou no Alasca pode dar novos contornos a essa história. A maior parte da Beríngia, no entanto, onde estão os possíveis sítios arqueológicos capazes de nos ajudar a contar essa história, está submersa nas águas do estreito de Bering.

Com a popularização da tecnologia de sequenciamento genético, os estudos de populações contemporâneas passaram a levar em conta os dados dos 46 cromossomos humanos, mais abrangentes que aqueles obtidos nos estudos que miram apenas o DNA mitocondrial ou o cromossomo Y. Foi justamente um estudo de mutações pontuais espalhadas por todo o genoma que pareceu ter resolvido o enigma sobre o número de migrações envolvidas no povoamento das Américas. Conduzido por David Reich, o estudo foi publicado na *Nature* em 2012 e teve entre os autores Francisco Salzano, Tábita Hünemeier e Maria Cátira Bortolini, todos da UFRGS.[16]

Após analisar a distribuição das variações no genoma de indivíduos pertencentes a dezenas de populações diferentes da Ásia, das Américas e de outros continentes, o grupo concluiu que a maior parte dos povos nativos americanos descende de um grupo que cruzou a Beríngia e entrou no continente americano mais de 15 mil anos atrás. Mas essa não teria sido a única migração que deixou rastros no perfil genético das populações do continente. Outras duas levas de populações geneticamente distintas vieram da Sibéria. Uma delas trouxe os ancestrais dos atuais inuítes e aleútes, que habitam um arquipélago na ponta do Alasca; na outra, chegaram os falantes das línguas na-dene, hoje representados por pequenos grupos no nordeste da América do Norte e no sudoeste dos Estados Unidos, incluindo os apaches e os navajos.

Os resultados pareciam sólidos, já que corroboravam conclusões obtidas a partir de linhas de evidência totalmente diferentes. Uma delas eram os padrões de dentição usados para estabelecer relações de parentesco entre diferentes populações, a partir de características como a forma e o tamanho dos dentes ou o número de raízes. Nos anos 1980, o bioantropólogo norte-americano Christy Turner, da Universidade Estadual do Arizona, analisou mais de 200 mil dentes de pelo menos 9 mil indivíduos e concluiu que os povos nativos americanos podem ser divididos em três famílias que correspondem grosso modo aos três grupos de ancestralidade distinta identificados no estudo conduzido por Reich.[17]

Outra linha de evidência que apontava essas mesmas três ondas de migração vinha da linguística, de um estudo feito nos anos 1980 pelo norte-americano Joseph Greenberg. O linguista desenvolveu um método de classificação comparada dos idiomas baseado na semelhança entre um determinado grupo de palavras — um conjunto com algumas centenas de termos. No livro *Language in the Americas*, de 1987, ele propôs agrupar as línguas indígenas americanas em três grandes famílias: o ameríndio, que reúne a grande maioria dos idiomas espalhados pelo continente; o inuíte aleúte, com idiomas falados na região ártica da Sibéria até a Groenlândia; e as línguas na-dene.[18] Eram, em linhas gerais, os mesmos três grupos a que se havia chegado na classificação de acordo com a genética ou com os padrões de dentição. A convergência de evidências foi apontada em 1986, num artigo assinado por Greenberg, Turner e pelo geneticista Stephen Zegura, e reforçado pelos resultados de Reich mais de duas décadas depois.[19]

Do tripé que sustentava aquele modelo de ocupação das Américas — genética, bioantropologia e linguística —, esta última era a que se apoiava numa base mais frágil. O modelo de Greenberg permitia enxergar semelhanças sugestivas entre alguns idiomas, mas era incapaz de demonstrar relações históricas entre eles. O método tinha uma série de furos e inconsistências, e aos poucos sedimentou-se entre os linguistas a convicção de que ele estava equivocado. A fim de chamar a atenção para os problemas da ferramenta, o linguista norte-americano Lyle Campbell, especializado na história das línguas indígenas americanas, usou-a para provar que havia parentesco entre o finlandês e o ameríndio — uma relação que não tem qualquer lastro ou cabimento.

Ainda assim, a coincidência entre as linhas de evidência era oportuna para Reich e seus colegas, e eles não discutiram os problemas do modelo de Greenberg. Em 2012, Reich estava tão convicto de suas conclusões que batizou a população ancestral apontada em seu estudo de "Primeiros Americanos". Mas a história acabou se mostrando mais complicada do que sugeriam aqueles resultados. E nem demorou tanto: três anos depois, estudos mostraram que alguns povos amazônicos descendem de uma população que não se encaixa naquele modelo com três ondas de migração. A origem dessa população ainda é um mistério — mas isso é assunto para outro capítulo.

Em 1909 — num mundo anterior à descoberta do povo de Clovis e do carbono-14 —, o linguista norte-americano Edward Sapir defendia que o melhor argumento em defesa de uma ocupação humana antiga nas Américas era a diversidade de línguas faladas no continente. Em nenhuma outra região do mundo há tantas famílias diferentes de idiomas. Num livro de referência publicado em 1997, Lyle Campbell escreveu que o número de línguas faladas no continente varia de quatrocentas a mais de 2500, a depender da estimativa — ele próprio acreditava haver algo em torno de novecentos idiomas nativos.[20] A América do Sul é ainda mais diversa, com mais de oitenta famílias de línguas registradas. Só no Brasil são cerca de 150 idiomas. Na visão de muitos estudiosos, a riqueza linguística é sinal da ocupação antiga do continente, já que seria preciso muito tempo para que essa diversidade pudesse se desenvolver.

Mas todos esses números são motivo de discórdia entre os especialistas na linguística histórica ou diacrônica, que é a disciplina responsável por investigar o passado das línguas faladas hoje. A começar pela própria definição do que seja uma língua: a partir de que ponto se considera que estamos diante de um novo idioma, e não só de um dialeto? Não há uma resposta consensual para a pergunta. A briga fica ainda mais acalorada quando se trata de classificar as línguas em famílias.

Tentar entender o passado das populações a partir das línguas que elas falam hoje é um grande desafio. Uma população pode assimilar uma nova língua, como acontece com frequência, mas continuará com os mesmos genes e dentes que tinha antes. Assim, uma língua pode se extinguir sem que se perca o patrimônio genético de seus falantes. Para complicar a vida dos estudiosos, eles nem sequer sabem dizer se a diversidade das línguas faladas hoje no continente deriva de uma única língua ancestral ou de vários idiomas introduzidos em diferentes migrações, já que a arqueologia ainda não tem uma resposta definitiva para a questão.

Num estudo publicado em 1990, a linguista norte-americana Johanna Nichols, da Universidade da Califórnia, em Berkeley, propôs uma forma de medir a diferenciação das línguas indígenas americanas e calcular o tempo necessário para tanto. Concluiu que o primeiro povoamento deve ter acontecido por volta de 35 mil anos atrás. No artigo em que apresenta suas conclusões, publicado na revista *Language*, Nichols admite a incerteza dessa estimativa. "A evidência linguística não é totalmente precisa quanto às datas, mas é absolutamente inequívoca no que se refere à ordem de grandeza: o Novo Mundo está habitado há dezenas de milênios", escreveu a linguista.[21] Numa reportagem de 1998 na revista *US News & World Report*, Nichols foi questionada pelo repórter Charles Petit sobre por que os arqueólogos não haviam encontrado sítios antigos que corroborassem sua hipótese. "Como linguista, esse problema não é meu", ela respondeu.[22]

Assim como o modelo de Greenberg, a proposta de Nichols tem suas limitações e não é consensual entre os linguistas. "A ferramenta que ela propôs não permite comprovar se um determinado conjunto de línguas é aparentado ou se as semelhanças entre elas são acidentais", disse Andrey Nikulin, um linguista russo que se especializou no estudo histórico de línguas indígenas do Brasil. "Por isso não conseguimos usar os resultados dela como demonstrações de parentesco."

A única demonstração de afinidade aceita pela linguística histórica continua sendo a feita pelo chamado método comparativo, uma ferramenta desenvolvida desde o século XIX e que compara a forma e a função de elementos de duas ou mais línguas. As análises feitas com esse método têm por objetivo reconstituir idiomas ancestrais de línguas aparentadas, ou protolínguas. Se a reconstituição tiver boa resolução, os pesquisadores podem em seguida tentar reconstituir os ancestrais dessas protolínguas, e assim por diante. Em sua tese de doutorado, defendida em 2020 na Universidade de Brasília (UnB), Nikulin reconstruiu aspectos da língua ancestral do tronco macro-jê, um dos principais agrupamentos de línguas indígenas das terras baixas sul-americanas.

Há um teto — seja teórico ou prático — para a profundidade temporal que se pode atingir com essas reconstituições. No livro *American Indian Languages*, Lyle Campbell afirma que 8 mil anos é o limite a que se pode chegar usando o método comparativo para reconstruir línguas ancestrais. É por isso que, sustenta o autor, a linguística nunca poderá provar se as línguas indígenas faladas hoje têm um único ancestral comum.[23]

Campbell se enquadra numa escola da linguística histórica mais resistente a propostas de reunir certas línguas indígenas em famílias. A escola antagonista a essa é mais inclusiva e tolerante aos agrupamentos linguísticos propostos (Greenberg seria um exemplo extremo dessa posição). Nikulin defende a possibilidade de se ultrapassar o teto temporal de 8 mil anos estipulado por Campbell, desde que se trabalhe com reconstruções robustas das protolínguas das famílias aceitas por todos. "Acredito que isso seja possível, mas devemos proceder com muita cautela", afirmou o linguista.

Ainda que Nikulin esteja correto, a informação disponível hoje é muito escassa para que se possa recuar até datas mais remotas. Por enquanto, a linguística histórica não é capaz de lançar muita luz sobre as diversas dúvidas em torno da ocupação das Américas, e nem sequer permite descartar hipóteses. De acordo com Campbell, a diversidade observada hoje poderia tanto ser fruto de uma única migração quanto derivar de vários episódios de ocupação. O autor notou que sabemos quase nada sobre quanto tempo é preciso para se gerar uma grande diversidade linguística, especialmente num continente inabitado. "De todo modo, a linguística muito provavelmente não vai contribuir de forma significativa para determinar a data mais antiga [da entrada nas Américas]", escreveu.[24]

5. Dos pampas para o mundo

Arroyo La Tigra, província de Buenos Aires, Argentina

A primeira grande briga acadêmica motivada pela antiguidade humana nas Américas aconteceu no início do século XX, quando um pesquisador argentino fez a proposta ousada de que o *Homo sapiens* tinha surgido não na África, como apontavam todas as evidências disponíveis, mas na América do Sul, mais precisamente na própria Argentina. Nossa espécie teria se espalhado pelo globo no sentido oposto ao que se imaginava até então: da América do Sul para a do Norte, após o soerguimento do istmo do Panamá, e dali para a Beríngia, de onde conquistou o Velho Mundo.

A existência desse ancestral dos humanos modernos foi proposta pelo paleontólogo Florentino Ameghino. Diretor do Museu Nacional de Buenos Aires, Ameghino era um estudioso dos mamíferos extintos que viveram no território argentino e trabalhava quase sempre em parceria com seu irmão Carlos. Num artigo de 1909 para os *Anales del Museo Nacional de Historia Natural de Buenos Aires*, o pesquisador apresentou sua hipótese ao estudar o chamado "esqueleto de Miramar", encontrado em 1888 por um colecionador de fósseis junto a ferramentas de pedra e ossos de animais extintos.[1] Ninguém sabe ao certo onde os ossos foram achados, mas se sabe que foi em algum ponto entre os Arroyos La Tigra e Seco, dois riachos que deságuam no oceano Atlântico, algumas dezenas de quilômetros ao sul de Mar del Plata.

O esqueleto de Miramar tinha aparência bastante antiga, e Ameghino enxergou nele aspectos que não eram típicos do *Homo sapiens*. Propôs que os ossos pertenciam a uma espécie humana desconhecida: o *Homo pampaeus*, ou "homem dos pampas". Esses humanos teriam vivido durante o Plioceno, época geológica que precede o Pleistoceno e que durou de 5,3 milhões de anos a 2,5 milhões de anos atrás. A proposta colocava o debate num horizonte cronológico radicalmente diferente do que era discutido até então para a presença humana no continente. A dúvida entre os cientistas era se já havia humanos nas Américas ao fim da Era do Gelo.

Ameghino publicou descrições dos fósseis do Arroyo La Tigra em revistas argentinas, e a notícia desses estudos circulou entre colegas estrangeiros. O bioantropólogo Aleš Hrdlička, dos Estados Unidos, ficou desconfiado quando soube da hipótese. Em 1910, decidiu tomar um navio até Buenos Aires para examinar pessoalmente os fósseis e os sítios em que tinham sido encontrados. Aproveitou para participar do Congresso Internacional dos Americanistas, realizado na capital argentina, onde Ameghino apresentaria sua hipótese a colegas estrangeiros.

Os resultados da análise de Hrdlička foram relatados no volume *Early Man in South America* [O homem antigo na América do Sul], lançado em 1912. Escrito em colaboração com William Holmes e outros três autores, o livro está entre os primeiros estudos acadêmicos dedicados a refutar a antiguidade de um sítio arqueológico americano, que configura todo um subgênero da literatura especializada sobre o povoamento do continente.[2]

Aleš Hrdlička foi um dos principais nomes da antropologia de sua época. Nasceu na Boêmia, onde hoje fica a República Tcheca, que então fazia parte do Império Austro-Húngaro, e na adolescência se mudou com o pai para os Estados Unidos. Estudou medicina e depois adotou como disciplina de trabalho a antropologia biológica, tendo se especializado na craniometria, a análise comparada de crânios. Tornou-se curador de antropologia física das coleções do Instituto Smithsonian, onde entrou como assistente de William Holmes, que era o diretor do Birô de Etnologia Americana, o BAE.

Juntos, Holmes e Hrdlička foram protagonistas da grande controvérsia da arqueologia norte-americana na virada do século XIX para o XX, aquela que David Meltzer batizou de "a Grande Guerra do Paleolítico" no título de um livro de 2015 que não foi lançado em português.[3] O que estava em jogo nessa disputa era a antiguidade da espécie humana no continente americano. Na Europa, a questão tinha se resolvido no final dos anos 1850, com a descoberta de ferramentas de fabricação humana encontradas em associação com fósseis de animais que viveram no fim da Era do Gelo.

Na caverna de Brixham, no sudoeste da Inglaterra, apareceram artefatos feitos de sílex numa camada junto com ossos de vários animais extintos. Em 1858, uma comissão que incluía Charles Lyell e outros destacados geólogos britânicos foi formada para examinar os achados. O grupo concluiu que fósseis e ferramentas estavam associados e que, portanto, os humanos haviam convivido com aqueles animais. Depois disso, os estudiosos resolveram reconsiderar o material que o arqueólogo amador francês Jacques Boucher de Perthes havia encontrado décadas antes junto ao rio Somme e descrito como "antediluviano". Em 1859, Lyell e outros colegas que tinham participado da inspeção de Brixham foram à França e, após examinar o material de perto, concordaram com Boucher de Perthes: aquela era mais uma prova de que os humanos já estavam por ali no fim da Era do Gelo.

Não demorou para que surgissem alegações da presença humana antiga no continente americano. A partir dos anos 1870, o médico Charles Conrad Abbott alegou ter descoberto evidências do "homem glacial na América" e passou a ser apresentado como o Boucher de Perthes norte-americano. Abbott tinha encontrado artefatos em depósitos de cascalho próximos à sua casa, em Trenton, no estado de Nova Jersey, à margem do rio Delaware. Como as peças tinham aparência rude e lembravam ferramentas do Paleolítico europeu, ele concluiu que só podiam ter sido feitas por grupos que viveram na mesma época. Mas a antiguidade dos artefatos foi contestada em 1892, depois que Holmes fez uma visita de dois dias a Trenton, inspecionou os artefatos e avaliou que eram obra de povos indígenas recentes. O prego no caixão veio dez anos depois, quando as conclusões foram confirmadas por Hrdlička, que analisou remanescentes humanos recém-escavados naquele sítio.

Acompanhado por um geólogo, Hrdlička desembarcou em Buenos Aires em maio de 1910 e ali ficou por dois meses, recebido com pompa e circunstância por uma comitiva de cientistas locais encabeçados pelo próprio Ameghino. Os argentinos deram aos convidados do Norte amplo acesso aos fósseis do suposto *Homo pampaeus*. Hrdlička examinou não só o esqueleto de Miramar, mas também material encontrado em outros sítios — como o Arroyo Chocorí, não muito distante do Arroyo La Tigra, onde havia sido encontrado um esqueleto que Ameghino também atribuiu ao homem dos pampas.

A boa acolhida que Hrdlička recebeu na Argentina não impediu que ele fizesse um juízo implacável das alegações de Ameghino. Em seu diário de viagem, ele manifestou pesar por estar demolindo as conclusões dos mesmos colegas que estavam tratando tão bem os visitantes norte-americanos. É curioso que tenha feito esse registro no sexto dia de viagem, antes mesmo de ter ido a campo, como notaram Irina Podgorny e Gustavo Politis.[4]

Após analisar os fósseis e visitar sítios arqueológicos e examinar formações geológicas da região, o especialista do Smithsonian concluiu que não havia bases antropológicas ou geológicas que sustentassem a hipótese do argentino. Aqueles esqueletos não eram antigos, e os pampas não eram o berço da humanidade.

As medições que Hrdlička fez do esqueleto de Miramar diferiram consideravelmente daquelas feitas pelo argentino. Seus resultados indicavam que aquele homem tinha características próximas das dos povos nativos que habitavam a região naquele momento. Se é que houve algum dia um *Homo pampaeus*, argumentou, seus fósseis ainda estavam por ser encontrados. Ameghino morreu em 1911, entre a viagem de Hrdlička e a publicação de sua análise impiedosa, e não teve a oportunidade de rebatê-la.

A Argentina não era o único país na América do Sul onde haviam sido encontrados fósseis humanos que remontavam possivelmente ao final da Era do Gelo. Sete décadas antes de Ameghino, Peter Lund tinha encontrado em Lagoa Santa crânios que ele atribuiu a grupos que conviveram com a megafauna extinta. Em *Early Man in South America*, Hrdlička dedica uma seção para esmiuçar — e refutar — a antiguidade do material das cavernas mineiras.[5]

O navio que levou Hrdlička a Buenos Aires fez escala no Rio de Janeiro, e o estudioso desembarcou para visitar o Museu Nacional. Seu diário de viagem registra comentários sobre a beleza das palmeiras e sobre o alto custo de vida na capital brasileira, mas não há uma palavra sequer sobre o que viu no museu.[6] No relato que publicou, não há qualquer menção a sua passagem pelo Brasil. O viajante não teve acesso aos crânios escavados por Lund em Lagoa Santa, que tinham sido mandados de volta à Dinamarca (o único que ficou no Brasil foi doado ao Instituto Histórico e Geográfico Brasileiro). "Hrdlička nunca viu um crânio de Lagoa Santa na vida", disse o bioantropólogo brasileiro Walter Neves, estudioso do legado de Lund. "Toda a análise que fez do material é com base na literatura."

Hrdlička foi peremptório em sua conclusão sobre os itens coletados por Lund: não se tratava de fósseis antigos. "Parece bem evidente que os vestígios humanos das cavernas de Lagoa Santa não podem ser aceitos, sem provas adicionais e mais conclusivas, como pertencentes a uma raça que viveu na mesma época das espécies extintas de animais encontradas nas mesmas cavernas", escreveu.[7] Em sua avaliação, as hipóteses de povoamento antigo das Américas repousavam todas sobre dados imperfeitos e mal interpretados e eram construídas muitas vezes com base em premissas falsas. Sem um volume maior de evidências convincentes, arrematou, não era possível aceitar que humanos estivessem na América do Sul no final da Era do Gelo.

Na avaliação de Neves, Hrdlička foi injusto com o dinamarquês. "Ele urdiu um texto para destruir o trabalho do Lund", disse o brasileiro. Não que o norte-americano não tivesse bons motivos para suas críticas: de fato não havia elementos que permitissem provar a antiguidade dos povos de Lagoa Santa com base no material coletado na gruta do Sumidouro. "Mas Lund estava correto", concluiu Neves.

Hrdlička fez uma análise implacável dos argumentos de Ameghino — foi "a versão acadêmica de um massacre mafioso", conforme definiu o arqueólogo norte-americano James Adovasio no livro *Os primeiros americanos*.[8] Adovasio tem lugar de fala para avaliar as críticas ao colega, tendo passado boa parte da carreira em meio a brigas amargas com pares que nunca aceitaram a ocupação humana com mais de 20 mil anos proposta por ele para o sítio de Meadowcroft Rockshelter.

A convicção de Hrdlička sobre a idade recente dos remanescentes humanos encontrados no continente vinha de sua comparação com medições que ele próprio tinha feito em milhares de crânios encontrados nas Américas e na Ásia. Os padrões identificados em sua análise indicavam que o continente tinha sido ocupado por povos que vieram pelo estreito de Bering há não mais que 5 mil ou 6 mil anos e, por isso, ele desconfiava de qualquer alegação acerca da presença de humanos nas Américas no final da Era do Gelo.

Hrdlička julgava haver correlação entre traços físicos mensuráveis nos crânios e aspectos da personalidade de um indivíduo, incluindo o comportamento criminoso. Opunha-se a casamentos inter-raciais e foi simpático ao eugenismo, uma doutrina de fundo racista que visava ao suposto melhoramento genético da humanidade pela seleção de determinados traços físicos. Era amigo próximo de William Holmes, com quem compartilhava alguns traços de caráter: os dois "eram inflexíveis, em grande medida sem humor e raras vezes se afligiam com dúvidas sobre a correção de seus pontos de vista", escreveu David Meltzer em *The Great Paleolithic War*.[9]

No livro *Origin: A Genetic History of the Americas* [Origem: Uma história genética das Américas], de 2022, a geneticista norte-americana Jennifer Raff oferece uma leitura contemporânea pouco condescendente com os procedimentos e com a ética de pesquisa do bioantropólogo:

> Hrdlička era um arqueólogo medíocre, mesmo para os padrões do começo do século XX. Suas notas de escavação são descuidadas — ele não fornece detalhes nem perto do suficiente sobre o contexto — e, além disso, descartou artefatos e destruiu ancestrais

preservados ritualisticamente para recuperar apenas os crânios para suas coleções. Como a maioria de seus contemporâneos, Hrdlička preocupava-se muito pouco com os desejos das comunidades de descendentes quanto aos corpos de seus ancestrais e não tinha empatia ou compreensão sobre o dano que estava causando.[10]

Ao refutar que os fósseis argentinos e brasileiros datavam da Era do Gelo, Hrdlička consolidou-se como o mais ferrrenho opositor da antiguidade humana na América do Sul, estabelecendo um padrão que seria adotado por outros arqueólogos norte-americanos dali em diante.

Depois de Trenton, Holmes e Hrdlička visitaram — e refutaram — vários outros sítios com supostas evidências de humanos da Era do Gelo nos Estados Unidos. Principais cães de guarda da antiguidade humana nas Américas, os dois viraram o fiel da balança daquela controvérsia. Eram os especialistas a serem convencidos, e o ônus da prova cabia a quem fizesse a alegação polêmica: "Meras possibilidades ou probabilidades não podem ser aceitas como evidência positiva quando se está lidando com o importante problema da antiguidade do homem [nas Américas]", escreveu Hrdlička em *Early Man in South America*.[11]

Como havia acontecido na Europa, também nas Américas a inspeção dos sítios teve papel essencial para provar a antiguidade da presença humana. Com a expedição à Argentina, no entanto, Hrdlička levou a visita de campo a outra escala: nunca alguém havia ido tão longe para examinar um sítio arqueológico no continente americano. A viagem ajudou a consolidar a inspeção do sítio como a prova dos nove para as disputas envolvendo evidências polêmicas. Não bastava apresentar os vestígios de uma ocupação antiga: era preciso mostrá-los em contexto.

De acordo com uma imagem popular entre os arqueólogos, escavar um sítio é como queimar as páginas de um livro à medida que elas são lidas. Depois que as camadas de sedimentos são removidas e peneiradas, não é mais possível reconstituir o contexto em que um crânio ou uma ferramenta foram encontrados. As informações disponíveis para interpretar os achados são aquelas que a equipe de escavação teve cuidado de registrar. Numa disciplina que ainda buscava a padronização de métodos e procedimentos, a inspeção in loco dos sítios por especialistas tarimbados virou uma ferramenta indispensável para avaliar sítios arqueológicos controversos.

Hrdlička e outros colegas norte-americanos determinaram no começo do século XX o padrão-ouro para a aceitação de um sítio arqueológico antigo. Para ser considerado convincente, um sítio deveria obedecer a três critérios. Era preciso, primeiramente, que ele tivesse artefatos ou fósseis de origem humana inequívoca. Em seguida, esse material deveria ter sido encontrado em um contexto indiscutível; no caso de uma ferramenta encontrada junto a um fóssil da megafauna extinta, isso significava provar que as camadas de sedimentos não tinham sido perturbadas e que ambos tinham a mesma idade. Por fim, deveria haver uma determinação segura da idade do sítio.

Naquele momento histórico, ainda não havia métodos capazes de fazer a datação absoluta dos sítios arqueológicos, e os pesquisadores só conseguiam determinar a idade relativa dos achados. Era possível dizer, por exemplo, que uma ferramenta achada numa camada de sedimentos abaixo de um fêmur fossilizado era mais antiga do que o osso — desde que tivessem sido encontrados em camadas não perturbadas.

O conhecimento dos arqueólogos sobre a idade dos sítios melhorou de maneira formidável com o advento do carbono-14 e de outros métodos de datação absoluta, mas os critérios estabelecidos naquele momento continuam sendo os pilares fundamentais para a aceitação de um sítio arqueológico. Ele precisa ter sinais inequívocos de ocupação humana, sedimentos sem perturbações e datação indiscutível. Pode parecer simples posto nesses termos, mas os critérios abrem margem para uma grande variedade de contestações — as críticas a sítios arqueológicos envolvem sempre a violação de um ou mais desses princípios.

A ideia do *Homo pampaeus* nunca chegou a ter grande aceitação, mas foi desbancada de vez após a viagem de Hrdlička à Argentina. Levou quase um século até que alguém se desse ao trabalho de fazer a datação por carbono-14 do esqueleto de Miramar e outros fósseis coletados por Florentino Ameghino. A iniciativa coube ao arqueólogo argentino Gustavo Politis, pesquisador da Universidade Nacional do Centro da Província de Buenos Aires. Nos anos 1990, seu grupo datou amostras de quatro esqueletos estudados por Ameghino e outros colegas, incluindo o de Miramar.

Se por um lado os resultados confirmaram que os espécimes não eram tão antigos quanto defendia Ameghino, por outro lado mostraram que tampouco eram tão recentes quanto alegara Hrdlička. O esqueleto de Miramar tem por volta de 8 mil anos, e o *Homo pampaeus* do Arroyo Chocorí tem entre 7,6 mil e 7,9 mil anos. Os fósseis mais antigos datados pelo grupo de Politis são duas falanges da mão de um indivíduo encontrado em 1873 no Arroyo de Frías, cem quilômetros a oeste de Buenos Aires. Ele tinha sido sepultado em posição fletida e seu esqueleto estava praticamente todo articulado. Sua idade foi estimada em cerca de 12 mil anos.

"Tanto Ameghino quanto Hrdlička estavam errados em aspectos fundamentais de suas respectivas teses sobre o povoamento humano das Américas, em geral, e dos pampas, em particular", afirma um artigo de 2006 assinado por Politis e dois colaboradores.[12] A conclusão aliviou em certa medida o fardo que pesava sobre o argentino, mas não reabilitou suas ideias controversas. Ameghino foi o primeiro pesquisador latino-americano a ter uma hipótese de povoamento antigo das Américas refutada por um cientista dos Estados Unidos — um padrão que se repetiria outras vezes entre os estudiosos do povoamento do continente.

6. Nasce um paradigma

Blackwater Draw, Novo México, Estados Unidos

Uma chuva torrencial no nordeste do Novo México, no verão de 1908, está na origem da resolução do debate sobre a antiguidade humana nas Américas. Os atípicos 380 milímetros de chuva que caíram naquela noite levaram o rio Dry Cimarron a avançar sobre o vale ao redor do seu leito, na cidade de Folsom. No dia seguinte, George McJunkin, capataz de uma fazenda de gado, saiu a cavalo em busca dos bois e vacas que tinham se dispersado em decorrência da tempestade. Ele notou que o Wild Horse, que antes era apenas um córrego discreto que desaguava no Dry Cimarron, agora corria entre paredões de terra de quatro metros de altura que haviam sido esculpidos pelo aguaceiro. McJunkin notou que era possível ver nas paredes ossos imensos que claramente não pertenciam às vacas e aos cavalos que dominavam a paisagem. Ele não tinha como saber que se tratava de fósseis de um *Bison antiquus*, um parente extinto do atual bisão que podia ter mais de quatro metros de comprimento por dois de altura e que viveu ali no final da Era do Gelo.

Aquela ossada só se tornaria objeto de interesse dos estudiosos em 1926, alguns anos após a morte de McJunkin. Naquele ano Jesse Figgins e Harold Cook decidiram ir até Folsom em busca de um esqueleto de bisão gigante para a coleção do Museu de História Natural do Colorado, em Denver, que era dirigido por Figgins. Dois meses após o início das escavações, eles encontraram, em meio aos fósseis do *Bison antiquus*, uma notável ferramenta de pedra lascada: um artefato delgado e comprido, de aproximadamente cinco centímetros, usado possivelmente para abater animais durante a caça. Tratava-se de um tipo de ferramenta que os arqueólogos chamam de ponta de projétil, que era provavelmente acoplada à extremidade de uma lança ou flecha. Como o projétil em questão era fabricado com madeira ou algum outro tipo de material orgânico que não ficou preservado, só temos acesso hoje à ponta feita de pedra. Aquela peça específica tinha sido encontrada fora de contexto e, portanto, não era possível dizer que tinha a mesma idade do bisão.

Animado com a descoberta, Figgins foi a Washington mostrar a ponta para Aleš Hrdlička, o antropólogo do Smithsonian que, junto com seu colega William Holmes, tinha virado o grande xerife da antiguidade humana nas Américas. Hrdlička gostou de ver a peça, mas havia pouco que pudesse concluir sem saber ao certo de onde ela vinha. Recomendou ao colega que, caso encontrassem novos artefatos durante as escavações, que fossem deixados intocados, no sítio arqueológico, para análise. Ele sabia que aquela controvérsia só seria resolvida se os especialistas vissem os achados com os próprios olhos.

Figgins cumpriu a ordem à risca quando uma nova ponta de projétil foi encontrada em Folsom no verão seguinte, em meio às costelas de um bisão extinto. Não deixou que ninguém mexesse no artefato e determinou que uma pessoa ficasse vigiando o sítio o tempo todo. "Outra ponta de flecha achada em posição com restos de bisão em Folsom, Novo México. Pode examinar achado pessoalmente?", dizia o telegrama que ele enviou para sumidades da arqueologia norte-americana, convidando-as a ir apreciar o artefato em seu contexto no sítio arqueológico.[1]

A descoberta podia pôr fim de uma vez por todas ao debate sobre a antiguidade humana nas Américas, e figurões de mais de uma cidade tomaram trens para Folsom a fim de examinar o achado de perto. O primeiro a chegar, seis dias após a descoberta da ponta de projétil, foi Barnum Brown, do Museu Americano de História Natural de Nova York, o descobridor do *Tyrannosaurus rex*. De Washington veio Alfred Kidder, da Carnegie Institution, nome mais destacado de sua geração de arqueólogos (ele é nascido em 1885 e estava então com 41 anos). Hrdlička não pôde ir ao Novo México, mas o Smithsonian mandou seu colega Frank Roberts; Holmes já estava então aposentado.

Aos especialistas caberia determinar se a ponta de projétil estava diretamente associada aos ossos do bisão, ou seja, se haviam sido depositados no mesmo momento, em vez de terem sido artificialmente reunidos por alguma perturbação das camadas de sedimentos. Foram todos unânimes: os objetos estavam claramente em associação direta, e o artefato era contemporâneo aos ossos de bisão — talvez fosse a causa da morte do animal. Aquela era uma constatação que mudaria a arqueologia das Américas. Duas semanas depois, Alfred Kidder fez o anúncio público de que os humanos estavam no continente no fim da Era do Gelo, quando gigantes como aquele bisão ainda não tinham sido extintos.

Holmes e Hrdlička não se manifestaram sobre Folsom. Para a dupla, que havia desbancado mais de dez sítios arqueológicos norte-americanos com supostas evidências de presença humana no fim da Era do Gelo, o silêncio era um endosso mais que eloquente da antiguidade do sítio. A controvérsia sobre a antiguidade humana nas Américas, que se arrastava desde o século anterior, estava enfim resolvida.

Kidder e as outras autoridades da área acabaram ganhando a maior parte dos holofotes pelo achado que reescrevia a história humana no continente americano; Figgins e Cook não foram convidados a participar dos anúncios ou dos simpósios organizados para divulgar seus achados. Era como se fossem competentes para escavar o sítio, mas não para interpretá-lo, conforme notou David Meltzer no livro *The Great Paleolithic War*.[2]

Pontas de projétil parecidas com as de Folsom foram encontradas depois em outros sítios, e o nome da cidade passou a designar a cultura que produziu aquele tipo de artefatos. Elas eram feitas a partir de uma lasca minuciosamente trabalhada e retocada. Tinham uma característica que não havia sido observada em nenhum outro lugar do mundo: em sua base, no ponto em que eram encabadas, uma fina fatia de pedra havia sido retirada no sentido longitudinal nos dois lados do artefato, deixando-o mais delgado naquele ponto e criando um sulco parecido com o que se vê no bico de uma flauta doce. Em inglês, ferramentas desse tipo são chamadas de *fluted points*; em português, são as pontas acanaladas.

Folsom selou a questão sobre a antiguidade da presença humana no continente, mas não é o único sítio emblemático do Novo México para a arqueologia das Américas. Rivaliza com Blackwater Draw, a quase quinhentos quilômetros de distância, ao sul da cidade de Clovis, onde foram encontradas pela primeira vez as ferramentas características da cultura que foi apontada como a primeira a se espalhar pelo continente.

Em 1932, cinco anos após a descoberta de Folsom, ossos de mamutes e bisões vieram à superfície por obra da atividade de mineração do cascalho de um lago em Blackwater Draw; junto com os fósseis apareceram também pontas de lança acanaladas. A notícia chegou aos ouvidos de Edgar Howard, da Academia de Ciências Naturais da Filadélfia, que andava muito empenhado em encontrar fósseis dos humanos da Era do Gelo nas Américas, em particular dos fabricantes das pontas refinadas de Folsom. Howard decidiu ir ao local, e lhe mostraram os fósseis e artefatos que haviam sido desenterrados. Com a convicção de que topara com algo importante, telegrafou a novidade para vários colegas, assim como Figgins e Cook fizeram na década anterior, e tratou de obter a autorização para escavar o sítio.

Nas escavações, Howard e sua equipe encontraram as pontas típicas de Folsom. Na sequência da escavação, numa camada inferior de sedimentos — e, portanto, de idade mais antiga —, havia artefatos parecidos com elas, mas sutilmente diferentes: eram pontas de projétil maiores e mais grosseiras, mas ainda assim de aparência sofisticada, com a mesma base acanalada como um bico de flauta. Nos anos seguintes, pontas de projétil iguais àquelas foram encontradas em vários pontos do atual território dos Estados Unidos, em localidades distantes umas das outras. A padronização das ferramentas evidenciava um laço cultural que unia aqueles povos e que talvez se estendesse a outros aspectos de sua vida que não ficaram gravados no registro arqueológico.

Aquelas eram as evidências mais antigas de que se tinha notícia da presença humana no continente. Até prova em contrário, os fabricantes daquelas ferramentas eram os primeiros americanos, e eles ficaram conhecidos como o povo de Clovis. Blackwater Draw é o sítio arqueológico de referência para a descrição dessa cultura. Continuou sendo escavado por décadas e até hoje é palco de pesquisas científicas, além de ser um ponto de parada obrigatório no circuito de turismo arqueológico na América do Norte.

Mas por pouco não falamos no povo de Dent e nas pontas de Dent, em vez de Clovis. Esse é o nome da localidade no Colorado onde uma enchente revolveu camadas de sedimento e trouxe à tona ossos de mamute que apareceram perto dos trilhos de uma ferrovia. Junto a eles havia uma longa ponta de lança feita de jásper vermelho, que, assim como a encontrada em Blackwater Draw, era parecida com as de Folsom, embora menos refinada. O local foi escavado por Jesse Figgins — o mesmo que trabalhara no sítio de Folsom na década anterior. Seu relato da descoberta, publicado em 1933 na *Science*, saiu duas semanas depois do anúncio de Howard (publicado na mesma revista) de que havia encontrado em Blackwater Draw artefatos associados a ossos de mamute.[3] Com a precedência do sítio do Novo México, os artefatos de Dent acabaram sendo identificados como pertencentes à cultura Clovis.

As pontas de Clovis, objetos icônicos dessa cultura, são artefatos admiráveis e de grande apelo estético. Um exemplar típico tem cerca de dez centímetros de comprimento, três centímetros de largura e menos de um centímetro de espessura, mas elas são marcadas pela grande variabilidade — já foram encontradas pontas com mais de vinte centímetros. Essas ferramentas são estreitas e compridas, com uma base mais larga que vai se afinando até a extremidade. O termo técnico mais preciso para descrever seu formato é uma tautologia: elas são lanceoladas, ou seja, têm o formato de uma ponta de lança.

Os fabricantes das pontas de Clovis eram indivíduos habilidosos, possivelmente treinados para talhar minuciosamente bordas e faces e para fazer a base acanalada. Os artefatos eram fabricados com material de qualidade, como jásper, calcedônia ou obsidiana, que não estavam disponíveis em muitos dos sítios em que foram encontrados. Isso indica que o povo de Clovis podia fazer viagens consideráveis em busca da matéria-prima cobiçada para suas ferramentas, e que possivelmente carregavam estoques desses materiais durante os deslocamentos.

Não se sabe ao certo como eram usadas as pontas de Clovis num contexto de caça. Alguns arqueólogos acreditam que talvez fossem arremessadas contra a presa com a ajuda de um *atlatl*, um propulsor que permitiria o lançamento em velocidade de dardo ou flecha com a ponta de projétil em sua extremidade. Mas a hipótese ainda carece de confirmação. Embora propulsores do tipo já tenham sido achados na Europa, eles nunca foram escavados em sítios da cultura Clovis.

Para Metin Eren, um pesquisador da tecnologia de Clovis na Universidade Estadual de Kent, no Ohio, é possível até que as pontas de Clovis fossem usadas como facas. "Até acharmos algo preservado num sítio, temos que ter muita cautela ao interpretar a forma como essas pontas eram usadas", disse Eren numa entrevista de 2022 ao podcast *Seven Ages Audio Journal*.[4]

As pontas acanaladas não eram as únicas ferramentas produzidas pelo povo de Clovis. Em Blackwater Draw e outros sítios dessa cultura foram encontrados raspadores usados para tirar a carne do couro dos animais caçados, buris para perfurar osso ou madeira e hastes de ossos que talvez fossem usadas para acoplar as pontas às lanças. Alguns sítios guardam também os núcleos de pedra dos quais eram extraídas as grandes lascas que seriam trabalhadas até se transformar nas pontas.

Ao que tudo indica, o povo de Clovis também fazia esconderijos nos quais essas ferramentas eram guardadas. Talvez esses esconderijos fossem bases seguras a partir das quais explorassem regiões desconhecidas e às quais pudessem voltar para resgatar os artefatos, já que não sabiam se conseguiriam mais matéria-prima nos novos territórios inexplorados.

Diferentes de outras pontas de projétil conhecidas até então, as pontas acanaladas de Clovis eram uma invenção americana, a mais antiga de que se tinha notícia. Elas chamam a atenção não só pelo requinte, mas também pela dificuldade técnica de sua fabricação. Em especial no retoque final, a retirada da lasca que daria à ponta a base acanalada característica. O golpe podia partir o artefato no meio e pôr a perder todo o trabalho feito até ali. Em seu livro de 2011, David Meltzer afirma que de 10% a 20% das tentativas de fabricar uma ponta de Clovis eram fracassadas; no caso das pontas de Folsom, mais elaboradas, a taxa de erro podia chegar a 40%. As estimativas foram feitas com base tanto em tentativas contemporâneas de fabricar essas pontas quanto em análises dos restos de lascas e matéria-prima encontrados nos sítios arqueológicos.[5]

Fazer a base acanalada de uma ponta de Clovis não era só difícil, era também contraintuitivo. O sulco removido das duas faces na etapa final de fabricação deixa a ponta mais fina e mais fraca, com um resultado que talvez não lhe desse um desempenho que justificasse o risco. Por que fazer aquele acabamento que fragiliza a ferramenta e pode pôr tudo a perder? Nem todos os especialistas compraram a hipótese de que o bico de flauta facilitava o encabamento da ponta na lança de madeira.

Os arqueólogos norte-americanos Dennis Stanford e Bruce Bradley resolveram fazer um experimento para testar essa ideia, com ferramentas produzidas por eles mesmos (lascar pedra é um hobby relativamente comum entre os estudiosos das ferramentas líticas do passado profundo). A dupla fabricou pontas acanaladas e sem o retoque final, para comparar o encabamento de ambas.

Constataram que as pontas com bico de flauta não eram mais eficazes do que as outras no encabamento nas lanças de madeira, conforme contam no livro *Across Atlantic Ice* [Através do gelo atlântico].[6] Eles notaram ainda que a tecnologia das pontas de Clovis não foi reinventada por outros povos, algo que seria de esperar caso elas dessem uma vantagem tecnológica significativa aos caçadores. Ainda assim, esses objetos foram produzidos ao longo de quase meio milênio. Que razão estaria por trás disso? Talvez a técnica tivesse valor estilístico ou função simbólica; quem sabe fazia parte de um ritual que antecedia a caça e exaltava a proeza dos fabricantes, conforme sugeriram os autores.

Mais eficazes ou não, as pontas de Clovis se espalharam com rapidez pela América do Norte. Foram encontradas em boa parte do atual território dos Estados Unidos, de leste a oeste, sempre no mesmo intervalo de menos de quinhentos anos. O povo que produzia aquelas ferramentas parece ter se adaptado a diferentes tipos de ambiente, relevo e vegetação. A maior densidade de achados arqueológicos da cultura Clovis está no sudeste dos Estados Unidos, e os sítios mais antigos estão no sul e sudoeste do país. Elas não foram achadas, porém, nas Américas Central ou do Sul e tampouco na Sibéria ou na Beríngia.

A descoberta de artefatos junto a ossos de mamíferos extintos em Folsom e Blackwater Draw provou que os humanos já estavam no continente americano no fim da Era do Gelo, mas foi preciso esperar o advento da datação por carbono-14 para se conhecer a idade exata em que viveram os fabricantes dessas ferramentas. O próprio Willard Libby, inventor do método, publicou em 1951 a datação de um sítio da cultura Folsom em Lubbock, no Texas, e chegou a uma idade de 9,9 mil anos, que, calibrados, correspondem a cerca de 11,5 mil anos.[7]

Coube ao geólogo norte-americano Vance Haynes, da Universidade do Arizona, apresentar nos anos 1960 as primeiras datações confiáveis de sítios da cultura Clovis, incluindo Blackwater Draw, e propor uma síntese que lançasse luz sobre os fabricantes daquelas pontas de aparência similar que vinham sendo escavadas em todo o país. Num artigo publicado em 1964 na *Science*, Haynes relatou que as pontas de Clovis seguramente datadas estavam todas situadas dentro de um mesmo intervalo em torno de 13 mil anos atrás.[8]

Essas datas ofereciam uma boa pista para determinar a idade provável da ocupação do continente. Em seu artigo, Haynes notou também que, pouco antes do surgimento das pontas de Clovis no registro arqueológico, o corredor que atravessava as grandes geleiras que ocupavam parte da América do Norte tinha acabado de se abrir pela primeira vez em 15 mil anos. Uma narrativa parecia emergir daí: os primeiros americanos vieram da Ásia, atravessando a passagem terrestre entre a Sibéria e o Alasca. Cruzaram o território canadense pelo corredor recém-aberto e dali em diante se espalharam com rapidez pelo resto do continente. Diante da aparição abrupta das pontas acanaladas numa vasta extensão da América do Norte, Haynes sugeriu que a origem das pontas de Clovis deveria ser buscada no Alasca ou no vale do rio Mackenzie, que cruza parte do território canadense e deságua no oceano Ártico.

A cronologia de Clovis ganhou precisão desde as datações feitas por Haynes, mas não mudou na sua essência. Estudos mais recentes estabeleceram uma janela curta em que aparecem os artefatos associados a essa cultura: entre 13,2 mil e 12,8 mil anos atrás. O período da cultura Clovis se encerrou, mas a tradição das pontas de lança acanaladas persistiu na cultura Folsom, que veio logo depois, com idades que variam de 12,7 mil a 12,2 mil anos atrás. A dispersão geográfica da cultura Folsom é bem mais restrita que a de Clovis, limitando-se às áreas de planície. A mudança de estilo talvez fosse uma adaptação tecnológica que tornou as ferramentas mais eficazes para a caça de bisões. Depois do povo de Folsom, porém, as pontas de base acanalada escassearam e praticamente desapareceram do registro arqueológico.

Em 1973, o geólogo norte-americano Paul Martin, da Universidade do Arizona, publicou na revista *Science* um artigo intitulado "O descobrimento da América", em que propôs um modelo para explicar a dispersão do povo de Clovis pelo continente americano, uma hipótese que ficou conhecida como a "matança desenfreada", uma tradução livre para *the overkill hypothesis*.[9] De acordo com esse modelo, os grupos humanos que ocuparam a América foram os responsáveis pela extinção dos grandes mamíferos que ali viviam, à medida que se deslocavam com rapidez rumo ao sul.

Martin notou que a extinção de bisões, mamutes, camelos e outros animais caçados pelo povo de Clovis aconteceu pouco depois do surgimento dos primeiros sinais de ocupação humana no continente — mais de trinta gêneros de grandes mamíferos foram inteiramente varridos da América do Norte num intervalo muito curto no final da Era do Gelo. Diante das evidências de que o povo de Clovis caçava esses animais, parecia que eles podiam ter culpa no cartório por seu desaparecimento. Baseado em simulações computacionais, o cientista concluiu que os humanos se espalharam "explosivamente" até atingir uma densidade grande o bastante para dizimar suas presas. Pelo visto, no encontro do *Homo sapiens* com a megafauna, quem se deu mal foram os grandes mamíferos — o oposto do que Peter Lund tinha conjecturado mais de um século antes.

Martin fez cálculos para determinar a velocidade do avanço dos humanos pelo continente. Estimou que eles levaram quinhentos anos para atravessar as Américas do Norte e Central e outros quinhentos para chegar até a ponta da América do Sul, conquistando novos territórios numa velocidade impressionante e nunca antes observada em outros grupos nômades de caçadores-coletores. De fato, a dispersão do povo de Clovis por um território tão amplo num intervalo tão curto não tem precedentes na história das migrações humanas. Enquanto se alastravam rumo ao sul, propôs Martin, os primeiros americanos iam exterminando bisões, mastodontes e outros grandes mamíferos que encontravam pelo caminho. Seu modelo costuma ser ilustrado com a imagem de uma blitzkrieg, nome dos ataques-relâmpago do exército de Hitler a fim de liquidar as batalhas com rapidez.

As chamadas pontas rabo de peixe, encontradas em vários sítios arqueológicos da América do Sul a partir de 12,8 mil anos atrás, foram um dos argumentos usados por Martin para sustentar sua hipótese. Como algumas delas eram acanaladas, o arqueólogo concluiu que eram derivadas das ferramentas encontradas em Blackwater Draw. Não há consenso entre os arqueólogos, no entanto, quanto ao parentesco formal entre as pontas rabo de peixe e as de Clovis.

A hipótese da matança desenfreada é vista hoje com descrédito pelos estudiosos. Ainda faltam pistas para explicar satisfatoriamente a extinção da megafauna ao final da Era do Gelo, mas a explicação mais aceita hoje atribui mais peso às mudanças climáticas intensas que marcaram a transição do Pleistoceno para o Holoceno. Quando os primeiros humanos chegaram ao continente americano, as populações dos grandes mamíferos já estavam severamente fragilizadas em função dessas mudanças. Assim, a chegada de povos que predavam esses animais significou apenas o golpe final que levou à morte dos grandes mamíferos.

E a própria ideia de que os grandes mamíferos representavam a base da dieta do povo de Clovis está hoje posta em xeque. O mais provável é que eles se alimentassem de uma grande variedade de fontes, incluindo animais de pequeno porte e vegetais, que não são tão bem preservados nos sítios conhecidos. Assim, o destaque que bisões e mamutes ganharam no cardápio de Clovis no imaginário popular seria apenas uma ilusão causada pela visibilidade que os seus fósseis tiveram no registro arqueológico.

De todo modo, as evidências disponíveis autorizavam a interpretação de que aqueles grupos humanos de fato caçavam grandes mamíferos com ferramentas requintadas e tinham caráter indômito e corajoso. Afinal, eles pareciam ter se espalhado com rapidez, subjugando animais imensos e desbravando territórios desconhecidos, como num faroeste ambientado no passado profundo.

O povo de Clovis virou motivo de orgulho para os norte-americanos, e não só para os arqueólogos. Pareciam feitos sob encomenda para um povo que gosta de bater recordes, como notou James Adovasio em *Os primeiros americanos*. "Rapidez. Inventividade. Espírito pioneiro. Conquistadores de fronteiras. Aqueles Primeiros Americanos estavam de parabéns", escreveu, abusando da ironia (ele próprio defendia que o povo de Clovis não era o primeiro a ocupar o continente).[10] A engenhosidade das pontas de Clovis, em particular, parecia prefigurar a cultura que valoriza a inovação e o empreendedorismo. As pontas de Clovis foram "a primeira grande invenção americana, o equivalente da Era do Gelo da disseminação da Coca-Cola", escreveu Tom Dillehay em *The Settlement of the Americas*.[11] A identificação dos norte-americanos contemporâneos com aquela espécie de mito de origem da cultura da inovação teve papel importante para consolidar o paradigma da primazia de Clovis ao longo do século XX.

Esse modelo oferecia uma explicação satisfatória para a ocupação do continente, mesmo que deixasse sem explicação achados arqueológicos de idade anterior ao horizonte de Clovis que apareciam aqui e ali. À medida que o paradigma se estabelecia como hipótese consensual para descrever a ocupação inicial das Américas, crescia a resistência a qualquer alegação da presença humana no continente anterior a 13 mil anos. Os arqueólogos norte-americanos tiveram papel central no estabelecimento desse limite cronológico para o povoamento. Eles haviam aderido em peso à primazia de Clovis e, na condição de país de maior tradição arqueológica nas Américas, tinham a prerrogativa de definir os critérios para a aceitação dos sítios antigos no continente. Dali para a frente, a vida de qualquer arqueólogo que encontrasse um sítio anterior a Clovis ficaria bem difícil.

7. A polícia de Clovis

Meadowcroft Rockshelter, Pensilvânia, Estados Unidos

Corria o mês de julho de 1974 quando o arqueólogo norte-americano James Adovasio, da Universidade de Pittsburgh, recebeu do Instituto Smithsonian o resultado da datação de onze amostras de carvão que ele havia mandado para análise de laboratório. Elas provinham de cinco níveis diferentes de um sítio arqueológico que ele vinha escavando desde o ano anterior, e em todos eles havia indícios de ocupação humana. O sítio em questão era Meadowcroft Rockshelter, um abrigo sob rocha situado no estado da Pensilvânia, no nordeste dos Estados Unidos, 55 quilômetros a sudoeste de Pittsburgh. Assim que bateu os olhos nos números, ele exclamou: "Droga!". (A julgar pelo tom exaltado que ele manifesta no livro *Os primeiros americanos*, é de imaginar que a interjeição tenha sido algo menos publicável que isso.)

Adovasio ficou contrariado porque duas das onze datas eram próximas de 18 mil anos atrás, o que significava que o abrigo de Meadowcroft foi ocupado pelo menos cinco milênios antes que o povo de Clovis — supostamente os primeiros americanos — começasse a fabricar suas pontas de lança acanaladas.* Seus colegas jamais engoliriam aquele resultado. Ele tinha visto pesquisadores respeitados tratados com escárnio e descrédito por defenderem ocupações anteriores a Clovis. Sabia que podia estigmatizar sua carreira e virar mais um quixote da arqueologia das Américas na luta patética contra "os moinhos de vento da sabedoria tradicional e do dogma estabelecido", segundo sua definição.[1]

Sua previsão não estava de todo errada. Adovasio passou uma parte considerável da carreira em meio a disputas acadêmicas sobre a validade das provas da presença humana antiga na Pensilvânia. Meadowcroft nunca foi um sítio aceito consensualmente pelos arqueólogos, graças à marcação cerrada da chamada polícia de Clovis, conforme foi apelidado um grupo informal de pesquisadores que se opunha a reconhecer qualquer evidência de ocupações antigas nas Américas. É difícil resgatar a origem do termo, mas ele remonta pelo menos a uma reportagem de 1990 na revista *Science*.[2]

O abrigo sob rocha de Meadowcroft era escondido por árvores e ficava treze metros acima de um córrego tributário do rio Ohio. Tinha quinze metros de largura por seis de profundidade. As escavações renderam ferramentas de sílex de vários formatos, carvões, ossos, conchas, restos de madeira, cordas e cestos — Adovasio era especializado na análise da cestaria antiga. As dezenas de datações que ele encomendou a dois laboratórios diferentes mostravam que aquele local havia sido ocupado ao longo de 16 mil anos, uma sequência sem precedente na América do Norte. As datas mais antigas encontradas por Adovasio em Meadowcroft eram situadas entre 21 mil e 25 mil anos atrás.

Mas faltava convencer a polícia de Clovis, que se valeu de um

* Em seu livro, Adovasio trabalha apenas com datas não calibradas, na casa de 15 mil anos atrás.

arsenal variado de argumentos para contestar a antiguidade de Meadowcroft. Alegou, por exemplo, que o sítio era frio demais para permitir a sobrevivência de grupos humanos, pois ficava a sessenta quilômetros da extremidade da geleira Laurentidiana quando ela atingiu sua extensão máxima, 20 mil anos atrás — uma afirmação que Adovasio atribui à ignorância dos críticos em glaciologia e paleoecologia.

A linha de crítica mais importante a Meadowcroft foi encampada por Vance Haynes, o geólogo da Universidade do Arizona que teve papel central para forjar o consenso em torno da primazia de Clovis e para contestar achados que apontassem para uma ocupação mais antiga do continente. Haynes pôs em causa a validade das datas mais antigas de Meadowcroft, alegando que as amostras tinham sido contaminadas por material de origem desconhecida. Adovasio tinha fama de escavador rigoroso. Ele conseguiu uma série extensa de 52 datações para definir a cronologia do sítio e fez um estudo minucioso da estratigrafia e dos artefatos encontrados. Fez análises específicas a fim de provar que o sítio não tinha sido contaminado, mas o colega não se convenceu.

Haynes chegou a visitar o sítio, em condições que Adovasio considerou inadequadas para fazer qualquer juízo sobre sua antiguidade, numa visita de duas horas fora do período de escavação e sem ver artefatos no contexto em que foram encontrados. Num artigo publicado em 1980 na *American Antiquity*, o arqueólogo e outros colegas adotaram um tom ríspido e por vezes irônico para contestar os questionamentos feitos por Haynes e outros críticos. Insistir com a "síndrome da primazia de Clovis", concluíram, era fútil e anacrônico.[3]

Em sua palestra na Paleoamerican Odyssey, Adovasio falou das críticas feitas a Meadowcroft em tom amargo e rancoroso. Ao final, agradeceu ao público "pela paciência de quarenta anos", tempo transcorrido desde as primeiras escavações de Meadowcroft.

Durante sua apresentação ele projetou um slide com a imagem de um túmulo e os dizeres "Clovis First 1973-2013".

As reações desaforadas de Adovasio não fizeram muito para atenuar a reticência com que parte de seus colegas ainda olha para Meadowcroft. O fato de o arqueólogo nunca ter publicado um relatório final abrangente sobre as escavações feitas naquele sítio não ajudou a convencer os críticos a mudar de ideia. A suspeita de contaminação levantada por Haynes colou, e provavelmente dúvidas vão pairar para sempre sobre a antiguidade de Meadowcroft.

Vance Haynes, opositor mais notório da antiguidade de Meadowcroft, foi o principal xerife da polícia de Clovis, a brigada de resistência à presença humana antiga no continente. Com a autoridade de quem tinha estabelecido o marco temporal das culturas Folsom e Clovis, Haynes reencarnou a obstinação com que Aleš Hrdlička contestava, no começo do século XX, alegações de ocupação das Américas na Era do Gelo.

O primeiro sítio pré-Clovis que ele ajudou a refutar foi o dos montes Calico, no deserto do Mojave, onde nos anos 1960 haviam sido encontrados artefatos com idade estimada entre 50 mil e 100 mil anos. Haynes visitou o sítio e se convenceu de que os supostos artefatos não eram de origem humana. No artigo que publicou na *Science*, em 1973, para refutar a validade de Calico, Haynes lançou mão da ideia de "geofatos" — objetos que têm jeito de artefatos, mas na verdade foram transformados por fenômenos naturais.[4] O conceito criado por ele seria adotado para contestar muitos sítios pré-Clovis encontrados no futuro.

Mas Haynes não era o único pesquisador atuando para questionar vestígios da presença humana antiga no continente. A brigada incluía nomes como Paul Martin, que propusera o modelo da blitzkrieg de Clovis; a arqueóloga Dena Dincauze, da Universi-

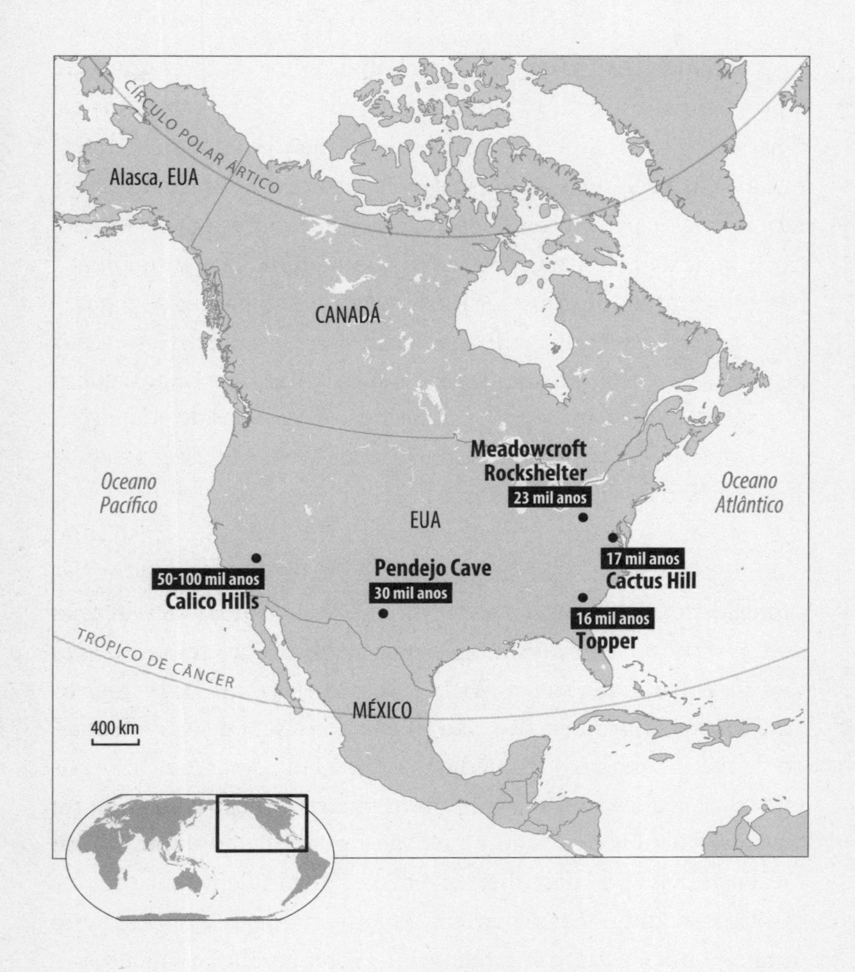

dade do Massachusetts em Amherst; e Thomas Lynch, da Universidade Cornell. Graças à polícia de Clovis, sítios como o da caverna Pendejo, no Novo México, com idade alegada na casa dos 30 mil anos, eram rapidamente rechaçados. A maioria dos achados arqueológicos anteriores a Clovis tinha um prazo de validade, seguindo aquilo que David Meltzer chamou de "curva de decaimento de credibilidade" — raramente duravam mais que uma década.[5]

O poder de fogo da polícia de Clovis vinha da força com que a primazia dessa cultura tinha se firmado entre os especialistas. Quando um paradigma se consolida numa disciplina, ele determina a forma como os cientistas formulam seus problemas e pensam os meios para resolvê-los. No caso da ocupação das Américas, a ideia da primazia de Clovis dirigiu o olhar dos arqueólogos para determinados tipos de sítios e artefatos. Além disso, o paradigma cria um viés de confirmação que deixa os cientistas menos propensos a reconhecer resultados que o contradigam. Os arqueólogos não eram treinados para identificar evidências de ocupações anteriores a Clovis e eram condicionados a receber esses achados com excesso de rigor e ceticismo.

Quando o paradigma da primazia de Clovis se consolidou com mais força, no final dos anos 1960, alguns arqueólogos norte-americanos passaram a simplesmente interromper a escavação de um sítio uma vez que atingissem o nível dos artefatos do povo de Clovis, tamanha sua convicção de que eles eram os primeiros americanos e que, portanto, não havia nada a ser encontrado abaixo daquela camada. O arqueólogo Albert Goodyear, da Universidade da Carolina do Sul, abandonou uma escavação à beira do rio Savannah depois de atingir o nível de Clovis e decidiu retornar ao local após saber de descobertas recentes que indicavam a presença humana antiga nas Américas. Foi assim que descobriu o sítio Topper, onde encontrou artefatos que alega terem 16 mil anos — uma idade que a maioria de seus colegas refuta.

Paul Martin chegou a comparar a busca da presença humana no continente anterior a Clovis à busca pelo Pé-Grande, tirando qualquer legitimidade científica dessa ideia ao colocá-la no campo da pseudociência. O ambiente acadêmico não era muito favorável para os defensores dos sítios pré-Clovis: Adovasio tinha razão ao temer a resistência dos colegas quando recebeu as primeiras datações de Meadowcroft. Mas a polícia de Clovis teria cada vez mais problemas para sustentar o paradigma, pois as evidências que contestavam a primazia de Clovis se tornavam mais frequentes e vinham de cantos diferentes.

Um primeiro furo na consistência do paradigma vinha do fato de a cronologia e a distribuição dos sítios atribuídos a Clovis não se encaixarem direito na ideia da travessia do corredor que se abriu entre as grandes geleiras da América do Norte. Se tivesse sido assim, seria natural que as ferramentas de Clovis aparecessem com mais frequência no noroeste dos Estados Unidos, nas imediações do ponto onde o corredor se abriu para o resto do continente. No entanto, tais sítios eram mais antigos e mais numerosos no sudeste do país. Além disso, o único sítio no Alasca em que foram encontradas pontas aparentadas com as de Clovis tinha uma data mais recente do que as encontradas ao sul das geleiras. Se aquele povo de fato atravessou o corredor entre as geleiras, parecia fazer mais sentido que tivesse sido na direção oposta, do sul para o norte. Essa ideia era corroborada pela localização dos esconderijos onde essas ferramentas eram armazenadas em relação à fonte de onde tinha saído a matéria-prima.

Outras linhas de investigação também geraram evidências que pareciam não confirmar a primazia de Clovis. Vários pesquisadores tentaram, por exemplo, buscar nas ferramentas de pedra encontradas na Sibéria algum tipo de parentesco com as pontas de Clovis que indicasse uma relação de ancestralidade tecnológica. Essas pistas foram procuradas tanto nas coleções arqueológicas de museus russos quanto em novas escavações na Sibéria, mas as tentativas foram infrutíferas. A indústria lítica local era dominada por microlâminas que não pareciam ter muita relação com as pontas acanaladas.

O caso da primazia de Clovis parecia um exemplo tirado do livro de Thomas Kuhn para ilustrar a erosão de um paradigma científico — e poderia muito bem ter sido citado pelo filósofo da ciência se *A estrutura das revoluções científicas* não tivesse sido lançado em 1962 — antes, portanto, da consolidação e crise da primazia de Clovis.[6] Kuhn mostrou ali como a crise de um paradigma começa com o surgimento de resultados anômalos — que, a princípio, são desprezados ou descartados, até que se acumulem e não possam mais ser ignorados. Nesse momento, é preciso que seja proposto um novo paradigma que dê conta de explicar os pontos fora da curva. Parecia ser o caso da ocupação inicial das Américas, em que só um novo modelo de povoamento seria capaz de acomodar os achados incompatíveis com a primazia de Clovis.

A crise de um paradigma abre caminho para modelos originais que não necessariamente vão se impor como consensuais. Esse foi o caso da chamada hipótese solutrense, formulada no início deste século por dois arqueólogos norte-americanos, Dennis Stanford e Bruce Bradley. De acordo com eles, as pontas de Clovis seriam derivadas não das microlâminas fabricadas no nordeste da Ásia, mas da indústria lítica da cultura solutrense, que viveu no sudoeste da Europa no final da Era do Gelo. Em outras palavras, é preciso buscar a origem da cultura Clovis na Ibéria, e não na Sibéria, conforme o trocadilho que resume a hipótese — que, de resto, nunca foi aceita pela maioria dos arqueólogos.

Stanford e Bradley apresentaram a ideia ao público na conferência Paleoamerican Origins: Beyond Clovis, realizada em Santa Fé, em 1999. A hipótese foi formulada por escrito pela primeira vez em artigos publicados em 2004 e 2006, na revista *World Archaeology*, e em 2012 desenvolvida no livro *Across Atlantic Ice*.[7] Stanford era arqueólogo do Museu Nacional de História Natural, vinculado ao Instituto Smithsonian, e tinha feito uma expedição infrutífera à Sibéria e ao Alasca em busca de ancestrais para a tecnologia de Clovis (ele morreu em 2019). Bradley é professor da Universidade de Exeter, no Reino Unido, doutor em tecnologia paleolítica, e havia sido treinado por um especialista francês em pedra lascada — ele próprio é conhecido como um exímio lascador. Os dois se uniram em torno da hipótese ao notar semelhanças formais entre as pontas de projétil solutrenses e as de Clovis — elas tinham alguma afinidade também com os artefatos de Meadowcroft e com as ferramentas de 17 mil anos encontradas em Cactus Hill, na Virgínia, no leste dos Estados Unidos, outro alegado sítio pré-Clovis que não tinha sido unanimemente aceito pela comunidade de arqueólogos. As ferramentas desses sítios poderiam então representar uma transição entre a tradição solutrense e a cultura Clovis.

Os solutrenses viveram entre 25 mil e 16,5 mil anos atrás em territórios onde hoje ficam a França, a Espanha e Portugal. De acordo com a hipótese de Stanford e Bradley, os solutrenses que foram para a América do Norte habitavam o sudoeste da França e o norte da Espanha, onde a semelhança tecnológica com as ferramentas de Clovis é mais pronunciada. Eles faziam pontas de projétil grandes e muito finas, em forma de folha de louro, que eram meticulosamente talhadas com uma técnica de lascamento usada também pelo povo de Clovis. E, assim como eles, os solutrenses podiam ir longe para buscar matéria-prima de qualidade e faziam esconderijos para guardar seus artefatos.

"A tecnologia é a visão de mundo expressa na pedra", definiu Bradley numa entrevista em 2013, durante a Paleoamerican Odyssey. O arqueólogo disse que a forma das ferramentas até podia mudar, mas a tecnologia tendia a se manter de maneira mais duradoura. Isso é o que se observa com os artefatos solutrenses e com aqueles encontrados na costa leste da América do Norte, continuou. "E ninguém ainda tentou explicar como você vai da tecnologia de microlâminas para a tecnologia de Clovis", afirmou, apontando a falta de conexão clara entre as ferramentas mais antigas da América do Norte e as da Sibéria. "Ambas são tão diametralmente opostas quanto é possível imaginar no campo da pedra lascada."

Para Bradley e Stanford, os solutrenses vieram para a América durante o Último Máximo Glacial, margeando a grande geleira que se estendia ao longo de 2500 quilômetros no Atlântico Norte, ligando o sudoeste da Europa a um arquipélago canadense na altura da atual fronteira com os Estados Unidos. Notando que a tecnologia solutrense tinha adaptações para o aproveitamento de recursos costeiros, Stanford e Bradley postularam que alguns grupos humanos podem ter se lançado ao mar em resposta a um estresse ambiental que limitou o estoque de alimentos em terra. Fazendo navegação de cabotagem e se alimentando de focas e peixes capturados ao longo das geleiras, parte deles chegou à costa nordeste dos Estados Unidos. A dupla propõe que vários grupos podem ter feito o trajeto nos dois sentidos; alguns ficaram na América do Norte, e a tecnologia que levaram se adaptou até dar origem às pontas acanaladas de Clovis. A hipótese não exclui que o continente americano tenha sido colonizado também por grupos que vieram da Beríngia.

Em 1970, uma draga operada pelo *Cinmar*, um barco usado para pescar vieiras, trouxe do fundo do mar uma presa de mastodonte, junto com uma lâmina de pedra afiada com quase vinte centímetros. A traineira estava navegando na baía de Chesapeake, um grande estuário na costa leste dos Estados Unidos, na altura do estado da Virgínia, não muito distante do ponto onde os solutrenses teriam chegado ao continente americano. A presa foi datada e tinha 27,4 mil anos — uma idade anterior à data de surgimento dos solutrenses —, conforme relatado no artigo que Bradley, Stanford e dois colegas publicaram nos anais da conferência de 2013.[8]

A ferramenta coletada pelo *Cinmar* virou um elemento central para alavancar a hipótese dos solutrenses e ilustra a capa do livro de Stanford e Bradley. Eles acreditam que aquele artefato tinha sido usado para arrancar a carne do mastodonte, mas não têm como provar, porque ele não foi encontrado em seu contexto original. O objeto estava a 74 metros de profundidade, num ponto em que havia terra firme no fim da Era do Gelo, antes da elevação do nível do mar. A dupla cita também achados em outros sítios no entorno da baía de Chesapeake. Apareceram ali artefatos com idade na casa dos 26 mil anos ou mesmo mais, ainda de acordo com o artigo de 2013, apresentado na Paleoamerican Odissey. No entanto, essas datas não são aceitas pela maior parte dos arqueólogos.

"O modelo dos solutrenses é uma aula de construção de argumento em arqueologia", disse-me o arqueólogo Astolfo Araujo, da USP. "Ele explica uma parte relativamente pequena da história das Américas, mas que é de uma importância monstruosa, que é justamente [a cultura] Clovis." Araujo foi atrás de Bruce Bradley depois de se impressionar com uma palestra do norte-americano, virou seu amigo e colaborador. Quando me recebeu em seu gabinete em 2021, Araujo fez questão de mostrar uma ponta de lança acanalada admirável que Bradley fabricou e lhe deu de presente.

A hipótese solutrense pode ser bem fundamentada, mas vai de encontro aos dados obtidos pela arqueologia, pela genética e por outras linhas de evidência, e não é considerada viável pela maior parte dos arqueólogos. Questionado pelo *Washington Post*, em 2012, sobre os achados do *Cinmar* na baía de Chesapeake, David Meltzer respondeu: "Não vou vir com uma interpretação completamente nova do povoamento das Américas a partir de algo que foi dragado do fundo do mar há quarenta anos e não foi adequadamente documentado".[9]

Com a subida do nível do mar, o litoral onde os solutrenses teriam desembarcado se encontra hoje submerso, além do alcance dos arqueólogos. Futuros avanços na arqueologia subaquática podem quem sabe dar novo fôlego ao modelo; enquanto isso, a hipótese continua descartada para a maior parte dos arqueólogos. Para os críticos de Stanford e Bradley, a semelhança apontada entre as culturas solutrense e de Clovis podia ser simplesmente uma questão de convergência tecnológica. Eles questionaram as datas dos sítios da baía de Chesapeake e a associação entre a ferramenta e a presa do mastodonte, além de apontar inconsistências cronológicas no modelo.

Ultimamente, os argumentos mais duros contra o modelo dos solutrenses têm vindo da genética. Cada vez mais estudos apontam que os povos nativos americanos descendem de grupos vindos da Ásia, e não da Europa. Se houve alguma migração europeia, ela não deixou rastros identificados até hoje nos povos indígenas atuais ou nos remanescentes humanos encontrados nas Américas que já tiveram seu DNA extraído.

Mesmo sem nunca ter chegado perto de ameaçar o consenso em torno da ocupação a partir da Sibéria, o modelo de Stanford e Bradley costuma ser tratado com respeito por seus colegas norte-americanos. Tom Dillehay escreveu, em 2000, que a hipótese requer atenção, e, em 2015, David Madsen a descreveu como "interessante, mas altamente especulativa".[10] A mesma condescendência não foi adotada com as hipóteses alternativas de povoamento do continente surgidas na América do Sul.

8. Os seixos da discórdia

Boqueirão da Pedra Furada, Piauí, Brasil

Quando soube que alguém gostaria de vê-la, num dia rotineiro de trabalho em 1963, Niède Guidon não imaginou que aquele encontro mudaria o rumo de sua vida e a história da arqueologia brasileira. Aos trinta anos, Guidon trabalhava no setor de arqueologia do Museu do Ipiranga, da USP. Naquele ano ela montara uma exposição sobre as pinturas rupestres encontradas em cavernas de Minas Gerais, as únicas conhecidas no país até então. Um visitante pediu para falar com a pessoa responsável, e a pesquisadora foi levada a ele. "Lá perto da minha terra também tem umas pinturas de índios", informou o homem. E lhe mostrou fotos da arte rupestre que ele havia tirado numa viagem à Serra da Capivara, no sudeste do Piauí. "Vi que era algo completamente diferente", disse Guidon ao evocar o episódio cinquenta anos depois, numa entrevista feita em sua casa em São Raimundo Nonato, na Serra da Capivara, onde vive há mais de três décadas.

A arqueóloga pegou com o visitante indicações para chegar até as pinturas (o homem era o prefeito de Petrolina, em Pernambuco, a cerca de trezentos quilômetros de São Raimundo Nonato, segundo o relato de Solange Bastos no livro *O paraíso é no Piauí*, que situa o encontro possivelmente em 1962).[1] Mas só anos depois Guidon conseguiria ir até as pinturas. No meio do caminho houve o golpe de 1964, e a pesquisadora decidiu refugiar-se em Paris, sabendo que tinha sido denunciada ao regime militar como membro do Partido Comunista Brasileiro (ela de fato se identificava com a esquerda, mas nunca tinha se filiado a nenhum partido).

Guidon já tinha laços com a França: nascida em Jaú, no interior paulista, é filha de pai francês e foi batizada em homenagem ao Nied, um rio que passa na região da Lorena, conforme o relato da jornalista francesa Elizabeth Drévillon, que escreveu uma biografia da arqueóloga.[2] Tinha dupla nacionalidade e havia morado em Paris no começo da década, quando se especializou em arqueologia pré-histórica na Universidade Sorbonne depois de se formar em história natural pela USP.

Na França, Guidon tornou-se pesquisadora do Conselho Nacional de Pesquisas Científicas (CNRS, na sigla em francês), mas continuou interessada pelas pinturas rupestres do Piauí. Numa viagem ao Brasil em 1970, ela aproveitou a carona de uma colega antropóloga que ia fazer trabalho de campo com o povo indígena Craô, que vive no atual território do Tocantins, e foi com ela até a Serra da Capivara. Ali, guiada por locais, a arqueóloga visitou e fotografou cinco abrigos rochosos em cujas paredes havia uma profusão de gravuras pintadas na pedra com um estilo que ela nunca tinha visto antes. Em sua especialização na Sorbonne, ela estudara com Annette Laming-Emperaire e André Leroi-Gourhan, especialistas nas pinturas rupestres da caverna de Lascaux, no sudeste da França, as mais impressionantes de que se tinha notícia. Mas Guidon notou que as pinturas da Serra da Capivara retratavam figuras humanas em profusão, em contraste com o que se via em Lascaux, onde predominavam touros, bisões, cavalos, felinos e uma variedade de outros bichos, muitos deles extintos.

Guidon seguia morando na França e usou as fotos que tirou no Piauí para montar um pedido de financiamento para o CNRS. Conseguiu os recursos e fez das pinturas rupestres da Serra da Capivara o tema de seu doutorado em pré-história pela Sorbonne, que começou em 1971. O dinheiro do CNRS bancou a viagem seguinte da arqueóloga ao Piauí, em 1973, acompanhada pelas colegas Águeda Vilhena de Moraes e Silvia Maranca. Desta vez, elas documentaram mais de cinquenta sítios com pinturas rupestres indicados pelos habitantes locais, estimulados pela promessa de recompensa que Guidon fizera na viagem anterior.

O trabalho mudou de escala em 1978, quando teve início a missão arqueológica franco-brasileira no Piauí, que está ativa até hoje. Guidon conseguiu recursos do Ministério das Relações Exteriores da França, que financia projetos de arqueologia e outras disciplinas pelo mundo, no âmbito do que eles chamam de "diplomacia científica" (projetos arqueológicos foram financiados também pelo governo francês em países como México, Peru e Egito; no Brasil, houve também uma missão arqueológica franco-brasileira na região de Lagoa Santa). Começou a escavar a Toca do Paraguaio, o primeiro sítio que ela tinha visitado alguns anos antes. Foi também naquele ano que a arqueóloga identificou o sítio mais conhecido — e polêmico — da Serra da Capivara: a Toca do Boqueirão da Pedra Furada.

Boqueirão é o nome que se dá aos numerosos vales estreitos que recortam os planaltos de arenito que caracterizam a paisagem da Serra da Capivara, uma região que hoje é coberta por uma vegetação mais densa e úmida do que aquela da caatinga que circunda a chapada. Os boqueirões são gargantas por onde um dia correram rios. Nas imediações do sítio que chamou a atenção de Guidon há um paredão rochoso no qual há um grande buraco oval: é a pedra furada que deu nome ao sítio e estampa os cartões-postais da região.

O Boqueirão da Pedra Furada é um grande paredão rochoso escarpado com cerca de oitenta metros de altura que se estende por cerca de oitenta metros em forma de meia-lua. O paredão tem inclinação negativa, ou seja, oferece proteção a quem estiver em sua base — no ponto mais recuado, a base do abrigo fica a dezenove metros da linha onde cai a chuva. Nos dias de tempestade forte, formavam-se cachoeiras nas duas pontas da falésia e a água se acumulava em reservatórios naturais que deviam ser atraentes para os bandos de caçadores e coletores de passagem pela região. O local foi ocupado de forma contínua ao longo de milênios por grupos humanos que deixaram registros de sua passagem nas paredes — mais de mil figuras foram catalogadas nas pinturas que se espalham ao longo de todo o paredão.

Hoje em dia já não se encontram mais ali as capivaras que batizam a serra, mas elas estão representadas nas pinturas que sobreviveram nas paredes do Boqueirão da Pedra Furada e em outros sítios naquela região. Estão longe de ser o único bicho ou mesmo o mais comum dentre todas as espécies retratadas nos desenhos. Há emas, cervos, peixes, caranguejos e jacarés, entre muitos outros, incluindo uma fêmea de macaco-prego levando um filhote nas costas (o primata ainda hoje é muito comum por ali).

As pinturas mostram humanos caçando veados com tacapes, atacando onças com lanças de arremesso e cercando tatus com as próprias mãos. Alguns animais são retratados em pleno ar, no instante de um salto. Os humanos aparecem transando, guerreando, brincando. A imagem de um grupo de mãos dadas numa ciranda parece congelar um momento de euforia milênios antes de o pintor francês Henri Matisse eternizar uma cena similar em *A dança*. Na parede do Boqueirão da Pedra Furada há ainda a imagem de duas figuras humanas unidas pela cabeça, num gesto que parece um beijo singelo. A alguns centímetros do casal está outra cena marcante, o salto de dois mamíferos quadrúpedes que foi parar na logomarca do Parque Nacional da Serra da Capivara. Parece mais recente que a cena do beijo, que está um tanto desbotada, mas não se sabe se foram feitas ao mesmo tempo. O que se vê hoje é o acúmulo de milhares de anos de registros feitos pelos grupos humanos de passagem por aqueles abrigos.

A cientista social francesa Anne-Marie Pessis se arrebatou com o dinamismo das pinturas da Serra da Capivara e se mudou para o Piauí a fim de estudá-las. Pessis se especializou no estudo da arte rupestre após fazer um doutorado em antropologia visual com o documentarista Jean Rouch. "Aqui há representações da vida cotidiana e cerimonial desses grupos humanos, o que é fascinante", disse-me a pesquisadora. Pessis notou que, além da abundância das representações humanas, as pinturas da Serra da Capivara chamavam a atenção por terem sido feitas em paredões ao ar livre, em contraste com a maior parte da arte rupestre europeia.

Para a antropóloga, o aspecto mais notável das pinturas rupestres do Piauí é a diversidade — tanto das técnicas empregadas e das ações representadas quanto do tamanho ou da sofisticação dos desenhos. "Essas imagens são as mais antigas que existem em diversidade e em complexidade — entendendo por complexidade a quantidade de elementos na representação da cena e a interação entre as figuras", afirmou Pessis. As pinturas a tocam também pelo equilíbrio e apelo estético, além de evidenciarem a capacidade cognitiva dos artistas. "Elas estimulam profundo respeito por esses grupos humanos", afirmou. "Eles eram de uma sensibilidade extrema."

As pinturas rupestres nos conectam com aqueles humanos em um nível que não conseguimos alcançar com ferramentas de pedra e outros vestígios arqueológicos. Os desenhos oferecem uma janela para seus hábitos, desejos e fantasmas. Pintar a caça era quem sabe uma forma simbólica de antecipar a captura desejada daqueles animais. Ou talvez os desenhos tivessem alguma função ritual e simbólica. Alguns podiam ser usados em cerimônias envolvendo canto ou música, como sugere o estudo acústico de cavernas com arte rupestre. Mas há um limite no que elas podem revelar sobre seus autores: a pintura era apenas uma de várias manifestações estéticas daqueles grupos humanos, aquela que sobreviveu até os dias de hoje.

A cor predominante nas pinturas rupestres da Serra da Capivara é o ocre extraído de blocos de óxido de ferro incrustados nos maciços de arenito. Como não se trata de uma substância orgânica, ela não tem como ser diretamente datada por carbono-14. Os pesquisadores podem encontrar pistas sobre sua idade quando encontram lascas pintadas que caíram da parede no meio de uma camada de sedimentos de idade conhecida. Conseguem também fazer uma aproximação indireta quando um pedaço de pintura está coberto por uma camada de calcita, um composto orgânico que é possível datar com carbono-14.

Isso é exatamente o que aconteceu na parede da Toca da Sebastiana, onde havia um escorrimento de calcita cobrindo uma grande figura humana de cabelo espetado pintada em vermelho. Guidon mandou datar a substância e o resultado apontou 36 mil anos. Como a pintura estava abaixo da camada de calcita, devia ter pelo menos essa idade, concluiu a pesquisadora. Isso em teoria: críticos alegaram que cristais de carbonato de cálcio de camadas mais antigas podiam ter participado desse processo de formação e que, portanto, a idade da pintura permanecia em aberto. Outras datações relativas também foram contestadas, como as lascas de pintura encontradas junto a pedaços de carvão com 29 mil anos. Sem um método direto de datação, a idade das pinturas rupestres da Serra da Capivara continua sendo objeto de disputa entre os arqueólogos.

* * *

Depois das primeiras sondagens de 1978, as escavações na Toca do Boqueirão da Pedra Furada foram retomadas em 1980 e se estenderam até 1988. O sítio arqueológico é um dos pontos altos dos roteiros turísticos do Parque Nacional da Serra da Capivara. Uma passarela de madeira foi instalada rente ao paredão para a apreciação das pinturas rupestres. Dali é possível ver o volume impressionante escavado pelos pesquisadores ao longo de todo esse tempo. Conforme estimativas de Guidon, a escavação alcançou cerca de sessenta metros de comprimento por quinze de largura e oito de profundidade. É possível ver também o testemunho — um trecho do sítio deixado intacto para que outros arqueólogos possam estudar no futuro com novas técnicas de escavação.

Já nas fases iniciais das escavações, Guidon e sua equipe começaram a encontrar vestígios que pareciam restos de fogueiras feitas intencionalmente por pessoas que acamparam ali: pedras dispostas em círculo junto ao paredão, algumas delas avermelhadas devido ao aquecimento, outras partidas ao meio em função do calor. Nas mesmas camadas de sedimentos, o grupo encontrou também seixos que pareciam ter sido lascados intencionalmente para serem usados como ferramentas.

Em 1980, Guidon mandou para datação restos de carvão de origem humana que haviam sido encontrados quando pouco mais de dois metros de sedimentos haviam sido escavados. O dia em que recebeu o resultado do laboratório de Gif-sur-Yvette, nas imediações de Paris, ficou marcado em sua memória. O relatório indicava uma idade de 26 mil anos, velha demais para o continente americano (calibrada, a data equivale a quase 29 mil anos). A reação de Guidon foi pegar o telefone e ligar para o laboratório. "Vocês misturaram minhas amostras, na América não tem nada com essa idade", ela protestou. Do outro lado da linha, ouviu que não havia qualquer contaminação: as amostras datadas eram as da Pedra Furada, e o melhor que ela tinha a fazer era ampliar as escavações para confirmar ou não aquele achado extraordinário.* A arqueóloga seguiu a orientação de sua colega e continuou as escavações, que prosseguiram até os pesquisadores atingirem o leito da rocha sob os sedimentos. Já no ano seguinte, Guidon mandou para datação novas amostras de carvão encontradas em camadas abaixo e recebeu de volta datas ainda mais antigas. "Não tinha escapatória, era realmente mais antigo do que o que se tinha encontrado até então nas Américas."

O mundo tomou conhecimento da antiguidade do Boqueirão da Pedra Furada em 19 de junho de 1986, quando a revista *Nature* publicou um artigo de três páginas assinado por Guidon e por Georgette Delibrias, pesquisadora do laboratório em Gif-sur-Yvette onde haviam sido datadas as amostras de carvão da Serra da Capivara.[3] As autoras relataram a identificação de fogueiras estruturadas e ferramentas de origem humana em vários níveis da escavação, incluindo em camadas muito mais antigas do que qualquer outra ocupação conhecida no continente americano até então. "Os achados do sítio da Pedra Furada atestam a presença do homem no norte da América do Sul há 32 mil anos e sugerem fortemente que a migração da Ásia para a América do Norte aconteceu antes disso", escreveu a dupla na conclusão do artigo. A idade citada no artigo era aquela obtida na datação antes de qualquer correção. Depois da calibragem ela fica ainda mais antiga: os 32 mil anos de carbono-14 correspondem, na verdade, a uma idade em torno de 37 mil anos atrás.

A alegação das autoras foi referendada por um comentário ao artigo publicado na mesma edição da *Nature* e assinado pelo

* No livro *O paraíso é no Piauí*, de Solange Bastos, a data que motivou o telefonema de Guidon é de 18 mil anos, 6 mil anos anterior à que Niède Guidon citou quando a entrevistei.

arqueólogo Warwick Bray, da Universidade de Londres. Bray notou que o sítio no Piauí tinha sucessivas camadas de sedimentos sem perturbação aparente, muitos artefatos, sucessivas datações por carbono-14 e sinais de evolução na indústria lítica através do tempo, exatamente como seria de esperar em um sítio arqueológico ideal. "A validade das evidências [apresentadas pelas autoras] parece além da dúvida", escreveu o britânico.[4]

Mas faltava combinar com os especialistas no povoamento das Américas. Conforme aconteceu com Meadowcroft e outros sítios com indícios da presença humana no continente anterior ao povo de Clovis, as evidências do Boqueirão da Pedra Furada foram recebidas com ceticismo pelos colegas de Guidon. A principal linha da argumentação usada para contestar a antiguidade do sítio brasileiro era a origem das cerca de seiscentas ferramentas encontradas em camadas com datas anteriores a Clovis. Ocorre que os seixos de quartzo e quartzito usados como matéria-prima para a confecção desses artefatos eram encontrados no topo do paredão onde aqueles grupos iam se proteger. Para os críticos, o lascamento dessas pedras não era fruto da ação humana, como sustentava Guidon, mas sim resultado de sua queda e de outros processos naturais ao longo dos milênios.

A simplicidade dos artefatos também contribuiu para gerar ceticismo de alguns arqueólogos. Aos olhos de um leigo, alguns dos seixos lascados encontrados na Pedra Furada não têm cara de ferramenta e parecem mais com pedras com que podemos topar aleatoriamente numa caminhada naquela região. Comparadas com as pontas de lança acanaladas de Folsom e de Clovis, as supostas ferramentas da Serra da Capivara têm aparência muito mais grosseira. Eram feitas com grande economia de meios e com um número limitado de retoques. Muitas vezes, eram nada mais que um seixo que tinha tido um único lado lascado para fazer um gume. Os seixos eram transformados de forma a poder cortar carne de animais, raspar o couro ou perfurar ossos para chegar à medula, uma fonte extremamente energética de alimento.

Outro argumento dos críticos questionava a origem dos carvões e restos de fogueira que Guidon atribuía à ação humana. Eles alegaram que esses vestígios eram pouco numerosos e podiam ter sido transportados por causas naturais até o interior do abrigo. Já para o grupo franco-brasileiro, a intencionalidade das fogueiras era evidente. Alguns seixos que tinham ficado avermelhados pela ação do calor foram expostos a temperaturas maiores que as atingidas por incêndios naturais. Os carvões estavam concentrados junto ao paredão de arenito, um sinal de que teriam sido deliberadamente transportados até ali. "Quando tem um incêndio natural tem carvão espalhado para todo lado", disse Guidon. "Ali, não. Só tem carvão perto dos lugares onde encontramos pinturas e material de pedra lascada."

O grupo da arqueóloga seguiu escavando o Boqueirão da Pedra Furada na tentativa de encontrar mais evidências para convencer os colegas. Em 1987, os trabalhos de campo passaram a ser coordenados pelo italiano Fabio Parenti, que estava fazendo doutorado sob a orientação de Guidon na École de Hautes Études en Sciences Sociales, em Paris, onde a brasileira era pesquisadora. Parenti ampliou a área da escavação para obter a caracterização exaustiva da estratigrafia do sítio, de forma a confirmar as datações que haviam sido obtidas nos trabalhos iniciais.

O arqueólogo italiano tentou se armar de cautela para refutar a crítica de que os artefatos eram apenas seixos que haviam se fraturado naturalmente com o tempo. Para isso, fez a medição minuciosa de cerca de 2 mil seixos que haviam caído do penhasco e os comparou às ferramentas encontradas no sítio arqueológico para entender seu padrão de lascamento. Notou que, na grande maioria das vezes, em caso de fratura natural o seixo quebrava de um lado só, não apresentava qualquer sinal de retoque e não tinha mais de três pedaços retirados; nos casos em que havia mais de uma fratura, elas geralmente não eram conectadas. Já nos casos de seixos com três retiradas ou mais, as fraturas eram adjacentes e pareciam ter sido feitas em sequência para formar um gume ou uma parte cortante, seguindo uma cadeia operatória aparente que sinalizava uma intenção. Portanto, concluiu Parenti, era improvável que os seixos tivessem se quebrado por causas naturais.

Em paralelo, novas datações de material orgânico encontrado no Boqueirão da Pedra Furada continuavam sendo feitas na França. Os resultados seguiam apontando uma sequência de datas que ficavam mais velhas à medida que a escavação se aprofundava, o que era a tendência esperada para um sítio cujas camadas de sedimentos não tivessem sido perturbadas. Mais de sessenta datações por carbono-14 foram feitas na Pedra Furada, mais do que em qualquer outro sítio sul-americano até então. As mais antigas passavam de 50 mil anos, conforme registra a tese de Fabio Parenti, além do limite de confiança das idades que era possível determinar com o método naquele momento.[5]

Para contornar essa incerteza, no começo dos anos 1990 o grupo decidiu fazer também datações por termoluminescência, técnica que consegue determinar idades além do limite do carbono-14. Usou-se o método para datar seixos avermelhados pela ação do fogo e que, segundo os arqueólogos, tinham sido usados para delimitar fogueiras. Os resultados deixaram os pesquisadores ainda mais perplexos: os seixos encontrados nas camadas mais fundas tinham sido esquentados há mais de 100 mil anos, conforme relata um artigo de 2003 na revista *Quaternary Science Reviews* que Guidon assina junto com cinco colegas da França.[6]

Aquela era uma data assombrosa, quase constrangedora de tão antiga. Tratava-se de um horizonte muito além do que qualquer arqueólogo estava disposto a aceitar para a presença humana nas Américas. Ficava difícil construir um modelo de ocupação do continente compatível com aquele resultado — 100 mil anos era o horizonte aceito para a saída do *Homo sapiens* da África. É verdade que os autores do artigo de 2003 foram cautelosos na interpretação do resultado e reconheceram que a origem humana daqueles seixos ainda estava por ser provada. Mas o resultado acabaria por aguçar o ceticismo da comunidade arqueológica em relação aos achados daquele sítio.

A hipótese de Niède Guidon para explicar como aqueles grupos humanos foram parar no território onde hoje fica o Piauí não ajudou muito a convencer os colegas. Segundo ela, os grupos que fizeram as fogueiras e ferramentas do Boqueirão da Pedra Furada não vieram da Ásia pela Beríngia, como defende a maioria esmagadora dos estudiosos da ocupação das Américas, mas sim da África, por uma rota oceânica. Eles teriam vindo em pequenas embarcações, depois de se lançar ao mar em resposta a uma crise ambiental que criou desertos e tornou escassos os recursos alimentares em terra firme.

"Não é que quisessem vir para cá", disse a arqueóloga sobre sua hipótese. "Os barcos foram tocados pelo vento e pelas correntes e vieram parar na América." Guidon defende que eles teriam desembarcado nas proximidades do delta do Parnaíba, no atual litoral piauiense, e entrado no continente seguindo o curso do rio. Ela lembrou que o nível do mar estava bem mais baixo naquele momento. "A distância era menor, e, além disso, devia haver muito mais ilhas no caminho."

Outro argumento que Guidon costuma citar para sustentar sua hipótese de povoamento é a presença enigmática nas Américas de um parasita intestinal do Velho Mundo, o *Ancilostoma duodenale*. Esse verme nematódeo tem origem no norte da África, sul da Europa ou na Ásia. Acreditava-se que ele tivesse vindo para as Américas de navio junto com os europeus na época da colonização, mas isso não explicava os parasitas que foram descobertos numa múmia peruana com cerca de 3 mil anos de idade e num corpo mumificado encontrado em Minas Gerais datado em até 4,1 mil anos. Para complicar o quadro, ovos do verme foram identificados em fezes fossilizadas com cerca de 8 mil anos de idade encontradas no Boqueirão da Pedra Furada.

Esses achados são intrigantes porque o ciclo de vida do *Ancilostoma* inclui uma fase em que suas larvas se desenvolvem no solo e só permanecem viáveis se a terra for úmida e relativamente quente, com temperaturas próximas de 20ºC. Portanto, o parasita não poderia ter chegado às Américas vindo pela Beríngia, pois não teria sobrevivido às temperaturas geladas enfrentadas em sua eventual travessia. Essa é a conclusão de um estudo de 1988 assinado por Adauto Araújo, paleoparasitologista da Fiocruz, e outros três colegas nos *Cadernos de Saúde Pública*.[7] A constatação levou o grupo a especular que o verme devia ter vindo para as Américas junto com humanos que chegaram por via marítima pelo Atlântico ou Pacífico. A hipótese nunca foi testada, porém, com os métodos de sequenciamento genético desenvolvidos nos últimos anos, e não costuma ser lembrada nos artigos de revisão que fazem uma síntese do conhecimento disponível sobre o povoamento inicial das Américas.

O modelo formulado por Guidon de uma ocupação seguindo uma rota oceânica vinda da África nunca foi considerado com seriedade por seus colegas, em contraste com a recepção respeitosa da hipótese solutrense postulada por Dennis Stanford e Bruce Bradley — que não tem respaldo na genética, assim como a proposta da arqueóloga franco-brasileira. É verdade que, diferentemente da dupla norte-americana, Guidon nunca se deu ao trabalho de publicar formalmente sua hipótese. Mas o fato de ela ser uma mulher fazendo pesquisa num país periférico decerto ajudou a diminuir a credibilidade de seu argumento. O completo descrédito de sua proposta reforça a percepção de que os arqueólogos norte-americanos tratam com dois pesos e duas medidas as alegações de presença humana antiga que vêm da América do Sul.

A trajetória acadêmica de Niède Guidon foi marcada pela polêmica em torno do povoamento das Américas, mas entrar nessa briga nunca foi seu objetivo. Pelo contrário: quando sua mentora francessa Annette Laming-Emperaire decidiu explorar os sítios da região de Lagoa Santa em busca das ocupações mais antigas do continente, Guidon abriu mão de acompanhá-la para ir à Serra da Capivara estudar as pinturas do Piauí das quais tomara conhecimento pelo visitante do Museu do Ipiranga. Mas acabou involuntariamente arrastada para a grande controvérsia da arqueologia americana.

A questão nunca tirou o sono de Guidon, mesmo depois que as datações começaram a apontar a presença humana no Piauí muito antes das datas convencionalmente aceitas para a ocupação das Américas. "Não me interesso pela idade, não estou atrás dos humanos mais antigos das Américas", disse-me a arqueóloga em 2013, repetindo o que dissera décadas atrás a Laming-Emperaire. "O que eu queria era estudar as pinturas rupestres."

Alinhada com essa convicção, da qual nunca arredou pé, Guidon gastou muito mais energia lutando para que a arte rupestre da Serra da Capivara fosse protegida do que brigando com os colegas pela validade de seus achados arqueológicos. Com as informações colhidas nas primeiras expedições de campo, a arqueóloga foi atrás de políticos para convencê-los da importância de se criar uma unidade de conservação que preservasse o extraordinário patrimônio natural e arqueológico da região.

Instituído em 1979, o Parque Nacional da Serra da Capivara é fruto da articulação de Guidon. O parque cobre uma área de quase 130 mil hectares, pouco maior que a da cidade do Rio de Janeiro, e abrange parte do território de quatro municípios: São Raimundo Nonato, Coronel José Dias, João Costa e Brejo do Piauí. Sua criação não se deu sem atritos com a população local: famílias que viviam no perímetro do parque tiveram suas casas desapropriadas, e nem todas foram indenizadas. Além disso, a instituição da reserva tornou ilegal a caça que parte da população local praticava para subsistência ou lazer.

O Parque Nacional da Serra da Capivara integra a rede de unidades de conservação federais administradas pelo ICMBio, o Instituto Chico Mendes de Conservação da Biodiversidade, mas sua gestão é dividida com a Fundação Museu do Homem Americano (Fumdham), uma entidade civil sem fins lucrativos criada por Guidon em 1986. Na reserva há circuitos de cair o queixo com trilhas para a apreciação das formações geológicas e dos sítios arqueológicos com pinturas rupestres — mais de mil sítios foram repertoriados na região, dezenas dos quais foram equipados com passarelas e infraestrutura para receber turistas.

A Fumdham administra também dois museus criados por iniciativa de Guidon: o Museu da Natureza, inaugurado em 2019, e o Museu do Homem Americano, que abriu em 1998 e exibe ao público alguns dos principais achados arqueológicos locais. "Tudo indica que a região da Serra da Capivara foi povoada a partir de tempos muito recuados, que beiram os 100 mil anos", informa ao público o texto sobre a rota atlântica de povoamento postulada por Guidon. Não ressalva, porém, que tanto a data quanto a rota propostas por ela são contestadas pela maior parte dos estudiosos do assunto.

A fundação ocupa uma sede em São Raimundo Nonato com espaço para laboratórios, biblioteca, anfiteatro e cômodos para armazenar a reserva técnica das coleções do museu. Guidon vive numa casa ampla com algumas paredes de vidro construída num terreno contíguo ao da sede da Fumdham. Ela se estabeleceu em São Raimundo Nonato em 1992, quando ainda era professora da École de Hautes Études en Sciences Sociales, pela qual está aposentada. Aos noventa anos na data de publicação deste livro, era presidente emérita da Fumdham.

No portão de entrada da casa de Guidon há uma grande placa cor-de-rosa com o conhecido verso que Dante Alighieri usa para descrever sua chegada à porta do inferno: "*Lasciate ogni esperanza voi ch'entrate*", ou "Abandonai toda esperança vós que entrais". A escolha é reveladora do temperamento da dona da casa, uma personalidade respeitada e temida em São Raimundo Nonato por sua firmeza e determinação. A resiliência talvez fosse uma condição imprescindível para que ela prosperasse diante das adversidades que encontrou para manter o parque nacional funcionando.

A falta de recursos para a gestão da unidade de conservação foi um obstáculo constante através dos tempos. Guidon tinha facilidade de trânsito em Brasília e cultivou boas relações com políticos de vários estados, mas o dinheiro que ela levantava nem sempre era suficiente para garantir a operação do parque. A reação da arqueóloga era invariavelmente a mesma: quando faltava dinheiro, ela ia à imprensa se queixar e ameaçava ir embora do país e deixar o parque à própria sorte.

A internet guarda o registro de incontáveis protestos da pesquisadora. Em 2006, a revista *Ciência Hoje* noticiou que ela condicionava sua permanência no Brasil a um orçamento fixo e permanente para o parque nacional. "Não aguento mais", afirmou.[8] Em 2015, o desabafo foi registrado em *O Globo*. "Eu não sei mais o que fazer."[9] No ano seguinte, funcionários foram dispensados por falta de recursos, e Guidon chegou a anunciar o fechamento provisório do parque pelo mesmo motivo. Em 2018, a revista *Trip* anunciou com bom humor mais um ultimato da pesquisadora: "Niède Guidon, responsável por resgatar do abismo um dos mais importantes sítios arqueológicos do mundo, está (de novo) prestes a largar tudo".[10]

* * *

A resiliência seria essencial também para que Guidon fizesse frente às pancadas que vinha recebendo dos colegas arqueólogos. Por mais convicta que ela estivesse de seus resultados, o Boqueirão da Pedra Furada não preenchia todos os requisitos para que tivesse sua antiguidade inequivocamente aceita. As datações e a estratigrafia do sítio não eram contestadas pelos críticos. A raiz da controvérsia estava no terceiro critério para a validação do sítio: a natureza incontestavelmente humana dos vestígios encontrados. Nem todos os colegas de Guidon estavam seguros de que os artefatos de pedra e os restos de fogueiras apresentados pelo grupo franco-brasileiro tinham sido produzidos por humanos.

Os questionamentos à ocupação antiga na Serra da Capivara vieram pouco depois da publicação de Guidon e Delibrias na *Nature*. Em artigo de 1987 no *Journal of World Prehistory*, o brasileiro Pedro Ignacio Schmitz afirmou que a antiguidade do Boqueirão da Pedra Furada deveria ser encarada com cautela e que tanto a estratigrafia quanto os artefatos e amostras de carvão encontrados ali estavam sujeitos a erros de interpretação, tornando impossível se chegar a qualquer conclusão definitiva.[11] Num artigo publicado em 1989 na revista *American Antiquity*, o australiano Robert Bednarik alegou que a abundância de seixos de quartzo e quartzito no topo do paredão tornava a interpretação das ferramentas líticas um "problema incômodo" e que o Boqueirão da Pedra Furada não era um sítio pleistocênico ideal.[12]

A briga esquentou quando Thomas Lynch, arqueólogo da Universidade de Cornell que integrava a tropa de elite da polícia de Clovis, engrossou o coro dos críticos. Lynch se tornou um opositor aguerrido de evidências da presença humana antiga no continente americano depois de ele mesmo ter tido um estudo seu contestado por colegas. No início dos anos 1970, ele encontrou numa caverna no norte do Peru esqueletos humanos que eram quase contemporâneos do povo de Clovis, conforme argumentou. Porém, outros pesquisadores mostraram que a estratigrafia do sítio havia sido perturbada e que as conclusões não se sustentavam. A frustração contribuiu para que ele se tornasse um dos opositores mais implacáveis de quem quer que defendesse alguma presença humana anterior a Clovis nas Américas.

Em 1990, Lynch publicou na *American Antiquity* um artigo que avaliou várias evidências da existência do "homem glacial" na América do Sul, ou seja, ocupações humanas durante a Era do Gelo — e, portanto, anteriores a Clovis. Debruçou-se sobre sítios arqueológicos no Brasil, Argentina, Chile, Equador, Peru, Colômbia e Venezuela. Não viu indícios conclusivos da presença do *Homo sapiens* em nenhum deles — nem mesmo em Monte Verde, no Chile, que vinha abalando as convicções de alguns arqueólogos. "Não há casos indiscutíveis ou completamente convincentes de vestígios arqueológicos pré-Clovis na América do Sul", afirmou Lynch na conclusão.[13]

Ao examinar as evidências do Boqueirão da Pedra Furada, o norte-americano refutou a origem humana tanto dos supostos artefatos quanto das fogueiras encontradas pela equipe de Guidon. Lynch afirmou que era difícil enxergar a ação humana nos padrões de lascamento dos artefatos rudes encontrados nas camadas de sedimentos de idade mais antiga. Ele tinha visto as ferramentas levadas por Niède Guidon a um simpósio e chegou à mesma conclusão que outros colegas: os materiais eram "pouco convincentes".

Mas faltava à crítica de Lynch a legitimidade de quem tinha visto os achados em seu contexto original. O norte-americano não tinha ido ao Boqueirão da Pedra Furada, e a visita do sítio continuava sendo, desde o século XIX, o padrão-ouro para a validação de achados arqueológicos controversos. Enquanto não fosse examinado presencialmente pelos críticos, o sítio do Piauí não poderia ser definitivamente descartado. E a ocasião surgiu em dezembro de 1993, quando Guidon convidou alguns dos principais nomes da arqueologia da ocupação das Américas para um simpósio sobre o tema organizado em São Raimundo Nonato. O Boqueirão da Pedra Furada iria enfim passar pela prova dos nove.

Entre os arqueólogos norte-americanos que aceitaram o convite estava James Adovasio, que vinha escavando o sítio de Meadowcroft Rockshelter havia quase duas décadas e enfrentando a marcação cerrada da polícia de Clovis; Tom Dillehay, que vinha apresentando desde a década anterior os resultados promissores de suas escavações em Monte Verde, cuja antiguidade ainda não tinha sido consensualmente aceita naquele momento; e David Meltzer, da Universidade Metodista do Sul, em Dallas — o único deles que não tinha um sítio pré-Clovis para chamar de seu.

A ida dos norte-americanos ao Piauí reencenou em alguns aspectos a viagem de Aleš Hrdlička à Argentina para refutar as evidências do *Homo pampaeus*. Como aconteceu com o pesquisador do Smithsonian, os estrangeiros foram acolhidos de forma generosa e amigável pelos brasileiros. "Foi um encontro marcante: estimulante, intenso, esclarecedor e, às vezes, desconfortável, simultaneamente e em várias línguas", escreveu Meltzer ao evocar o encontro em *First Peoples in a New World* [Primeiros povos em um novo mundo].[14] Assim como acontecera com Hrdlička, depois que voltaram para casa os norte-americanos escreveram uma publicação técnica contundente refutando a idade antiga do sítio sul-americano que haviam visitado.

Nenhum dos três se convenceu da antiguidade do Boqueirão da Pedra Furada. Cada um deles escreveu, nos anos seguintes à visita ao Piauí, um livro para o grande público sobre a ocupação das Américas. Todos contestaram a origem humana das supostas ferramentas escavadas pela equipe de Guidon. Adovasio — o único dos três autores a ter seu livro traduzido no Brasil — estranhou que não houvesse ferramentas feitas com matéria-prima de fora do sítio, apesar da existência de material de qualidade na região. Para ele, não se tratava de artefatos, mas sim de geofatos, ou seja, pedras lascadas por ação natural ao longo do tempo. Meltzer notou também a abundância de seixos de quartzo e quartzito no topo da falésia: "A própria natureza vem claramente lançando pedras dentro do abrigo da Pedra Furada por dezenas de milhares de anos", escreveu. "Mas será que os humanos também vêm?"[15]

Dillehay, porém, admitiu que algumas das ferramentas pareciam ter sido feitas por humanos e que lembravam peças que ele escavara em Monte Verde. Esses artefatos líticos estavam numa camada com data de 33 mil anos que nunca teve sua antiguidade unanimemente aceita, em contraste com as datas pré-Clovis mais recentes do sítio chileno. "Mas eu também vi, na pilha no sopé das duas quedas-d'água na Pedra Furada, milhares de pedras quebradas que pareciam ter sido trabalhadas por humanos, mas claramente não foram."[16]

O relato que estigmatizou irreversivelmente o sítio brasileiro veio na forma de um artigo escrito pelos três arqueólogos norte-americanos e publicado em 1994 na revista *Antiquity*. Os autores retomaram o questionamento da origem humana das fogueiras, alegando que não havia como provar que os carvões não vinham de incêndios naturais comuns no semiárido. Trouxeram também mais argumentos para contestar a origem dos artefatos. Estranharam que não houvesse muita variação tecnológica ao longo do tempo, numa interpretação oposta à que fizera Warwick Bray: as ferramentas mantiveram o aspecto por cerca de 50 mil anos, exatamente o que seria de esperar se elas fossem apenas seixos lascados pela própria natureza com o passar do tempo. "Por enquanto não podemos aceitar a alegação de que os seixos de quartzito lascados da Pedra Furada são artefatos", escreveram Meltzer, Adovasio e Dillehay.[17]

O texto dos norte-americanos foi respondido com um artigo em tom ressentido publicado no ano seguinte na mesma revista, com o título "Leviandade ou falsidade?", assinado por Niède Guidon e Anne-Marie Pessis. As autoras lamentaram que os colegas não tivessem formulado as críticas durante a viagem ao Piauí. Também tentaram tirar legitimidade da argumentação dos norte-americanos alegando que nenhum deles tinha experiência com a escavação de sítios da Era do Gelo em regiões tropicais. Defenderam a origem humana das fogueiras argumentando que elas só ocorriam no interior do abrigo, e não na parte externa, e que os norte-americanos não admitiam isso simplesmente porque não conheciam aquele tipo de estruturas de combustão. Quanto às ferramentas, afirmaram que havia, sim, no registro arqueológico brasileiro instrumentos que evoluíram tecnicamente, mas que paralelamente havia outros que mantiveram suas formas simples com o passar dos tempos. "Não há como negar esse fato, o melhor é aceitá-lo e buscar razões que o expliquem", escreveram Guidon e Pessis.[18]

Na avaliação de Astolfo Araujo, arqueólogo da USP que participou de escavações no Boqueirão da Pedra Furada, faltou ao trio de colegas norte-americanos a experiência com as indústrias líticas simples, como a encontrada ali. "As indústrias simples são muito mais difíceis de analisar do que as pontas maravilhosas" — como as de Folsom e Clovis encontradas na América do Norte —, "porque você não percebe de maneira tão clara as intenções do lascador", disse-me o pesquisador. "Nenhum dos três tinha essa expertise, e ficaram falando coisas da cabeça deles."

O episódio deixou lembranças amargas para os cientistas envolvidos com a escavação do Boqueirão da Pedra Furada. "Aquilo foi muito triste", disse Fabio Parenti quando o entrevistei em 2013, vinte anos depois da famigerada visita. Para o italiano, os colegas norte-americanos foram superficiais na avaliação que fizeram do sítio. "Não se pode julgar uma situação tão complicada em termos físicos e tafonômicos com quatro ou cinco horas de observação", afirmou (tafonomia é a disciplina que investiga a forma como os organismos se decompõem e viram fósseis). Mas ponderou que, apesar disso, é agradecido aos colegas. "Cada crítica, por ruim que seja, estimula a melhorar o produto."

Parenti fez ainda uma leitura geopolítica da situação: "Foi desagradável os latinos serem policiados pelos protestantes norte-americanos". Não era uma percepção inédita — ou mesmo improcedente — daquela controvérsia: para alguns pesquisadores brasileiros, a resistência dos colegas norte-americanos em aceitar a antiguidade do Boqueirão da Pedra Furada era apenas mais uma manifestação do "imperialismo arqueológico" denunciado por Alan Bryan, um arqueólogo norte-americano que defendia uma ocupação das Américas anterior a Clovis.[19]

No Brasil, Pedro Ignacio Schmitz não foi o único estudioso a torcer o nariz para os resultados de Niède Guidon e sua equipe. Outro colega relutante foi o arqueólogo francês André Prous, pesquisador da UFMG, que nunca aceitou a antiguidade do Boqueirão da Pedra Furada e que tem com Guidon uma disputa que foi parar nos tribunais. Em 1998 a arqueóloga processou o colega por julgar que ele havia desferido "um forte golpe à imagem e à integridade moral da autora, divulgando fatos capciosos e truncados com a verdade", conforme a ação de responsabilidade civil por danos materiais e morais movida pela arqueóloga na 2ª Vara da Comarca de São Raimundo Nonato.

O processo veio após um artigo que Guidon qualificou como "um embuste", publicado em 1997 na *Revista da USP* num dossiê dedicado ao "Surgimento do homem americano". Prous chamou atenção para as "tentativas sistemáticas de apresentar a Pedra Furada como o lugar onde qualquer tipo de vestígio é mais antigo que os de outros lugares" e enumerou os argumentos contrários à presença humana antiga na Serra da Capivara. Considerou que a credibilidade dos achados arqueológicos era prejudicada por "afirmações precipitadas, e nunca verificadas, feitas por alguns membros da equipe", e que, por isso, mesmo achados que mereceriam um olhar criterioso acabavam postos automaticamente sob suspeita.[20]

Guidon se irritou em especial com o relato de que, "numa reunião em Brasília, foram apresentadas fotografias de um crânio 'de criança' encontrado em contexto muito antigo; verificou-se logo que se tratava de um crânio de macaco", conforme argumentou no processo. No pedido de indenização, a arqueóloga informou que nunca havia sido encontrado crânio de qualquer espécie na Pedra Furada e que ela jamais participara de encontros na capital federal para tratar de enterramentos. Em entrevista ao jornalista Marcelo Leite no ano de 2000, ela deu a entender que não tinha sido movida pela busca de reparação: "Eu só fiz isso porque assim ele gasta dinheiro com advogado, para aprender a falar besteira".[21] A essa altura a litigante já desistira do processo, extinto em 2019.

Guidon se desentendeu também com o bioantropólogo Walter Neves, da USP, que vinha desenvolvendo seu próprio modelo de ocupação das Américas anterior a Clovis. Quando a *Folha de S.Paulo* noticiou em 1995 a publicação do artigo de Adovasio, Dillehay e Meltzer sobre a Serra da Capivara, Neves escreveu para a seção de cartas do jornal elogiando a reportagem e criticando a falta de rigor metodológico das escavações no Piauí. "Por omissão da comunidade arqueológica nacional, temos assistido, alarmados, à ampla divulgação entre a população brasileira, e sobretudo entre aquela em idade escolar, de que a América foi ocupada há cerca de 50 mil anos", afirmou a carta, assinada também por Eduardo Góes Neves, da USP.[22]

Um único osso humano antigo que tivesse colágeno preservado — e que, portanto, pudesse ser diretamente datado — bastaria para resolver a controvérsia. Mas o solo ácido da Serra da Capivara não favorecia a preservação dos fósseis, e as fogueiras e ferramentas eram os únicos indícios disponíveis. Com a névoa de incerteza que envolvia a origem desse material, o Boqueirão da Pedra Furada estava condenado a continuar sendo visto como um sítio controverso.

Outra forma de reforçar os argumentos em defesa da presença humana antiga na Serra da Capivara seria encontrar novos sítios arqueológicos com idades parecidas com as do Boqueirão da Pedra Furada — idealmente a céu aberto, longe de um paredão de onde os seixos pudessem cair e quebrar naturalmente. Afinal, se grupos de caçadores-coletores ocuparam aqueles abrigos no passado, deveria ser possível encontrar vestígios deixados por eles espalhados pela região. Identificar outros sítios de características parecidas seria um jeito de replicar de alguma forma os resultados obtidos na Pedra Furada.

A necessidade de replicabilidade era um pré-requisito que alguns integrantes da polícia de Clovis vinham exigindo para aceitar alegações da presença humana antiga no continente americano, para além dos critérios tradicionais para a validação de um sítio. Mas essa é uma exigência problematizada por alguns estudiosos. A replicabilidade é um conceito surgido nas disciplinas de laboratório, e sua aplicação na arqueologia é difícil. É possível, em tese, repetir um experimento com os mesmos resultados num laboratório no outro canto do mundo, mas como replicar um achado arqueológico, que é único por definição? Para alguns, essa exigência seria mais um jeito de estabelecer dois pesos e duas medidas para sítios que ousassem desafiar a primazia de Clovis.

Se tinham razão ou não de exigir sucessivas camadas de provas para se deixarem convencer, o fato é que a polícia de Clovis venceu mais aquele round. Forte candidato a sítio mais controverso das Américas, o Boqueirão da Pedra Furada ficou estigmatizado pela incerteza envolvendo a origem das ferramentas e fogueiras encontradas em camadas de sedimento de idade espantosa. Como Meadowcroft, na América do Norte, parecia fadado a carregar para sempre a sombra da dúvida. Afinal, "sítio micado é sítio micado", conforme Walter Neves escreveu sobre o Boqueirão da Pedra Furada no prefácio de *O paraíso é no Piauí*.[23]

9. A cara de Luzia

Lapa Vermelha IV, Minas Gerais, Brasil

O rosto de Luzia é familiar para boa parte dos brasileiros. Eternizada nos anos 1990 por uma reconstituição facial que estampou capas de jornais e foi parar em livros didáticos, ela ficou conhecida como a primeira brasileira. Com idade estimada na casa dos 13 mil anos, é frequentemente apresentada como o esqueleto humano mais antigo já encontrado nas Américas — eu mesmo já a apresentei assim em mais de uma reportagem. Mas nem sempre se ressalva que não há consenso entre os especialistas quanto à idade do esqueleto e raras vezes são citadas as incertezas envolvidas na sua determinação.

Luzia foi escavada no sítio arqueológico da Lapa Vermelha IV, situado na região de Lagoa Santa, em Minas Gerais, na mesma formação geológica — o carste — em que ficam as cavernas exploradas por Peter Lund no século XIX. Na época da escavação, nos anos 1970, o sítio pertencia ao município de Pedro Leopoldo, mas hoje é parte do município de Confins. Fica a menos de dez quilômetros do aeroporto internacional de Belo Horizonte e da estrada que leva até lá se veem os aviões no pátio.

A Lapa Vermelha IV foi escavada por uma missão arqueológica chefiada pela arqueóloga francesa Annette Laming-Emperaire. Nascida em pleno outubro de 1917 em Petrogrado (hoje São Petersburgo), na capital da Rússia revolucionária, Laming-Emperaire se mudou com a família para Paris, onde estudou biologia e filosofia antes de fazer um doutorado sobre pinturas rupestres, orientada por André Leroi-Gourhan, que era então a maior autoridade na matéria na França. Ela era casada com José Emperaire, um arqueólogo e etnólogo que tinha sido aluno de Paul Rivet, o fundador do Museu do Homem, em Paris.

De acordo com um modelo formulado por Rivet para explicar o povoamento das Américas, além dos povos que chegaram pela Sibéria, o continente havia sido ocupado também por grupos que zarparam da Austrália ou da Melanésia e aportaram direto na América do Sul, navegando pelo Pacífico numa época em que o nível do mar estava bem mais baixo. Do ponto de vista náutico a ideia da travessia não era de todo descabida, como mostraria o explorador norueguês Thor Heyerdahl, que em 1947 atravessou o Pacífico a bordo do *Kon-Tiki*, uma embarcação de madeira fabricada com a tecnologia disponível antes da chegada dos europeus às Américas — mas decerto mais sofisticada que os barcos que os humanos eram capazes de fabricar no fim da Era do Gelo. O etnólogo francês decidiu mandar José Emperaire para a América do Sul em busca de indícios que provassem sua hipótese.

Nos anos 1950, Emperaire conduziu junto com sua esposa uma missão arqueológica na Patagônia chilena, numa região vulcânica próxima à fronteira com a Argentina. O casal fez escavações também no Brasil, em sambaquis no litoral de São Paulo e do Paraná, na primeira missão arqueológica oficial francesa em território brasileiro. Annette Laming-Emperaire assumiu o comando das escavações na América do Sul depois que o marido morreu num acidente de campo em 1958, soterrado pelo desabamento da parede de um sítio arqueológico na ilha Riesco, no extremo sul do Chile.

Interessada pela questão dos primeiros povoamentos das Américas, Laming-Emperaire decidiu buscar indícios dessas ocupações na região de Lagoa Santa, que tinha sido escavada por Lund no século anterior. Aquela área continuou despertando a atenção de arqueólogos amadores e profissionais após a morte do dinamarquês. Na década de 1920 foi realizada a primeira expedição oficial à região, conduzida pelo arqueólogo austríaco Jorge Augusto Padberg-Drenkpol, do Museu Nacional, no Rio de Janeiro. O pesquisador escavou a Lapa Mortuária de Confins, numa área que hoje fica no município homônimo. O sítio recebeu esse nome porque era uma espécie de cemitério em que foram encontrados restos humanos de mais de oitenta indivíduos, na maioria das vezes com o corpo dobrado ou embrulhado em redes. Veio daquele mesmo sítio o Homem de Confins, encontrado na década seguinte em escavações patrocinadas pela Academia de Ciências de Minas Gerais e conduzidas por Harold Walter, o cônsul britânico em Belo Horizonte.

Nos anos 1950, Wesley Hurt, da Universidade de Dakota do Sul, e Oldemar Blasi, do Museu Paranaense, comandaram um projeto financiado por instituições norte-americanas e brasileiras. No conjunto arqueológico de Cerca Grande, a dupla encontrou indícios de ocupações humanas com cerca de 11 mil anos de idade — foram as primeiras amostras brasileiras datadas por carbono-14, e as mais antigas já encontradas no país até então, conforme relata André Prous.[1] Foi motivada por esses resultados, publicados em 1969, que Annette Laming-Emperaire decidiu realizar escavações na região de Lagoa Santa, que ela tinha visitado pela primeira vez no começo daquela década.

Além de tentar determinar a antiguidade da presença humana no continente, a arqueóloga francesa estava motivada a responder se o *Homo sapiens* tinha ou não convivido com os mamíferos extintos. Se na América do Norte isso era ponto pacífico desde Folsom e Clovis, na América do Sul a questão permanecia em aberto. Peter Lund morreu convicto de que os humanos de Lagoa Santa tinham conhecido os grandes mamíferos extintos que ele descobriu. Mas a verdade é que os resultados de suas escavações não permitiam provar essa alegação. O material encontrado pelo dinamarquês não passava nos testes de rigor que os arqueólogos desenvolveram mais tarde para atestar a antiguidade de um achado arqueológico. Por causa das enchentes recorrentes na Gruta do Sumidouro, não era possível associar os crânios escavados ali a camadas específicas de sedimentos.

Annette Laming-Emperaire foi a diretora científica da missão arqueológica financiada pelo Ministério das Relações Exteriores da França e realizada em parceria com o Museu Nacional — a coordenadora administrativa do projeto foi Maria Beltrão, representando a instituição brasileira. O projeto teve início em 1971 e envolveu a visita a cerca de trinta sítios arqueológicos, dos quais dez foram objeto de sondagens arqueológicas. O sítio em que a equipe concentrou seus trabalhos foi o da Lapa Vermelha IV, localizado num conjunto de seis cavernas e abrigos sob rocha que dão para um pequeno lago na parte sul do carste de Lagoa Santa, batizados Lapa Vermelha I a VI.

Os sítios ficam todos dentro da Fazenda Lapa Vermelha, propriedade da mineradora de mesmo nome, que explora ali jazidas de calcário e cal virgem. Mesmo dentro de uma propriedade privada, eles fazem parte de uma área protegida, o Monumento Natural Estadual Lapa Vermelha. Pude visitar o local na condição de jornalista, mas o sítio não está aberto para o público.

A fazenda é acessada por uma estrada de terra com trânsito pesado de caminhões envolvidos com a operação de mineração.

Depois que se chega à sede, uma trilha com poucas centenas de metros leva o visitante até o maciço calcário coberto por vegetação e, após uma subida, se avista o paredão íngreme de inclinação negativa ao pé do qual está a Lapa Vermelha IV. Trata-se de uma

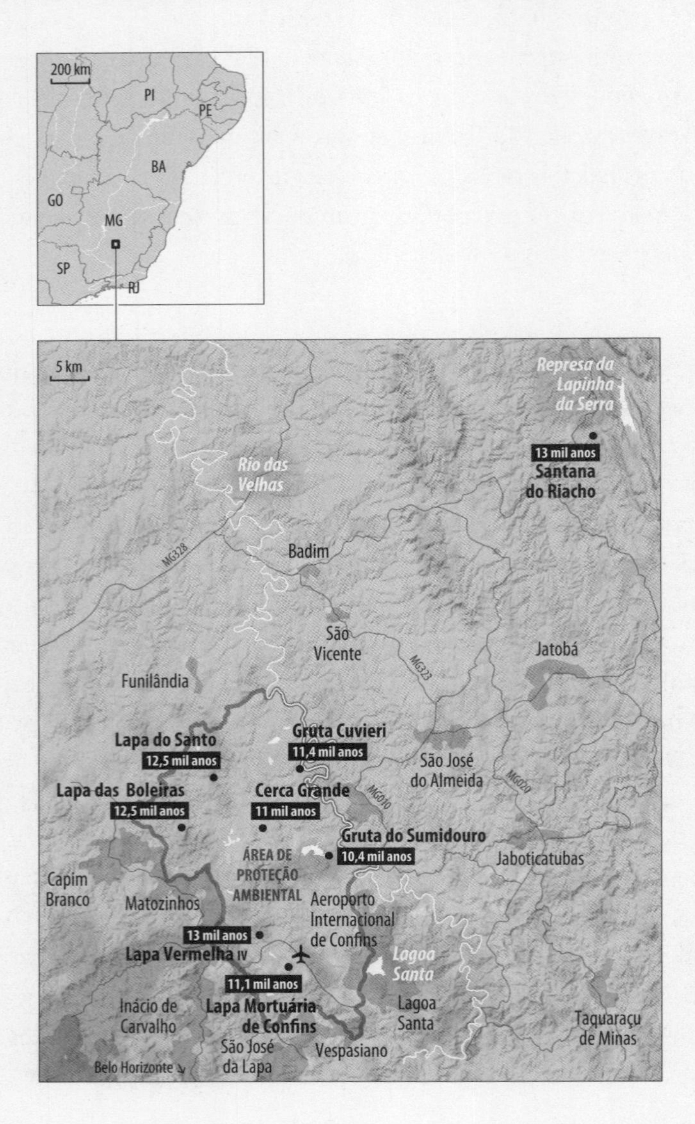

cavidade estreita e profunda que acompanha o sentido do paredão. O sítio foi palco de uma escavação de grande escala, que abriu uma área de trezentos metros quadrados e, no ponto mais profundo, chegou a catorze metros abaixo da superfície, quase a altura de um prédio de cinco andares. Ainda é possível ver no paredão que domina a caverna as inscrições deixadas pelos arqueólogos nos anos 1970 para indicar a altura dos sedimentos que eles estavam retirando dali, além de algumas pinturas rupestres vermelhas apagadas pelo tempo.

Além de Beltrão, participaram das escavações outros nomes conhecidos da arqueologia brasileira. É o caso do francês André Prous, que fez doutorado em Paris sob orientação de Laming-Emperaire e depois se estabeleceu em Belo Horizonte, como professor da UFMG. Também estava lá Águeda Vilhena Vialou, que ficaria conhecida pelo estudo do sítio de Santa Elina, no Mato Grosso, onde apareceram vestígios da presença humana do fim da Era do Gelo. Niède Guidon, que também tinha sido aluna de Laming-Emperaire em Paris, foi escalada para a equipe, mas acabou indo escavar os sítios da Serra da Capivara, no Piauí, e não fez parte da missão franco-brasileira de Lagoa Santa.

A Lapa Vermelha IV começou a ser escavada em 1971, e os trabalhos se estenderam por várias temporadas de campo até o ano de 1976. A partir de 1973, o trabalho envolveu uma equipe de até 25 pessoas, incluindo franceses e brasileiros, mas também uma polonesa, uma equatoriana, uma argentina e uma norte-americana, segundo escreveu André Prous.[2] Em outro artigo, de 2016, o francês contou que os trabalhos de campo foram marcados por constantes ataques de abelhas-africanas que tinham chegado recentemente à região e ainda não tinham se hibridizado com as espécies de origem europeia. "Tínhamos que trabalhar com luvas, malhas de gola alta e chapéus completados com filó", escreveu Prous.[3]

O grupo de Laming-Emperaire escavou artefatos de pedra de fabricação simples e ossos de uma preguiça-gigante da espécie *Glossotherium gigas*, que estavam a onze metros de profundidade. Encontraram também boa parte do esqueleto de uma mulher jovem, um achado que inscreveria a Lapa Vermelha IV no mapa da arqueologia das Américas. Duas décadas depois ela seria batizada de Luzia, mas nos artigos científicos era chamada também de "hominídeo 1 da Lapa Vermelha IV".[4]

Os arqueólogos exumaram ossos desarticulados que estavam espalhados por camadas diferentes e mais tarde foram atribuídos à mesma pessoa. Foram escavados nas campanhas de 1974 e 1975. Inicialmente apareceram um fêmur, o ilíaco, a mandíbula e alguns dentes; num nível mais abaixo estavam a tíbia, uma falange e outros dentes; até que surgiu o crânio, alguns metros abaixo do nível onde estavam os primeiros ossos.

Por causa das características de seus ossos, é possível afirmar que Luzia tinha entre vinte e 25 anos de idade e um metro e meio de altura. Ela devia ser casada já havia algum tempo e ter dois ou três filhos, propuseram Walter Neves e Luiz Beethoven Piló em *O povo de Luzia*.[5] Não havia, é claro, igreja ou cartório no final da Era do Gelo, mas o cientista quis dizer que ela tinha provavelmente uma relação estável com um companheiro. Ele se sente autorizado a afirmar isso porque identificou no púbis de Luzia marcas deixadas pelos partos. "Nos grupos de caçadores-coletores as mulheres só têm filhos depois que se casam", disse-me Neves.

É possível que Luzia tenha morrido ao cair acidentalmente na Lapa Vermelha IV, que na época era uma fenda profunda aberta no chão. Mas pode ser ainda que tenha morrido por outros motivos e que tenha sido depositada ali por membros de seu grupo. Talvez eles estivessem ali de passagem e não tenham feito um sepultamento ritual, como as dezenas de outros de idade mais recente descobertos na região de Lagoa Santa.

"Nós sabíamos pela estratigrafia que era algo bem fora do período holocênico recente", contou-me numa entrevista de 2015 a arqueóloga Águeda Vilhena-Vialou, presente durante a escavação dos restos de Luzia. "Estava a uma profundidade importante e num sedimento completamente diferente." Mas não havia colágeno suficiente nos ossos de Luzia para que pudessem ser diretamente datados. Para delimitar sua idade, o grupo datou amostras de carvão encontradas nas camadas que envolviam os fósseis. Concluíram que a idade do esqueleto deveria estar situada entre 11,4 mil e 16,4 mil anos atrás. Se fosse confirmada uma data na porção mais recuada desse intervalo, seria uma prova de que os humanos já estavam na América do Sul antes de o povo de Clovis fabricar suas pontas de lança acanaladas na América do Norte.

Annette Laming-Emperaire não sobreviveu para ver a notoriedade daquele fóssil e a controvérsia criada em torno de sua antiguidade. A arqueóloga morreu aos 59 anos em 1977, vítima de um vazamento acidental de gás num quarto de hotel em Curitiba. Ela figura como primeira autora em caráter póstumo do artigo publicado dois anos depois na *Revista de Pré-História* apresentando os resultados da escavação e a estimativa de idade daquela mulher.[6] O artigo concluía que, diante da idade daqueles remanescentes, a América já estava povoada ao final da Era do Gelo. "Madame Emperaire morreu achando que o crânio de Luzia era anterior a Clovis", disse o bioantropólogo Walter Neves, que se notabilizou por estudar aquele fóssil.

Mas aquela data era questionável por uma série de fatores. A começar pela complexidade da estratigrafia da Lapa Vermelha IV, um sítio onde estavam lado a lado camadas de sedimentos depositadas com milhares de anos de diferença. Num artigo de 1978, Fausto Cunha e Martha Locks Guimarães, pesquisadores do Museu Nacional, propuseram uma nova interpretação da dispersão dos ossos.[7] Depois que o esqueleto começou a se desarticular, os fragmentos rolaram para baixo, seguindo a inclinação natural do sítio. O crânio, por sua forma arredondada, foi a parte que mais se deslocou, indo parar numa camada três metros abaixo dos outros ossos. Portanto, o carvão encontrado junto ao crânio não era uma fonte confiável para determinar a idade do esqueleto.

Outros avanços foram feitos desde então para ajudar a estimar a idade de Luzia. No começo deste século, foram feitas novas datações da Lapa Vermelha IV, desta vez com luminescência opticamente estimulada. Os resultados saíram em 2010 na revista *Geoarchaeology*, num artigo assinado pelo norte-americano James Feathers, o brasileiro Luís Beethoven Piló e outros três colegas.[8] Os autores confirmaram que o esqueleto de fato era bastante velho e podia remontar à Era do Gelo, mas não havia elementos suficientes para cravar que fosse anterior a Clovis.

Ao examinar diferentes esforços de datação de Luzia, no capítulo de um livro publicado em 2016, o arqueólogo André Strauss, da USP, afirmou que a idade atribuída àquele indivíduo fica entre 12,7 mil e 13,4 mil anos.[9] Essa idade antiga destoa de outros indícios de presença humana encontrados na região de Lagoa Santa. Por todas essas razões, a verdade é que não se pode determinar a idade de Luzia com segurança, diante de toda a incerteza envolvendo a posição dos ossos e a estratigrafia do sítio.

A incerteza não impediu que Walter Neves, André Prous e outros três colegas afirmassem que o hominídeo 1 da Lapa Vermelha IV era "o mais velho remanescente humano nas Américas", conforme escreveram num artigo de 1999 na revista *Genetics and Molecular Biology*.[10] Mas não foi uma conclusão que outros especialistas aceitaram sem questionamentos. Ao avaliar os achados daquele sítio no livro *The Settlement of the Americas*, de 2000, Tom Dillehay escreveu que era preciso mais trabalho em cima das datações e do contexto estratigráfico antes que as ocupações mais antigas de Lapa Vermelha IV fossem aceitas.[11] Por conta das incertezas em torno de sua idade, é preciso tomar com um grão de sal a afirmativa de que Luzia é o mais antigo esqueleto do continente.

Ainda assim, esse e centenas de outros esqueletos escavados na região se destacam num cenário marcado pela relativa escassez de restos humanos antigos, em contraste com o que se vê em outros cantos do mundo. Nos sítios arqueológicos das Américas, nosso conhecimento da presença humana vem em grande medida de vestígios indiretos, como artefatos e restos de fogueiras. O registro é especialmente pobre na América do Norte, onde há pouquíssimos crânios antigos.

A morte precoce de Annette Laming-Emperaire acabou motivando o fim dos trabalhos de campo na Lapa Vermelha IV. Ao evocar o período no artigo de 2016, André Prous, assistente da arqueóloga naquela escavação, afirmou que a missão francesa em Lagoa Santa "perdeu sua alma" após o acidente que vitimou Laming-Emperaire. "Não quis continuar a pesquisa na Lapa Vermelha, que para mim se figura como que um memorial à pessoa que tinha sido minha orientadora." Além disso, a origem do material encontrado ali não era inquestionavelmente humana. Prous preferiu seguir trabalhando nos sítios de Santana do Riacho, também no carste de Lagoa Santa, que ele descobrira numa expedição junto com Laming-Emperaire, e do Vale do Peruaçu, no norte de Minas Gerais. "Acabei abandonando a Lapa Vermelha, embora até hoje isto seja peso em minha consciência", escreveu.[12]

O crânio de Luzia chamou a atenção de alguns estudiosos por não lembrar muito as feições dos povos indígenas americanos atuais, parecidos com os povos asiáticos. Em vez disso, o rosto daquela mulher era mais aparentado com o dos grupos que habitam atualmente tanto a África quanto a Austrália e a Melanésia, na Oceania. Não chegava a ser surpreendente: seu aspecto era condizente com a morfologia que já havia sido observada na maior parte dos crânios antigos encontrados em Lagoa Santa.

Primeiro a exumar restos humanos na região, Peter Lund ficou intrigado com a morfologia craniana do povo de Lagoa Santa, que lhe pareceu atípica. Antes mesmo de escavar a Gruta do Sumidouro, ele já tinha observado numa carta de 1842 que os povos que ocuparam a região tinham o crânio estreito com o rosto projetado para a frente, diferentemente das populações asiáticas reconhecidas como ancestrais dos indígenas americanos, que têm o crânio mais largo e a face mais chata. Quando examinou o caso de Lagoa Santa no começo do século XX, porém, o bioantropólogo norte-americano Aleš Hrdlička não se mostrou convencido disso, por não ter enxergado diferenças significativas ao examinar os resultados de Lund. Para ele, a morfologia dos crânios podia ser perfeitamente explicada pela variabilidade natural dos povos indígenas americanos.

Já o francês Paul Rivet se alinhou com o assombro de Lund ao se debruçar sobre os crânios de Lagoa Santa, com os quais tinha familiaridade desde a primeira década do século XX, quando analisou sua morfologia e a comparou com a de crânios escavados em outras localidades da América do Sul, incluindo espécimes que ele próprio havia encontrado em suas pesquisas de campo no Equador. Rivet teve grande influência na arqueologia sul-americana: além das pesquisas no Equador, morou na Colômbia, onde fundou o Instituto de Etnologia Nacional de Bogotá, e visitou o Brasil em várias ocasiões.

Estudando os materiais de Lagoa Santa, o francês concluiu que os crânios antigos encontrados ali se pareciam mais com os dos aborígenes australianos do que com os dos povos indígenas americanos atuais. Foi com base nessa observação que Rivet propôs que tinha havido migrações transpacíficas feitas por povos originários da Oceania a partir de 6 mil anos atrás. O livro *Les Ori-*

gines de l'homme américain, lançado em 1943, apresentou a hipótese que ele vinha desenvolvendo desde a década anterior, amparada em argumentos etnológicos e linguísticos.[13] Por falta de outras evidências que a sustentassem, a ideia de Rivet nunca emplacou entre os estudiosos da ocupação do continente. Mas a conformação peculiar dos crânios de Lagoa Santa continuava sem explicação.

Buscar uma solução para esse mistério foi o que motivou as pesquisas do bioantropólogo Walter Neves, pesquisador mineiro que fez carreira na USP. Nos anos 1980, Neves decidiu estudar os crânios de Lagoa Santa para entender sua peculiaridade e fez dessa linha de investigação sua principal empreitada científica. Para isso, recorreu à craniometria, a medição de contornos, proporções e dimensões dos crânios.

A ideia pode despertar calafrios, já que a medição de crânios foi usada no passado para embasar o racismo e justificar a escravidão. A craniometria deriva da categorização dos seres humanos em raças proposta no fim do século XVIII pelo médico e naturalista alemão Johann Blumenbach. Para ele, os povos podiam ser classificados como caucasianos, mongoloides, americanos, malaios ou etíopes, cada um com características cranianas distintas (os grupos seriam todos descendentes dos filhos de Noé que sobreviveram ao dilúvio). Os caucasianos eram, para Blumenbach, a raça original criada por Deus, e as demais raças seriam formas degeneradas desta.

No século XIX, a craniometria foi também a técnica que deu verniz científico às teses racistas de Cesare Lombroso. O psiquiatra italiano desenvolveu a teoria da antropologia criminal, segundo a qual seria possível medir nos crânios traços que predispunham determinados indivíduos a cometer crimes. Suas ideias influenciaram o pensamento eugenista e foram há muito refutadas. Mas a craniometria foi mais tarde reabilitada como ferramenta importante para pesquisas antropológicas. Recorrendo a métodos estatísticos para comparar as medidas de indivíduos de populações distintas, a craniometria contemporânea permite identificar padrões que as distinguem e ajuda a entender a dinâmica das migrações populacionais.

No fim dos anos 1980, Neves foi ao Museu de Zoologia de Copenhague e ao Museu de História Natural de Londres medir quinze crânios coletados por Lund na Gruta do Sumidouro. Trabalhando em parceria com o bioantropólogo argentino Héctor Pucciarelli, da Universidade Nacional de La Plata, o brasileiro comparou crânios escavados em Lagoa Santa e na Colômbia com indivíduos modernos da Ásia e da Oceania. Os resultados confirmaram que os sul-americanos antigos eram mais aparentados com os indivíduos modernos de feições australoides do que com os de tipo mongoloide.

"Quando o Héctor e eu percebemos que as medidas dos crânios não equivaliam às dos atuais índios americanos, achamos que tínhamos feito alguma cagada", disse-me Neves ao evocar o trabalho numa entrevista em 2017, quando eu estava preparando seu perfil para a *piauí*.[14] "Revisamos os cálculos e só então nos convencemos de que era um grande resultado." A dupla apresentou a hipótese em 1991 no *Journal of Human Evolution*, num artigo dedicado à memória de Peter Lund.[15] Antes disso, já tinham lançado a ideia em 1989 na revista brasileira *Ciência e Cultura*, de circulação mais restrita.[16]

Os resultados pareciam dar sentido ao sentimento de estranheza experimentado por Lund e Rivet ante os crânios de Lagoa Santa. Mas Neves não via a necessidade de recorrer a migrações transpacíficas para interpretá-los. Para ele, a diferença morfológica poderia ser explicada por uma ocupação das Américas feita em duas levas por populações biologicamente distintas, ambas vindas por meio terrestre, partindo da Ásia e passando pela Beríngia. Na primeira delas vieram grupos humanos ainda pouco diferenciados em relação àqueles que saíram da África e ocuparam a Austrália; num segundo momento, veio uma população morfologicamente distinta da primeira, mais aparentada com os asiáticos contemporâneos.

Estavam lançadas as bases da hipótese que Neves desenvolveria ao longo de sua carreira em parceria com vários colaboradores, que ficou conhecida como o "modelo dos dois componentes biológicos principais". A hipótese permitia explicar a diferença dos crânios encontrados na América do Sul. Luzia e o povo de Lagoa Santa fariam parte dos grupos que primeiro ocuparam as Américas, com feições parecidas com as dos africanos e australo-melanésios atuais. Ainda de acordo com esse modelo, os primeiros americanos não deixaram herdeiros e foram substituídos pelos grupos da segunda leva migratória, na qual vieram indivíduos de feições mongoloides que são os ancestrais dos povos indígenas contemporâneos.

Nos anos 1990, Walter Neves teve acesso aos dezessete crânios da coleção paleoantropológica do Museu Nacional, no Rio de Janeiro, onde estavam armazenados remanescentes humanos recuperados em diferentes escavações na região de Lagoa Santa. Ele pôde enfim estudar o crânio da mulher muito antiga exumada pela equipe de Annette Laming-Emperaire na Lapa Vermelha IV.

O crânio de Luzia é um fóssil extremamente frágil. Ele parecia íntegro nas fotos que documentam a escavação, mas Neves encontrou-o fragmentado e precisou colar os ossos antes de fazer suas medições. "Parecia uma casca de ovo", comparou o bioarqueólogo. "Foi um momento muito emocionante para mim, pois eu sabia que estava lidando com o crânio mais antigo do continente."

Durante a visita que Neves fez com sua equipe ao Museu Nacional, um dos alunos brincou que aquela era a Lucy brasileira, aludindo ao esqueleto da fêmea de australopiteco encontrada na África, um dos fósseis mais emblemáticos da linhagem humana. Foi então que o bioantropólogo propôs o apelido que consagrou aquela mulher: por uma questão de coerência geográfica, ela deveria ser chamada de Luzia.

Aquela mulher virou uma celebridade arqueológica em outra escala depois de uma reconstituição de seu rosto feita em 1999 para um documentário da BBC britânica sobre os primeiros americanos. A obra foi realizada pelo antropólogo forense Richard Neave, especializado na reconstrução de faces. Neves só ficou sabendo da iniciativa quando começou a ser procurado por repórteres para comentar o rosto de Luzia. A escultura tinha feições que lembravam mais os africanos e aborígenes australianos do que os asiáticos ou indígenas americanos, o que lhe pareceu mais uma confirmação de sua hipótese de povoamento do continente.

Para reforçar seu modelo, Neves apostou no uso de ferramentas estatísticas mais sofisticadas e na análise de um número cada vez maior de crânios. Com o passar dos anos, o brasileiro e seus colegas seguiram identificando o padrão craniano observado nos indivíduos de Lagoa Santa em espécimes encontrados em vários países das Américas do Sul e do Norte. As novas medições pareciam confirmar sua hipótese. As análises craniométricas mais recentes publicadas por seu grupo levaram em consideração centenas de indivíduos com as características morfológicas dessa população que seria a primeira a ocupar o continente — os paleoíndios, conforme ele propôs.*

* O termo "paleoíndios" foi usado por diferentes autores para designar grupos distintos de humanos que estavam entre as populações pioneiras a entrar no continente americano.

Apesar do acúmulo de dados que parecia dar força ao modelo dos dois componentes biológicos, a hipótese de Neves nunca foi aceita de forma unânime por seus pares. Ela costuma ser lembrada nos artigos de revisão que sintetizam os diferentes modelos já propostos para a ocupação inicial do continente, mas perdeu credibilidade pela falta de respaldo que encontra nos estudos genéticos feitos com os povos indígenas atuais e, mais recentemente, com a análise do DNA extraído de fósseis.

Neves sabia que seu modelo só vingaria se fosse corroborado pelos estudos genéticos, mas o oposto é que vinha sucedendo. Ele via com ressalvas a proeminência que a biologia molecular estava ganhando nas pesquisas sobre a ocupação das Américas, uma tendência que ele definiu como uma "ditadura do DNA". "Infelizmente os estudiosos da história populacional hoje trabalham basicamente com informações vindas do DNA", disse-me em 2017. "Qualquer estudo de morfologia craniana é visto como o cocô do cavalo do bandido em pó."[17]

O crânio de Luzia era uma das mais conhecidas peças do acervo do Museu Nacional, estimado em mais de 20 milhões de espécimes. O palácio que abrigava as coleções pegou fogo em setembro de 2018, num incêndio que destruiu 80% dos itens. Semanas depois, os pesquisadores que trabalhavam no resgate do acervo em meio aos escombros anunciaram que haviam encontrado pedaços do crânio e de outros ossos de Luzia, ainda que fragmentados e danificados pelo fogo. Segundo a arqueóloga Cláudia Rodrigues Carvalho, que coordenou a operação, as altas temperaturas fragmentaram peças que estavam coladas e comprometeram o colágeno e outros elementos biológicos que poderiam ser usados para análises futuras do material.

Ainda não se sabe ao certo se outros objetos encontrados em Lagoa Santa tiveram a mesma sorte. O acervo escavado naquela região pertencente ao Museu Nacional era composto de 1500 peças no setor de arqueologia e 236 no setor de antropologia biológica, de acordo com um levantamento de 2016.[18] "Parte do material foi recuperada, mas ainda não sabemos se vamos conseguir identificar", disse-me Rodrigues. Segundo a arqueóloga, o processo de inventário das peças resgatadas ainda pode levar anos.

Contrariando o ditado segundo o qual um raio nunca cai duas vezes no mesmo lugar, o acervo arqueológico escavado na região de Lagoa Santa recebeu outro golpe duríssimo pouco tempo depois. Em junho de 2020, outro incêndio atingiu o Museu de História Natural e Jardim Botânico da UFMG, onde estavam guardados itens escavados em sítios da região desde os anos 1950. O fogo atingiu o prédio onde ficava a reserva técnica do acervo da instituição, ou seja, os itens que não estavam em exposição. Essa reserva compreendia toda a coleção de material arqueológico orgânico, o que inclui os remanescentes humanos e de fauna, o material vegetal, os artefatos de madeira e a cestaria; das coleções arqueológicas, só não estavam ali o material lítico e os fragmentos de cerâmica.

Os incêndios não foram as únicas más notícias para a preservação dos registros do passado antigo da região de Lagoa Santa. Em 2021, o Instituto Chico Mendes de Conservação da Biodiversidade mandou embargar as obras da construção de uma fábrica da Heineken em Pedro Leopoldo. A medida foi tomada porque a cervejaria não apresentou estudos que avaliassem o impacto do empreendimento sobre a Área de Proteção Ambiental Carste de Lagoa Santa, que abrange a maior parte dos sítios arqueológicos da região. O empreendimento seria construído nas imediações da Lapa Vermelha, o conjunto de sítios arqueológicos que inclui a cavidade onde Luzia foi encontrada, e afetaria o suprimento de água de um sistema de equilíbrio delicado. Para André Prous, a instalação da indústria poderia ter grande impacto ambiental. "Se retirarem água em grande quantidade para realocarem para a fábrica, pode provocar um rebaixamento do lençol freático e um desabamento", escreveu o francês na revista *piauí*.[19]

Diante da mobilização que o episódio causou na opinião pública e do risco de prejudicar sua imagem, a Heineken anunciou que havia desistido do projeto de erguer a fábrica em Pedro Leopoldo. Da trilha que leva até a Lapa Vermelha IV, é possível avistar a área onde a fábrica de cerveja seria construída, no topo de uma montanha não muito distante dali. Mesmo com o cancelamento do projeto, esse episódio e os incêndios que destruíram parte do acervo arqueológico escavado em Lagoa Santa são reveladores do valor que o Brasil dá à sua história profunda.

À luz desses acontecimentos, soa funestamente premonitório um artigo escrito por Cláudia Rodrigues Carvalho e por seu colega Hilton Pereira da Silva num volume sobre o povoamento da América lançado em 2006. A dupla notou que Luzia tinha esperado quase 25 anos para ter sua antiguidade comprovada por técnicas que ainda não existiam na época em que fora descoberta:

> Durante este tempo, esteve (e está!) sob a guarda de uma instituição sólida — o Museu Nacional — cuja tradição em pesquisas bioantropológicas remonta ao século XIX, o que permitiu atravessar esse quarto de século sem problemas. Qual será sua condição e as condições de muitos outros exemplares como Luzia nos próximos 25 ou cinquenta anos, depende diretamente dos investimentos feitos hoje e nos anos que virão.[20]

10. Morre um paradigma

Monte Verde, província de Llanquihue, Chile

O sítio arqueológico que mudou a história da ocupação inicial das Américas foi descoberto por acaso, como tantos outros. Em meados dos anos 1970 trabalhadores rurais abriam caminho para a passagem de carros de boi em meio à mata às margens do córrego Chinchihuapi, no Chile, quando se depararam com ossos de mastodonte, artefatos de pedra e madeira e outros achados arqueológicos. Nas imediações da cidade de Puerto Montt, o sítio fica perto da extremidade meridional da América do Sul, a 1500 quilômetros de Ushuaia, e bem longe da ponta mais ocidental do continente, a 14 mil quilômetros de Wales, no Alasca.

Em 1976, um aluno da Universidade Austral do Chile, em Valdívia, apareceu com um grande dente de mastodonte e outros ossos que haviam aparecido em Monte Verde, alguns dos quais apresentavam marcas que podiam ter sido feitas por ferramentas humanas. O arqueólogo norte-americano Tom Dillehay, pesquisador da instituição, decidiu ir até lá fazer uma escavação. Após concluir um doutorado no Peru sobre a cultura inca, o norte-americano tinha sido contratado para estabelecer um departamento de antropologia na universidade. O Chile andava em falta de cientistas sociais, já que tinha assassinado ou expulsado boa parte dos pesquisadores que se opunham à ditadura do general Augusto Pinochet, no poder desde 1973.

Em Monte Verde, Dillehay conduziu escavações que se estenderam por dez anos. Trabalhou ao lado do geólogo Mario Pino, seu colega na Universidade Austral, e de dezenas de outros especialistas. Encontraram ali uma variedade extraordinária de vestígios de ocupações humanas: artefatos de pedra, osso e madeira, restos de fogueiras, pedaços de carne e couro animal, vestígios de plantas usadas como alimento e como remédio, além de pedaços da estrutura do acampamento que um grupo de vinte ou trinta pessoas tinha montado ali mais de um milênio antes de o povo de Clovis se espalhar pela América do Norte. Havia ainda fezes fossilizadas, que talvez fossem de gente, e uma série de três pegadas preservadas no barro — pé esquerdo, direito, esquerdo, ao longo de um metro. Pareciam pés humanos, ao menos a primeira pegada, mais bem preservada e detalhada que as outras duas.

Monte Verde chocava pela abundância de vestígios orgânicos, muito raros em sítios arqueológicos, pois são rapidamente decompostos por bactérias e outros agentes. Sua preservação só foi possível ali porque o sítio foi coberto por uma camada de turfa, uma mistura de musgos e outras plantas decompostas num ambiente úmido e sem oxigênio. Os arqueólogos suspeitam que aquele pântano se formou depois que as águas do riacho subiram rapidamente e invadiram o acampamento que tinha sido ocupado pouco tempo antes, criando o "túmulo anaeróbico" que conservou o material arqueológico, conforme definiu James Adovasio em *Os primeiros americanos*.[1]

A riqueza do material preservado encontrado em Monte Verde permitiu aos arqueólogos montar um retrato de nitidez surpreendente sobre como era aquele acampamento. Cada espaço era usado para uma finalidade diferente. Havia restos de estacas e da fundação de uma estrutura com vinte metros de comprimento que lembrava uma tenda e devia servir de abrigo e dormitório. Foi construída com troncos e pranchas de madeira enfiadas no solo, cordas feitas de junco que ajudavam a prender os pedaços de madeira e couro de animais para cobrir as paredes. O interior era dividido em espaços menores demarcados por estruturas de madeira, e em cada um deles havia restos de uma fogueira em torno da qual foram achadas ferramentas de pedra e restos de sementes, castanhas e frutas. Do lado de fora havia restos de duas fogueiras maiores, possivelmente de uso comunitário, junto com um estoque de lenha — era ali que estavam as três pegadas.

A cerca de trinta metros da tenda havia uma segunda estrutura aparentemente usada para o processamento da carne e a fabricação de ferramentas. Foram achadas carcaças de mastodontes, costelas e ossos de outros animais. Havia dois pedaços de carne cortados em quadrados com 25 centímetros de lado aproximadamente, como se fossem hambúrgueres de mastodonte. Estavam intactos, sem qualquer sinal de larvas de insetos que em três ou quatro dias aparecem em nacos de carne deixados ao ar livre. Isso levou os pesquisadores a suspeitar que aquele sítio pode ter se formado subitamente, como uma espécie de Pompeia da Era do Gelo, um instantâneo preservado no registro arqueológico com detalhes que nos transportam para aquela ocupação antiga.

Os pesquisadores encontraram folhas de boldo claramente mascadas, com três marcas inequívocas de dentes molares. Estavam ao lado de algas marinhas compondo a mistura de um chá que até hoje é tomado naquela região para combater resfriados e males do estômago. Foram identificadas dezoito espécies de uso medicinal, a primeira farmácia de que se tem notícia nas Américas. As plantas comestíveis e as medicinais estavam em ambientes diferentes, e os Mapuche que hoje vivem naquela região continuam usando muitas delas para tratar doenças. Algumas só eram encontradas no litoral, a oeste, e outras só ocorrem numa zona árida centenas de quilômetros ao norte. Isso mostra que o povo de Monte Verde talvez viajasse longas distâncias para obter esses materiais, ou então fazia parte de uma rede mais ampla de troca de recursos com outros grupos humanos da região.

Entre as espécies encontradas nas escavações, havia mastodontes, paleolhamas e uma abundância de moluscos e animais de pequeno porte. Foram identificados restos de pelo menos setenta espécies de plantas que eram exploradas em diferentes estações do ano, o que sugere que aquele talvez fosse um acampamento permanente. As espécies comestíveis incluíam formas selvagens de batata, que até hoje estão na base da alimentação local. As mais abundantes e variadas eram as algas marinhas e de água doce. Os achados mostram que os humanos que ocuparam Monte Verde, longe de se alimentarem só de grandes mamíferos, tinham uma dieta diversificada baseada numa grande variedade de plantas e animais.

Monte Verde chama a atenção também pela variedade de artefatos de madeira, que incluem varetas, lanças, estacas e postes. Já entre os líticos, havia ferramentas feitas com diferentes tecnologias, incluindo pontas de projétil. As mais abundantes eram seixos fraturados para obter uma ou mais lâminas afiadas em uma borda. Os seixos eram encontrados no leito do rio ou em praias oceânicas. Quase não eram modificados e tinham aparência rudimentar, mas permitiam realizar as mesmas tarefas desempenhadas pelos artefatos mais elaborados. Talvez fossem coletados, rapidamente transformados, usados e depois descartados. Eram ferramentas de fabricação mais simples, transformadas de um lado só da pedra. As ferramentas unifaciais, como são chamadas pelos cientistas, eram como canivetes suíços da Era do Gelo, conforme propôs Dillehay no livro *The Settlement of the Americas*.

O arqueólogo reconheceu que poucas das ferramentas encontradas em Monte Verde seriam universalmente aceitas como humanas se não estivessem associadas a outras evidências que confirmaram sua origem.

Dillehay enxergou por trás daqueles achados um grupo humano de conhecimento sofisticado e com uma divisão de trabalho elaborada, que separava áreas residenciais e não residenciais e praticava uma economia de caça e coleta envolvendo recursos de diferentes regiões. Aquela era "uma organização social e econômica muito mais complexa do que a esperada até então para culturas antigas do Novo Mundo", escreveu o norte-americano.[2]

O que não faltava em Monte Verde eram amostras de material orgânico que pudessem ser datadas por carbono-14. Dillehay mandou analisar restos da estaca, artefatos de madeira e marfim e pedaços de carvão de lenha queimada, e conseguiu resultados convergentes para todos: aquela ocupação tinha cerca de 14,6 mil anos de idade. A data era uma dupla surpresa para os arqueólogos. Monte Verde era mais velho do que qualquer outro sítio arqueológico do continente e aceito sem ressalvas pela comunidade — com a desvantagem de estar situado a milhares de quilômetros do provável ponto de entrada dos primeiros americanos, na outra extremidade do continente.

Para complicar, a indústria lítica encontrada ali não tinha parentesco aparente com as pontas acanaladas características de Clovis, produzidas pelos supostos habitantes pioneiros do continente. Não era só isso: na época em que humanos ergueram aquele acampamento no sul do Chile, o norte do continente americano ainda estava tomado por geleiras, e o corredor pelo qual teriam passado os primeiros americanos ainda não tinha se aberto. Se as datas de Monte Verde estivessem corretas, seria preciso encontrar outro modelo para explicar o povoamento das Américas.

Nas imediações desse sítio preservado pela turfa, o grupo de Dillehay escavou em outra localidade, também à beira do córrego Chinchihuapi, onde encontrou sinais bem mais escassos de ocupação humana. Ali havia 26 artefatos unifaciais, a maioria deles feita de basalto e andesita, sendo sete claramente de origem humana. Na camada em que foram encontrados havia também três pedaços de carvão que foram datados e tiveram a idade estimada em 33 mil anos — mais que o dobro da idade do acampamento, que já bastava para chacoalhar a história da ocupação do continente. Para diferenciar as duas escavações, o nível mais antigo ficou conhecido como Monte Verde I, e aquele em que estavam os vestígios do acampamento passou a ser chamado de Monte Verde II.

Dillehay sabia que, mesmo com a profusão de achados escavados em meio à turfa em Monte Verde II, ele enfrentaria muita resistência dos colegas para aceitar a data de 14,6 mil anos que tirava do povo de Clovis a primazia da ocupação das Américas. O que dirá das evidências bem menos robustas para atestar uma presença humana muito mais antiga em Monte Verde I — 33 mil anos era uma idade embaraçosa de tão velha. O norte-americano nunca brigou para convencer seus colegas da antiguidade de Monte Verde I, e se dizia ele próprio hesitante para aceitar a validade daquelas evidências. Quando publicou os achados desse sítio num artigo de três páginas na *Nature* em 1988 assinado com Michael Collins, Dillehay afirmou que era preciso enxergar aquela data com cautela e que só seria possível considerar uma ocupação tão antiga se houvesse mais evidências daquele e de outros sítios.[3]

A análise mais robusta e detalhada das escavações de Monte Verde veio ao mundo na forma de um livro em dois volumes publicados pelo Instituto Smithsonian. O primeiro deles saiu em 1989, com catorze capítulos em que Dillehay e outros cientistas de seu grupo descreveram o sítio e analisaram a estratigrafia e os restos de plantas e animais, além de estabelecer sua datação.[4] Dillehay já tinha voltado aos Estados Unidos, onde se tornou pesquisador da Universidade do Kentucky (hoje está na Universidade Vanderbilt, no Tennessee).

Quando os resultados de Monte Verde foram apresentados pela primeira vez para um público de especialistas dos Estados Unidos, numa conferência sobre o povoamento das Américas realizada na Universidade do Maine em 1989, muitos arqueólogos ficaram impressionados. "De que planeta vêm essas coisas?", questionou alguém quando Dillehay começou a projetar os achados do sítio chileno, segundo o relato de David Meltzer em *First Peoples in a New World*. Aquilo não se parecia com nada que ele e seus colegas já tinham visto.[5]

Mas nem todos se assombraram com os resultados. Como era de esperar, a ideia de que houvesse humanos na ponta da América do Sul há mais de 14 mil anos perturbou a polícia de Clovis, e a contraofensiva não tardou a chegar. Já no ano seguinte à publicação do primeiro relatório do sítio de Monte Verde, saiu o artigo de revisão sobre a antiguidade do *Homo sapiens* na América do Sul escrito por Thomas Lynch, da Universidade Cornell. O pesquisador deteve-se demoradamente sobre Monte Verde. Afirmou que não estava convencido dos artefatos, das pegadas humanas, da tenda, dos pedaços de carvão ou dos restos de fogueiras — ele só tivera acesso ao material por imagens. Considerou que, assim como o Boqueirão da Pedra Furada e outros focos de controvérsia na América do Sul, Monte Verde era um sítio discutível e pouco conclusivo.[6]

Dillehay publicou em 1997 o segundo tomo dos resultados de Monte Verde, na expectativa de convencer os críticos com um volume de mais de mil páginas que contou com a colaboração de mais de setenta autores. Os 22 capítulos e dezesseis apêndices contemplavam métodos de pesquisa, contextualização do sítio, análise da estratigrafia, associação dos achados às camadas de sedimentos e análise de vestígios de uso dos artefatos, além de discutir a organização social daquele povo.[7] Foi "um massacre analítico", conforme definiu Meltzer.[8] Quando resenhou o lançamento para a *Nature*, o arqueólogo Nicholas Saunders argumentou que os críticos prestaram um favor a Dillehay ao exigir dele mais rigor e que aquele era "um dos volumes interdisciplinares mais impressionantes e persuasivos em qualquer tipo de arqueologia em uma geração".[9]

Mas nem sempre um massacre analítico é o que basta para resolver uma controvérsia científica. No caso de Monte Verde, foi preciso recorrer ao velho expediente da visita ao sítio para que fosse possível se chegar a um consenso em torno de sua antiguidade. É verdade que a arqueologia havia amadurecido enquanto disciplina e já tinha métodos e procedimentos padronizados que serviam de parâmetro seguro aos pesquisadores. Em tese, já não era imprescindível que profissionais fossem validar a escavação feita por colegas, como tinha sido o caso em Folsom. Mas o que estava em jogo ali não era só a validade de um sítio arqueológico, mas de todo um paradigma para a ocupação do continente. Era preciso ver para crer.

Em janeiro de 1997, um grupo de arqueólogos visitou Monte Verde, numa expedição bancada em parte pela National Geographic Society e pelo Museu de História Natural de Dallas. Na comitiva estavam alguns dos maiores nomes da disciplina nos Estados Unidos, como Dennis Stanford ou David Meltzer, além de oficiais graduados da polícia de Clovis, como Vance Haynes e Dena Dincauze. Eram, na maioria, norte-americanos, mas havia também dois chilenos e um colombiano. O grupo foi primeiro à Universidade do Kentucky, onde estavam guardados artefatos e muito do material escavado, e depois ao Chile, para ver o que restava das escavações. Ali, os visitantes ouviram uma exposição de Mario Pino sobre as condições de sedimentação e viram com seus olhos o que restava da camada de turfa que preservou os estratos ricos em vestígios orgânicos.

Os financiadores da expedição tinham estipulado que o comitê de notáveis deveria chegar a algum grau de consenso sobre o sítio ao final da viagem. A posição começou a ser construída em torno de uma mesa de bar em Puerto Montt, numa discussão que teve momentos ásperos e que foi abandonada antes do fim por James Adovasio quando a antiguidade de Meadowcroft, sítio arqueológico explorado por ele, foi questionada. Mas o grupo acabou convencido de que "Monte Verde II era claramente arqueológico, e não há razão para questionar a integridade das idades de radiocarbono", conforme registrado num artigo publicado em 1997 na revista *American Antiquity* e assinado por nove autores.[10]

O consenso foi anunciado também numa coletiva de imprensa organizada em fevereiro de 1997. Ao noticiar a superação do paradigma científico, John Noble Wilford, do *New York Times*, afirmou que, para os arqueólogos americanos, o reconhecimento da antiguidade de Monte Verde era uma experiência libertadora comparável à quebra da barreira do som na aviação. "Eles romperam a barreira de Clovis", escreveu o repórter.[11]

Mas engana-se quem pensa que aquele artigo poria fim aos questionamentos de Monte Verde. A nova investida da polícia de Clovis viria dois anos após a celebração do consenso, por ocasião da conferência Clovis and Beyond, realizada em Santa Fé em 1999. Foi capitaneada pelo norte-americano Stuart Fiedel, que trabalha como arqueólogo no Louis Berger Group, conglomerado que atua na construção civil, infraestrutura e outros setores. Por ocasião do evento em Santa Fé, Fiedel publicou um compilado de críticas a Monte Verde numa edição da revista *Discovering Archaeology* lançada durante a conferência e distribuída aos participantes.[12] Tratava-se de um movimento incomum: aquela era uma publicação de divulgação científica, e não um periódico técnico onde os pesquisadores costumam resolver suas disputas acadêmicas.

Escrito em tom malcriado, o artigo de Fiedel nascera de uma leitura minuciosa dos relatórios de escavação de Monte Verde em busca de inconsistências, examinando detalhadamente alguns casos específicos. O autor viu problemas nas pegadas atribuídas a humanos, levantou dúvidas sobre as amostras enviadas para datação e alegou que não era possível afirmar que os artefatos estavam associados a essas amostras. Questionou ainda que pedaços de carne de mastodonte pudessem ser encontrados sem sinais de insetos e insinuou que as costelas de mastodonte haviam sido arranjadas no sítio arqueológico.

Dillehay e seus colegas tiveram duas semanas para preparar a resposta às críticas de Fiedel que foi publicada na mesma edição da *Discovering Archaeology*. Atribuíram a maior parte dos erros apontados a um "desconhecimento elementar" do autor sobre os procedimentos de pesquisa interdisciplinar de um sítio complexo estudado ao longo de duas décadas. A refutação mais veemente, porém, veio na palestra de Dillehay durante a conferência. O arqueólogo disse que os críticos de Monte Verde não tinham qualquer experiência de escavação em sítios úmidos do Pleistoceno e estavam acostumados apenas com pontas de projétil encontradas junto a fósseis de grandes mamíferos. Alegou que Fiedel tinha "base mental limitada" e vivia num mundo de fantasia. Foi longamente aplaudido pela plateia. Fiedel chegou a pedir direito de resposta a um dos organizadores, de quem ouviu uma resposta irônica: "Você pode enviar uma carta ao editor da *Discovering Archaeology*", conforme conta David Meltzer.[13]

Fiedel continuou cético em relação a Monte Verde, mas sua posição era amplamente minoritária. Em 2012, a Sociedade Americana de Arqueologia promoveu uma enquete sobre a validade de sítios antigos controversos entre pesquisadores com artigos publicados sobre o povoamento das Américas em revistas especializadas. Recebeu resposta de 171 cientistas, dos quais dois terços disseram aceitar a ocupação anterior a Clovis em Monte Verde; apenas 10% rejeitaram. Não é com sondagens como essa que se resolve uma controvérsia científica, porém. Os resultados dizem pouco sobre a natureza dos achados arqueológicos, mas ajudam a entender para onde está soprando o vento. Por mais que Fiedel protestasse, Monte Verde tinha deixado de vez a condição de sítio controverso e agora era a mais antiga ocupação das Américas. A primazia de Clovis tinha ficado para trás.

Há 14 mil anos, Monte Verde ficava a noventa quilômetros da linha da costa (hoje são sessenta quilômetros). A abundância de espécies marinhas encontradas no sítio indicava que os humanos que ocupavam o local costumavam explorar com regularidade recursos do litoral. Para os autores, aquilo reforçava a hipótese de que o continente americano tinha sido povoado por grupos que desceram pela costa do Pacífico, explorando ocasionalmente os recursos das bacias hidrográficas dos rios que desciam da cordilheira dos Andes.

Numa análise publicada em 2008 de sedimentos que tinham sido escavados, mas não estudados, o grupo achou uma ferramenta de pedra que tinha em sua borda micropartículas de uma alga vermelha do gênero *Gigartina*, um indício de que o artefato tinha sido usado para processá-la, provavelmente para consumo humano.[14]

As evidências foram reforçadas em 2015 com a publicação de novos resultados na *PLOS One*, que integra a família de revistas da Public Library of Science.[15] O grupo de Dillehay relatou ali os achados de novas escavações realizadas em 2013 em Monte Verde e no sítio de Chinchihuapi, que também fica às margens do córrego homônimo, a quinhentos metros de distância. Três pesquisadores vinculados a instituições brasileiras (a USP e o Observatório Nacional) figuram entre os autores do trabalho.

O grupo abriu dezenas de pequenas escavações em pontos espalhados pela região, para entender melhor a extensão da ocupação humana daquele lugar. Encontrou novos artefatos de pedra, restos de fauna e vestígios de fogueiras espalhados pela planície. Eram achados arqueológicos de baixa densidade e não tinham a exuberância de materiais orgânicos preservados sob a turfa em Monte Verde II, mas eram indícios múltiplos e consistentes que reforçavam a ocupação antiga daquela região.

A novidade é que as datações agora apontavam a presença humana ali num intervalo que ia de 14,5 mil a 18,5 mil anos, recuando a data anteriormente estabelecida para a ocupação de Monte Verde. Desta vez, o grupo usou, além do método de carbono-14, a datação por luminescência opticamente estimulada, que deu resultados convergentes. Os dados mostravam que aquela planície tinha sido ocupada alguns milênios antes do acampamento de Monte Verde II, ainda que a presença humana tenha sido efêmera e inconstante.

Foram identificados 39 novos artefatos de pedra nas escavações de 2013. Eram, de novo, fabricados de forma expedita e com poucos retoques. Ainda assim, mais de um terço deles era produzido com matéria-prima exótica trazida de outras localidades. Entre os artefatos havia quatro líticos com aparência similar aos que haviam sido encontrados no passado em Monte Verde I. Foram datados em 25 mil anos por luminescência, mas não havia elementos orgânicos associados a eles que pudessem confirmar essa idade por carbono-14. Mais segura é a origem humana de outras nove peças encontradas em camadas com idade entre 19 mil e 17 mil anos confirmada por dois métodos.

Em camadas mais recentes das novas escavações, com idade próxima de 11 mil anos, os pesquisadores encontraram também fragmentos de pontas de projétil associadas com a cultura Paiján, uma tradição lítica conhecida principalmente a partir de artefatos encontrados em sítios no litoral do Peru e do Equador, com idade entre 13 mil e 11 mil anos atrás.

Para os autores, os novos resultados confirmavam a ocupação antiga de Monte Verde e Chinchihuapi. A presença humana era intermitente até 15 mil anos atrás, quando aumenta a diversidade de recursos e ferramentas encontradas ali. Dillehay e seus colegas notaram que os vestígios escavados em certas camadas de Monte Verde e Chinchihuapi não preenchiam todos os critérios exigidos pelos arqueólogos para a aceitação de sítios antigos, o que tornava bem mais complicado atestar sua validade — outros sítios sul-americanos padeciam do mesmo problema. Os resultados eram compatíveis com uma entrada no continente entre 20 mil e 15 mil anos atrás, mas tudo podia mudar com novas evidências. "O registro arqueológico antigo das Américas continua notavelmente imprevisível e intrigantemente complexo", concluíram os autores.[16]

Uma questão que continua sem resolução é a antiguidade das ocupações de Monte Verde I. Na entrevista concedida durante a Paleoamerican Odyssey, em 2013, Dillehay disse que a estratigrafia e a datação daquele nível do sítio não eram problemáticas, mas que não podia cravar que as ferramentas eram todas de origem humana, que seria o terceiro critério para a validação daqueles achados.

"Ao menos seis ou sete dos artefatos que escavamos parecem claramente ter sido feitos por humanos", afirmou Dillehay. Mas havia dois pontos que ainda o deixavam relutante. "Primeiro, me incomoda intelectualmente que houvesse pessoas nas Américas num ponto tão ao sul e tanto tempo atrás", continuou. "Em segundo lugar, precisamos de mais evidências, em parte porque ficamos mal-acostumados com Monte Verde II, com uma variedade tão rica de objetos." O arqueólogo disse que seria preciso fazer novas escavações em busca de mais provas. No entanto, a retomada dos trabalhos de campo no sítio conduzida por ele anos depois não encontrou elementos conclusivos. Por enquanto, a presença humana em Monte Verde há mais de 30 mil anos continua sendo uma hipótese por ser provada.

11. Muito além do Boqueirão

Toca da Tira Peia, Piauí, Brasil

Numa manhã de 2008, um grupo de arqueólogos brasileiros e franceses se deparou com uma cobra assim que chegou para escavar um sítio na região da Serra da Capivara. Era uma tirapeia, nome que se dá a um tipo de jararaca em alguns estados do Nordeste. O grupo estava no município de Coronel José Dias, no sudeste do Piauí, numa área fora do perímetro do parque nacional. O sítio foi batizado com o nome da cobra: Toca da Tira Peia. O encontro dos pesquisadores com a serpente foi registrado no artigo que apresentou os resultados da escavação, publicado em 2013. O estudo trouxe uma revelação surpreendente: foram encontradas ferramentas de pedra em sedimentos depositados há cerca de 22 mil anos, em pleno Último Máximo Glacial.[1]

A Toca da Tira Peia fica a quinze quilômetros em linha reta do controverso Boqueirão da Pedra Furada. Assim como aquele, o novo sítio também fica no sopé de um paredão. Mas as semelhanças param aí: a Toca da Tira Peia fica num carste, uma formação geológica dominada pelo calcário, diferente dos maciços de arenito em que se situa a maioria dos sítios daquela região. Outra diferença notável é que não há, no topo do paredão, depósitos dos seixos de quartzo e quartzito que são a matéria-prima das ferramentas encontradas nas escavações — a fonte mais próxima de seixos fica a mais de um quilômetro dali. Portanto, aqueles artefatos tinham sido levados até o sítio, possivelmente por algum indivíduo.

A escavação da Toca da Tira Peia marcou a volta a campo da Missão Franco-Brasileira no Piauí, que tinha sido interrompida depois da aposentadoria de Niède Guidon em 1998. A direção foi confiada inicialmente ao geocientista Michel Rasse e depois ao arqueólogo Eric Boëda, especialista em ferramentas feitas de pedra lascada e professor da Universidade de Paris Nanterre. Boëda conhecia a resistência de seus colegas ao Boqueirão da Pedra Furada e sabia que só conseguiria convencê-los da presença humana antiga no Piauí se encontrasse provas consistentes em novos sítios. Se os humanos estavam mesmo ali havia dezenas de milhares de anos, deviam ter deixado vestígios em outros locais, e era preciso descobri-los para oferecer a replicabilidade cobrada pelos críticos. Era exatamente isso que Boëda buscava.

Além de arqueólogo — ou pré-historiador, como ele prefere se definir —, Boëda é formado também em medicina e chegou a trabalhar como emergencista, mas não seguiu a carreira. Há mais de três décadas ele trabalha à frente de projetos arqueológicos pelo mundo financiados pelo governo francês. Na Síria, comandou escavações que se estenderam por quinze anos em sítios como Umm el Tlel, numa estepe nos arredores do rio Eufrates, na qual foram desencavados artefatos produzidos ao longo de mais de 1 milhão de anos pelo *Homo sapiens* e seus ancestrais. Quando a tensão política inviabilizou o trabalho naquele país, foi trabalhar no leste da Ásia, onde por duas décadas vem comandando escavações na China e na Coreia do Sul. Ali, encontrou seixos de pedra lascados com técnicas similares às adotadas nos artefatos que ele escavaria na Serra da Capivara.

A Toca da Tira Peia foi descoberta numa fase de prospecção de novos sítios na área dos maciços de calcário da Serra da Capivara. Num primeiro momento, foi identificada apenas por um número — o "ponto 398", conforme relatou numa entrevista o arqueólogo francês Antoine Lourdeau, que estava então estudando ferramentas líticas em seu doutorado na Universidade Paris Nanterre sob orientação de Boëda. Quando a serpente que deu nome ao sítio apareceu, ele próprio estava escavando o ponto 400, não muito longe dali, e não a viu. Após as sondagens iniciais, o grupo concentrou seus esforços na escavação do sítio da serpente, o mais promissor até então.

Situada na base de um paredão de aparência acinzentada, a Toca da Tira Peia foi escavada ao longo de quatro anos, entre 2008 e 2011. O grupo abriu uma área de quarenta metros quadrados com mais de quatro metros de profundidade no ponto mais extremo. Visitei o sítio em 2013 acompanhado pela geógrafa Gisele Daltrini Felice, professora da Universidade Federal do Vale do São Francisco e integrante da Missão Franco-Brasileira. Enquanto conduzia um carro pela estrada de terra irregular, ela explicou que estávamos na zona de transição entre duas formações geológicas distintas: de um lado o maciço calcário onde fica a Toca da Tira Peia; do outro, o arenito da serra, formado por rochas sedimentares de idade mais recente. "Como a gente está no contato de ambas, a diversidade de ambientes é muito interessante, e é por isso que há nessa região uma enorme quantidade de sítios arqueológicos", afirmou.

As escavações da Tira Peia foram conduzidas por Antoine Lourdeau, que foi contratado em 2011 como professor da Universidade Federal de Pernambuco (UFPE); hoje ele está de volta à França, atuando como pesquisador do Museu Nacional de História Natural, em Paris. Numa entrevista em 2013, Lourdeau disse que aquele sítio tinha uma baixa densidade de artefatos — apenas

113 foram encontrados nos quatro anos de escavações — e que, por isso, cada ferramenta que aparecia em meio às camadas de sedimentos era comemorada pelos pesquisadores.

Além disso, não foram encontrados ali carvões ou restos orgânicos que pudessem ser datados por carbono-14. Por isso, o grupo recorreu ao método da luminescência opticamente estimulada para determinar a idade de diferentes camadas de sedimentos da Toca da Tira Peia. A tarefa foi confiada à física francesa Christelle Lahaye, especializada na datação de sítios arqueológicos que trabalha na Universidade de Bordeaux-Montaigne. Lahaye me disse que a luminescência não é tão precisa quanto o carbono-14, mas pode ser aplicada a sítios que não podem ser datados de outro jeito. "Em caso de controvérsia, é importante cruzar diferentes métodos."

Para se datar uma camada de sedimentos com a luminescência opticamente estimulada, é preciso coletar um punhado de sedimentos no sítio arqueológico por meio de um tubo inserido na parede da escavação. Na Toca da Tira Peia, Lahaye coletou amostras em quatro níveis diferentes. A análise concluiu que suas idades eram de aproximadamente 4 mil, 12,9 mil, 17,1 mil e 22 mil anos. Não se tratava de uma ocupação tão antiga quanto a que Niède Guidon defendia para o Boqueirão da Pedra Furada, mas, ainda assim, era quase 10 mil anos anterior à cultura Clovis.

O trabalho em equipes multidisciplinares era fundamental para interpretar esses resultados. "Sou física, e entrego o tempo que se passou desde a última vez em que esses cristais de quartzo foram expostos à luz", afirmou a francesa. "Em seguida vêm os geólogos para mostrar quando e por quais processos os sedimentos foram posicionados, e os arqueólogos vão analisar o lascamento dos artefatos."

Lahaye é parte do grupo de pesquisadores que Boëda recrutou para reforçar a Missão Franco-Brasileira no Piauí. Ele foi atrás de especialistas em métodos ou disciplinas que o ajudassem a preencher as lacunas apontadas pelos críticos e provar a presença humana antiga na Serra da Capivara. Convocou o geólogo Mario Pino, da Universidade Austral do Chile, especializado na análise da formação dos sítios arqueológicos e colaborador de Tom Dillehay há mais de três décadas. Pino era um aliado estratégico para convencer seus colegas de que havia outras ocupações anteriores a Clovis na América do Sul. Boëda chamou também o arqueólogo Ignacio Clemente Conte, pesquisador do Instituto Milá y Fontanals de Investigação em Humanidades, de Barcelona. O pesquisador espanhol é especialista na traceologia, disciplina que analisa os artefatos em busca de vestígios microscópicos que mostrem que eles foram usados para cortar carne, tratar couro ou desempenhar outras funções. Se Clemente Conte encontrasse esse tipo de rastros nos seixos lascados da Serra da Capivara, seria mais difícil defender que eles não eram de origem humana.

O primeiro artigo com resultados da retomada da Missão Franco-Brasileira no Piauí saiu no *Journal of Archaeological Science*, uma das revistas científicas mais prestigiosas do campo. Publicar em periódicos de ponta era uma das prioridades de Boëda para a nova etapa dos trabalhos na Serra da Capivara. É verdade que os primeiros resultados do Boqueirão da Pedra Furada tinham saído na *Nature*, talvez a mais respeitada das revistas científicas, mas depois disso não houve muitas publicações de grande visibilidade, e alguns resultados só saíram em português. O estudo mais minucioso do Boqueirão da Pedra Furada disponível na literatura é a tese de doutorado de Fabio Parenti, que conduziu as escavações ao lado de Niède Guidon. A tese só foi publicada em francês, um idioma de alcance limitado entre os arqueólogos norte-americanos, e os resultados não chegaram a sair em um periódico com revisão por pares.[2]

Além de abrir novos focos de investigação, Boëda retomou a pesquisa em sítios que já tinham sido escavados na etapa anterior da missão. Foi o caso da Toca do Sítio do Meio, um dos primeiros que Guidon visitou quando foi à Serra da Capivara em 1973. Como o Boqueirão da Pedra Furada, a dois quilômetros de distância dali, também o Sítio do Meio se situava ao pé de um paredão rochoso inclinado que podia servir de proteção para a chuva, estendendo-se por noventa metros. Em algum momento do passado profundo, esse paredão cedeu e desabou sobre o solo. O evento só foi descoberto quando os arqueólogos que escavavam o sítio toparam com uma camada de três metros de blocos desmoronados, abaixo da qual havia sedimentos com centenas de ferramentas de quartzo e quartzito aparentadas com outras encontradas na região.

Quando a missão foi retomada, os pesquisadores notaram um artefato nas paredes da escavação. Decidiram então abrir uma nova área de quatro metros quadrados em busca de mais sinais de ocupações antigas. Apesar do tamanho restrito, foram tirados dali mais de 1500 objetos, incluindo ferramentas, lascas de pedra e os núcleos dos quais elas eram tiradas. A análise traceológica concluiu que algumas delas tinham sido usadas provavelmente para perfurar madeira e cortar carne ou osso. A datação do sítio, feita com quatro pedaços de carvão, apontou idades de até 28 mil anos, antes do Último Máximo Glacial. Os resultados foram publicados em 2016 na revista *PaleoAmerica*.[3]

Os resultados mais surpreendentes da retomada da Missão Franco-Brasileira vieram de um novo sítio arqueológico, o Vale da Pedra Furada, situado a cerca de cem metros de distância do malfadado Boqueirão da Pedra Furada. Diferentemente desse, trata-se de um sítio ao ar livre, próximo, mas não adjacente ao paredão no topo do qual há uma profusão de seixos de quartzo e quartzito usados para fazer artefatos. Foi descoberto em 1998, durante os trabalhos de campo do mestrado de Gisele Felice pela UFPE.

Em sua pesquisa, orientada por Guidon e pelo geomorfólogo Joël Pellerin, a geógrafa estudou a ocorrência de incêndios naturais fora do abrigo do Boqueirão da Pedra Furada, que estavam no centro da controvérsia envolvendo o sítio. Se os restos de fogueiras encontrados nas escavações fossem fruto de incêndios naturais, como alegavam os críticos, deveria haver também vestígios de carvão fora do abrigo, onde o fogo poderia se espalhar livremente. Para investigar a hipótese, Felice abriu oito trincheiras que partiam de dentro do abrigo e seguiam direções diferentes.[4]

Não topou com o que esperava achar, com exceção de uma única trincheira. Ali os carvões pareciam ter origem humana e estavam associados a pedras que deviam ter sido intencionalmente lascadas. Tratava-se de um sítio arqueológico desconhecido até então. "Afastamos as possibilidades de que os carvões datados no Boqueirão da Pedra Furada fossem fruto de incêndios naturais, e acabamos achando outro sítio de pelo menos 18 mil anos que não estávamos procurando", disse Felice.

As escavações do Vale da Pedra Furada começaram em 2011 e continuam em curso. Os primeiros resultados foram publicados em 2014 na revista britânica *Antiquity*. O artigo relatava a identificação de 294 artefatos, após uma análise criteriosa de todos os fragmentos de pedra escavados que tivessem uma dimensão maior que dois centímetros. Mais uma vez, a análise traceológica apontou resquícios do tratamento de carne, couro e madeira. As datações foram feitas por dois métodos diferentes que chegaram ao mesmo resultado: as ferramentas mais antigas tinham pelo menos 24 mil anos de idade.[5]

Em muitos aspectos o Vale da Pedra Furada é um sítio arqueológico exemplar, cumprindo todos os requisitos exigidos pelos pesquisadores mais céticos e rigorosos, conforme argumentou Antoine Lourdeau. "Ali temos datas de mais de 20 mil anos com concordância completa entre a luminescência opticamente estimulada e o carbono-14. Há fogueiras, o material lascado inegável, análises traceológicas provando que o material não só foi lascado, mas também utilizado, análises estratigráficas que mostram uma diferença sedimentar muito clara, permitindo associar um determinado objeto a um dado momento de deposição do sítio", enumerou o arqueólogo francês. "Não tem falha nenhuma."

Outros sítios vieram depois daquele. Em 2018, o grupo publicou na revista *Quaternary Geochronology* os resultados da escavação da porção norte da Toca da Janela da Barra do Antonião, situado na zona de calcário, a um quilômetro da Toca da Tira Peia. O artigo relata a descoberta de artefatos de pedra e osso em camadas sedimentares com idade de pelo menos 20 mil anos. Tem um título desaforado: "Mais um sítio, a mesma velha história".[6]

Até a publicação deste livro, a Missão Franco-Brasileira tinha encontrado indícios da presença humana anterior à cultura Clovis em oito sítios da região da Serra da Capivara. "Estamos multiplicando as descobertas", disse-me Eric Boëda. "Já não é mais só um sítio, são dezenas de conjuntos arqueológicos do Pleistoceno no calcário, ao ar livre, no arenito. Está ficando difícil dizer que não existe." Em tese, pelo menos, ele deveria estar blindado contra as críticas. Mas não foi bem o que aconteceu.

Quando foi noticiado pela imprensa, o artigo do grupo franco-brasileiro que alegava a presença humana há 22 mil anos na Toca da Tira Peia foi avaliado com relutância por alguns especialistas. Ouvido pela revista britânica *New Scientist*, o arqueólogo John McNabb, da Universidade de Southampton, disse que considerava as evidências "sugestivas, mas não comprovadas".[7] O novo sítio parecia ter herdado a relutância de alguns especialistas em relação aos achados do Boqueirão da Pedra Furada, por mais que estivesse em contexto arqueológico bastante diferente. Em reportagem da revista norte-americana *Science News*, o arqueólogo Gary Haynes, da Universidade de Nevada, alegou que os artefatos de

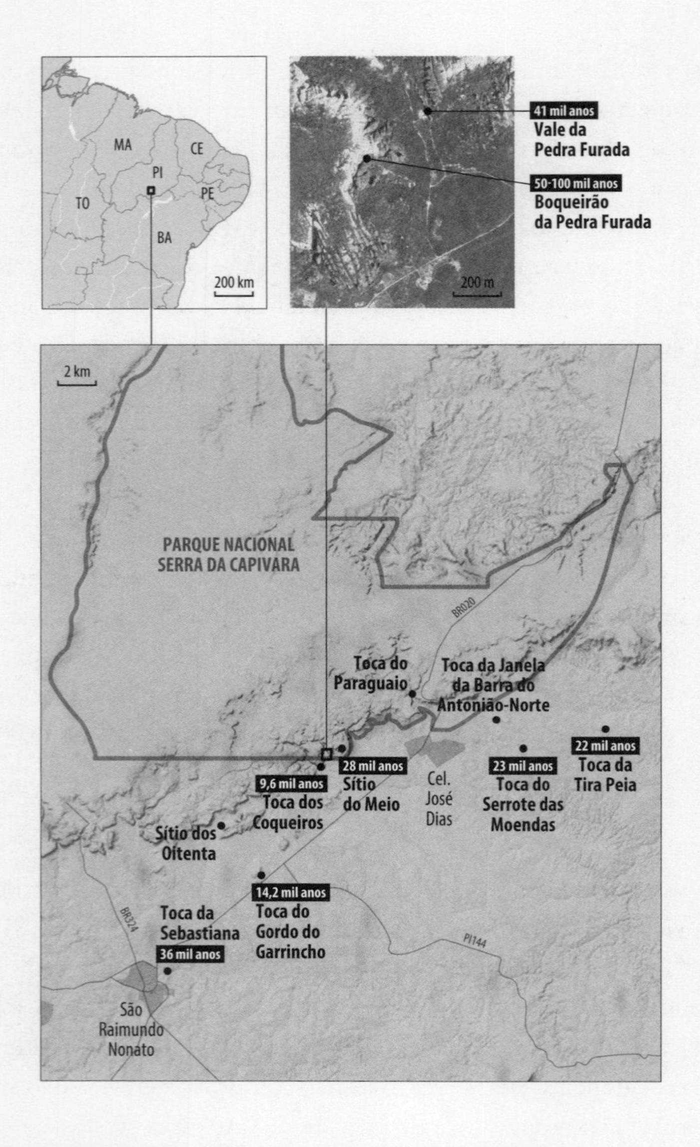

pedra podiam ser resultantes da queda das pedras, e não da ação humana, desconsiderando o fato de que a matéria-prima para a sua fabricação só era encontrada a mais de um quilômetro do sítio.[8]

Ouvi uma crítica parecida do arqueólogo norte-americano Michael Waters, da Universidade do Texas A&M, quando o entrevistei durante a Paleoamerican Odyssey. Perguntei se ele estava por dentro dos resultados mais recentes do grupo franco-brasileiro — o artigo sobre a Toca da Tira Peia tinha sido publicado havia seis meses. "Os seixos parecem ter se lascado naturalmente e não têm a aparência de artefatos feitos por humanos", respondeu Waters. "O sítio foi bem escavado, mas não acho que vá resistir ao escrutínio científico." Num artigo de revisão sobre a ocupação das Américas que publicou em 2019 na *Science*, Waters não citou nominalmente os sítios do Piauí e limitou-se a afirmar de forma genérica que as evidências de ocupações humanas com idade entre 17 mil e 50 mil anos encontradas nas Américas do Norte e do Sul eram problemáticas.[9]

A reportagem da *Science News* trazia também outro questionamento à origem humana dos artefatos encontrados na Toca da Tira Peia. Eles poderiam ter sido lascados por macacos-prego, conforme alegou o arqueólogo norte-americano Stuart Fiedel — que estivera na linha de frente da resistência a Monte Verde. Como os seixos de quartzo e quartzito dos quais foram feitas as supostas ferramentas não ocorrem naturalmente naquele maciço calcário, deveriam ter sido carregados pelos primatas até ali.

"Esses objetos são ferramentas de fato?", questionou Fiedel quando o entrevistei em 2013 após sua palestra em Santa Fé. "Eles são muito primitivos e indistinguíveis de pedras quebradas acidentalmente." E poderiam ter sido feitas pelos macacos-prego que fazem ferramentas de pedra e vivem exatamente nas mesmas áreas em que esses sítios se encontram, continuou o norte-americano. "Vai saber há quantos milhares de anos esses macacos estão fazendo ferramentas toscas de pedra?"

Fiedel não visitou os sítios arqueológicos da Serra da Capivara nem examinou pessoalmente os artefatos em questão, mas elaborou seus argumentos num artigo publicado em 2017 na revista *PaleoAmerica*.[10] O estudo citava trabalhos que o grupo do arqueólogo Michael Haslam, da Universidade de Oxford, vem fazendo em colaboração com o primatólogo Tiago Falótico e com o etólogo Eduardo Ottoni, ambos da USP, para entender esse comportamento dos primatas.

Os macacos-prego que vivem na Serra da Capivara de fato têm o costume de usar os seixos de quartzo e quartzito, abundantes na região, para abrir sementes e castanhas, cavar o solo em busca de alimento e até para atrair parceiros sexuais — as fêmeas jogam as pedras nos machos para chamar sua atenção. Nenhum outro primata não humano conhecido usa ferramentas para uma gama tão diversa de atividades. "Eles são muito manipulativos e têm uma mão muito parecida com a nossa em termos de proporções", disse-me Falótico, que há mais de uma década estuda os macacos-prego da Serra da Capivara. Esses animais já tinham sido observados manipulando objetos e usando ferramentas em cativeiro e no laboratório, mas os cientistas notaram que, no cerrado e na caatinga, eles também manifestam esse comportamento rotineiramente. "Via de regra, tendo pedra e tendo coco ou frutos encapsulados, os *Sapajus libidinosus* vão lá quebrar", afirmou o primatólogo.

O que não se sabia é que eles podem também produzir lascas de pedra com lâminas afiadas que se parecem bastante com artefatos produzidos por humanos, conforme mostrou um estudo que Falótico e seus colegas publicaram em 2016 na *Nature*. O comportamento surpreendente foi observado em macacos-prego no Sítio dos Oitenta, situado no Parque Nacional da Serra da Capivara, na formação arenítica em que os seixos de quartzo e quartzito ocorrem naturalmente. Os cientistas observaram os primatas batendo pedras umas nas outras e gerando lascas afiadas que eles às vezes percutiam na pedra. Identificaram 111 artefatos líticos modificados pelos macacos-prego naquele sítio, incluindo lascas e os núcleos de onde saíram.[11]

O material foi analisado sob a supervisão de Haslam, que tinha familiaridade com as lascas produzidas pelos ancestrais do *Homo sapiens* na África. O arqueólogo e seus colegas notaram que as lascas geradas pelos macacos-prego eram muito parecidas com as produzidas intencionalmente por ancestrais dos humanos modernos que faziam artefatos com a chamada tecnologia olduvaiense. Essa indústria lítica ocorre no Paleolítico, no início da Idade da Pedra, e foi encontrada em sítios arqueológicos com idades de 2,6 milhões a 1,7 milhão de anos atrás e atribuída a australopitecos, *Homo habilis* e outras espécies extintas de humanos.

Mais que similares, as lascas produzidas pelos macacos-prego eram indistinguíveis daquelas de origem humana, se usados os principais critérios dos arqueólogos para caracterizar artefatos feitos por homininios. A produção de ferramentas de pedra já tinha sido observada em chimpanzés e outros primatas, mas até então se acreditava que a produção de lascas com lâminas afiadas era uma exclusividade da linhagem humana. "Mostramos que primatas não humanos podem criar essa mesma lasca, mesmo sem intencionalidade", resumiu Falótico.

De fato, a produção de lascas pelos primatas parece ser involuntária: eles não manifestaram interesse pelos artefatos e tampouco foram observados fazendo uso deles para qualquer finalidade. Não atinaram para a potencialidade das lascas para cortar ou raspar outros materiais. Pareciam mais interessados em lamber ou cheirar o pó gerado pela percussão das pedras — esse comportamento foi registrado em metade dos casos observados pelos cientistas. Ainda não se sabe ao certo de onde vem o interesse dos macacos-prego pelo pó de pedra, mas os cientistas suspeitam que ele possa servir como um repelente de moscas, carrapatos ou outros parasitas.

Que aquelas lascas afiadas fossem intencionais ou não, a implicação do trabalho parecia clara: se os macacos-prego eram capazes de produzi-las, os pesquisadores deveriam ter uma camada adicional de prudência ao analisar artefatos encontrados em sítios arqueológicos que foram ou são frequentados por esses primatas, como os da Serra da Capivara. Para os autores, só é possível cravar que artefatos desse tipo foram produzidos intencionalmente se forem encontradas evidências adicionais, como marcas de cortes em ossos. Recomendaram ainda que fossem refinados os critérios adotados para distinguir ferramentas de pedra produzidas intencionalmente por humanos.

Além de mostrar que os macacos-prego produzem lascas parecidas com as fabricadas por humanos, Falótico e seus colegas fizeram também escavações e encontraram artefatos que teriam sido produzidos pelos primatas em camadas com até 3 mil anos de idade, conforme relataram num estudo de 2019.[12] Sabe-se que esses macacos estão na América do Sul pelo menos desde o começo do Pleistoceno, por volta de 2,6 milhões de anos atrás, como atesta um dente encontrado na Venezuela. Contudo, seus fósseis nunca foram encontrados nos sítios paleontológicos da Serra da Capivara.

O material lítico produzido pelos macacos-prego do Piauí não basta, porém, para contestar a origem humana dos artefatos encontrados pelos arqueólogos liderados por Niède Guidon e Eric Boëda. Alguns seixos lascados podiam se confundir com os artefatos acidentais dos primatas, mas os achados arqueológicos eram muito mais diversos — os macacos podem produzir um artefato acidentalmente, mas jamais serão capazes de fabricar toda uma caixa de ferramentas, conforme alegaram dois integrantes da equipe de Boëda num artigo de 2021.[13] Além disso, os artefatos da Serra da Capivara apresentavam marcas de uso, o que não aconteceria caso tivessem sido produzidos pelos macacos.

O grupo de Haslam não comparou as lascas com os artefatos encontrados na Serra da Capivara e não questiona, em seus artigos, a validade dos sítios arqueológicos. "Não acho que os macacos-prego invalidem o material mais antigo da Pedra Furada, não foi isso o que analisamos", disse-me Falótico. "O que a gente mostra é que, não só na Serra da Capivara, mas em qualquer lugar em que haja primatas não humanos que usem ferramentas, os arqueólogos precisam tomar cuidado para não confundir esse material."

Perguntei a Falótico se fazia sentido que macacos-prego tivessem produzido as ferramentas de quartzo e quartzito encontradas nos sítios da formação calcária da Serra da Capivara, distantes dos maciços de arenito onde os seixos ocorrem naturalmente. "Um macaco-prego não vai pegar uma pedra e transportar por dez quilômetros", respondeu o primatólogo. "Um humano pode fazer isso, porque quer usá-la depois. Isso é uma evidência de que provavelmente aquele é um sítio humano mesmo."

Não fazia sentido, portanto, a alegação de Stuart Fiedel. Mas não importava muito que a objeção não parasse de pé do ponto de vista científico. O argumento ajudava a engrossar a suspeita que já pairava sobre os achados arqueológicos da Serra da Capivara e foi prontamente incorporado ao repertório dos críticos.

A acusação leviana enfureceu Tom Dillehay. "Fiedel não sabe do que está falando", disse o arqueólogo ao *New York Times* numa reportagem de 2014 sobre os achados da Serra da Capivara. "Dizer que macacos produziram as ferramentas é uma estupidez."[14] No ano anterior, em sua conferência em Santa Fé, Dillehay já havia criticado a posição do colega. "Que tipo de macaco produz um sítio arqueológico?", questionou, ao projetar um slide com a foto de um primata. "Espero que os jovens estudiosos do povoamento antigo não precisem ouvir o mesmo tipo de bobajada."

Mas houve pesquisadores que levaram a sério a hipótese e decidiram testá-la. A equipe foi coordenada por Fabio Parenti, que havia escavado o Boqueirão da Pedra Furada e agora estava vinculado à Universidade Federal do Paraná (UFPR), e contou ainda com Mercedes Okumura, da USP, e três colegas da França. Num artigo publicado em 2018 na revista *Quaternaire*, eles relataram os resultados da análise comparada entre as ferramentas produzidas pelos macacos-prego, os artefatos encontrados no Boqueirão da Pedra Furada e um conjunto de pedras que caíram naturalmente do alto da falésia.[15] Okumura contou-me que a ideia era analisar o material com métodos estatísticos robustos que não tinham sido adotados quando Parenti estudou o material do Boqueirão em seu doutorado.

Os cientistas constataram que os artefatos de origem alegadamente humana eram mais pesados do que os produzidos pelos macacos e que, além disso, havia uma identidade na seleção de materiais e na fabricação das ferramentas. "Vimos que realmente tem uma diferença importante no número de retiradas e nos ângulos de lascamento — há ângulos específicos que são mais adequados para a retirada de lascas", disse a arqueóloga. Os autores reconheceram que parte dos artefatos escavados no Boqueirão da Pedra Furada podia ser fruto da ação de macacos-prego, mas avaliaram que a maioria das ferramentas mais elaboradas só podia ter sido produzida por lascamento intencional por humanos. "Conseguimos demonstrar que realmente há uma diferença entre os blocos que caem e se quebram naturalmente, as pedrinhas quebradas pelos macacos e os artefatos encontrados no sítio arqueológico", afirmou Okumura.

Quinze ferramentas de quartzo e quartzito com até 23 mil anos de idade encontradas no Vale da Pedra Furada foram exibidas para os participantes da conferência de Santa Fé. Foram levadas por Eric Boëda para serem expostas durante o evento junto com outros artefatos arqueológicos. Entre o público havia tanto pesquisadores e estudantes de várias disciplinas quanto diletantes e entusiastas — nos Estados Unidos, a arqueologia amadora movimenta todo um circuito de sociedades de apreciação, oficinas de pedra lascada e visitas guiadas a sítios famosos. Alguns dos participantes trajavam roupas mais adequadas para uma escavação do que para o auditório de um centro de convenções.

As pontas de projétil foram os artefatos que mais atraíram o público da exposição. Algumas estavam dispostas em estojos com fundo de feltro ou veludo. Chamava a atenção uma ponta de Clovis feita de obsidiana com 25 centímetros de comprimento que tinha sido escavada no estado de Washington e era apresentada como a maior ponta acanalada conhecida. Um quadro reunia dezenas de artefatos que estavam num esconderijo de ferramentas da cultura Clovis encontrado no estado do Oklahoma. Noutra vitrine estavam lado a lado pontas de Clovis e ferramentas bifaciais solutrenses.

Os artefatos do Vale da Pedra Furada estavam dispostos sem muito capricho sobre uma placa de vidro, com etiquetas indicando a idade e a presença de rastros de uso das ferramentas. São seixos de coloração entre esbranquiçada e amarelada que podem facilmente ser confundidos com um punhado de pedras quaisquer. Não evocam imediatamente a função para a qual eram utilizados e nem correspondem à imagem mental que fazemos de uma ferramenta lítica, com exceção de uma pedra pontuda com um gume trabalhado numa de suas faces. As peças de aparência tosca não chamavam muito a atenção do público, o que irritou Boëda. Parecia-lhe que os visitantes estavam julgando os artefatos apenas pela estética, o que ele achava lamentável. "Isso aqui está com cara de concurso de beleza", disparou.

O quartzo e o quartzito são materiais duros e difíceis de trabalhar em função dos microcristais em sua estrutura. Muitas ferramentas feitas com eles são obtidas com um número limitado de lascamentos e, por isso, têm aparência mais grosseira. Boëda notou que o caso é bem diferente com o sílex ou a obsidiana, materiais homogêneos bem mais fáceis de trabalhar. "É como massa de modelar, você pode esculpir e fazer o que quiser", comparou. Para o arqueólogo, a abundância do quartzo e quartzito na Serra da Capivara explica a escolha da matéria-prima. "Os caras não iam andar 1500 quilômetros em busca de blocos de sílex", argumentou. "Eles se instalaram naquela região porque tinha água e fauna e rapidamente desenvolveram sistemas técnicos baseados nos seixos."

Um dos artefatos da Tira Peia exibidos nos Estados Unidos é um grande seixo arredondado que cabe com perfeição numa mão adulta. Somente uma metade sua foi transformada com retoques que a deixaram áspera, usada quem sabe para raspar outros materiais. Boëda explicou que a seleção da matéria-prima era uma etapa fundamental da fabricação da ferramenta. "Você escolhe o seixo que tem a forma, o volume e a superfície ideais para fazer sua ferramenta e depois talha apenas a parte que será a zona ativa", explicou. Um seixo bem adaptado à mão era meio caminho andado para uma ferramenta eficaz — como se um escultor fosse começar um busto em um bloco de mármore no qual já houvesse uma cabeça com o queixo e as orelhas delineadas, conforme propôs o francês. "Você só precisa fazer o rosto."

Boëda se familiarizou com esse tipo de ferramentas escavando sítios no leste da Ásia. Ele disse que os seixos são a norma da indústria lítica de uma parte importante daquele continente. "Eles fabricam ferramentas com conceitos diferentes usando suportes diferentes", afirmou. "É um mundo em que as pessoas comem com pauzinhos." Isso é o que ele havia visto no Camboja, na Tailândia, na Indonésia, na China e na Coreia do Sul. "A menos que todas essas regiões tenham sido ocupadas por chimpanzés", completou, com ironia.

Para Boëda, se os críticos norte-americanos têm dificuldade em reconhecer ferramentas nas pedras lascadas da Serra da Capivara, é porque elas não lembram nada que eles viram antes — são o que o francês chama de "objetos sem memória". Para enxergar a finalidade das ferramentas, continuou o arqueólogo, bastava prestar atenção nos gumes, que eram muito diversificados. "É como se você tivesse uma colher, uma faca, um garfo." Perguntei se ele é capaz de identificar um artefato só de bater o olho. "É como se visse uma caneta num prato de macarrão", respondeu. "Você reconhece imediatamente."

Como fez nessa ocasião, Boëda recorre com frequência a argumentos de autoridade para rebater os questionamentos à origem humana dos artefatos do Piauí, como se a credibilidade de suas afirmações derivasse automaticamente de sua expertise em tecnologia lítica. Essa foi a linha de raciocínio que ele seguiu no artigo que publicou nos anais da conferência de Santa Fé junto com outros doze pesquisadores da Missão Franco-Brasileira no Piauí.

O artigo diz que os tecnólogos, como outros especialistas, têm uma formação universitária de pelo menos cinco anos, depois dos quais

> são capazes de identificar a diferença entre um geofato e um artefato, assim como o paleoantropólogo é capaz de distinguir entre crânios de *sapiens* e neandertais ou um paleontólogo entre espécies domésticas e selvagens. Eu [Boëda] diria: "Cada um com sua especialidade!". Temos que confiar nas capacidades dos especialistas em seus respectivos campos.[16]

O apelo à confiança soa inusitado. Afinal, a ciência não funciona com argumentos de autoridade, conforme alegou o arqueólogo argentino Luis Alberto Borrero, da Universidade Nacional do

Centro da Província de Buenos Aires. "O processo é o contrário: os especialistas é que têm de nos convencer com seus argumentos", escreveu em 2015 para a revista *Intersecciones en Antropología*.[17] Borrero vinha questionando os resultados da Serra da Capivara desde a década anterior. Nesse artigo, ele apontou fragilidades nos estudos tafonômicos e de formação dos sítios da região. Criticou também o grupo franco-brasileiro por não oferecer, junto com os resultados tão fora da curva, um esquema de dispersão que ajudasse a colocar em contexto a presença humana há mais de 20 mil anos na América do Sul.

A descoberta de um mero dente humano com idade não questionável seria o suficiente para encerrar o debate. Sepultamentos humanos já foram encontrados em vários sítios da região da Serra da Capivara, mas os mais antigos já datados com segurança são do começo do Holoceno. É mais fácil achá-los nos sítios na zona calcária do que nos maciços de arenito, menos propícios à formação dos fósseis. A acidez do solo que não favorece a preservação de material orgânico muito antigo pode ser um fator por trás da ausência de fósseis humanos da Era do Gelo na Serra da Capivara.

É verdade que alguns deles têm idade alegada anterior a Clovis, mas a cada caso há questionamentos que põem em dúvida a validade da data, conforme argumentou um estudo de 2018 que analisou fósseis encontrados em catorze sítios arqueológicos na região.[18] Nenhum deles tinha colágeno o suficiente para a datação, e sua idade foi determinada de forma indireta — um flanco a mais aberto para a contestação pelos críticos.

É o caso dos esqueletos muito fragmentados de três indivíduos encontrados na Toca do Serrote das Moendas, um sítio arqueológico no maciço calcário. O mais velho desses indivíduos teria 23 mil anos de idade, data obtida a partir do dente de um cervo ou similar encontrado junto aos ossos. Seria, com folga, o remanescente humano mais antigo das Américas. Porém, como os pesquisadores não sabem como se deu a sedimentação daquele sítio, não é possível garantir que os fósseis humanos tinham a mesma idade que o cervo, afirma o estudo liderado pelo arqueólogo André Strauss, da USP, e que teve Eric Boëda entre os autores.

Na Toca do Gordo do Garrincho, igualmente situada no calcário, também apareceram outros remanescentes muito antigos, como um dente molar datado em 14,2 mil anos. No caso, a datação foi feita com os ácidos derivados da lavagem da amostra durante o tratamento. Para Strauss e seus colegas, porém, a interpretação da data está sujeita a debate, e ela não pode ser tomada como a idade do esqueleto.

O primeiro — e por enquanto o único — caso de remanescente humano que pôde ser diretamente datado na Serra da Capivara vem de um sítio no maciço de arenito, a Toca dos Coqueiros. Exumado em 1997, o esqueleto em questão estava praticamente completo e todo articulado. Ao analisá-lo, os bioantropólogos Mark Hubbe e Walter Neves encontraram um padrão que associava aquele indivíduo — apelidado de Zuzu — à morfologia do povo de Lagoa Santa, em contraste com os povos indígenas atuais. Na ocasião, a idade do esqueleto foi estimada em 11 mil anos, a partir da datação de um carvão que estava no mesmo nível. Mas sua idade real era um pouco menor — 9,6 mil anos —, conforme mostrou a datação direta da amostra, publicada em 2022 por uma equipe conduzida pela bioantropóloga argentina Lumila Menéndez, da Universidade de Bonn, na Alemanha.[19]

Mesmo que ainda não tenham surgido fósseis humanos da Era do Gelo acima de qualquer suspeita, o acúmulo de novos achados arqueológicos nos sítios da Serra da Capivara tem ajudado no convencimento de cientistas que antes eram céticos em relação à presença humana antiga no Piauí. Alguns críticos notórios mudaram de convicção diante dos resultados mais recentes e hoje admitem ocupações humanas na região contemporâneas ou anteriores ao Último Máximo Glacial.

A começar por Walter Neves, crítico ferrenho dos trabalhos de Niède Guidon, com quem já havia trocado farpas em público, mas de quem se reaproximou por ocasião do estudo de Zuzu. Em 2013, Neves contou-me que, depois de ir até a Serra da Capivara para analisar os esqueletos escavados ali, teve enfim a oportunidade de ver os alegados artefatos e se surpreendeu. "Saí de lá 99% convencido de que podia mesmo haver uma datação muito antiga ali", afirmou. "Se as datas forem confirmadas, temos que repensar completamente a questão da ocupação do continente."

Outro caso emblemático é o de Tom Dillehay, o líder das escavações de Monte Verde e um dos arqueólogos que assinaram a crítica contundente à validade do Boqueirão da Pedra Furada após visitar o sítio nos anos 1990. Quando o artigo sobre a Toca da Tira Peia foi publicado no *Journal of Archaeological Science*, ele admitiu a origem humana e a antiguidade de parte das ferramentas encontradas ali, apesar de continuar com algumas ressalvas metodológicas.

Em 2014, quando saíram os primeiros resultados do Vale da Pedra Furada na *Antiquity*, Dillehay registrou sua mudança de convicção num comentário publicado na mesma revista. Ele afirmou que tinha mudado suas expectativas em relação às ferramentas encontradas no Piauí após visitar sítios antigos na América do Sul, na China e na Austrália. "Estou mais aberto à ideia de que partes do Boqueirão da Pedra Furada eram usadas como fontes de matéria-prima e/ou acampamentos de curto prazo por pequenos grupos de pessoas em trânsito", escreveu o arqueólogo. Afirmou ainda que, depois de examinar artefatos de novos sítios brasileiros, está mais convencido de que alguns deles foram lascados por humanos.

E concluiu chamando a atenção para a especificidade do registro arqueológico sul-americano: "Os registros humanos mais antigos na América do Sul são mais diversos que os encontrados na América do Norte e devem ser examinados com padrões e expectativas mais flexíveis".[20]

O comentário de Dillehay não foi o único: na mesma edição em que publicou o artigo do Vale da Pedra Furada, a *Antiquity* publicou outras quatro avaliações do trabalho, para estimular o debate em torno dos resultados polêmicos. A maior parte aceitava as alegações do grupo franco-brasileiro. O arqueólogo Hubert Forestier, do Museu Nacional de História Natural da França, afirmou que as ferramentas do Vale da Pedra Furada "foram indubitavelmente lascadas e usadas de acordo com critérios técnicos específicos".[21] Para Forestier, um estudioso das ferramentas líticas encontradas no leste da Ásia, a indústria de seixos adotada pelos humanos que viviam no Nordeste do Brasil era em parte determinada pelas condições climáticas e geológicas da região e pela disponibilidade de matéria-prima, mas eram também escolhas culturais daqueles grupos.

O arqueólogo James Feathers, um especialista em datações que trabalha na Universidade de Washington, em Seattle, escreveu que os colegas deveriam dar o benefício da dúvida a Niède Guidon e sua equipe. Recomendou ainda que os pesquisadores concentrassem seus esforços em entender como os sítios antigos do Piauí evoluíram até chegar aos registros arqueológicos mais abundantes que aparecem na Serra da Capivara e em todo o continente por volta de 13 mil anos atrás. Preencher essas lacunas, afirmou, "poria esses sítios em melhor contexto e atenuaria a controvérsia em torno deles".[22]

Kjel Knutsson, arqueólogo da Universidade de Uppsala, na Suécia, disse estar convencido com a análise da formação do sítio e dos artefatos feita pelo grupo franco-brasileiro. Para ele, "a origem humana das alegadas ferramentas pré-históricas parece óbvia", e aquela indústria de seixos não tinha nada de arcaica. "É simplesmente um outro jeito de fazer ferramentas de pedra." Knutsson criticou, no entanto, a análise dos vestígios deixados pelo uso desses artefatos — uma área em que ele se especializou —, mas ponderou que isso não invalidava a conclusão do estudo. "Se as datações estiverem corretas, os autores mostraram de forma convincente que a América do Sul já estava ocupada há mais de 22 mil anos... por produtores de ferramentas competentes."[23]

Entre os cinco comentários publicados na *Antiquity*, apenas um contestou a validade da ocupação antiga do Vale da Pedra Furada. Foi assinado por Adriana Schmidt Dias e Lucas Bueno, arqueólogos das universidades federais do Rio Grande do Sul e de Santa Catarina, respectivamente. Na avaliação da dupla brasileira, o artigo não resolvia muitas das questões problemáticas apontadas desde o estudo do Boqueirão da Pedra Furada. Faltavam dados sobre a relação entre as ferramentas e as amostras que foram datadas e estudos que permitissem caracterizar as diferentes fases de ocupação do sítio. Para Dias e Bueno, os novos dados da Pedra Furada soavam como notícia velha. "É mais do mesmo jogo entre rochas e datas", escreveram. "Tem pouco a dizer sobre como as pessoas viviam criativamente em novos territórios, mas diz muito sobre o funcionamento da política acadêmica." Os dois também criticaram os colegas franco-brasileiros por não buscarem relacionar os achados com outros sítios da América do Sul com datações do final da Era do Gelo. "Um diálogo real com a comunidade acadêmica 'nativa' certamente teria acrescentado argumentos mais interessantes para o debate do que a validade dos métodos de datação, a perícia dos 'tecnólogos' encarregados da análise ou as comparações com as tecnologias da África e leste da Ásia."[24]

Na avaliação de Eric Boëda, a publicação dos comentários significou o reconhecimento dos colegas da presença humana antiga no Piauí. "Superamos a barreira dos 20 mil anos", afirmou numa entrevista dada naquela ocasião. Para o arqueólogo, os críticos não tinham mais por onde atacar o trabalho do grupo franco-brasileiro. "As provas transbordam em todas as direções", afirmou. "Agora, só se nos acusarem de mentir ou fraudar os dados."

Mas o pacote de artigos da *Antiquity* estava longe de significar o fim da controvérsia envolvendo os sítios da Serra da Capivara. Os novos sítios escavados por Boëda e seus colegas não são uma unanimidade, até porque divergem dos estudos genéticos sobre a ocupação das Américas, que apontam para um povoamento ocorrido após o fim do Último Máximo Glacial. Enquanto não aparecerem evidências inequívocas da presença humana antiga no Piauí, os sítios arqueológicos da Serra da Capivara continuarão sendo vistos com ceticismo por parte da comunidade.

12. No coração da América do Sul

Santa Elina, Mato Grosso, Brasil

A história do sítio de Santa Elina se parece com a do Boqueirão da Pedra Furada, e também começa com um visitante que vai ao Museu do Ipiranga, em São Paulo, chamar a atenção de uma arqueóloga para pinturas rupestres no interior do país. A arqueóloga, nesse caso, era Águeda Vilhena Vialou, e o contato se deu durante os anos 1980. O visitante era um fazendeiro que tinha descoberto uma gruta com pinturas rupestres em sua propriedade, no Mato Grosso, e queria mostrá-las a especialistas. Vilhena Vialou aceitou o convite e, no fim daquele ano, foi com o fazendeiro à região de Rondonópolis, acompanhada de seu marido, o também arqueólogo Denis Vialou.

Contudo, aquele ainda não era o sítio que nos interessa neste capítulo. Durante as escavações em Rondonópolis, os dois arqueólogos entraram em contato com uma rede de colegas que estava trabalhando no estado e, por meio deles, acabaram por conhecer Santa Elina, o sítio arqueológico que mudou a carreira de ambos — e, de quebra, ajudou a complicar a história da ocupação do continente. Nas escavações que fizeram ali por mais de vinte anos, encontraram artefatos de pedra e osso que indicavam que o local havia sido ocupado por grupos humanos há cerca de 27 mil anos — mais uma evidência da presença do *Homo sapiens* na América do Sul antes do Último Máximo Glacial.

Santa Elina fica na Serra das Araras, numa fazenda de gado no município de Jangada, a cerca de cem quilômetros a noroeste da capital Cuiabá. Trata-se de um abrigo que tem cerca de sessenta metros de comprimento e fica entre dois paredões rochosos inclinados separados por um vão de aproximadamente quatro metros. A inclinação protege o interior do abrigo das águas da chuva, o que favoreceu a preservação dos vestígios deixados pelos diferentes grupos humanos que ocuparam a região ao longo do tempo.

Como em outros sítios brasileiros, o que chamou a atenção dos pesquisadores num primeiro momento para o interesse arqueológico daquela localidade foram as centenas de pinturas rupestres que cobriam um dos paredões. O casal Vialou foi fazer uma sondagem preliminar em 1984 e concluiu que valia a pena fazer uma escavação minuciosa. "Encontramos vestígios importantes de ocupação no abrigo", disse-me Vilhena Vialou numa entrevista que ela e o marido me deram em Paris em 2015. "Sabíamos que era promissor." O que ela não imaginava, naquele momento, é que aquele sítio traria evidências de que humanos tinham convivido com a megafauna extinta na América do Sul.

Nos anos 1970, quando trabalhava no Museu do Ipiranga, a pesquisadora — que ainda usava seu nome de solteira, Águeda Vilhena de Moraes —, participou da escavação de outros sítios emblemáticos da arqueologia brasileira. Trabalhou na Serra da Capivara no início da Missão Franco-Brasileira no Piauí e estava na equipe de Annette Laming-Emperaire que escavou o esqueleto de Luzia na Lapa Vermelha IV. Desde 1977 Vilhena Vialou é pesquisadora do Museu Nacional de História Natural da França, em Paris, onde trabalha com o marido. Mas nunca cortou o vínculo com a USP, onde fez sua formação, e continuou realizando trabalhos de campo no Brasil.

As escavações em Santa Elina se estenderam de 1984 a 2004. O casal Vialou e sua equipe trabalharam em duas áreas contíguas com superfície total de oitenta metros quadrados na parte central do abrigo, alcançando uma profundidade máxima de 3,5 metros. Mas demorou muito até que chegassem aos níveis mais antigos do sítio. Águeda Vilhena Vialou contou que, durante dez anos de trabalho de campo, a escavação não ultrapassou as camadas mais recentes, formadas por sedimentos muito finos que exigiam cuidado redobrado dos pesquisadores. "Era uma verdadeira cal", comparou.

Por outro lado, esses sedimentos eram muito apropriados para a conservação de vestígios orgânicos. Os achados nas camadas mais superficiais, que tiveram idade estimada em até 7 mil anos, se destacam pela riqueza das espécies de plantas identificadas e pela abundância de carvões e cinzas. Os vestígios preservados incluíam restos de folhas e frutos, pedaços de madeira, fibras vegetais trançadas, uma sandália e um cesto. Em meio ao material, havia dezenas de estacas de até sessenta centímetros ainda fincadas no solo, alinhadas ao longo das paredes. Eram feitas de madeiras densas e duradouras, como ipê ou jatobá.

Graças à profusão de material orgânico, o grupo pôde datar dezenas de amostras que indicaram que as ocupações humanas do abrigo de Santa Elina se sucederam sem interrupção aparente até 12 mil anos atrás. Como a quantidade de artefatos líticos encontrados não era muito expressiva, os pesquisadores acreditam que aquele era um local de acampamentos temporários. Após avaliar a natureza dos vestígios encontrados, concluíram que a economia dos grupos que ocuparam o abrigo nas datas mais recentes era mais baseada na coleta que na caça.

As pinturas rupestres encontradas na parede do abrigo são provavelmente contemporâneas dessas camadas. No entanto, como as tintas usadas não têm material orgânico — caso da hematita de que são feitos os tons vermelhos —, os pesquisadores não conseguiram fazer datações que pudessem determinar com segurança a idade das figuras.

Foram catalogadas quase mil imagens, a maior parte delas espalhada pelo paredão em alturas de até dois metros, ao alcance de um adulto de pé. As representações incluem figuras humanas, algumas delas com ornamentos, e uma profusão de animais como felinos, macacos, veados e aves pernaltas. Um dos desenhos mais notáveis mostra uma anta de mais de um metro de comprimento de patas dobradas (há também a imagem de outra anta perfurada por uma lança). Algumas pinturas trazem sinais geométricos em vez de representar pessoas ou animais. O estilo às vezes mistura realismo com delírio figurativo, conforme definiu o casal de arqueólogos num artigo de 2019.[1] Na entrevista de 2015, Denis Vialou afirmou que as pinturas de Santa Elina não lembram as tradições do Nordeste e tampouco a arte rupestre encontrada em Minas Gerais. "Não conheço nada equivalente."

Num nível um pouco mais profundo e antigo, apareceram ossos grandes que foram atribuídos à preguiça-gigante extinta *Glossotherium lettsomi*. Tratava-se de uma espécie diferente das que tinham sido encontradas por Peter Lund em Lagoa Santa. Esse mamífero se alimentava provavelmente de folhas, podia medir quatro metros de comprimento e pesar uma tonelada. Os fósseis estavam associados a restos orgânicos cuja data foi estimada entre 11,4 mil e 12 mil anos.

Junto aos ossos havia ainda centenas de osteodermos, como são chamadas as pequenas placas ósseas que ficavam sob a pele desses animais, formando algo como uma carapaça dérmica — entre as espécies existentes atualmente, esse tipo de estrutura pode ser encontrado em tatus e répteis como lagartos ou crocodilos. Com tamanho de até quatro centímetros, os osteodermos das preguiças extintas tinham a função de controlar o sistema de vascularização e a regulação térmica do animal, ajudando a dissipar calor ou aumentar a temperatura do corpo quando necessário.

A associação dos osteodermos com artefatos de pedra lascada encontrados na mesma camada de sedimentos mostrava que humanos e preguiças tinham sido contemporâneos, anunciou o casal Vialou num artigo publicado em 1995 nos anais da Academia de Ciências de Paris.[2] O achado corroborava evidências parecidas de Monte Verde e outros sítios sul-americanos.

Os arqueólogos continuaram escavando o sítio de Santa Elina e, além do nível com 12 mil anos, se depararam com grandes blocos rochosos abaixo dos quais havia vestígios de uma ocupação ainda mais antiga. Nessas camadas, os pesquisadores escavaram centenas de ossos de outra *Glossotherium lettsomi*. Havia fragmentos de mandíbula e crânio, quatro vértebras e um dente molar, entre outros ossos, que aparentemente pertenciam todos a um mesmo indivíduo que morreu ainda jovem. Assim como no caso do nível anterior, os ossos pertenciam apenas à metade de cima do corpo do animal, o que intrigou os pesquisadores. Talvez aquelas preguiças tivessem sido mortas em algum lugar fora do abrigo e levadas até ali. "Mas não temos provas disso", frisou Águeda Vilhena Vialou.

Junto aos ossos havia ainda milhares de osteodermos, assim como na camada de cima. Muitos desses ossículos estavam dispostos no solo conforme a posição em que se encontravam sob a pele da preguiça-gigante. Mas havia também um conjunto de 49 osteodermos concentrados numa área de dez por dez centímetros, e é possível que tenham sido depositados intencionalmente. Alguns deles tinham vestígios de que tinham sido aquecidos, e outros estavam quebrados, talvez em decorrência da exposição ao calor.

Entre os milhares de ossículos encontrados, dois chamaram mais a atenção dos pesquisadores por terem sido deliberadamente transformados. Esses osteodermos pareciam ter sido polidos nos dois lados e nas bordas e possuíam pequenos orifícios pelos quais era possível passar um fio feito de fibra vegetal — um deles tinha um único furo, e o outro, dois furos, um em cada extremidade. Para Vilhena Vialou, eles deviam ser usados como adorno, quem sabe como uma espécie de pingente paleolítico pendurado no pescoço ou preso a alguma outra parte do corpo. Era uma descoberta notável que dava pistas sobre a vida social e simbólica dos grupos que ocuparam o local. Anos depois do fim dos trabalhos de campo, analisando o material escavado, o grupo ainda encontrou um terceiro osteodermo perfurado.

Na mesma camada em que estavam os remanescentes da preguiça, foram encontrados cerca de trezentos artefatos líticos de fabricação simples, feitos com um número limitado de retoques que não mudavam de forma substancial o formato ou o tamanho da pedra usada como matéria-prima. Eram ferramentas exclusivamente unifaciais, repetindo um padrão encontrado em outros sítios antigos do Brasil central. Muitos eram feitos do calcário extraído provavelmente de uma fonte a cinquenta metros do paredão, mas havia também materiais exóticos como quartzo e sílex.

A idade dessa camada foi estimada com base em datações feitas com três métodos diferentes: carbono-14, urânio-tório e luminescência opticamente estimulada. As três técnicas obtiveram resultados convergentes, que situam a idade daqueles sedimentos entre 25 mil e 27 mil anos de idade. A ocupação de Santa Elina seria, portanto, contemporânea à época em que grupos humanos também deixaram vestígios em vários sítios da Serra da Capivara — com exceção do Boqueirão da Pedra Furada, que, com datas bem mais antigas, continua sendo um ponto fora da curva na arqueologia brasileira e sul-americana.

Demorou até que os achados de Santa Elina fossem apresentados à comunidade num dos mais importantes periódicos da disciplina. Só em 2017, 33 anos após o início das escavações, um artigo com os principais resultados saiu na revista *Antiquity*.[3] Antes disso, resultados das escavações do sítio mato-grossense tinham saído apenas em periódicos de menor alcance, como a *Revista do Instituto de Pré-História da USP*.[4] Até aquele momento, a publicação mais completa sobre Santa Elina era um capítulo de livro escrito em francês.[5]

Santa Elina fica no coração da América do Sul, bem perto de Cuiabá, cidade que se orgulha de ser o centro geodésico do continente, a cerca de 1350 quilômetros do oceano Atlântico e a 1500 quilômetros do Pacífico. "De onde quer que tenham vindo, aquelas pessoas já tinham atravessado toda uma paisagem para chegar até ali", disse Denis Vialou. "Se tem algo que podemos dizer de Santa Elina é que não se trata do sítio mais antigo da América do Sul", afirmou, acrescentando que não está interessado em buscar as primeiras ocupações do continente.

O sítio mato-grossense está a milhares de quilômetros de outras localidades sul-americanas onde apareceram indícios da presença humana anterior a Clovis. A mais próxima é a Serra da Capivara, a pouco mais de 1600 quilômetros dali. Monte Verde, no sul do Chile, está ainda mais distante, a 3300 quilômetros. Sua localização era intrigante, mas os cientistas não arriscaram uma explicação que desse conta da origem ou rota de deslocamento usada pelos grupos humanos que deixaram os vestígios encontrados em Santa Elina.

Para Vilhena Vialou, a grande dispersão geográfica desses sítios e a diversidade das ferramentas encontradas em cada um deles impedem que se construa uma hipótese de povoamento. Para ela, os artefatos de 27 mil anos do Mato Grosso não têm paralelo com outras indústrias da América do Sul. A arqueóloga acredita que os indícios encontrados em Santa Elina sejam insuficientes para que se possa caracterizar detalhadamente quem eram aqueles humanos. "Por enquanto são dados isolados. Temos que somar mais achados para falar em uma cultura ou povo", afirmou.

Santa Elina é o sítio arqueológico da Era do Gelo mais a oeste que se conhece no Brasil e pode ajudar a entender rotas de ocupação desse território. Alguns pesquisadores postulam que o interior do continente foi povoado seguindo o curso dos grandes rios, e o sítio mato-grossense ocupa uma posição especial. Fica no limite entre a bacia hidrográfica dos rios Amazonas e Paraguai e por isso está conectada tanto ao norte quanto ao sul do território. Está também na região de contato entre a floresta tropical e as savanas do cerrado. Por isso, os humanos que passaram por Santa Elina podem representar uma conexão entre os povos que ocuparam as terras altas e baixas da América do Sul — os Andes, de um lado, e a Amazônia, o Brasil central e os pampas, do outro —, conforme defenderam os arqueólogos Lucas Bueno e Adriana Dias, num artigo de 2015.[6]

Nem todos os colegas aceitaram a antiguidade daquela ocupação sem questionamento. Ao comentar os achados de Santa Elina no livro *O povo de Luzia*, de 2006, Walter Neves e Luís Beethoven Piló estranharam que não fossem encontrados carvões ou cinzas nas camadas mais antigas do sítio, em contraste com o que se via nos níveis mais recentes.[7] As evidências do sítio brasileiro foram consideradas "problemáticas" pelo arqueólogo Richard Sutter no artigo de revisão sobre a ocupação da América do Sul que publicou em 2021.[8] O norte-americano escreveu que, afora as ferramentas de pedra de natureza questionável, não havia ali outras provas indiscutíveis da presença humana antiga, sem se deter sobre o caso dos osteodermos perfurados.

Já Luis Alberto Borrero levou os ossículos em consideração ao examinar o caso de Santa Elina num artigo sobre o povoamento da América do Sul publicado em 2015 na revista *Intersecciones en Antropología*. O arqueólogo argentino afirmou que a idade dos osteodermos não é necessariamente a mesma dos artefatos, que poderiam ter sido perfurados muito depois da morte do animal, e que por isso não podem ser considerados prova da antiguidade humana naquele sítio. Borrero recorreu à metáfora do quebra-cabeça — a preferida pelos estudiosos da ocupação das Américas — na conclusão do artigo: para ele, Santa Elina e os demais sítios antigos sul-americanos são peças que "não se encaixam em nenhum dos lados que as rodeiam".[9]

Questionei Vilhena Vialou quanto à objeção de Borrero numa entrevista feita em 2021. A brasileira argumentou que os osteodermos tinham sido diretamente datados por urânio-tório e que a idade tinha sido confirmada por outros dois métodos. Alegou que as diferentes camadas de sedimentos estavam bem demarcadas e que não havia sinais de perturbação. Lembrou que, se os furos tivessem sido feitos muito depois da morte do animal, como alegou o argentino, teria sido preciso retirar os osteodermos do seu contexto e reposicioná-los ali depois de perfurá-los — e não há nenhum sinal indicando que isso tenha sido feito. "Não sei como alguém pode imaginar isso."

Um novo argumento em favor da antiguidade dos osteodermos veio em 2023, quando foi publicado na *Proceedings of the Royal Society B* um estudo liderado pela paleontóloga Thais Pansani, da Universidade Federal de São Carlos.[10] Após investigar os três ossículos perfurados de Santa Elina com microscopia eletrônica de varredura e outros métodos de análise, o grupo concluiu que eles haviam sido modificados antes de serem mineralizados pela fossilização. "Os tipos de orifícios, muito precisos, o grau de polimento e suas estrias internas, tudo corrobora a ideia de que as marcas foram produzidas por mãos humanas e não por grãos de areia, pisoteamento, ação de invertebrados ou dente de algum outro tipo de carnívoro", disse Pansani à revista *Pesquisa Fapesp*.[11] Para Águeda Vilhena Vialou, que também assina o artigo junto com o marido, os resultados reforçaram a impressão de que se tratava de possíveis ornamentos.

Apesar das críticas, os indícios de que havia grupos humanos no interior do Mato Grosso há 27 mil anos pareciam dar credibilidade a outros achados muito antigos no continente vistos até então com reticência por muitos colegas. De repente começava a fazer mais sentido que houvesse ocupações na casa dos 20 mil ou 30 mil anos na Serra da Capivara ou em Monte Verde. Mas nenhuma delas tinha ainda a evidência definitiva que pudesse cravar, acima de qualquer suspeita, que os seres humanos estavam na América do Sul antes do Último Máximo Glacial.

A origem humana dos artefatos encontrados nas camadas com idade de até 12 mil anos de Santa Elina é menos controversa, mesmo para pesquisadores que contestavam a data de 27 mil anos, ainda que Vilhena Vialou não veja motivos para se aceitar um nível e rejeitar o outro, conforme escreveu em 2011.[12] Seja como for, o consenso em torno das ocupações de 12 mil anos no Mato Grosso confirmava de uma vez por todas a convicção de Peter Lund ao final de sua vida: os humanos antigos que povoaram o continente sul-americano tinham convivido e interagido com os grandes mamíferos que habitavam essas terras e foram extintos ao final da Era do Gelo.

13. Os povos de Luzia

Lapa do Santo, Minas Gerais, Brasil

Se Luzia de fato tinha cerca de 13 mil anos, isso significa que o carste de Lagoa Santa estava ocupado na mesma época em que o povo de Clovis estava produzindo suas pontas acanaladas a quase 9 mil quilômetros em linha reta dali. Portanto, eles não poderiam ser os primeiros americanos. Contudo, a datação do esqueleto encontrado na Lapa Vermelha IV está envolta em incertezas, e as evidências disponíveis deixam dúvidas sobre a antiguidade do crânio.

Provar que os humanos que habitaram a região de Lagoa Santa eram mais velhos que o povo de Clovis virou uma obsessão para o bioantropólogo Walter Neves, da USP. A hipótese tinha surgido com os achados de Peter Lund, um de seus ídolos científicos, e estava enredada numa história de imperialismo acadêmico, o que aguçou o ímpeto do pesquisador brasileiro. "Nenhuma outra região na América tem o charme científico que tem Lagoa Santa", disse-me o pesquisador numa entrevista em 2017.[1] "Eu tinha certeza absoluta de que, se houvesse de fato uma ocupação pré-Clovis na América do Sul, Lagoa Santa era o lugar para se procurar."

Neves decidiu então realizar um estudo que envolvia tanto

uma nova análise do material coletado em expedições anteriores à região quanto a realização de novas escavações que trouxessem mais evidências sobre o seu povoamento. Tratava-se de um projeto ambicioso a ser executado por uma grande equipe multidisciplinar. Para viabilizar sua execução, era preciso levantar um volume considerável de fundos. "Ou se fazia em grande estilo, com grandes recursos financeiros e humanos, ou não se fazia", explicou Neves. Só assim ele conseguiria "tampar a boca dos norte-americanos" e mostrar que havia uma ocupação humana antiga em Lagoa Santa.

Confirmar que já havia no Brasil grupos humanos contemporâneos ao povo de Clovis não era a única finalidade do projeto. Neves queria também provar que Lund estava certo quando afirmou que humanos e mamíferos extintos foram contemporâneos naquela região. Ele pretendia ainda, com as novas escavações, juntar elementos que permitissem reconstituir como era a vida dos grupos humanos que habitaram aquela região no passado remoto. E queria, sobretudo, encontrar mais provas que reforçassem a sua hipótese de povoamento das Américas feito por duas populações biologicamente distintas, conforme suas análises craniométricas vinham mostrando. Na primeira leva, teriam vindo grupos mais aparentados com os atuais australianos, melanésios e africanos, incluindo os antepassados do povo de Luzia; a segunda teria incluído os povos com traços mais similares aos dos asiáticos contemporâneos, que são ancestrais dos indígenas da maior parte do continente.

A iniciativa de Neves foi chamada inicialmente de "Origens e microevolução do homem nas Américas", ou simplesmente Projeto Origens, como ele se refere à empreitada. O pesquisador conseguiu junto à Fapesp, a Fundação de Amparo à Pesquisa do Estado de São Paulo, os recursos vultosos que ambicionava: a agência investiu 2,4 milhões de reais na pesquisa entre 2000 e

2009. "Deve ter sido o projeto arqueológico acadêmico mais bem financiado da história do país", afirmou o bioantropólogo.

O tamanho e a diversidade disciplinar da equipe envolvida foram alguns dos aspectos superlativos do Projeto Origens. Neves montou um time com dezenas de especialistas que incluía bioantropólogos, geólogos, paleontólogos, geógrafos, biólogos e arqueólogos de várias especialidades, sem falar nos técnicos, topógrafos, fotógrafos, desenhistas e trabalhadores braçais que deram suporte aos pesquisadores. Três cientistas recrutados por ele atuaram como coordenadores do projeto sob sua direção: Astolfo Gomes de Mello Araujo, um geoarqueólogo interessado nos processos de formação dos sítios arqueológicos; Luís Beethoven Piló, um geomorfólogo especializado na evolução da paisagem do carste de Lagoa Santa; e Renato Kipnis, um historiador e arqueólogo que estava investigando as respostas dos habitantes de Lagoa Santa às mudanças ambientais no fim da Era do Gelo.

A diversidade de horizontes de onde vinham os integrantes do grupo era fundamental para o sucesso do projeto. "A arqueologia é a rainha da interdisciplinaridade", disse-me Astolfo Araujo em 2017. "Ela tem um pé nas humanidades, um na biologia, um nas ciências da terra e outro na estatística", continuou o pesquisador, que naquele momento estava escrevendo sua tese de livre-docência na USP, na qual se debruçou sobre os métodos e práticas de sua disciplina — o trabalho foi lançado em livro em 2019 com o título *Por uma arqueologia cética*.[2]

A tentativa de determinar a idade dos fósseis humanos coletados nas expedições anteriores a Lagoa Santa rendeu resultados um pouco frustrantes para a equipe: a maior parte do material não tinha colágeno que permitisse fazer a datação direta. "Lagoa Santa tem um problema sério, porque preserva muito pouco material orgânico", disse-me Neves. "Só conseguíamos um resultado para cada quinze ou vinte amostras que mandávamos para datação."

Poucos esqueletos puderam ser diretamente datados, e nenhum deles revelou ter uma idade contemporânea à do povo de Clovis — os mais antigos tinham cerca de 11,8 mil anos, ainda distantes dos supostos 13 mil anos de Luzia. Se Neves queria mostrar a existência de uma ocupação anterior a Clovis na América do Sul, ela teria que vir das novas escavações.

Felizmente, a busca por mais indícios da ocupação humana em Lagoa Santa rendeu bastante material para os pesquisadores. A prospecção de novos sítios, conduzida por Astolfo Araujo, levou à descoberta de dezenas de localidades que o grupo poderia escavar. Entre eles, havia dez sítios localizados em abrigos sob rocha — padrão comum à maioria das localidades exploradas na região até então —, mas também cerca de trinta a céu aberto, três dos quais às margens da lagoa do Sumidouro. A descoberta diversificou os registros dos povos antigos que ocuparam a região e mostrou que seus assentamentos não se limitavam às grutas e abrigos.

A Lapa das Boleiras foi um dos primeiros sítios explorados pelo Projeto Origens, com escavações de 2001 a 2003. Trata-se de um abrigo rochoso calcário situado no município de Matozinhos que já tinha sido escavado por diferentes grupos dos anos 1930 aos anos 1950. Em 1956, Wesley Hurt, da Universidade de Dakota do Sul, e Oldemar Blasi, do Museu Paranaense, encontraram ali dois esqueletos humanos.

Walter Neves voltou ao local na expectativa de encontrar novos sepultamentos, e tratou de preparar a equipe para tratar com solenidade os remanescentes humanos. "Gostaria que houvesse respeito no momento da retirada desses indivíduos", disse ele aos alunos que faziam parte do grupo antes do início das escavações, conforme me contou Luís Beethoven Piló em 2017.

De fato os arqueólogos encontraram três novos sepultamentos na Lapa das Boleiras. Nenhum dos ossos coletados tinha colágeno que permitisse uma datação direta, mas estimativas indiretas feitas com pedaços de carvão que estavam na mesma camada de sedimentos mostraram que os três indivíduos tinham vivido há não mais que 10 mil anos. Foram achadas outras assinaturas da ocupação humana, como ferramentas de pedra, restos de comida e uma grande quantidade de cinzas de fogueiras.

Um dos sepultamentos chamava a atenção porque o esqueleto estava totalmente desarticulado, os ossos mais longos tinham sido dispostos de forma ordenada e havia ossos tingidos com ocre, um tipo de pigmento vermelho. Aquela era uma evidência clara de enterramento secundário, que acontece quando os remanescentes do sepultamento primário são exumados e reenterrados em outro contexto. Era a primeira vez que aparecia algo do tipo em Lagoa Santa.

A Lapa do Santo é uma caverna incrustada num paredão imponente de trinta metros de altura que se destaca na paisagem do carste de Lagoa Santa.* Sua entrada é mais alta do que larga e adornada por uma série de estalactites que pendem do teto e do umbral da gruta. Vista de frente, uma delas, à direita de quem entra, tem a aparência de um rosto de perfil com cara de mau. "Uma das estalactites parece um rosto do demônio", apontou o arqueólogo Rodrigo Elias de Oliveira quando me levou ao sítio em 2022 (desde 2011 o pesquisador é um dos coordenadores das escavações que vêm sendo feitas ali por uma equipe da USP). É difícil desver o tinhoso depois que se enxerga o olhar crispado, o nariz projetado para baixo, o cavanhaque e até um chifre circular que desce da têmpora até a maçã do rosto.

* Na página dedicada à Lapa do Santo no site da USP, é possível ver vídeos filmados por um drone que mostram uma perspectiva impressionante do abrigo rochoso visto do alto. Disponível em: <https://sites.usp.br/lapadosanto/>. Acesso em: 5 abr. 2023.

Oliveira chamou a atenção para o contraponto entre a efígie demoníaca esculpida na estalactite e o nome do sítio. A gruta é chamada na literatura científica de Lapa do Santo, mas no passado já foi conhecida como Lapa do Cinzento, e foi registrada num cadastro nacional de cavernas com um terceiro nome, Gruta da Fenda (os relatos dos arqueólogos sobre a origem do nome atual são desencontrados). O sítio foi descoberto pelo proprietário da fazenda onde fica a gruta, que teve a iniciativa de entrar em contato com pesquisadores após achar fósseis no local.

A área coberta sob o abrigo é de 1300 metros quadrados. Situado na parte norte do carste, no município de Matozinhos, o sítio foi escavado entre 2001 e 2009, no âmbito do Projeto Origens, com coordenação de Astolfo Araujo, Renato Kipnis e Danilo Bernardo. Em 2011, tiveram início escavações em outra área do sítio que se estendem até hoje, agora lideradas por André Strauss e Rodrigo Elias de Oliveira.

Os arqueólogos tiraram a sorte grande na Lapa do Santo. As escavações renderam dezenas de sepultamentos que ajudaram a entender quem eram e como viviam os povos que habitaram a região de Lagoa Santa. Quarenta sepultamentos já foram encontrados naquele sítio, dos quais dois têm um par de cadáveres, uma ocorrência rara — talvez sejam casais enterrados juntos. Mas o local não era usado apenas como cemitério: em algumas áreas não havia remanescentes humanos, mas outros tipos de vestígios.

Quando se deparam com um possível sepultamento, os arqueólogos escavam a área em torno dos remanescentes humanos, até que fiquem bem isolados do resto dos sedimentos, e só então eles são retirados. O processo de exumação é lento e pode demorar vinte dias ou mais. "O objetivo principal é tentar manter enquanto for possível o sepultamento montado com as posições dos ossos da forma como foi deixado", disse-me Oliveira.

O arqueólogo calcula já ter exumado de dez a quinze crânios na Lapa do Santo. "O crânio é a coisa que mais nos identifica com o indivíduo que está lá. Quando você olha para um fêmur humano, a empatia não é tão grande quanto a despertada por um crânio", disse Oliveira. Ao retirar os remanescentes humanos, todo o cuidado pode ser pouco para evitar que um osso se quebre. Mesmo ossos que saem inteiros do sítio correm grande risco de se esfacelar antes de chegar ao laboratório. Num vídeo disponível na internet, é possível ver o instante em que ele retira o crânio do sepultamento 37 da Lapa do Santo da camada de sedimentos na qual ele passara os últimos 10 mil anos, sob aplausos dos colegas.[3] "É um momento de tensão mais para quem está vendo pela primeira vez do que para quem está acostumado a trabalhar."

A abundância de sepultamentos humanos não é exclusividade da Lapa do Santo. Eles já haviam aparecido em abundância nas expedições científicas em torno de Lagoa Santa durante o século XX. Em boa parte deles, os indivíduos haviam sido enterrados em posição flexionada, às vezes com a cabeça junto aos joelhos, às vezes com os braços cruzados. A descoberta não chamou particularmente a atenção dos pesquisadores: a prática era comum a outros povos nativos sul-americanos, provavelmente por economia de espaço. Na literatura acadêmica, ficou consagrada a visão de que as práticas mortuárias da região de Lagoa Santa eram caracterizadas pela simplicidade e pela homogeneidade.

Uma visão bem mais refinada da questão emergiu quando o arqueólogo André Strauss se debruçou sobre essas práticas em seu mestrado, orientado por Walter Neves e defendido em 2010. Ao analisar os 26 sepultamentos encontrados até então na Lapa do Santo, ele mostrou que, pelo contrário, essas práticas eram complexas e elaboradas, envolvendo vários tipos de manipulação dos ossos, em que os esqueletos eram desmembrados e recombinados seguindo o que pareciam ser regras bem específicas.[4]

"A Lapa do Santo é o único sítio no Brasil com abundância de esqueletos humanos datados do Holoceno inicial e escavados em contexto para serem estudados", disse Strauss. E os esqueletos são especiais por conta da quantidade de detalhes que podem revelar sobre a vida daqueles indivíduos, continuou o arqueólogo. "Você consegue tirar informações simbólicas através das práticas funerárias, informações sobre doenças, sobre comportamentos, padrões de atividade e estilos de vida, o que eles comiam, se brigavam muito, se andavam muito, se tinham divisão de trabalho entre sexos."

Nos sepultamentos da Lapa do Santo foram encontrados remanescentes humanos em arranjos surpreendentes. Os ossos longos dos braços e pernas às vezes eram partidos ao meio e frequentemente tinham as suas pontas arrancadas; em alguns casos, eram arrumados de maneira paralela, formando um feixe. Esse feixe, por sua vez, podia ser disposto junto ao crânio ou mandíbula de outro indivíduo. Em alguns casos, ossos de adultos foram enterrados com o crânio de crianças, e vice-versa. Em dois sepultamentos, o indivíduo teve todos os dentes removidos de propósito; alguns foram parar dentro de uma calota craniana que foi usada como uma espécie de cumbuca na qual foram postos 54 dentes permanentes e trinta dentes de leite. Além disso, houve vários exemplos de ossos que foram pintados com ocre e expostos ao fogo. Os pesquisadores encontraram ainda marcas de descarnamento em alguns ossos que poderiam ser um indício de canibalismo, mas não há outras evidências que possam confirmar essa hipótese.

O arqueólogo acredita que a remoção das partes do corpo selecionadas era feita logo após a morte do indivíduo, quando os tecidos moles ainda estavam preservados. Só depois os ossos eram exumados e reenterrados conforme as normas preestabelecidas. Esses princípios eram tão específicos que talvez houvesse naquele grupo indivíduos especializados nessas tarefas, como se fossem agentes funerários do passado profundo, conforme sugeriram Strauss e outros trinta colegas num artigo publicado em 2016 na revista *Antiquity*.[5]

Um caso extremo de manipulação dos ossos é o que o grupo encontrou no sepultamento de número 26 da Lapa do Santo, exumado em 2007. O indivíduo em questão era um homem com cerca de trinta anos que teve a cabeça arrancada do resto do corpo na altura da sexta vértebra, no que configura a mais antiga decapitação conhecida no continente americano. Antes disso, o caso mais antigo que se conhecia acima de qualquer suspeita tinha 3 mil anos de idade e vinha do sítio peruano de Ásia 1, na região andina, como a maioria das decapitações encontradas na América do Sul. Já na América do Norte, há um caso com 7 mil anos na Flórida. O sepultamento excepcional da Lapa do Santo foi tema de um artigo publicado em 2015 na revista *PLOS One*.[6]

Ao exumar aquele cadáver, os pesquisadores não se deram conta imediatamente de que estavam lidando com uma decapitação. A princípio, acreditavam que encontrariam o resto do esqueleto nas proximidades do crânio, mas nenhum outro osso daquele indivíduo apareceu nos dias seguintes. Além disso, as marcas do corte feito na altura da sexta vértebra cervical não estavam aparentes a olho nu. Só a análise no microscópio permitiu identificar as marcas dos golpes com lascas de pedra. A cabeça foi encontrada sem o corpo e coberta pelas duas mãos, que haviam sido decepadas e estavam dispostas em posição invertida: a direita sobre o lado esquerdo do rosto, virada para baixo, e a esquerda sobre o outro lado da face, voltada para cima.

Alguns povos nativos da América do Sul praticam ou praticaram no passado a decapitação como forma de sacrifício humano ou para ostentar a cabeça do inimigo derrotado como um troféu de guerra. Não parece ter sido o caso da Lapa do Santo. Primeiramente, o crânio não tem qualquer sinal de que tenha sofrido violência. Além disso, análises químicas mostraram que aquele indivíduo tinha vivido no mesmo ambiente e pertencia, portanto, ao mesmo grupo que o enterrou, o que é corroborado por sua morfologia craniana. Ou seja, não se tratava de um inimigo; pelo contrário, talvez fosse um indivíduo importante daquele grupo, e possivelmente a decapitação tinha alguma função ritualística.

A complexidade dos sepultamentos de Lagoa Santa torna a sua exumação e interpretação extremamente difíceis, conforme notou Strauss num texto de 2016. As técnicas de pesquisa usadas pelas equipes que haviam feito escavações na região não eram adequadas para lidar com essa complexidade e, por isso, os pesquisadores haviam passado ao largo da riqueza das práticas funerárias. "A suposta simplicidade e a homogeneidade atribuídas aos padrões de sepultamento eram, antes, propriedades dos próprios métodos arqueológicos empregados", escreveu o arqueólogo.[7]

Mas Strauss notou que essas práticas funerárias elaboradas foram adotadas apenas durante um intervalo de duzentos anos que vai de 9,6 mil a 9,4 mil anos atrás. Elas correspondem a um dos três grandes padrões distintos de sepultamento identificados na Lapa do Santo. O primeiro deles, situado entre 10,6 mil e 9,7 mil anos atrás, é marcado por enterros simples e sem sinais de manipulação dos esqueletos. O terceiro, por fim, vai de 8,6 mil a 8,2 mil anos atrás e se caracteriza por ossos desarticulados de vários indivíduos postos em covas rasas circulares cobertas por pedras.

Os achados da Lapa do Santo mostram que os povos que habitavam aquela região enterraram seus mortos naquela caverna de forma mais ou menos contínua ao longo de 2400 anos. Rodrigo Elias de Oliveira notou que o cemitério mais antigo de São Paulo não tem duzentos anos. "Imagina o que é você reutilizar o mesmo lugar por milênios para enterrar seu povo", afirmou. "Tem um significado muito grande."

Para André Strauss, a diversidade das práticas funerárias encontradas na Lapa do Santo é um sinal de que os grupos humanos que ocuparam aquele abrigo eram dinâmicos e estavam se transformando constantemente ao longo dos séculos. Para refletir essa diversidade, ele prefere falar nos povos de Lagoa Santa, e não no povo de Luzia, no singular, para se referir aos humanos que povoaram a região. O plural contemplaria melhor a variedade cultural dos grupos humanos que ocuparam a Lapa do Santo de forma aparentemente ininterrupta ao longo de quase 5 mil anos. "Eu gosto de pensar que de fato esses grupos eram muito diferentes entre si no que diz respeito a sua cultura não apenas material, mas também simbólica", afirmou o arqueólogo à revista *Pesquisa Fapesp* em 2017.[8]

O Projeto Origens permitiu pela primeira vez que os arqueólogos tivessem uma noção clara sobre a cronologia de ocupação da região de Lagoa Santa. Com as datações dos esqueletos antigos e recém-escavados, agora os pesquisadores tinham datas confiáveis para 41 indivíduos. A maioria deles tinha vivido entre 9,5 mil e 8,2 mil anos atrás; a idade das ocupações mais antigas é de cerca de 12,5 mil anos, tanto na Lapa do Santo quanto na Lapa das Boleiras. Era uma data recuada, mas não rivalizava com a idade alegada de Luzia. A primeira brasileira continua sendo um ponto fora da curva na cronologia de Lagoa Santa.

A abundância de dados colhidos pelos pesquisadores e a convergência dos resultados pareciam frustrar o principal objetivo de Walter Neves com aquela empreitada. "Nenhuma região arqueológica nas Américas foi tão bem datada quanto Lagoa Santa, onde fizemos cerca de quatrocentas datações", disse-me o bioantropólogo. "Minha maior decepção com o Projeto Origens é que não conseguimos demonstrar uma ocupação pré-Clovis em Lagoa Santa — e ela tinha tudo para existir."

Outros objetivos da empreitada foram bem-sucedidos, no entanto. A começar pela confirmação da hipótese de Lund de que humanos tinham convivido com os grandes mamíferos extintos em Lagoa Santa. A prova veio de espécimes coletados no passado e datados por iniciativa de Neves. Um deles era um dentes-de-sabre encontrado pelo próprio Lund com cerca de 11 mil anos de idade; o outro, uma preguiça-terrícola de médio porte da espécie *Catonix cuvieri* escavada por André Prous na Gruta Cuvieri e datada em cerca de 11,4 mil anos. "Mesmo que você não aceite a datação de Luzia, há 12,5 mil anos já havia gente em quantidade naquela região", disse-me Neves. "Esse povo conviveu por pelo menos mil anos com a megafauna extinta."

O achado foi publicado em 2003 na revista *Current Research in the Pleistocene*, num artigo assinado por Neves e Piló. Os autores pontuaram ali que, se não havia no registro arqueológico indícios da exploração da megafauna extinta pelos povos de Lagoa Santa, não era por falta de oportunidade, mas sim por opção cultural.[9] Só quase duas décadas depois apareceria um indício robusto do abate de um grande mamífero pelos habitantes da região: o crânio de um gonfotério, parente extinto dos elefantes, perfurado por um artefato de quase treze centímetros de comprimento fabricado com material orgânico.

Além disso, a retomada das escavações em Lagoa Santa alcançou outro objetivo traçado por Neves, que era obter novos crânios para pôr à prova seu modelo de ocupação das Américas em duas ondas por povos biologicamente distintos. As dezenas de novos espécimes encontrados serviram de base para a análise mais abrangente feita até então para testar a hipótese. Neves e Mark Hubbe, à época seu aluno de doutorado na USP, examinaram 81 crânios da região de Lagoa Santa, a maioria com idade na casa dos 9 mil anos, e concluíram que eles tinham grande afinidade morfológica com os povos australomelanésios contemporâneos. Num artigo publicado em 2005 na revista *PNAS*, a dupla notou que os resultados reforçavam o modelo de Neves de povoamento do continente, mas eram mais difíceis de conciliar com as evidências trazidas pela biologia molecular.[10]

As novas escavações permitiram ainda ter uma ideia mais clara de como viviam os povos de Luzia — outro objetivo bem-sucedido do Projeto Origens. Pela quantidade de cáries encontradas nos dentes desses grupos, maior do que seria de esperar para caçadores-coletores, os pesquisadores acreditam que eles consumiam raízes e tubérculos ricos em açúcares. Plantas como jatobá, pequi, coquinhos e araticum faziam parte de sua dieta, que era complementada com a carne de animais de pequeno e médio porte, como peixes, tatus, mocós e outros roedores.

De quebra, a volta aos sítios de Lagoa Santa levou à descoberta de um exemplo indiscreto de arte rupestre — um homem de pênis ereto gravado em pedra no fundo da Lapa do Santo. Apelidada de Taradinho, a figura estava inscrita no piso do sítio arqueológico, que com o tempo acabou soterrado por quatro metros de sedimentos. Foi descoberta no final de uma temporada de campo e por pouco não passou despercebida, conforme contou-me o arqueólogo Danilo Bernardo, que coordenava as escavações. No artigo que apresentou a descoberta, publicado em 2012 na revista *PLOS One*, Neves e seus colegas descreveram seu membro como "um falo superdimensionado";[11] já numa entrevista para o *Programa do Jô* em 2012, o bioantropólogo definiu-o como "um caralho maravilhosamente grande".[12] Com idade estimada entre 10,5 mil e 12 mil anos, o Taradinho é a mais antiga arte figurativa gravada em pedra no continente americano.

Em 2011, as escavações na Lapa do Santo foram retomadas por André Strauss, num projeto em parceria entre a USP e o Instituto Max Planck de Antropologia Evolutiva, onde ele estava fazendo seu doutorado. No âmbito desse projeto, o brasileiro coordenou as escavações ao lado do colega Rodrigo Elias de Oliveira. Na retomada dos trabalhos, Strauss escolheu uma nova área de escavação, próxima à que havia sido explorada ao longo do Projeto Origens. A escolha de uma área para ser aberta do zero costuma ser norteada por vários critérios técnicos, mas envolve também alguma dose de intuição e sorte. Strauss foi feliz com seu palpite. "Não deu três pinceladas e já apareceu um joelho", ele contou.

A nova escavação mostrou-se tão rica em vestígios quanto a área que havia sido explorada anteriormente. "A cada temporada de campo aparecem um ou dois sepultamentos, cada um mais bonito que o outro", disse Strauss. Catorze novos sepultamentos foram exumados desde a retomada dos trabalhos. E há outros cinco que já foram identificados e estavam no ponto de serem escavados nas próximas temporadas de campo, conforme relatou Oliveira. A idade dos novos sepultamentos e dos demais vestígios arqueológicos bate com a da ocupação conhecida daquela região.

Com os novos resultados, os cientistas passaram a entender melhor as doenças que afligiam os povos de Luzia. No esqueleto de uma criança que viveu há 9,4 mil anos, eles encontraram as lesões típicas de sífilis congênita, no que configura a mais antiga ocorrência da doença nas Américas.

Uma ocupação anterior a Clovis em Lagoa Santa continua por ser demonstrada, mas Strauss ressaltou que isso não prova que não tenha havido ocupações mais antigas ali. "Quem sabe o que vai ter abaixo?", questionou o arqueólogo, que pretende continuar escavando aquele sítio enquanto estiver na ativa. "Não tenho pressa." O nível da área de escavação aberta por ele vai descendo lentamente ano a ano — no momento da escrita deste livro, o ponto mais profundo chegava a 1,80 metro. O arqueólogo lembrou que Luzia foi encontrada a treze metros de profundidade. "Se tivessem parado a escavação em dois ou três metros, nunca teriam chegado perto de encontrá-la."

14. À vontade na Amazônia

Caverna da Pedra Pintada, Pará, Brasil

Quando passou por Santarém, no Pará, no ano de 1849, o naturalista britânico Alfred Russell Wallace fez questão de conhecer de perto as inscrições deixadas por povos indígenas antigos em cavernas na cidade de Monte Alegre, que fica algumas dezenas de quilômetros a jusante dali. As pinturas rupestres eram conhecidas pela população local e tinham sido visitadas por outros naturalistas antes dele. Wallace estava no meio de uma excursão de quatro anos que fez pela Amazônia e relatou a visita às cavernas no livro *Viagem pelo Amazonas e pelo rio Negro*, lançado em 1853.[1] Foi até Monte Alegre numa embarcação cedida pelo juiz de direito de Santarém, que também providenciou uma tripulação para o investigador europeu.

Depois de muito procurar pelas pinturas, o grupo topou com um paredão com desenhos de jacarés, pássaros, círculos e motivos abstratos feitos a mais de dois metros de altura com pigmento vermelho. Algumas figuras tinham meio metro de altura. Wallace escreveu que os traços pareciam "rudemente executados" e que ninguém sabia a antiguidade daquelas pinturas. No dia seguinte, o naturalista viu inscrições ainda mais impressionantes nas paredes de uma caverna de difícil acesso, no topo de uma encosta íngreme, provavelmente a Toca do Pilão. Havia uma profusão de impressões da palma da mão em pigmento vermelho e grandes círculos concêntricos que ocupavam até o teto do abrigo. Junto aos desenhos feitos em vermelho pelos povos indígenas estava uma inscrição datada de 1764, que o autor atribuiu a missionários jesuítas que registraram a data de sua passagem por ali.

O naturalista pegou um navio de volta para casa em julho de 1852 e escapou de um naufrágio depois que a embarcação pegou fogo. Sua bagagem, que incluía a maior parte do material que ele havia coletado, foi parar no fundo do Atlântico. Na Amazônia, Wallace havia feito uma parte das observações que o levaram a concluir, de forma independente de Charles Darwin, que a vida na Terra segue os princípios da evolução das espécies por seleção natural — os naturalistas anunciaram a ideia ao mundo em artigos apresentados conjuntamente à Sociedade Linneana de Londres em 1858.

Wallace não foi o único naturalista estrangeiro a visitar as pinturas rupestres de Monte Alegre no século XIX. Por ali passaram também Henry Bates, Louis Agassiz e Charles Hartt, geólogo canadense que se especializou nas formações geológicas do Brasil e passou várias temporadas no país, onde foi coordenador da Comissão Geológica do Império e chefe de seção no Museu Imperial, nome do Museu Nacional antes da Proclamação da República. Foi lendo as anotações de Hartt, que estão guardadas no Museu Peabody, da Universidade Harvard, que a arqueóloga norte-americana Anna Roosevelt decidiu partir em busca das cavernas de Monte Alegre.

Interessada pelos processos de povoamento da Amazônia, Roosevelt já tinha feito escavações na ilha de Marajó e em Santarém, à beira do rio Tapajós. Ela era uma estrela em ascensão da arqueologia norte-americana, atuando como curadora do Museu Field de História Natural, em Chicago, e pesquisadora da Universidade de Illinois. Bisneta do ex-presidente Theodore Roosevelt, tinha recebido da Fundação MacArthur a chamada "bolsa dos gênios" e causou sensação ao descobrir as cerâmicas mais antigas da Amazônia no sítio de Taperinha, em Santarém. No começo dos anos 1990, resolveu escavar os abrigos rochosos de Monte Alegre quase um século e meio após a passagem de Wallace pela região, com financiamento de agências norte-americanas como a National Science Foundation ou o National Endowment for the Humanities.

Roosevelt localizou os sítios com a ajuda dos relatos dos naturalistas e das coleções dos museus da região. Montou uma equipe que incluiu cientistas do Brasil, como as arqueólogas Maura Imázio da Silveira, do Museu Paraense Emílio Goeldi, e Christiane Lopes Machado, uma carioca recém-formada que tinha se mudado para a Amazônia.

Machado estava acostumada com uma realidade em que alunos dividiam bolsas e chegavam a colocar dinheiro do próprio bolso para ir a campo, e se viu em meio a um projeto com fartura de recursos. Foi nas mãos de Roosevelt que a brasileira viu pela primeira vez um laptop num sítio arqueológico, na ilha de Marajó, no fim dos anos 1980. Ela se impressionou também com os procedimentos e métodos da norte-americana. "Tinha uma quantidade imensa de caixinhas, saquinhos e etiquetinhas", contou a pesquisadora numa entrevista. "Fui apresentada a um novo mundo em termos de conservação de material arqueológico."

Em 1991, o grupo foi a campo e fez sondagens arqueológicas em 21 sítios na serra do Paituna e, nos dois anos seguintes, decidiu concentrar as escavações no mais promissor deles. A Caverna da Pedra Pintada é uma gruta com cerca de 6,5 metros de altura em sua galeria principal. Fica no município de Monte Alegre, a poucos quilômetros da margem esquerda do Amazonas — é possível ver o rio da entrada da caverna. Roosevelt e seu grupo escavaram uma área de onze metros quadrados com 2,25 metros de profundidade até a base da rocha. Os resultados revelaram que aquele abrigo tinha sido ocupado por grupos humanos por volta de 13 mil anos atrás.

No fim da última Era do Gelo, parte da área da atual Amazônia estava coberta por uma vegetação mais próxima de savanas, mas a floresta tropical se manteve em áreas mais altas como a região de Monte Alegre. A Caverna da Pedra Pintada mostrou que, naquele momento, a floresta já era habitada por humanos plenamente adaptados aos recursos oferecidos por aquele ambiente: eles comiam frutas, peixes e pequenos animais, pintavam os paredões e fabricavam ferramentas de pedras.

As escavações renderam nada menos que 30 mil lascas produzidas na confecção de artefatos em todos os níveis de ocupação. Delas, havia 24 peças que foram consideradas ferramentas formais, dentre as quais se destacavam quatro fragmentos de pontas de projétil triangulares. Os materiais usados na sua produção — a calcedônia era o mais abundante — não estão disponíveis no interior da caverna. As ferramentas não tinham qualquer semelhança formal com as pontas de Clovis, das quais eram contemporâneas.

Anna Roosevelt não estava muito convicta de que encontraria uma ocupação antiga naquele sítio, conforme me disse numa entrevista em 2022. Depois de escavar um nível rico em fragmentos de conchas, ela chegou a uma camada espessa de sedimento estéril, sem qualquer sinal de ocupação humana. Julgou que não encontraria mais nada, mas seguiu escavando, até que se deparou com uma lasca que provavelmente tinha sido gerada na fabricação de uma ferramenta de pedra. "As camadas ocupadas pelos paleoíndios são repletas dessas lascas", disse a arqueóloga.

Não eram só os artefatos que acusavam que aquela caverna tinha sido ocupada por humanos. Roosevelt contou que, naquele ponto, os sedimentos que ela vinha escavando tinham ficado mais escuros, por causa do carvão abundante nas camadas. "Há sementes carbonizadas, frutos de palmeiras e muitos dentes e vértebras de peixe", afirmou a norte-americana. "Não tem como os restos de peixe terem ido parar na caverna sem [a intervenção de] humanos."

A revista *Science* escolheu uma ponta de flecha triangular amazônica para estampar a capa da edição que anunciou os resultados do grupo de Roosevelt, publicada em 19 de abril de 1996.[2] O objeto guardava parentesco com os fragmentos de ponta encontrados na Caverna da Pedra Pintada, mas não vinha dali. A ponta tinha sido coletada por um missionário à beira do rio Tapajós e incorporada ao acervo do Museu Goeldi, mas não se sabia muito mais que isso sobre sua procedência — que dirá sobre sua idade.

Os fragmentos de ponta de projétil que Roosevelt encontrou na Caverna da Pedra Pintada faziam parte da caixa de ferramentas dos grupos humanos mais antigos conhecidos na Amazônia. No século XIX, o naturalista brasileiro João Barbosa Rodrigues já mencionava ter encontrado artefatos do tipo em suas expedições na região, disse-me a norte-americana. Roosevelt notou que as pontas de Monte Alegre eram aparentadas com outras escavadas no litoral da Califórnia e do México e que lembravam também as pontas Paiján, encontradas no litoral do Peru. "É essa a tradição representada na Amazônia."

Para determinar a idade da ocupação da Caverna da Pedra Pintada, Roosevelt mandou datar 56 amostras de plantas carbonizadas encontradas em diferentes níveis do sítio arqueológico. Os resultados indicavam que o abrigo tinha sido ocupado a partir de 13,1 mil anos atrás, uma data que batia com os resultados de outras treze datações de camadas de sedimento feitas com o método de luminescência opticamente estimulada. Os resultados mostraram que a ocupação se estendeu por mais de 1,2 mil anos e que, milênios depois, o abrigo voltou a ser povoado.

Roosevelt disse que recebeu o resultado da datação por fax, no hotel onde estava hospedada em Belém. Naquela noite, ela sonhou que viu os antigos indígenas chegando a Monte Alegre e contemplando o rio Amazonas, num enredo que também teve como personagens Charles Hartt e os grupos humanos que ocuparam o sítio de Taperinha.

O artigo da *Science*, assinado por Roosevelt e outros treze colegas, revelou detalhes do modo de subsistência dos grupos que haviam ocupado aquele abrigo. Os restos carbonizados de frutos e fragmentos de madeira pertenciam a árvores que ainda são exploradas pelos povos amazônicos. Havia restos de castanha-do--pará, jutaí, pitomba, murici, tucumã e outras espécies de palmeira. Roosevelt notou que as espécies frutificavam em estações diferentes. "A caverna era ocupada durante boa parte do ano."

Quanto aos fósseis encontrados na Pedra Pintada, os cientistas identificaram quarenta espécies de animais, incluindo tartarugas, lagartos, roedores, morcegos e peixes. Roosevelt disse que, entre os mamíferos representados no material escavado, havia apenas três com tamanho igual ou maior que um cachorro — nenhum deles pôde ser identificado com exatidão. "Eram animais pequenos e muito diversos." Mas havia ao menos um animal de grande porte: foi encontrado nas escavações o osso do ouvido interno de um peixe de mais de um metro de comprimento, cuja captura deve ter envolvido estratégia e trabalho de equipe.

A dieta dos povos que passaram por aquela caverna incluía um amplo espectro de plantas e animais que eles encontravam à sua volta. "Existe uma certa maneira de viver na Amazônia que está baseada na diversificação e no manejo de um monte de recursos diferentes", disse-me Eduardo Góes Neves, um especialista em arqueologia amazônica da USP. "Até hoje é um pouco assim entre os povos indígenas, e a base disso já se coloca logo de cara na Caverna da Pedra Pintada."

O modo amazônico de vida chamava a atenção pelo contraste com a cultura do povo de Clovis, que naquela mesma época estava fabricando pontas de projétil e caçando grandes mamíferos no Novo México, a 6500 quilômetros em linha reta dali. Se os sul-americanos descendiam do povo de Clovis, como era possível que naquela mesma época houvesse humanos na Amazônia com uma economia e uma indústria tão distintas? "Clovis é evidentemente apenas uma de várias tradições regionais", afirmou o artigo da *Science*.[3]

Entrevistada pela *Folha de S.Paulo* dias após a publicação do artigo, Roosevelt disse que os resultados mostravam uma realidade muito mais próxima daquela que vinha sendo proposta por arqueólogas sul-americanas, com uma grande variedade de culturas adaptadas a diferentes hábitats pelo continente afora. "Minha pesquisa, se considerada com outras como a de Niède Guidon e a de Maria Beltrão, mostra que existiram culturas regionais, algumas delas altamente desenvolvidas e muito diferentes das culturas norte-americanas do período."[4] Roosevelt não reconhece, entretanto, a validade das ocupações antigas propostas pelas colegas brasileiras.

Em 1996, quando os resultados da Caverna da Pedra Pintada foram publicados, o paradigma da primazia de Clovis ainda reinava na arqueologia da ocupação das Américas. Só no ano seguinte as datas de mais de 14 mil anos de Monte Verde seriam amplamente aceitas. Como um reflexo da força que o paradigma de Clovis ainda tinha sobre a disciplina, os achados do grupo de Roosevelt foram recebidos com parcimônia num primeiro momento.

Uma reação cética era o que se poderia esperar de Vance Haynes, geólogo da Universidade do Arizona e figura de proa da polícia de Clovis. E foi o que ele manifestou quando procurado pela imprensa para avaliar os achados do sítio amazônico. Questionado pela revista *Discover*, ele afirmou que era preciso fazer "uma leitura estatística mais conservadora das evidências" da Pedra Pintada e que, nesse cenário, elas ainda podiam ser vistas como fruto de um grupo descendente do povo de Clovis.[5] À revista brasileira *Superinteressante*, afirmou que "havia gente perambulando pela Amazônia antes do que se imaginava, mas não há como garantir que eles não descendiam de Clovis".[6]

Mais surpreendente foi a relutância inicial de David Meltzer em aceitar os resultados. O arqueólogo da Universidade Metodista do Sul não figurava entre os defensores irredutíveis do paradigma da primazia de Clovis e, no ano seguinte, teve papel central no reconhecimento da antiguidade de Monte Verde. Ainda assim, ouvido pelo *New York Times* sobre os achados da Caverna da Pedra Pintada, Meltzer mostrou-se cauteloso, mesmo que não tivesse críticas pontuais ao trabalho. "As pessoas sabem que há uma controvérsia e, onde há controvérsia, há dúvida", afirmou o arqueólogo. "A tendência que se tem é de parar, observar e esperar."[7]

As conclusões de Roosevelt e sua equipe foram contestadas na própria revista *Science*, que publicou um conjunto de três críticas em 1997.[8] Desenvolvendo o argumento que havia antecipado aos jornalistas, Vance Haynes defendeu que muitas das datações mais antigas do sítio paraense tinham grande incerteza associada e propôs que as sementes de palmeira usadas nessas datações tinham sido depositadas na caverna por processos naturais. Usando argumento parecido, o arqueólogo Richard Reanier, da Universidade do Alasca, alegou que, se consideradas apenas as datas com menor incerteza, a idade real da ocupação deveria ser posterior à cultura Clovis.

Numa resposta publicada junto com as críticas, Roosevelt e seus colegas lembraram que as datas da Pedra Pintada tinham sido determinadas com dois métodos independentes que chegaram a resultados compatíveis. Notaram também que os críticos estavam sendo incoerentes, já que exigiam do sítio amazônico uma margem de incerteza que não tinha sido alcançada no estudo de nenhum sítio da cultura Clovis — se fossem adotar o mesmo critério, nenhum deles seria considerado válido.[9]

Apesar da resistência inicial à Caverna da Pedra Pintada, hoje a existência de uma ocupação contemporânea a Clovis na Amazônia é aceita pela maior parte dos arqueólogos. "A maioria das pessoas se deu conta de que a sequência [de camadas da Pedra Pintada] é mais ou menos a que eu digo, e não é uma sequência incomum em outros pontos da América do Sul", disse Roosevelt ao falar da recepção de seu trabalho. Perguntei-lhe se ela teria mais dificuldade de ser aceita caso fosse sul-americana, e ela respondeu que a dificuldade maior vinha talvez do fato de ser mulher. "A arqueologia dos paleoíndios é muito masculinista na América do Norte. Há uma solidariedade entre esses velhos rapazes", afirmou. Mas Roosevelt lembrou que tem um sobrenome famoso. "As pessoas prestam atenção nisso, e creio que isso me beneficiou. Mas por outro lado sou muito meticulosa."

Não era só o paradigma da primazia de Clovis que a Caverna da Pedra Pintada vinha bagunçar. Vigorava então na arqueologia a ideia de que o ambiente de floresta tropical não era adequado para sustentar ocupações humanas até o desenvolvimento da agricultura, pois não ofereceria recursos suficientes para sua subsistência. As escavações da equipe de Roosevelt mostraram que, pelo contrário, a Amazônia oferecia uma grande variedade de alimentos para os humanos — assim como tinha sido o caso nas florestas tropicais da África onde viveram alguns dos primeiros *Homo sapiens*.

O nome mais influente da arqueologia amazônica era então o de outra norte-americana: Betty Meggers, do Instituto Smithsonian, que vinha conduzindo trabalhos de campo na região desde o final dos anos 1940, ao lado do marido, Clifford Evans, com quem coordenaria duas décadas depois o Programa Nacional de Pesquisas Arqueológicas do Brasil. Os trabalhos da dupla apontavam para um papel secundário para a Amazônia nos processos de ocupação do continente e indicavam um povoamento tardio da região. "Anna Roosevelt desafiou uma geração de pesquisadores que eram muito ligados a Betty Meggers, cujas ideias eram muito entranhadas na arqueologia brasileira naquele momento", disse Eduardo Góes Neves.

Antes disso, Roosevelt já tinha chacoalhado o status quo da arqueologia amazônica ao explorar o sítio de Taperinha, no Tapajós — outro local do qual ela tomou conhecimento pelos relatos de Charles Hartt, que tinha feito pesquisas ali nos anos 1860. A escavação comandada pela arqueóloga norte-americana em 1987 encontrou fragmentos de cerâmica com cerca de 7,5 mil anos de idade — tratava-se das mais antigas amostras do tipo já encontradas em todo o continente (na Caverna da Pedra Pintada, o grupo escavaria um fragmento anda mais antigo que recuou em quinhentos anos a ocorrência da cerâmica nas Américas). O achado contrariava a ideia predominante até então de que essa técnica tinha surgido e se difundido a partir dos Andes.

No artigo que apresenta os resultados de Taperinha, publicado em 1991 na revista *Science*, Roosevelt, Maura Imázio da Silveira e outros três colegas escreveram que os resultados não eram compatíveis com a ideia de que a Amazônia fosse um obstáculo ao desenvolvimento humano. No sítio paraense, havia grupos humanos consumindo peixes e outros recursos há 8 mil anos, aparentemente bem adaptados àquele ambiente.[10]

Eduardo Góes Neves enxerga, nos achados feitos por Roosevelt e por outros arqueólogos que vêm trabalhando na Amazônia nos últimos anos, as provas de que os povos nativos vêm interferindo na própria conformação da floresta há muitos milênios — uma ideia que ele próprio desenvolveu e reforçou ao longo de décadas de pesquisas arqueológicas na Amazônia. Na Caverna da Pedra Pintada estão os mais antigos exemplos conhecidos na região de solos antrópicos, ou seja, modificados pela ação humana. "Talvez sejam as mais antigas terras pretas", disse Neves, referindo-se aos solos característicos da Amazônia tornados mais escuros — e férteis — pela ação dos antigos indígenas.

A Amazônia que surge desses estudos não poderia estar mais distante da imagem da "mata virgem" que muitos cultivam no imaginário: as atividades dos grupos humanos que estão ali há pelo menos 13 mil anos contribuíram para alterar a topografia, o solo, as águas e a própria composição da floresta. "Fica cada vez mais claro então que a floresta amazônica não é apenas patrimônio ecológico, mas também patrimônio histórico, resultado da ação humana ao longo de milhares de anos", escreveu Neves num artigo para a *Folha de S.Paulo* em 1996, poucos dias após a divulgação dos achados da Caverna da Pedra Pintada.[11]

Anna Roosevelt não trabalhou mais na Caverna da Pedra Pintada, mas o sítio voltou a ser escavado em 2014 por iniciativa da arqueóloga Edithe Pereira, do Museu Paraense Emílio Goeldi, em Belém. Interessada pela arte rupestre amazônica, Pereira trabalhava na região de Monte Alegre desde 1989, quando começou a registrar e documentar os sítios arqueológicos com pinturas, mas não participou das escavações de Roosevelt nos anos 1990. Em colaboração com o arqueólogo Claide Moraes, da Universidade Federal do Oeste do Pará, em Santarém, ela voltou à Caverna da Pedra Pintada e escavou ainda outros sítios — novos e já conhecidos — na área do Parque Estadual de Monte Alegre. "Das dezenas de sítios arqueológicos conhecidos daquela região, metade não era registrada antes de intensificarmos a nossa procura", disse Moraes numa entrevista.

Com as escavações, os dois arqueólogos queriam entender o processo de povoamento da Amazônia, mas também montar uma coleção arqueológica associada aos primeiros grupos a ocupar aquela região. Pouca coisa do material escavado por Roosevelt ficou no Brasil, e essa foi uma das motivações dos pesquisadores para voltar à Pedra Pintada. Edithe Pereira contou que as novas escavações renderam uma ponta de flecha quebrada e outros artefatos. "Agora temos uma coleção de referência daquela caverna", afirmou a arqueóloga. "Antes estávamos limitados aos desenhos e fotografias publicados pela Anna."

Ao abordar o assunto, Roosevelt disse que o Museu Goeldi, que era sua instituição parceira no Brasil nas escavações da Caverna da Pedra Pintada, não quis ficar com o material escavado por ela. Ressaltou que alguns itens ficaram no museu, como a ponta de projétil cuja foto estampa a capa do guia turístico da região, e disse que o museu inspecionou o material coletado. "São centenas de pequenas caixas numeradas de papel corrugado com paredes acolchoadas. Elas contêm na maior parte carvões, lascas, pequenos ossos e sementes, amostras de solo. Havia muito material, e o Brasil não quis armazená-lo", contou a norte-americana. "Agora estão em meu laboratório na Universidade [de Illinois]."

Na Caverna da Pedra Pintada, as novas escavações feitas por Edithe Pereira e Claide Moraes numa área junto a uma parede com pinturas rupestres encontraram uma ocupação quase tão antiga quanto a identificada por Roosevelt. A datação das amostras coletadas chegava a 12,4 mil anos, conforme relataram Pereira e Moraes num artigo de 2019 no *Boletim do Museu Paraense Emílio Goeldi*.[12] "Nenhum outro sítio que abordamos tem uma sequência de ocupação tão longa quanto a da Caverna da Pedra Pintada", disse Moraes. "Mas tenho plena convicção de que aqueles grupos não foram os primeiros e que existem ocupações mais antigas na Amazônia que ainda não encontramos."

A aparente familiaridade dos humanos com aquele ambiente é o que faz Moraes acreditar que eles estavam ali há mais tempo. Entre os restos de plantas escavadas na Pedra Pintada por ele e Edithe Pereira havia espécies que vinham tanto da várzea quanto de trechos de floresta densa ou mais aberta. Os restos de castanha ou pupunha encontrados nos níveis mais antigos, por exemplo, eram de áreas de mata fechada a cerca de trinta quilômetros dali, disse Moraes. "Os grupos humanos que ocuparam a Caverna da Pedra Pintada já manejavam essa diversidade de ambientes e conheciam muito bem esse lugar."

Para Moraes, a riqueza dos vestígios escavados em Monte Alegre é mais um prego no caixão da ideia de que a floresta seria um obstáculo para a vida de povos caçadores-coletores. "A Amazônia sempre foi um lugar atrativo, e temos um certificado de 13 mil anos de idade dizendo que isso é possível", afirmou. "A coisa mais interessante que a Caverna da Pedra Pintada nos mostra é como estão equivocados nossos modelos do que são lugares atrativos ou inibidores para ocupações humanas." Essa visão equivocada da floresta, continuou, está na raiz da ideia — muito amplificada durante o governo Bolsonaro — de que a Amazônia de pé é um entrave ao desenvolvimento do Brasil.

A região de Monte Alegre continua tendo as evidências seguras mais antigas da presença humana na região amazônica. Uma data similar à da Caverna da Pedra Pintada foi obtida pelo arqueólogo norte-americano Christopher Davis, um ex-aluno de Anna Roosevelt na Universidade do Norte de Illinois. Em 2011,

Davis escavou o Painel do Pilão, um sítio localizado a quatrocentos metros da Caverna da Pedra Pintada, e estimou que foi ocupado há 13,2 mil anos, com base na datação por carbono-14 de uma amostra de carvão encontrada junto a restos de ocre vermelho usado para pintar os paredões de pedra.

O aspecto mais impressionante do achado é o fato de que Davis pode ter encontrado ali um dos mais antigos observatórios solares conhecidos em todo o mundo. Uma grade retangular pintada em vermelho com 49 casas — algumas das quais estavam marcadas e outras não — teria servido para medir a passagem do tempo e antecipar a chegada do solstício de inverno, no começo da estação chuvosa e das cheias dos rios, conforme propuseram Davis e Roosevelt. "Munidos desse auxílio visual, os antigos amazônidas podiam prever melhor e programar atividades sociais e de subsistência como a aquisição de recursos e cerimônias rituais", escreveu Davis num artigo de 2016 na *PLOS One*.[13]

Davis analisou a arte rupestre de Monte Alegre levando em consideração a posição dos astros no céu na época em que aquele sítio foi ocupado, obtida com a ajuda de um software da Nasa chamado *Starry Night* [Noite estrelada]. Notou que os painéis pintados na pedra talvez representassem a passagem do Sol entre dois solstícios e que a posição de algumas pinturas foi provavelmente definida em função da passagem do astro. "Ele mostrou que, nos solstícios, o Sol entra através de uma fenda entre as montanhas e chega a dois círculos concêntricos", disse Anna Roosevelt. Davis concluiu que aqueles círculos eram uma representação do Sol, a mesma interpretação que Alfred Wallace e Charles Hartt tinham feito quando viram as pinturas no século XIX. "Ambos disseram que se tratava de uma adoração do Sol, e eles não usavam computadores e nem tinham o *Starry Night*", afirmou a arqueóloga norte-americana.

Na Amazônia há sítios com indícios controversos de ocupações mais antigas que as da Caverna da Pedra Pintada. É o caso do Abrigo do Sol, situado no vale do rio Guaporé, que banha Mato Grosso e Rondônia e estabelece a fronteira entre o Brasil e a Bolívia. O sítio foi escavado nos anos 1970 pelo arqueólogo Eurico Theofilo Miller, com a ajuda de indígenas do povo Nambiquara, que vivem naquela área. Num artigo de 2009 na *Revista Brasileira de Linguística Antropológica*, Miller escreveu que o Abrigo do Sol foi ocupado há pelo menos 20 mil anos, mas os resultados da datação do sítio não foram publicados em periódicos de grande visibilidade e nem são amplamente aceitos por seus colegas.[14]

Datações mais seguras — mas não tão antigas — foram obtidas em outras regiões da Amazônia. Um exemplo vem de Breu Branco, sítio a céu aberto no sudeste do Pará descoberto por oca-

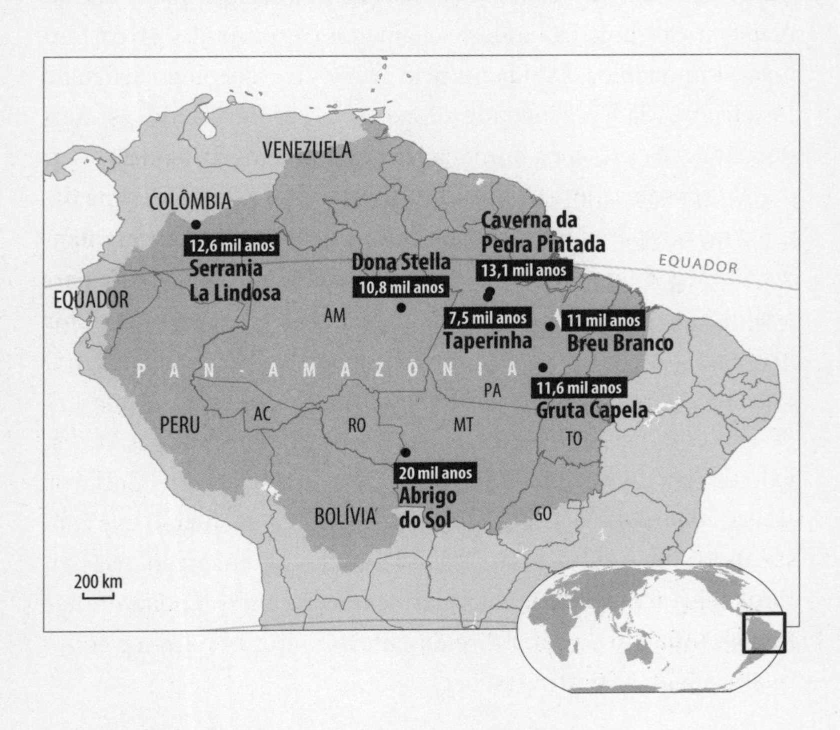

são de um levantamento realizado antes da construção de uma linha de transmissão que liga a usina de Tucuruí ao Maranhão. Escavado por Solange Bezerra Caldarelli, foi ocupado há pouco mais de 11 mil anos. Também no sudeste do Pará, na região de Carajás, fica a Gruta Capela, um abrigo sob rocha escavado pela arqueóloga Renata Rodrigues Maia, com presença humana em níveis de até 11,6 mil anos. No Amazonas, há evidências de ocupação humana há quase 11 mil anos em Dona Stella, sítio a céu aberto localizado num trecho de terra firme nas proximidades de um igarapé entre os rios Negro e Solimões, escavado por Fernando Walter da Silva Costa.

Já na Amazônia colombiana, surgiram recentemente evidências de uma ocupação humana praticamente contemporânea à da Caverna da Pedra Pintada. Elas vêm de três abrigos sob rocha situados na serrania La Lindosa, chamados Cerro Azul, Cerro Montoya e Limoncillos. Estudados pelo grupo do arqueólogo uruguaio José Iriarte, da Universidade de Exeter, no Reino Unido, os sítios têm sinais da presença humana há 12,6 mil anos de idade.

Os pesquisadores foram atraídos até esses sítios por conta das pinturas nos paredões rochosos, que podem retratar representantes da megafauna da Era do Gelo, um elemento importante para ajudar a datá-las. Há desenhos de bichos que parecem ser uma preguiça-gigante, um mastodonte e uma paleolhama, entre outras espécies extintas, além de uma extensa galeria de animais que ainda existem, incluindo antas, jacarés, macacos e tartarugas. "O cavalo da Era do Gelo tem um rosto pesado e selvagem", declarou Iriarte ao jornal *The Guardian* em 2020. "É tão detalhado que conseguimos ver até os pelos."[15] Mas há críticos que enxergam nas pinturas representações de mamíferos mais recentes; enquanto não houver um jeito de datar diretamente as pinturas, o debate continuará sujeito à controvérsia.

Resta entender que rota percorreram os grupos humanos que primeiro ocuparam a Amazônia. Os arqueólogos acreditam que os grupos pioneiros chegaram à América do Sul pelo istmo do Panamá, mas não há clareza quanto aos caminhos que percorreram uma vez que chegaram à porção meridional do continente. Para Anna Roosevelt, tratava-se de grupos que tinham descido a costa pacífica da América do Norte e que tinham familiaridade com o uso de barcos e com a pesca.

O palpite de José Iriarte e seus colegas é que a Amazônia foi ocupada a partir dos Andes — uma hipótese que defendem com base no fato de que há ocupações humanas datadas com 13,6 mil anos em Tibitó, no platô de Bogotá. A hipótese é plausível, mas só poderá ser confirmada com novos achados arqueológicos.

Uma alternativa é que a Amazônia tenha sido ocupada por grupos humanos vindos do Nordeste brasileiro, como notou Claide Moraes — a hipótese é compatível com as ocupações muito antigas da Serra da Capivara. Em Santa Elina, ao sul da floresta, também há evidências de presença humana antes do Último Máximo Glacial. "Toda a borda da Amazônia estava ocupada por volta de 12 mil anos atrás, então não dá para dizer de onde vieram os primeiros", disse Moraes.

Futuras escavações possivelmente mostrarão uma presença humana ainda mais antiga na floresta. "Eu me surpreenderia que a Caverna da Pedra Pintada fosse a primeira ocupação da Amazônia", disse-me a arqueóloga britânica Jennifer Watling, que fez doutorado com José Iriarte em Exeter e hoje é pesquisadora da USP. "Tem muito que a gente não escavou ainda", continuou. Mas parte das evidências talvez nunca seja encontrada. Watling lembrou que a Amazônia era mais seca no fim da Era do Gelo e que muitos sítios arqueológicos foram alagados quando os rios subiram. "Há muitas ocupações que agora estão debaixo d'água."

15. Está tudo dominado

Lapa do Boquete, Minas Gerais, Brasil

Se descartarmos os sítios arqueológicos que não são aceitos consensualmente pela comunidade, como os da Serra da Capivara e Santa Elina, sobram no Brasil três localidades com indícios firmes de presença humana com mais de 13 mil anos de idade, contemporâneos ou pouco anteriores a Clovis. Além da Caverna da Pedra Pintada, a lista inclui dois sítios no norte de Minas Gerais: a Lapa do Dragão e a Lapa do Boquete, ambas escavadas nos anos 1980 e 1990 pela equipe do arqueólogo francês André Prous, pesquisador da UFMG.

A Lapa do Boquete é o sítio campeão de trocadilhos da arqueologia brasileira. A confusão inescapável surge de duas palavras escritas do mesmo jeito, mas pronunciadas de forma diferente: o sítio não tem a ver com o boquete com *e* aberto, que é sinônimo de felação na gíria popular. Seu nome, na verdade, se deve a uma passagem estreita nas proximidades da caverna — uma pequena boca ou boquete, com *e* fechado. Na dúvida, alguns arqueólogos preferem se referir ao local pela sigla BQT, para contornar o duplo sentido.

Esse é o mais conhecido das dezenas de sítios arqueológicos do vale do rio Peruaçu, um afluente do São Francisco que faz a fronteira entre os municípios de Januária e Itacarambi, cerca de 650 quilômetros ao norte de Belo Horizonte. Ali ocorre um carste, a formação geológica marcada pela profusão de cavernas e paredões de calcário do mesmo tipo da encontrada na região de Lagoa Santa. As paredes têm pinturas rupestres abundantes, e o conjunto está protegido numa unidade de conservação federal desde 1999 — o Parque Nacional Cavernas do Peruaçu.

Quando André Prous decidiu escavar na região, cerca de sessenta sítios de interesse científico já eram conhecidos nas imediações, e algumas prospecções já tinham sido feitas por arqueólogos e espeleólogos nos anos 1970 e 1980. Prous havia participado da equipe que escavou a Lapa Vermelha IV sob a coordenação de Annette Laming-Emperaire, que foi sua orientadora de doutorado. Depois de conduzir sondagens em vários sítios da região, ele decidiu concentrar as escavações na Lapa do Boquete, que parecia ter vestígios mais abundantes e bem preservados no ambiente seco da caverna.

Situada a 150 metros da margem do rio Peruaçu, a Lapa do Boquete é uma caverna de três metros de altura com vinte de profundidade. O sítio fica à margem de uma trilha turística, a seiscentos metros de caminhada do centro de visitantes do Parque Nacional Cavernas do Peruaçu. Quando estão fazendo escavações, as equipes de arqueólogos às vezes interagem com os turistas em peregrinação pelos roteiros para a apreciação das cavernas, das pinturas e da paisagem do carste no cerrado mineiro.

Num paredão perto da entrada da Lapa do Boquete, é possível identificar figuras como uma ave, uma serpente e uma figura humana de pernas e braços abertos, entre inúmeros padrões geométricos pintados de vermelho e amarelo. A intensidade da tinta e o estilo das pinturas são muito variados, o que sugere que elas foram feitas em épocas diferentes por grupos distintos que passaram por ali.

Prous e sua equipe fizeram sondagens preliminares no sítio em 1981 e o escavaram regularmente entre 1988 e 1998, em sete áreas distintas. Desde as primeiras sondagens, os pesquisadores souberam que estavam diante de um sítio muito rico, disse o arqueólogo Andrei Isnardis, que participou de algumas dessas escavações quando ainda era estudante de graduação.

O material mais impressionante escavado na Lapa do Boquete talvez sejam os restos de vegetais, muitos deles em silos que serviriam para seu armazenamento. A variedade de plantas é maior nas camadas mais recentes, onde havia vestígios de milho, algodão, mandioca, feijão e outros alimentos cultivados pelos grupos humanos que habitavam por ali. Nas camadas mais antigas, predominam os coquinhos carbonizados, que podem ter sido usados para alimentação ou para fazer fogueiras pelos caçadores-coletores que ocuparam o Vale do Peruaçu.

Os pesquisadores encontraram ainda naquele sítio restos de fogueiras e carvões e ossos de pequenos animais, como tatus, aves, peixes e tartarugas, além de milhares de conchas de moluscos de água doce. Havia ainda uma profusão de ferramentas, incluindo artefatos fabricados com madeira, osso e conchas. Os mais abundantes eram os líticos: foram catalogados nada menos que 20 mil artefatos ou lascas de pedra. A Lapa do Boquete talvez fosse um local em que os grupos humanos de passagem retocavam ou finalizavam a construção de suas ferramentas. Mas não parecia que eles começassem a fabricá-las ali, já que não foram encontrados artefatos em seus estágios iniciais de produção.

Não bastasse toda essa riqueza de vestígios arqueológicos, foram encontrados ainda seis sepultamentos com remanescentes humanos na Lapa do Boquete, além de outros cinco na Lapa do Malhador, outro sítio no Vale do Peruaçu escavado por Prous. Nenhum desses sepultamentos estava nas camadas de ocupação mais antiga — a idade estimada para os mais velhos caía na casa dos 6 mil ou 7 mil anos. O caso mais impressionante é o de um homem alto enterrado com a cabeça embrulhada por uma espécie de cesto trançado de palha de palmeiras, preservado em detalhes. O cadáver estava parcialmente mumificado, com fragmentos de pele e ligamentos conservados em parte do tronco, nos braços e pernas, incluindo os pés.

"O sítio é realmente muito rico", sintetizou Andrei Isnardis numa entrevista. "As coisas estão no lugar e bem conservadas, as camadas são majoritariamente planas, está cheio de fogueiras em todas elas e tem muito material para datar, então é nadar de braçada", continuou o arqueólogo, que é professor da UFMG e integra a equipe que retomou as escavações na Lapa do Boquete em 2021.

Embora os remanescentes humanos não fossem tão antigos, a datação dos carvões associados a outros tipos de vestígios mostrou que a Lapa do Boquete foi ocupada de forma praticamente contínua a partir de 13,3 mil anos atrás. Isnardis notou que aqueles eram os mais antigos vestígios de ocupação do cerrado que se tinha até então. "Os sítios do Vale do Peruaçu ajudaram a consolidar a ideia de que havia uma ocupação muito antiga no Brasil central."

Depois de saírem em publicações nacionais de circulação restrita,[1] os resultados das escavações da Lapa do Boquete foram apresentados à comunidade internacional num artigo de 1999 na revista *Quaternary International*, assinado por André Prous e por Emílio Fogaça, então professor da UFMG (o estudo examinava outros sítios brasileiros do fim da Era do Gelo).[2] Embora as datas da ocupação mais antiga na região fossem contemporâneas à época em que o povo de Clovis surgiu na América do Norte, os autores não discutiram as implicações do achado.

Os desdobramentos daquele resultado, no entanto, eram significativos. Se havia grupos humanos no norte de Minas Gerais há mais de 13 mil anos — como também era o caso na Amazônia —, os povos que naquela mesma época estavam espalhados pela América do Norte simplesmente não podiam ser os primeiros americanos.

Assim como a Caverna da Pedra Pintada mostrou que os grupos humanos já estavam adaptados aos recursos da floresta há mais de 13 mil anos, os sítios do Vale do Peruaçu deixaram claro que, na mesma época, eles também sabiam se virar muito bem com as plantas e animais do cerrado. Algumas das espécies vegetais encontradas nas camadas mais antigas da Lapa do Boquete são aproveitadas até hoje pelos humanos que vivem naquele local. "Temos documentados ali mais de 13 mil anos de interação das pessoas com o coquinho guariroba ou o jatobá", disse Isnardis. O arqueólogo notou que essas espécies não tinham sido totalmente domesticadas, mas pareciam ter sido manejadas em alguma medida. "O Vale do Peruaçu tem um potencial lindo para pensarmos no cerrado como uma construção da qual as pessoas participaram ativamente."

A antiguidade da presença humana na Lapa do Boquete era reforçada pelas datas encontradas em outros dois sítios escavados por André Prous e examinados no mesmo artigo de 1999 na *Quaternary International*. Na Lapa do Dragão, uma caverna situada no município de Montalvânia, no extremo norte de Minas Gerais, a pouco mais de cem quilômetros do Vale do Peruaçu, o grupo da UFMG encontrou vestígios humanos em camadas com idade de até 13,4 mil anos. Em Santana do Riacho, outro abrigo sob rocha encontrado em Minas Gerais, só que mais ao sul, na Serra

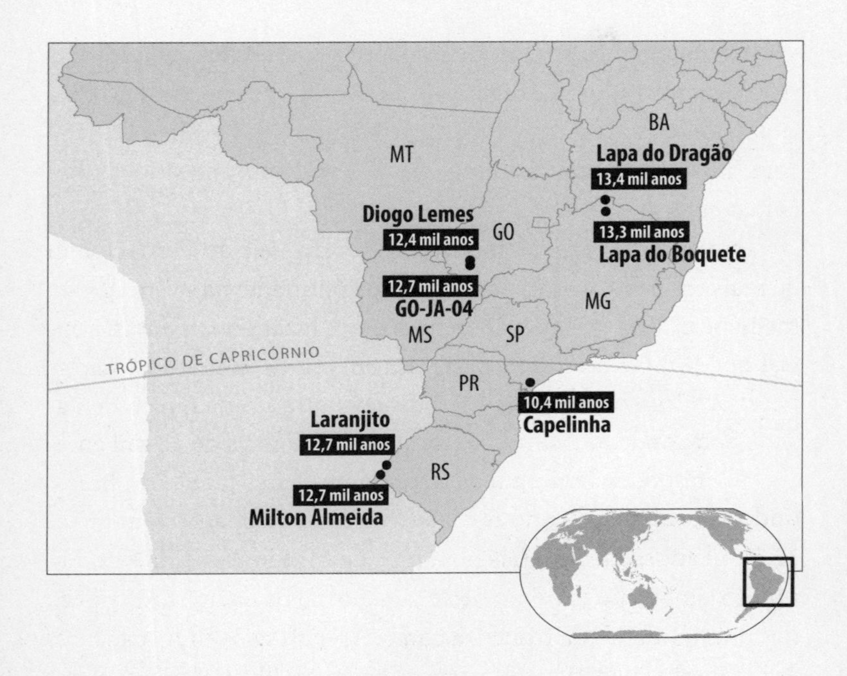

do Cipó, nas proximidades do carste de Lagoa Santa, Prous também encontrou vestígios humanos numa camada de sedimentos com idade na casa dos 13 mil, mas ponderou que eles poderiam ser fruto de uma perturbação e pertencer a uma camada mais recente.

As ferramentas encontradas no Vale do Peruaçu guardam afinidade estilística com aquelas escavadas na Lapa do Dragão, um pouco mais ao norte. Os artefatos mais comuns ali são conhecidos como lesmas (alguns arqueólogos preferem falar em "instrumentos plano-convexos"). Fabricadas a partir de lascamento em uma única face da pedra, as lesmas serviam para raspar materiais variados e são o tipo de ferramenta característico da chamada Tradição Itaparica, um tipo de indústria lítica encontrada no Brasil central.

A semelhança se estende também aos artefatos achados nos sítios encontrados na região de Serranópolis, no sudoeste de Goiás, onde as datas das ocupações mais antigas chegam a 12,4 mil anos, no abrigo Diogo Lemes, e até 12,7 mil anos, no sítio conhecido como GO-JA-04.

No entanto, o que a indústria lítica do Vale do Peruaçu tem de mais revelador para a ocupação do continente não vem das semelhanças, mas sim das diferenças entre essas ferramentas e outras que eram feitas na mesma época em outros cantos. Elas não se pareciam com o estilo dos artefatos encontrados na região de Lagoa Santa, onde há ocupações humanas com mais de 12 mil anos.

E tampouco lembram as ferramentas feitas no Sul do Brasil, onde as evidências seguras mais antigas de ocupação têm quase 12,7 mil anos, encontradas nos sítios de Milton Almeida e do Laranjito, ambos no extremo oeste gaúcho, na bacia do rio Uruguai, nas proximidades da fronteira com a Argentina. A indústria lítica dos sítios do Sul do Brasil é parte da chamada Tradição Umbu, que é marcada pela produção de pontas de projétil feitas de pedra com tamanho e formato variados. As pontas da Tradição Umbu tinham um pedúnculo, com o qual eram encabadas em lanças ou flechas, e eram diferentes daquelas feitas pela cultura Clovis.

Portanto, no horizonte de 12,5 mil anos há evidências de presença humana nos pampas, no cerrado, na caatinga — onde ficam os sítios da Serra da Capivara — e na Amazônia, com a Caverna da Pedra Pintada. Já na Mata Atlântica, os indícios mais antigos que se conhecem da ocupação humana têm 10,4 mil anos e vêm de Capelinha, um sambaqui fluvial no interior de São Paulo. E, pelo visto, em cada ambiente os grupos humanos recorriam a soluções diferentes para construir suas ferramentas e explorar os recursos locais.

"O que estava acontecendo no Vale do Peruaçu naquele momento é muito diferente do que havia em Lagoa Santa na mesma época e é diferente ainda do que tinha no Rio Grande do Sul", disse Andrei Isnardis. "Tampouco é a mesma coisa que tinha na Serra da Capivara, embora houvesse afinidades", continuou. "Temos indicações muito consistentes de diversidade cultural naquele momento."

Num artigo publicado em 2015 nos *Anais da Academia Brasileira de Ciências*, o arqueólogo Astolfo Araujo, da USP, analisou a diversidade das indústrias líticas que ocorriam no leste da América do Sul no início do Holoceno, examinando as tradições Itaparica, Umbu e Lagoa Santa. De acordo com sua análise, elas são tão diferentes entre si do ponto de vista tecnológico que é impossível compará-las usando as mesmas categorias. Aqueles não eram apenas estilos diferentes de fabricar ferramentas, argumentou o autor: a variabilidade cultural era uma manifestação de mudanças mais profundas de modelos mentais e visões de mundo.[3]

A ideia foi desenvolvida por Araujo em seu livro *Por uma arqueologia cética*.[4] Para o arqueólogo da USP, a implicação dessa diversidade dos modelos de povoamento era clara: era preciso tempo para que ela pudesse se manifestar, o que implicava necessariamente numa ocupação antiga das Américas — certamente muito mais recuada do que a postulada pelo modelo da primazia de Clovis. Para Araujo, a variabilidade cultural encontrada na América do Sul no início do Holoceno é um sinal de que o continente foi provavelmente ocupado em múltiplas migrações distintas, das quais a mais antiga aconteceu antes do Último Máximo Glacial.

"Não tem como explicar que, há 12 mil anos, do nada, apareçam essas culturas arqueológicas totalmente distintas entre si e ocupando toda a superfície das Américas", disse Araujo numa entrevista. Se o povo de Clovis fosse o primeiro, continuou, não haveria tempo o suficiente para que sua indústria lítica se transformasse e desse origem a tradições culturais tão diversas. Para tanto, seria preciso que houvesse uma taxa de inovação cultural jamais vista na história humana. "A única maneira de explicar essa variabilidade é dando muito tempo para que ela se manifeste."

Alinhado com a visão de Araujo, o arqueólogo Lucas Bueno, da UFSC, enxerga a diversidade de registros arqueológicos na América do Sul no fim da Era do Gelo como um sinal de que aquela não era mais uma fase exploratória de conhecimento do território, mas sim de ocupação efetiva. "Há sítios ocupados de forma recorrente, que demonstram conhecimento da distribuição dos recursos no entorno", disse Bueno numa entrevista. "Obter esse tipo de conhecimento é algo que leva tempo, e não é apenas uma ou duas gerações, mas centenas ou milhares de anos."

Resta entender com mais detalhes as dinâmicas que deram origem a essa diversidade. Numa série de trabalhos que vem publicando nos últimos anos em colaboração com a arqueóloga Adriana Schmidt Dias, da UFRGS, Bueno tem proposto olhar para o papel das bacias hidrográficas no povoamento das chamadas terras baixas da América do Sul — ou seja, todo o território a leste dos Andes. De acordo com a dupla, os vales dos grandes rios foram as principais rotas de acesso ao interior do continente e permitiram conectar partes distantes do território.

O vale do São Francisco, por exemplo, permitiu conectar o Nordeste ao Sudeste do Brasil. As ferramentas da Tradição Itaparica foram encontradas principalmente em sítios localizados nesse vale. "Na Serra da Capivara e no Vale do Peruaçu, temos datas contemporâneas do ponto de vista arqueológico e semelhanças no contexto artefatual", disse Bueno. "As duas regiões estão distantes uma da outra, mas estão conectadas por esse rio." A bacia amazônica, por sua vez, permitiu ligar o norte da América do Sul e toda a floresta tropical às savanas do Planalto Central, onde fica o sítio de Santa Elina. E a bacia do rio da Prata, no Sul, ofereceu uma rota de acesso ao continente que atravessou os pampas, ao longo da qual são encontradas as ferramentas da Tradição Umbu. "Os rios são elementos importantes no processo de interiorização, de conhecimento do espaço e de transformação da paisagem em território", afirmou Bueno.

O modelo de interiorização seguindo os vales dos grandes rios ajuda a explicar como praticamente toda a América do Sul estava ocupada — ou ao menos tinha sido visitada por grupos humanos — no início do Holoceno. Na mesma época em que o povo de Clovis corria atrás de mamutes e bisões nas grandes planícies dos Estados Unidos, ao sul do Equador havia gente por todo canto, produzindo ferramentas de forma variada e vivendo de acordo com os recursos disponíveis em cada ambiente.

A proposta de discutir os vales dos rios como vias de acesso ao interior do continente nasceu de um incômodo de Dias e Bueno em relação à preponderância que a rota pacífica tinha nas explicações que os arqueólogos norte-americanos ofereciam para o povoamento. A centralidade que os modelos costeiros ganharam nas discussões sobre o povoamento desconsidera a grande diversidade cultural que se observava ao leste dos Andes, conforme argumentou Dias num artigo de 2019.[5] "As datas mais antigas das Américas estão no centro do Brasil", disse Bueno numa entrevista. "Como é que vão fazer uma discussão sobre o processo de povoamento falando só da rota pacífica?"

Em outubro de 2021, um grupo de pesquisadores coordenados por André Strauss, da USP, retomou as escavações na Lapa do Boquete 23 anos após a última campanha liderada por André Prous. Confirmar a ocupação antiga do Vale do Peruaçu era um dos objetivos das novas escavações, conforme Strauss explicou quando acompanhei o trabalho de campo da equipe da USP. A abundância e a variedade dos vestígios arqueológicos estão entre os fatores que motivaram Strauss a voltar àquele sítio. "Nesse sentido o Vale do Peruaçu é mais rico que Lagoa Santa", disse o arqueólogo.

O grupo da USP passou três semanas no Vale do Peruaçu em 2021, trabalhando principalmente na Lapa do Boquete, mas também na Lapa do Malhador. O objetivo não era abrir áreas novas de escavação, mas avançar um pouco naquelas que tinham sido abertas por Prous. Os arqueólogos recolheram amostras que serão datadas no Instituto Weizmann de Ciência, em Israel, parceiro da USP no projeto.

A determinação da idade mais antiga de ocupação da Lapa do Boquete se baseia em apenas duas amostras; Strauss quer levantar "uma quantidade obscena de dados" para fazer uma datação robusta do sítio. Mais que isso, ele quer analisá-las com técnicas mais refinadas do que as disponíveis nos anos 1980 e 1990 e, para isso, reuniu uma equipe multidisciplinar com especialistas na análise do pólen e dos vestígios vegetais e da microestrutura do sítio.

Outro objetivo da retomada das escavações é encontrar novos remanescentes humanos para que o grupo possa tentar extrair seu DNA no Laboratório de Arqueogenética da USP, do qual Strauss é um dos coordenadores. Nas escavações na Lapa do Boquete em 2021, um dente de leite foi o único remanescente claramente humano identificado pela equipe. Ainda não foi datado, mas não deve ser de idade muito antiga, a julgar pela camada em que foi encontrado, de acordo com Rodrigo Elias de Oliveira, o arqueólogo que escavou o dente.

Além da ocupação mais antiga, que pode ajudar a esclarecer a história do povoamento das Américas, Strauss está interessado também nos vestígios que vão lançar luz sobre a expansão da cerâmica e da domesticação das plantas no continente. O arqueólogo disse que, se considerarmos as terras baixas da América do Sul, as cerâmicas mais antigas que foram encontradas fora da Amazônia vêm do Vale do Peruaçu. Arqueólogos já propuseram que algumas das plantas encontradas na Lapa do Boquete podem ter origem amazônica, e essa é uma hipótese que Strauss gostaria de testar com estudos de DNA antigo. "Queremos escavar os silos e coletar esses milhos de 3 mil ou 4 mil anos de idade para fazer a análise genética e entender de onde eles vêm."

A volta à Lapa do Boquete é significativa também por outro motivo. Boa parte do material escavado pela equipe de Prous foi destruída com o incêndio de junho de 2020 no Museu de História Natural e Jardim Botânico da UFMG. O prédio da reserva técnica que pegou fogo abrigava a coleção de material arqueológico orgânico. O material em excelente estado de conservação encontrado no Vale do Peruaçu — os sepultamentos humanos, a abundância de vegetais encontrados nos silos, a cestaria, os artefatos de madeira — foi na maior parte destruído.

Ainda não se sabe ao certo se alguma coisa se salvou, contou-me Andrei Isnardis. O professor da UFMG é também pesquisador do setor de arqueologia do museu mineiro e está participando do esforço para diagnosticar o tamanho do estrago causado pelo incêndio. Ele contou que o material recuperado inclui desde amostras que foram calcinadas e viraram cinza a peças que conservam alguma integridade, passando por outras que foram quebradas ou quase desfiguradas pelo fogo. "Tem dezenas de esqueletos que foram muito impactados, mas alguns ficaram relativamente inteiros", disse o arqueólogo. "Tem osso curvo, entortado, retorcido. O fogo faz coisas surreais."

De todo o material da Lapa do Boquete que se perdeu com o incêndio, o acervo de material vegetal é o que Isnardis mais lamenta. "O acervo tinha um potencial fora de série para entendermos como as pessoas se relacionavam com as plantas do cerrado, e esse potencial não foi plenamente explorado", afirmou. Por outro lado, a retomada das escavações acendeu nele a esperança de que se possa coletar material parecido. Quando foi a campo em 2021, ele viu que seus colegas continuavam coletando espigas de milho e outros restos de plantas em abundância. "Foi alentador ir à Lapa do Boquete depois do incêndio e ver que o material vegetal continua lá."

16. Diversidade ao sul do equador

Huaca Prieta, Departamento de La Libertad, Peru

Se boa parte do atual território brasileiro parecia já ter sido visitada por humanos por volta de 13 mil anos atrás, no resto da América do Sul o panorama não era diferente. Indícios da presença humana contemporâneos ou mesmo anteriores ao povo de Clovis continuavam aparecendo em todo o continente, deixando claro que não eram eles os primeiros americanos. Huaca Prieta, no litoral norte do Peru, é uma das localidades que passou a integrar na década passada a lista de sítios arqueológicos sul-americanos com presença humana desde o fim da Era do Gelo.

O sítio de Huaca Prieta foi ocupado de forma intermitente a partir de 15 mil anos atrás, quase 2 mil anos antes da aparição das primeiras pontas de lança acanaladas nos Estados Unidos. Os indícios dessa ocupação foram escavados pela equipe de Tom Dillehay, da Universidade Vanderbilt, no Tennessee, e apresentados numa série de artigos publicados a partir de 2012. Dillehay já era então um peso-pesado da arqueologia americana: ele estava à frente da equipe que escavou Monte Verde, no sul do Chile, o sítio que desbancou de vez o paradigma da primazia de Clovis.

Mas Huaca Prieta já era um sítio conhecido pelos arqueólogos desde os anos 1940, quando foi escavado por outra figurinha carimbada da disciplina: o norte-americano Junius Bird, curador de arqueologia sul-americana do Museu Americano de História Natural, em Nova York. Bird — um especialista em tecidos antigos — encontrou naquele sítio os fragmentos têxteis mais velhos conhecidos até então na América do Sul, com mais de 4 mil anos. O arqueólogo norte-americano não achou, porém, sinais de presença humana antiga em Huaca Prieta e estimou que a ocupação do sítio remontava até 5,3 mil anos atrás.

Huaca é a palavra de origem quéchua usada para designar os sepulcros dos antigos indígenas. Por derivação, é o nome que foi dado também aos grandes montes artificiais de terra batida que humanos começaram a construir por volta de 7,5 mil anos atrás. Havia sepultamentos ali, mas não só. A composição daquela *huaca* incluía ainda terra, pedra, conchas, restos de moluscos e outros tipos de material, à imagem dos sambaquis encontrados no litoral e nos vales de rios brasileiros. Para os cientistas, aquela construção talvez tivesse uma função ritualística. O monte peruano tem trinta metros de altura e sua base tem 165 metros de comprimento. De aparência escura, foi chamado de Huaca Prieta. O sítio fica no delta do rio Chicama, a 150 metros do oceano Pacífico; 15 mil anos atrás, no entanto, ele ficava a vinte quilômetros da costa, já que o nível do mar estava mais baixo no final da Era do Gelo.

Dillehay decidiu fazer escavações em Huaca Prieta em 2006 com uma equipe interdisciplinar. Reabriu áreas exploradas por Bird e selecionou novas localidades para sondagens. Escavou também outro monte artificial encontrado na região, o Paredones. Fez uma datação extensiva dos achados, com mais de 170 amostras testadas com carbono-14 ou luminescência opticamente estimulada. As escavações coordenadas por Dillehay com o colega Duccio Bonavia, da Academia Nacional de História do Peru, se estenderam de 2007 a 2013. Os arqueólogos encontraram, em meio aos sedimentos, remanescentes humanos, ferramentas feitas de pedra e de madeira, fragmentos de tecido e restos fossilizados de plantas e animais.

A região era ocupada por humanos muito antes da construção da *huaca*, conforme mostraram as primeiras datações do material escavado pela equipe de Dillehay. Os vestígios mais antigos tinham até 14,2 mil anos, conforme os arqueólogos registraram em 2012 na revista *Quaternary Research*.[1] Um artigo posterior sobre o sítio arqueológico publicado em 2017 na revista *Science Advances* mostrou que a presença humana ali é ainda mais antiga e remonta a pelo menos 15 mil anos.[2]

A ocupação anterior ao povo de Clovis não foi o único achado de Huaca Prieta que chamou a atenção da imprensa. O grupo de Dillehay também achou ali restos de pipoca com idade de até 6,7 mil anos, os mais antigos da América do Sul. Além disso, encontraram também fragmentos de tecido ainda mais velhos do que os escavados nos anos 1940 por Junius Bird — eram restos de algodão com até 6 mil anos de idade tingidos de índigo, o que configura a mais antiga evidência de uso desse pigmento azul em todo o mundo.

O aspecto mais interessante de Huaca Prieta talvez seja a diversidade do material achado ali. Entre os vestígios de fauna encontrados no sítio havia ossos de leão-marinho, veado, pelicano, tubarão, caranguejo e dezenas de espécies de mariscos. Pelo visto, os habitantes de Huaca Prieta aproveitavam recursos tanto do mar quanto da planície costeira. Camadas mais recentes mostraram também que eles domesticaram e cultivaram várias espécies de plantas — foram encontrados restos de pimenta, abóbora, feijão e abacate, entre outras. Muitas dessas plantas não ocorriam ali, o que podia ser um sinal de algum tipo de troca com outros grupos humanos.

Para Dillehay, isso era um indício de que os povos que ocuparam Huaca Prieta deviam estar estabelecidos ali havia tempos. "Pode ser que nós tenhamos capturado um caso arqueológico em que as pessoas, em vez de se mover rapidamente rumo ao sul pelo litoral, se estabeleceram por um bom período", declarou Dillehay à revista *Sci News* em 2017. "Nossos dados indicam que essas pessoas conheciam com intimidade os diferentes ambientes daquela área e, para isso, é preciso tempo, experimentação e conhecimento."[3]

Os artefatos encontrados em Huaca Prieta chamavam a atenção pela simplicidade. Eram ferramentas feitas com poucos lascamentos e retoques de seixos encontrados na praia, trabalhados sempre de um lado só da pedra. Não havia pontas de projétil e nada que remotamente lembrasse a cultura Clovis. Os autores tampouco assinalaram qualquer parentesco com a cultura Paiján, que apareceria naquela região em sítios de idade um pouco mais recente, de até 13 mil anos.

Na entrevista que me deu em 2013, Tom Dillehay disse que tinha notado alguns padrões semelhantes entre os artefatos de Huaca Prieta e aqueles encontrados nos sítios mais antigos da Serra da Capivara, mas também com o material encontrado em Santa Elina e em Monte Verde. Esses sítios "apresentam algumas das formas mais simples de trabalho sobre pedra para a produção de ferramentas de qualquer indústria conhecida no continente", escreveu o arqueólogo no artigo que apresentou na conferência de Santa Fé naquele ano.[4]

A antiguidade da presença humana em Huaca Prieta nunca foi contestada de forma virulenta pelos colegas de Tom Dillehay. O sítio se beneficiou do reconhecimento da ocupação em Monte Verde há pelo menos 14,6 mil anos pela comunidade de arqueólogos, que rompeu pela primeira vez a barreira de Clovis e sacramentou que esse povo não foi o primeiro a ocupar as Américas. Se tivesse anunciado a descoberta dez anos antes, Dillehay decerto seria alvo de críticas dos colegas mais conservadores e teria que

justificar o resultado que destoava do paradigma dominante. A prova mais eloquente de que sopravam novos ares na arqueologia americana é o fato de que, nos artigos sobre Huaca Prieta, os autores não citam uma única vez sequer o povo de Clovis ou suas ferramentas, um sinal de que aquela cultura definitivamente não é mais a régua para medir a antiguidade nas Américas.

* * *

Huaca Prieta não é o único sítio na América do Sul com datas anteriores a Clovis que parecem imunes às críticas que, no passado, eram feitas aos estudos que mostrassem o povoamento do continente no fim da Era do Gelo. Outro exemplo vem de Arroyo Seco 2, sítio nos pampas argentinos escavado pela equipe do arqueólogo Gustavo Politis, da Universidade Nacional do Centro da Província de Buenos Aires. Politis e seus colegas encontraram ali evidências da presença humana que remontam a 14,1 mil anos.

Arroyo Seco 2 fica nos arredores da cidade de Tres Arroyos, situada a 450 quilômetros de Buenos Aires e não muito distante do Arroyo La Tigra, onde Florentino Ameghino encontrou no começo do século XX os remanescentes do que julgou ser o *Homo pampaeus*. Trata-se de um sítio ao ar livre encontrado junto a uma colina, entre um riacho e um lago temporário. O local foi descoberto por arqueólogos amadores nos anos 1970 e posteriormente escavado por profissionais. Ele se notabilizou pela abundância de remanescentes humanos — em três décadas de escavações já foram encontrados mais de cinquenta sepultamentos com até 8,9 mil anos de idade.

Aquela localidade era provavelmente um acampamento usado para o processamento da carne de grandes mamíferos pelos humanos que ocupavam os pampas no fim da Era do Gelo. Politis e seus colegas encontraram uma grande quantidade de ossos da megafauna extinta nas camadas de ocupação mais antiga. Não eram ossos quaisquer, mas principalmente os dos membros traseiros de preguiças-gigantes e de espécies extintas de cavalos e lhamas, o que indicava que sua presença ali não era casual. No mesmo nível estavam também grandes artefatos de pedra lascada, um deles pesando 625 gramas. As ferramentas deviam ser usadas para desarticular ossos e desmembrar carcaças, supõem os cientistas. Mas eles não sabem dizer se os humanos caçavam os animais ou se aproveitavam a carne de bichos mortos por outra razão. Não foram encontradas pontas de projétil no sítio.

Nada menos que 100 mil remanescentes de fauna foram encontrados em Arroyo Seco 2, sendo que 272 foram atribuídos a mamíferos extintos. Uma preguiça-gigante que viveu há 14 mil anos, um toxodonte de 13,5 mil anos e um cavalo *Hippidion* de 13 mil anos são a prova de que os humanos dos pampas conviveram com a megafauna da Era do Gelo. O mamífero extinto mais recente encontrado pelo grupo argentino é um tatu gigante que viveu há cerca de 8,2 mil anos.

Os humanos que se alimentavam de grandes herbívoros nos pampas há 14 mil anos estavam explorando recursos de maneira muito diferente da que se via em Huaca Prieta há 15 mil anos ou na Caverna da Pedra Pintada há 13 mil anos. Arroyo Seco 2 era a prova da chegada do *Homo sapiens* ao Cone Sul há pelo menos 14 mil anos. Para Politis e seus colegas, esse movimento "representa o último passo na expansão dos humanos modernos através do mundo e a colonização continental final", conforme escreveram em 2016 na revista *PLOS One*.[5] Com base em seus resultados, os autores defendem uma ocupação do continente americano entre 17 mil e 15 mil anos atrás, depois do Último Máximo Glacial.

Por volta de 12,8 mil anos atrás, cerca de um milênio e meio após a ocupação de Arroyo Seco 2, os humanos já tinham chegado ao extremo sul do continente, conforme mostram os vestígios encontrados na Caverna Fell, na Terra do Fogo, ao norte do estreito de Magalhães. A Caverna Fell é um sítio emblemático da arqueologia sul-americana, escavado nos anos 1930 por Junius Bird — o mesmo arqueólogo que trabalhou em Huaca Prieta, no Peru. Bird achou na gruta chilena dezessete pontas de projétil de um estilo que depois foi encontrado em vários outros pontos do continente — as chamadas pontas rabo de peixe. No mesmo nível, Bird encontrou ossos de uma preguiça-gigante e um cavalo extinto que, para ele, eram provas de que tinham sido predados pelos fabricantes das ferramentas. Aquele era um indício forte de que humanos tinham convivido com a megafauna e que já estavam espalhados por todo o continente ao fim da Era do Gelo. Mas o sítio só foi datado nos anos 1960, num trabalho realizado por Bird em parceria com o arqueólogo John Fell, cujo sobrenome acabou sendo usado para designar a caverna.

As pontas rabo de peixe são chamadas assim porque têm o formato de um peixe, com um pedúnculo e a base alargada que fazem as vezes da cauda. Elas são abundantes nos pampas e no norte da Patagônia, mas são encontradas em vários pontos do continente. No Brasil, já foram achadas no Rio Grande do Sul, em Santa Catarina, na Bahia e até na Serra da Capivara. Foram escavadas também na América Central e no sul do México. A idade das pontas encontradas no Cone Sul varia de 12,1 mil a 12,8 mil anos — um horizonte que coincide grosso modo com o que define a cultura Folsom na América do Norte —, conforme mostrou um estudo de 2015 liderado pelo arqueólogo Michael Waters, da Universidade do Texas A&M.[6]

Algumas das pontas rabo de peixe — mas não todas — eram acanaladas, o que levou pesquisadores a postular que elas eram derivadas das pontas de Clovis. O modelo da "matança desenfreada" formulado por Paul Martin nos anos 1970 atribuiu papel central às pontas rabo de peixe no extermínio da megafauna na América do Sul. Parece ter sido mesmo o caso, conforme concluiu um artigo publicado em 2021 pelos argentinos Luciano Prates e Ivan Perez, da Universidade Nacional de La Plata. A dupla identificou uma associação entre o declínio dos grandes mamíferos e o surgimento das pontas rabo de peixe nos sítios arqueológicos da região.[7] Já a relação entre essas ferramentas com a cultura Clovis é mais controversa.

Em 2017, os arqueólogos norte-americanos Juliet Morrow e Toby Morrow publicaram uma análise formal que concluiu que as pontas rabo de peixe eram derivadas das pontas acanaladas da

América do Norte.[8] Outra análise publicada em 1997 pelo argentino Hugo Nami, no entanto, mostrou que as ferramentas do norte e do sul tinham um roteiro de fabricação distinto e chegou a uma conclusão oposta: as pontas da Caverna Fell são uma invenção independente daquela que levou às pontas de Folsom e Clovis.[9]

Os quase 10 mil quilômetros em linha reta que separam a Caverna Fell de Folsom, onde humanos estavam matando bisões com pontas acanaladas naquela mesma época, tornam improvável que as pontas rabo de peixe tenham sido levadas pelo povo de Clovis até a Patagônia. Mesmo que o parentesco formal fosse demonstrado de maneira inequívoca, faltaria explicar também por que artefatos parecidos não foram achados ao longo do caminho. Mas ao menos o sítio na Patagônia chilena mostrava de forma convincente que o *Homo sapiens* tinha se espalhado até a ponta do continente no fim da Era do Gelo, ocupando todas as grandes massas terrestres disponíveis no globo, com exceção da Antártica.

A presença humana no Cone Sul naquele momento era um fato estabelecido não só por Arroyo Seco 2 e pela Caverna Fell, mas também por vários outros sítios na Argentina, no Uruguai e no Chile com idades próximas de 13 mil anos. Do Uruguai vinham também indícios de que podia haver gente nessa parte do continente muito antes disso, há cerca de 30 mil anos, conforme sugeriam os indícios que apareceram no Arroyo del Vizcaíno, um sítio localizado no município de Sauce, quase quarenta quilômetros ao norte de Montevidéu.

O sítio foi descoberto em 1997, por ocasião de uma seca atípica na região, mas só foi escavado em 2011 e 2012, pela equipe do paleontólogo Richard Fariña, da Universidade da República, em Montevidéu. No leito onde passava um córrego, os cientistas encontraram mais de mil ossos de grandes mamíferos extintos acumulados, pertencentes a 27 indivíduos. A espécie mais abundante era, de longe, a preguiça-gigante *Lestodon armatus*, mas havia também gliptodontes, toxodontes, um gonfotério, um dentes-de-sabre e outras espécies de preguiça. A datação de nove amostras — incluindo ossos e pedaços de madeira encontrados no sítio — mostrou que aquele material tinha mais de 31 mil anos de idade.

O que mais surpreende no Arroyo del Vizcaíno é que Fariña e seus colegas encontraram, em quarenta ossos, marcas que poderiam ser atribuídas a humanos. Uma análise ao microscópio de quinze dessas amostras mostrou padrões que só poderiam ter sido deixados por artefatos de pedra, e não por causas naturais ou acidentais, padrões que costumam ser usados como um indicador de agência humana mesmo que não haja outras evidências.

As marcas deixadas pelas ferramentas de pedra se distinguem daquelas provocadas por processos naturais por uma série de aspectos. Elas costumam ser mais retilíneas e em forma de V. Já as dentadas de um animal tendem a ser mais irregulares e em forma de U, conforme explicou Fariña numa entrevista. "Como a pedra é bem mais dura que o osso, a incisão é profunda e deixa uma deformação nas bordas", afirmou. "O osso se comporta como se fosse plástico."[10]

Para complicar a vida dos cientistas, no entanto, não foram encontradas ferramentas no sítio, com exceção de um possível raspador. Ainda assim, depois de eliminar outras possíveis explicações, os autores concluíram que a ação humana estava por trás daquele acúmulo de ossos, conforme relataram num artigo publicado em 2014 na revista *Proceedings of the Royal Society B*.[11]

Como seria de esperar, a alegação do grupo uruguaio foi recebida com ceticismo por alguns colegas, e, ainda em 2014, a mesma revista abriu espaço para uma contestação assinada por seis autores da Argentina e do Uruguai encabeçados por Rafael Suárez. Para eles, o estudo do grupo de Fariña tinha problemas metodológicos e erros interpretativos sérios. Afirmavam que as características do depósito de ossos encontrados no sítio não batiam com os padrões conhecidos de caça por humanos e que o acúmulo poderia ser explicado por outros fatores.[12]

Apesar das críticas, Fariña e seu grupo insistem que os resultados implicam numa presença humana na América do Sul há pelo menos 31 mil anos. Num estudo de 2015, o paleontólogo calculou a probabilidade de as marcas identificadas nos ossos serem todas devidas a causas naturais. Concluiu que a chance era representada por um número que começa com zero e tem outros 43 zeros depois da vírgula.[13] Em artigo de 2021, os uruguaios reforçaram sua hipótese recorrendo à inteligência artificial para analisar as marcas encontradas nos ossos. Essa ferramenta computacional vem se mostrando eficaz em certos contextos para distinguir marcas humanas daquelas produzidas por outros fatores. No caso uruguaio, a análise concluiu que as marcas de fato haviam sido produzidas por artefatos de pedra.[14]

Para reforçar o argumento de que as marcas nos ossos do Arroyo del Vizcaíno são de origem humana, os uruguaios citam os casos da Serra da Capivara e de Santa Elina, onde há indícios da presença do *Homo sapiens* anteriores ao Último Máximo Glacial — no caso do sítio mato-grossense, há inclusive sinais de intervenção em ossos de preguiça-gigante. No entanto, a idade remota do Arroyo del Vizcaíno e a natureza das evidências encontradas ali fazem com que ele ainda se enquadre na lista de sítios controversos da América do Sul. Até que surjam remanescentes humanos ou vestígios mais conclusivos, é improvável que ele saia dessa condição.

Fariña reconhece que a idade muito recuada do sítio e a escassez de artefatos de pedra inspiram prudência na interpretação dos resultados, mas defende que o Arroyo del Vizcaíno seja considerado nos estudos sobre a ocupação das Américas. "Na ciência é bom deixar abertas todas as portas, porque você não sabe por qual delas vai ter que atravessar", disse o uruguaio. "E a porta da invasão humana [nas Américas] antes do Último Máximo Glacial está ficando escancarada."

A lagoa do Sumidouro (MG) retratada pelo norueguês Peter Andreas Brandt, ilustrador e assistente do naturalista dinamarquês Peter Lund. Atrás da lagoa fica a entrada para a Gruta do Sumidouro, onde Lund encontrou fósseis que indicavam que humanos haviam convivido com grandes mamíferos extintos naquela região.

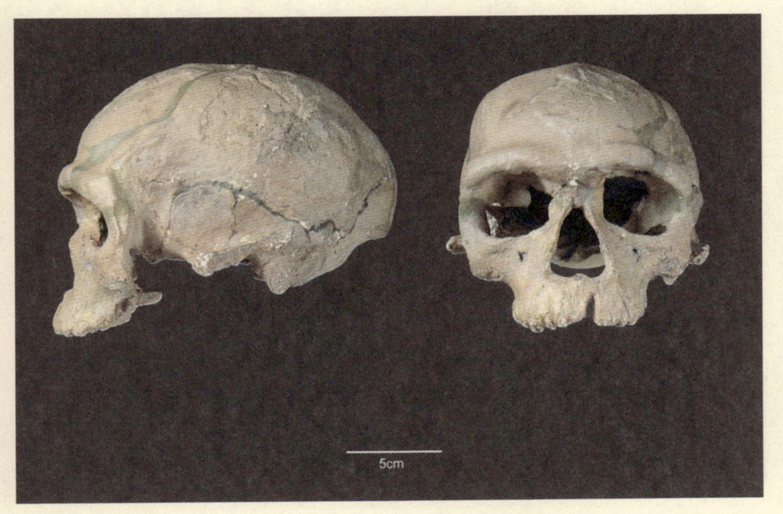

O crânio de 315 mil anos encontrado nos anos 1960 nas montanhas de Jebel Irhoud, no Marrocos, é o mais antigo remanescente de *Homo sapiens* conhecido. Os humanos são os únicos animais terrestres a ocupar todos os continentes, e a chegada nas Américas foi a etapa final da sua dispersão pelo globo.

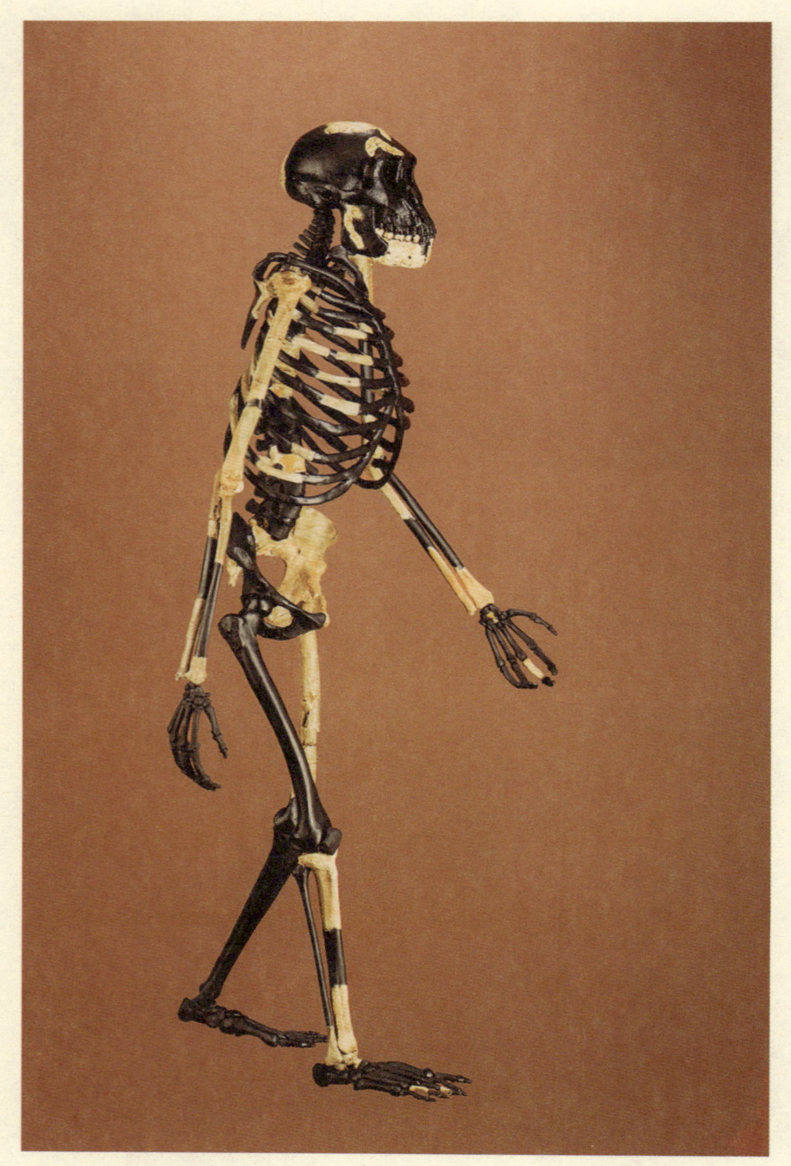

Reconstrução do esqueleto de Lucy, ancestral do *Homo sapiens* que viveu há 3,2 milhões de anos na Etiópia. Era uma fêmea de *Australopithecus afarensis*, espécie que estava entre as primeiras a fabricar ferramentas de pedra, e foi batizada em homenagem à canção "Lucy in the Sky with Diamonds", dos Beatles.

O porco pintado na parede de uma caverna na ilha de Sulawesi, na Indonésia, é a mais antiga representação figurativa feita por humanos modernos, com 45,5 mil anos. As primeiras manifestações simbólicas dos *Homo sapiens* surgiram na mesma época em que eles mudaram a forma como fabricavam ferramentas.

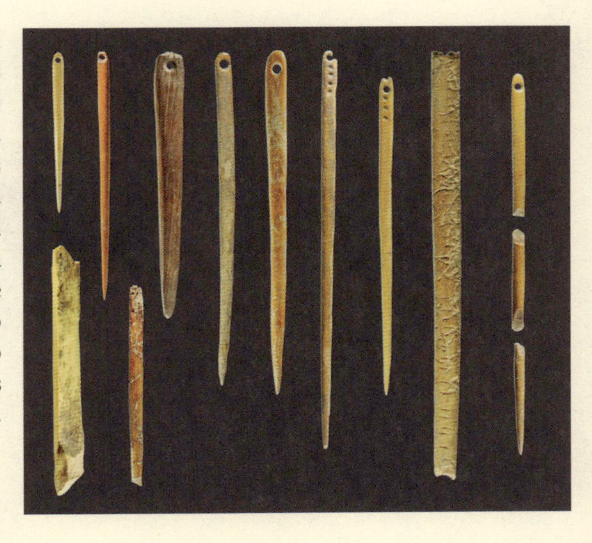

Agulhas fabricadas com o marfim de morsas encontradas no sítio de Yana RHS, no norte da Sibéria. Eram talvez usadas para costurar casacos para os humanos que viveram ali há 32 mil anos. Hoje, a temperatura local no auge do inverno gira em torno de −38ºC; na Era do Gelo o frio era ainda mais intenso.

Reconstituição do rosto de um homem que viveu há 4 mil anos na Groenlândia a partir do DNA extraído de um fio de cabelo — esse foi o primeiro humano antigo a ter o genoma completo sequenciado. A análise mostrou que o homem tinha olhos castanhos e propensão à calvície.

Um menino sepultado há 24 mil anos em Mal’ta, no sul da Sibéria, ajudou os cientistas a entender quem eram os primeiros americanos. Seu DNA mostrou que os ancestrais dos indígenas contemporâneos vinham do cruzamento de populações originárias do leste da Ásia com outras que vinham do oeste da Eurásia.

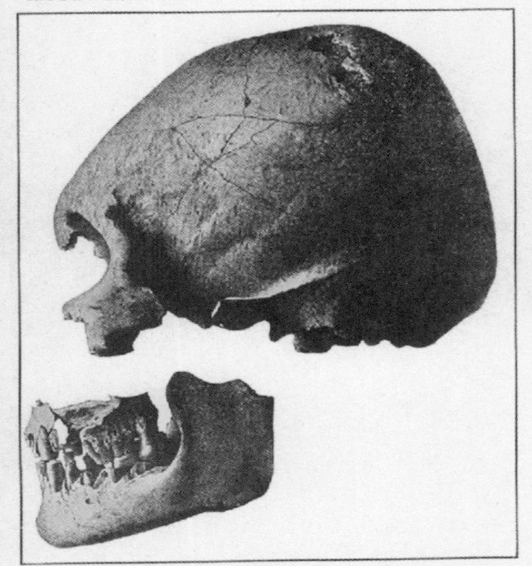

BUREAU OF AMERICAN ETHNOLOGY
BULLETIN 52 PLATE 38
MIRAMAR (LA TIGRA) SKULL. (AFTER LEHMANN-NITSCHE)

Um crânio encontrado nas imediações do Arroyo La Tigra, na Argentina, levou o paleontólogo Florentino Ameghino a propor que o *Homo sapiens* tinha surgido não na África, como apontavam as evidências disponíveis, mas nos pampas, de onde teria partido para conquistar o mundo.

O paleontólogo Barnum Brown (*à dir.*), do Museu Americano de História Natural de Nova York, examina uma ponta de lança no contexto em que foi encontrada junto às costelas de um bisão-antigo em Folsom, no Novo México.

Brown foi um dos especialistas que visitou o sítio e atestou que o artefato estava associado aos fósseis, provando que os humanos estavam nas Américas desde o fim da Era do Gelo.

Os artefatos típicos da cultura Clovis eram as pontas de lança acanaladas, que tinham em sua base um sulco retirado no sentido longitudinal. Encontradas em todo o território dos Estados Unidos por volta de 13 mil anos atrás, pertencem ao complexo tecnológico de maior extensão na arqueologia das Américas.

Representação artística que sintetiza a primazia de Clovis: no fim da Era do Gelo, um humano espreita um bisão a fim de abatê-lo. De acordo com esse paradigma, derrubado em 1997, os caçadores de grandes mamíferos que viveram há 13 mil anos foram os primeiros americanos e colonizaram o resto do continente.

A arqueóloga Niède Guidon em 1980 numa escavação do Sítio do Meio, na Serra da Capivara, no Piauí. No Boqueirão da Pedra Furada, a dois quilômetros dali, Guidon encontrou indícios de uma ocupação humana que podia remontar a 100 mil anos, uma alegação que a maioria de seus colegas rejeita.

No Boqueirão da Pedra Furada há mais de mil pinturas rupestres, incluindo algumas das mais icônicas do Parque Nacional da Serra da Capivara, como o beijo de duas figuras humanas e o salto de dois mamíferos quadrúpedes. Como são feitas com ocre e outros materiais não orgânicos, não podem ser diretamente datadas.

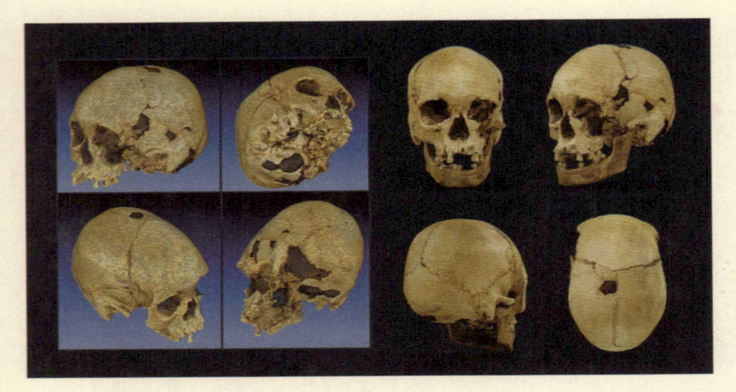

Crânio de Luzia, mulher que viveu no final da Era do Gelo na região de Lagoa Santa. Com idade estimada em 13 mil anos, ela é um dos esqueletos humanos mais antigos das Américas, mas há incertezas envolvidas na datação. Parte da coleção do Museu Nacional, seus ossos foram danificados pelo incêndio de 2018.

Intervenção artística sobre fotos e desenhos técnicos das ferramentas de quartzo e quartzito de até 22 mil anos encontradas na Toca da Tira Peia, no Piauí. Os artefatos têm aparência grosseira e, para um leigo, nem sempre evocam imediatamente a função com que eram empregados.

Os macacos-prego da Serra da Capivara usam seixos para abrir sementes e castanhas ou cavar o solo e atrair parceiros. Às vezes produzem, de forma não intencional, lascas com lâminas afiadas indistinguíveis de artefatos fabricados por ancestrais do *Homo sapiens*, o que pode confundir os arqueólogos.

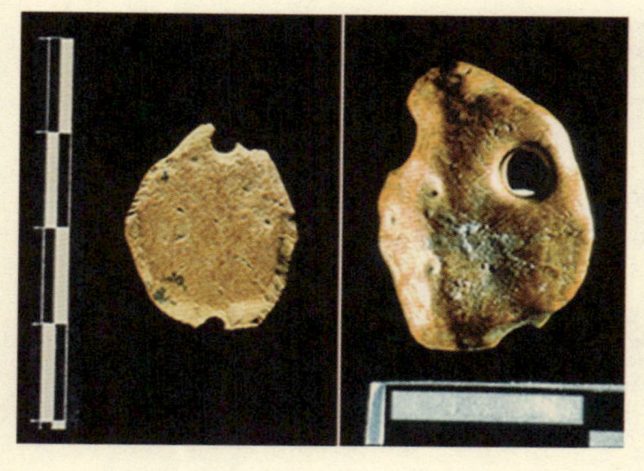

Em Santa Elina, no Mato Grosso, há evidências de que os humanos conviveram com a megafauna há 27 mil anos, antes do Último Máximo Glacial. Foram encontrados dois osteodermos — pequenas placas ósseas que ficavam sob a pele de preguiças--gigantes — que haviam sido polidos e perfurados, talvez para servir de pingentes.

Na Lapa do Santo, em Minas Gerais, foram encontradas dezenas de sepultamentos humanos feitos ao longo de 2400 anos que ajudaram a entender quem eram os povos de Lagoa Santa. No lado direito da entrada da gruta, uma estalactite lembra o rosto de um demônio com chifre e cavanhaque esculpido na pedra.

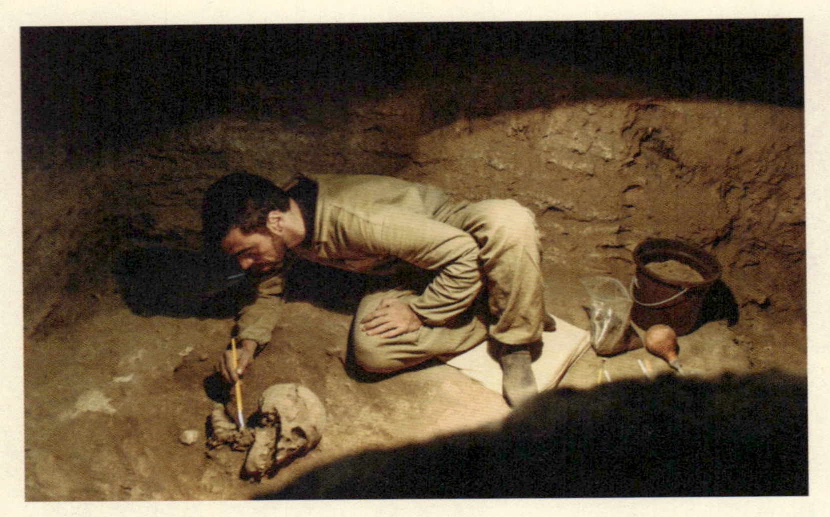

O arqueólogo Rodrigo Elias de Oliveira durante a exumação de um crânio na Lapa do Santo. Os sepultamentos encontrados ali seguiam práticas mortuárias complexas. Os ossos podiam ser partidos, queimados ou pintados com ocre e rearranjados. Vem dali o mais antigo caso de decapitação das Américas.

Em Monte Alegre, no Pará, estão as ocupações humanas mais remotas da Amazônia, com mais de 13 mil anos. No Painel do Pilão, foi encontrado um dos mais antigos observatórios solares conhecidos. Uma grade com 49 casas teria servido para marcar a passagem do tempo e antecipar a chegada do solstício de inverno.

A equipe de André Strauss retomou escavações na Lapa do Boquete, em Minas Gerais, onde foram encontrados nos anos 1990 indícios de uma ocupação há 13,3 mil anos. O cerrado foi povoado por humanos que se alimentavam e produziam ferramentas de forma distinta dos grupos que ocupavam outros biomas.

O cocô fossilizado de 14,3 mil anos encontrado em Paisley Caves, no Oregon, é o vestígio humano orgânico mais antigo das Américas. O povo que viveu ali fabricava ferramentas com uma tecnologia diferente das pontas de Clovis que apareceriam um milênio depois.

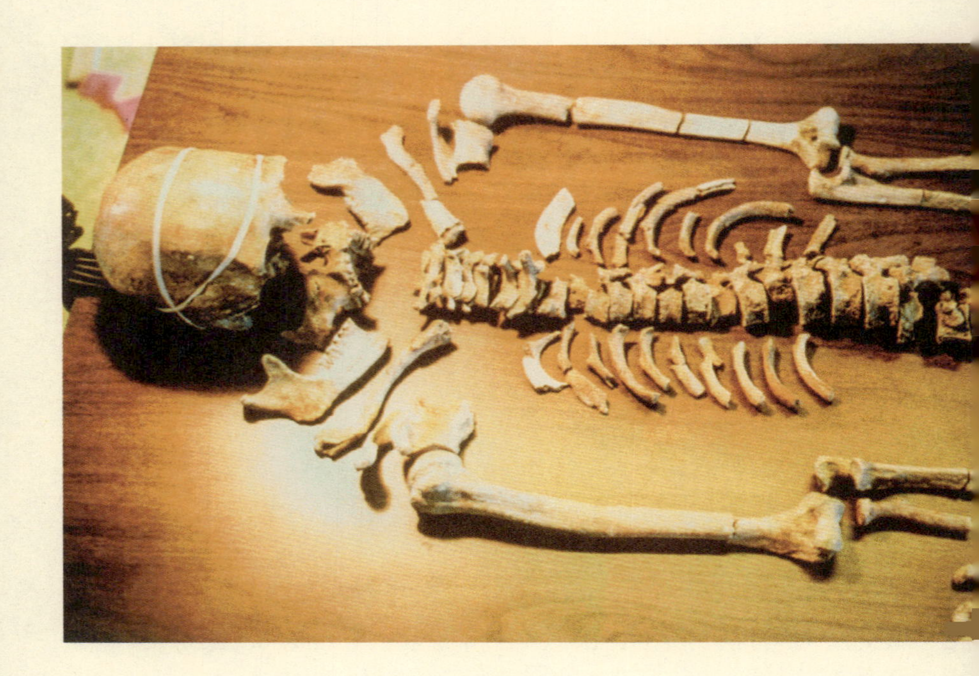

Uma grande placa de pedra de 24 mil anos encontrada no Vale da Pedra Furada, no Piauí, chamou a atenção dos arqueólogos por destoar dos demais artefatos encontrados ali. Com 21 cm de comprimento e 18,5 cm de largura, talvez servisse para processar alimentos ou tivesse uso ritualístico.

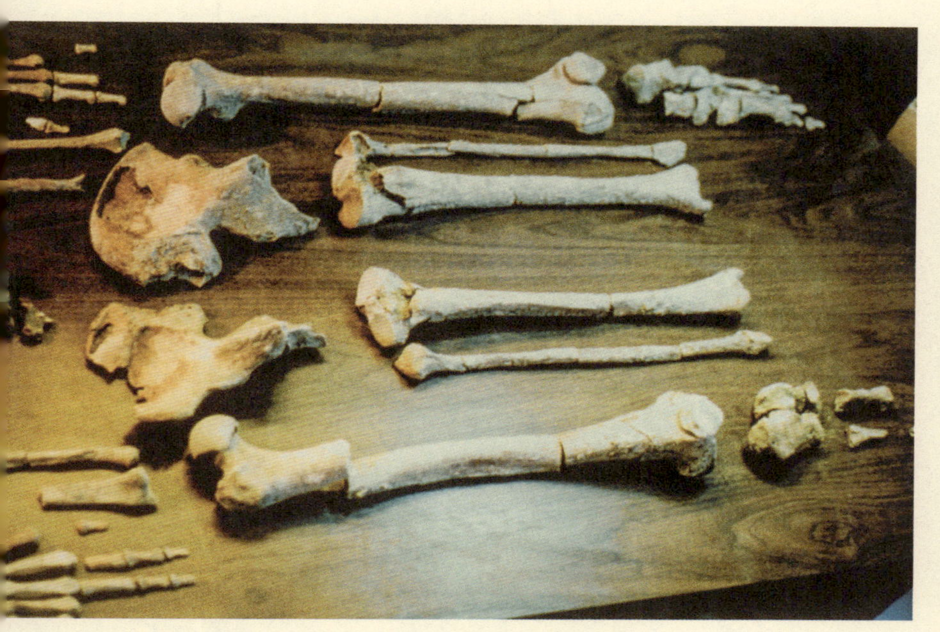

O Homem de Kennewick, um esqueleto de 8,5 mil anos encontrado no estado de Washington, virou o símbolo da luta anticolonialista dos indígenas norte-americanos. Após longa batalha judicial contra cientistas, povos originários provaram que ele era de fato seu ancestral e puderam sepultá-lo novamente.

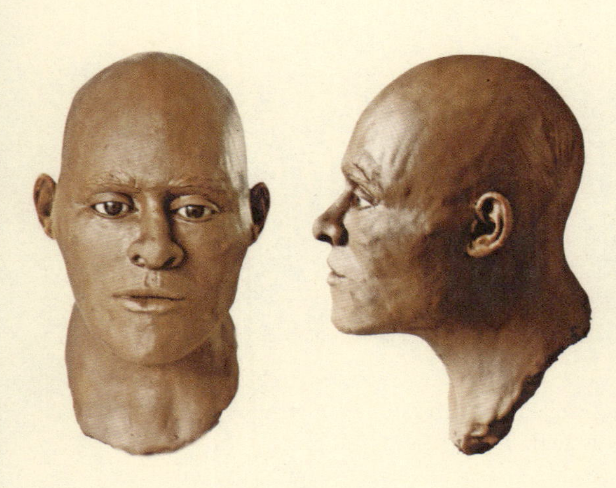

Nova reconstituição facial dos povos de Lagoa Santa desenvolvida com base em um crânio escavado na Lapa do Santo. O DNA antigo mostrou que aquele grupo está relacionado com os indígenas atuais, contrariando a hipótese de povoamento das Américas por duas populações biologicamente distintas.

Pegadas humanas de quase 23 mil anos encontradas no Parque Nacional de White Sands, no Novo México, mostram que talvez houvesse humanos na América do Norte no auge da Era do Gelo. Sua origem humana é inegável, mas a datação do sítio é questionada por alguns especialistas.

* * *

No norte da América do Sul também há registros de ocupação humana anterior ao povo de Clovis. Eles vêm de Taima-Taima, um sítio localizado a três quilômetros da cidade de Muaco, à beira do mar do Caribe, no noroeste da Venezuela. O local foi escavado a partir dos anos 1960 por José Maria Cruxent, artista plástico e arqueólogo catalão que se tornou pioneiro da disciplina na Venezuela. Em Taima-Taima ele encontrou as pontas de lança e outras ferramentas típicas da tradição El Jobo, que já tinha sido descrita com base em artefatos escavados em outros sítios próximos ao litoral da Venezuela.

O sítio de Taima-Taima foi descoberto em 1962 e escavado ao longo de quatro anos. Era possivelmente um charco onde os humanos iam emboscar animais atolados. Ali, Cruxent e sua equipe encontraram ossos de mamíferos como o mastodonte junto com pedaços de pontas de lança e outras ferramentas — algumas das ossadas apresentavam marcas deixadas pelos artefatos. As pontas El Jobo eram grandes e compridas e, ao que tudo indica, serviam para matar animais da megafauna. Em outros sítios, elas já tinham sido achadas junto com ossos de grandes mamíferos como os gliptodontes.

As datações de Taima-Taima atribuíam ao sítio uma idade que chegava a 15 mil anos. Mas a escavação se deu em meio ao reinado de Clovis e foi alvo dos questionamentos que contestavam invariavelmente as ocupações mais antigas no continente americano. Uma refutação veio do arqueólogo norte-americano Vance Haynes, o general de brigada da polícia de Clovis que agora estava na Universidade Metodista do Sul. Num artigo de 1974 na *Quaternary Research*, Haynes atribuiu as datas antigas à contaminação das amostras, mesmo sem ter ido ao sítio ou tê-las examinado.[15]

Para tentar dirimir as dúvidas, Cruxent decidiu voltar a escavar Taima-Taima em 1976 em parceria com o casal de arqueólogos Alan Bryan e Ruth Gruhn, da Universidade de Alberta. Os resultados, publicados dois anos depois na revista *Science*, confirmaram a antiguidade do sítio. Os pesquisadores escavaram o esqueleto de um jovem mastodonte que, pelo visto, havia sido morto e esquartejado por humanos naquele local. O animal tinha sido desmembrado — uma das patas da frente estava faltando — e alguns ossos tinham marcas de corte por ferramentas de pedra. Alojado na cavidade pélvica do bicho, os pesquisadores acharam um fragmento — a parte do meio — de uma ponta El Jobo. Encontraram também uma lasca de jaspe de fabricação humana próxima do osso do antebraço do mastodonte.

A idade do sítio foi determinada a partir de quatro amostras de madeira que estavam associadas ao mastodonte e que possivelmente eram provenientes do estômago ou intestino do bicho. A idade mais antiga chegava a 16,5 mil anos. Levando em conta a datação das quatro amostras, os pesquisadores estimaram que aquele animal havia sido morto há pelo menos 15 mil anos — quase dois milênios antes, portanto, do povo de Clovis. Os autores notaram que a ponta El Jobo pertencia a uma tradição tecnológica "completamente diferente" da empregada pela cultura Clovis.[16] Portanto, concluíram, estava refutado o modelo de ocupação rápida do continente pelo povo de Clovis, conforme propusera Paul Martin.

Mas não é simples derrubar um paradigma. A primazia de Clovis permaneceu válida por mais duas décadas, e o sítio venezuelano continuou motivando a desconfiança de alguns especialistas. Além da possibilidade de contaminação, os críticos questionaram a associação entre os ossos e as ferramentas, alegando que o solo pantanoso de Taima-Taima poderia ter misturado ferramentas e ossos encontrados em camadas diferentes de sedimentos. As dúvidas lançadas sobre Taima-Taima continuam ressoando até hoje, e o sítio nunca foi uma unanimidade entre os arqueólogos. Num artigo de revisão sobre a ocupação da América do Sul publicado em 2021, o arqueólogo norte-americano David Sutter classificou Taima-Taima entre os sítios onde a presença humana antiga precisa ser confirmada por dados mais confiáveis.[17]

Para Tom Dillehay, no entanto, nesse caso foram usados argumentos discutíveis para refutar um contexto arqueológico válido. Uma associação parecida entre ferramentas e ossos bastou para que seus colegas aceitassem que humanos caçaram mamutes em Blackwater Draw, na descoberta da primeira ponta de Clovis conhecida, conforme notou Dillehay no livro *The Settlement of the Americas*. "Se o sítio estivesse localizado na América do Norte e datado por volta ou depois de [13 mil anos], provavelmente seria aceito como válido", escreveu.*[18]

Nos Andes, por fim, há sítios arqueológicos que registram a presença humana antiga e ajudam a contar a história do povoamento da América do Sul. As ocupações mais remotas da cordilheira reconhecidas sem ressalvas pelos arqueólogos vêm de uma série de sítios na região da Sabana de Bogotá, no platô onde hoje fica a capital da Colômbia, em altitudes de aproximadamente 2600 metros. Esses sítios foram escavados pelo arqueólogo colombiano Gonzalo Correal a partir dos anos 1960. Entre eles estão as cavernas de El Abra e Tequendama, além de Tibitó, um sítio ao ar livre situado a quatro quilômetros de distância desses abrigos.

Na avaliação do arqueólogo colombiano Gaspar Morcote-Ríos, as ocupações inequívocas mais antigas da Colômbia aparecem em Tibitó, onde há vestígios de 13,6 mil anos, e Tequendama, com idade de até 12,8 mil anos. Numa das cavernas de El Abra, há vestígios cuja idade foi calculada em 15,2 mil anos, mas a origem humana e a associação entre os artefatos e as amostras datadas já

* Como Dillehay trabalha apenas com datas não calibradas em seu livro, a data da citação original é de 11 mil anos atrás.

foram questionadas. No sítio de Pubenza, situado no vale do rio Magdalena, apareceram vestígios supostamente ainda mais antigos, com idade na casa dos 20 mil anos, mas que precisam de mais detalhes para serem validados, conforme alega um estudo de 2020 liderado por Morcote-Ríos.[19]

Mesmo se deixarmos de lado os achados mais controversos, é fato que os ambientes mais diversos da América do Sul já tinham sido explorados por grupos humanos por volta de 12 mil ou 13 mil anos atrás. A partir daí, verifica-se uma explosão de sítios arqueológicos espalhados por todo o território, dos Andes à Terra do Fogo, passando pela Amazônia, pela caatinga, cerrado e pampas. Muitos deles estavam ocupados por grupos de cultura distinta, que se adaptavam para viver dos recursos disponíveis nos diferentes tipos de ambiente. Em Monte Verde, viviam dos recursos tanto do mar quanto das montanhas; na Caverna da Pedra Pintada, aproveitavam a flora e a fauna da floresta tropical; em Arroyo Seco 2, caçavam os herbívoros que habitavam os pampas; na Lapa do Boquete, a economia era baseada nos frutos e bichos do cerrado. Nenhum desses grupos fabricava ferramentas parecidas com as do povo de Clovis.

Aliás, era notável a variedade tecnológica usada pelos povos que ocuparam a porção meridional do continente americano, com ferramentas adaptadas para os recursos disponíveis em cada ambiente. Na avaliação de Antoine Lourdeau, um especialista nas tecnologias líticas praticadas no território brasileiro, esse é um traço que distingue a arqueologia sul-americana. "Na Europa há especificidades regionais, mas tem um fundo compartilhado em todo o continente. Já a América do Sul é um mosaico", disse-me Lourdeau. "Há coisas muito diferentes na Amazônia, nos Andes, no Planalto Central, na Bacia do Prata e em outros lugares."

Os estudiosos concordam que os primeiros grupos humanos a entrarem na América do Sul vieram do norte e passaram pelo istmo do Panamá. Dali, provavelmente se espalharam pelo continente pelo litoral do Pacífico e do Atlântico, pela cordilheira dos Andes e seguindo os vales dos rios. Já a data da entrada e dispersão continua a dividir os arqueólogos.

Num trabalho de 2020 publicado na *PLOS One*, os argentinos Luciano Prates, Gustavo Politis e Ivan Perez adotaram ferramentas estatísticas para fazer uma análise quantitativa das datações disponíveis para sítios arqueológicos sul-americanos. Descartaram, porém, aqueles com datas anteriores ao Último Máximo Glacial — Arroyo Vizcaíno, Santa Elina e os sítios da Serra da Capivara —, alegando que não preenchiam ao menos um dos critérios para aceitação inequívoca de sítios arqueológicos. Concluíram que os primeiros grupos humanos a entrar na América do Sul chegaram por volta de 15,5 mil anos atrás. A entrada na América do Norte, por conseguinte, teria acontecido por volta de 17,4 mil anos.[20] A proposta dos argentinos não é compatível, porém, com as evidências que vêm se acumulando de uma presença humana anterior ao Último Máximo Glacial em sítios do Brasil e do Uruguai, e não parece haver no horizonte uma saída para esse impasse.

Que se defenda uma data de entrada mais antiga ou mais conservadora, os estudos recentes vêm reafirmando a autonomia da arqueologia sul-americana. No passado, a ocupação da América do Sul tinha sido tratada — sobretudo pelos estudiosos dos Estados Unidos — como uma subseção do povoamento da América do Norte. Só que não havia nada, entre os achados arqueológicos da América do Sul, que indicasse qualquer tipo de continuidade. Não houve nesse continente uma cultura dominante como a de Clovis foi na América do Norte. Pelo contrário, a diversidade geográfica e cultural de seus primeiros habitantes mostrava que o continente tem uma história própria que não se resume a uma mera expansão dos povos vindos do Norte. No fundo, é o que vinham alegando há décadas os arqueólogos sul-americanos, entre os quais a ideia da primazia de Clovis nunca teve uma adesão tão maciça quanto entre seus pares do Norte.

17. Um cocô da Era do Gelo

Paisley Caves, Oregon, Estados Unidos

Um cocô de mais de 14 mil anos feito onde hoje fica o estado do Oregon, no noroeste dos Estados Unidos, é o vestígio humano orgânico mais antigo de que se tem notícia no continente americano. O coprólito — nome técnico que os arqueólogos dão às fezes fossilizadas — foi encontrado no sítio de Paisley 5 Mile Point Caves, mais conhecido pelo nome abreviado de Paisley Caves. O sítio foi escavado a partir de 2002 pela equipe do arqueólogo Dennis Jenkins, da Universidade do Oregon, com resultados que ajudaram a superar o paradigma da primazia de Clovis.

O sítio de Paisley Caves abrange um conjunto de cavernas situadas à beira do antigo lago Chewaucan, que era formado pelo acúmulo da água da chuva no fim da Era do Gelo e secou desde então. Os coprólitos foram parar nas cavidades depois que o nível da água do lago baixou, depositados junto com ossos, restos de vegetais, artefatos e materiais variados escavados pelos pesquisadores. O ambiente muito seco do interior das cavernas permitiu a preservação de materiais perecíveis raramente encontrados em sítios arqueológicos, como fibras, cordas, cestos, couro e artefatos de madeira.

Esse ambiente favoreceu também a conservação dos pedaços de cocô fossilizados. As amostras encontradas eram obra de várias espécies de animais. Nas camadas mais profundas do sítio, catorze delas tinham origem humana, conforme concluiu a análise morfológica que avaliou aspectos como tamanho, forma, cor e composição. O exame do conteúdo dos coprólitos revelou detalhes sobre a dieta daquelas pessoas, que incluía pequenos animais, como esquilos e aves, além de plantas que ainda hoje são encontradas nas imediações das cavernas.

Para confirmar a origem humana do material, o grupo fez também uma análise genética no laboratório de Eske Willerslev, da Universidade de Copenhague, na Dinamarca. Publicado em 2008 na revista *Science*, o estudo não só identificou DNA mitocondrial humano nas catorze amostras como mostrou que o material apresentava parentesco genético com os povos nativos americanos.[1]

Por se tratar de material orgânico, os coprólitos puderam ser diretamente datados, com resultados surpreendentes. A idade da amostra mais antiga podia chegar a 14,3 mil anos. "O material de Paisley Caves representa, até onde possamos dizer, o mais antigo DNA humano obtido nas Américas", Willerslev disse na ocasião à agência Reuters.[2]

Naquele momento o sítio de Monte Verde já tinha sido amplamente aceito, mas os pesquisadores se cercaram de cuidados para se blindar de críticas dos colegas mais céticos. No caso, tratava-se de garantir que o material humano encontrado na análise genética não era proveniente de contaminação por DNA moderno deixado pelos próprios cientistas, ou mesmo por DNA de outras espécies. E assim julgaram ter conseguido excluir a hipótese de contaminação.

Mas alguns colegas não se convenceram disso. Duas contestações formais dos resultados saíram no ano seguinte na própria *Science*. Uma delas foi assinada pelo arqueólogo Paul Goldberg, da Universidade de Boston, e outros dois colaboradores. Goldberg — um especialista na análise de coprólitos — havia examinado as amostras de Paisley Caves, a pedido do grupo de Jenkins, e concluído que as fezes eram de algum animal herbívoro e não tinham origem humana. Ele alegou, no entanto, que seu estudo não foi mencionado no artigo da *Science*.[3] Em outro texto, o geneticista Henrik Poinar, da Universidade McMaster, no Canadá, o arqueólogo Stuart Fiedel e outros cinco colegas alegaram que a análise genética era inconclusiva, que havia discrepâncias na datação e que não era possível afirmar com segurança que havia humanos anteriores a Clovis em Paisley Caves.[4]

A mesma revista publicou, em 2012, novos dados produzidos pelos grupos de Jenkins e Willerslev para tentar demonstrar a origem humana dos coprólitos de Paisley Caves. O estudo incorporou o material encontrado em novas escavações e promoveu novas análises genéticas e datações — ao todo, quase duzentas amostras foram investigadas com carbono-14. Testes feitos em laboratórios diferentes chegaram a resultados parecidos e concluíram que o material era de origem humana e anterior a Clovis. Para os autores, estava descartada a possibilidade de contaminação.[5]

O grupo fez também uma análise mais detalhada das ferramentas de pedra encontradas em Paisley Caves. Não havia tantos artefatos no sítio, que talvez fosse um local de ocupação efêmera. Mas o material sugeriu que quem fez aquele cocô pertencia a um grupo que fabricava suas ferramentas com uma tecnologia distinta daquela que seria usada pelo povo de Clovis um milênio mais tarde. Eles confeccionavam pontas de projétil pedunculadas, ou seja, tinham um cabo curto mais estreito que a base, com o qual provavelmente eram acopladas a setas ou lanças. Como ferramentas desse estilo foram encontradas em outros sítios na porção ocidental da América do Norte, elas ficaram conhecidas como "pontas pedunculadas do Oeste".

Os artefatos desse tipo encontrados até então eram um pouco mais recentes que as pontas de Clovis. No estudo de 2012, porém, Jenkins e seus colegas mostraram que as duas tradições culturais foram contemporâneas e que talvez as pontas pedunculadas fossem mais antigas (não havia ferramentas nas camadas com 14 mil anos de idade). Os cientistas postularam que essa tradição lítica devia ter surgido no oeste dos Estados Unidos, enquanto as pontas acanaladas de Clovis vinham provavelmente das planícies centrais ou do sudeste. Para eles, a colonização das Américas tinha envolvido grupos com tecnologias diferentes — e quiçá com perfis genéticos distintos.

Em 2020, o grupo de Jenkins publicou novas análises moleculares dos cocôs fossilizados que investigaram a composição de lipídios dos coprólitos, para tentar confirmar que o material tinha origem humana e não fora produzido por outros animais. Usando esse método, eles contornaram as críticas que haviam sido feitas à identificação do DNA humano nos coprólitos. Publicado na revista *Science Advances*, o estudo mostrou que alguns dos coprólitos eram obra de felinos carnívoros, mas dezoito deles tinham a assinatura típica de cocôs humanos, incluindo duas amostras de idade anterior a Clovis. Para os autores, aquela era uma "demonstração inequívoca" e "sem nenhuma ambiguidade de interpretação" da origem humana do material.[6]

A questão sobre qual tradição cultural veio antes foi resolvida com os achados de Cooper's Ferry, um sítio arqueológico si-

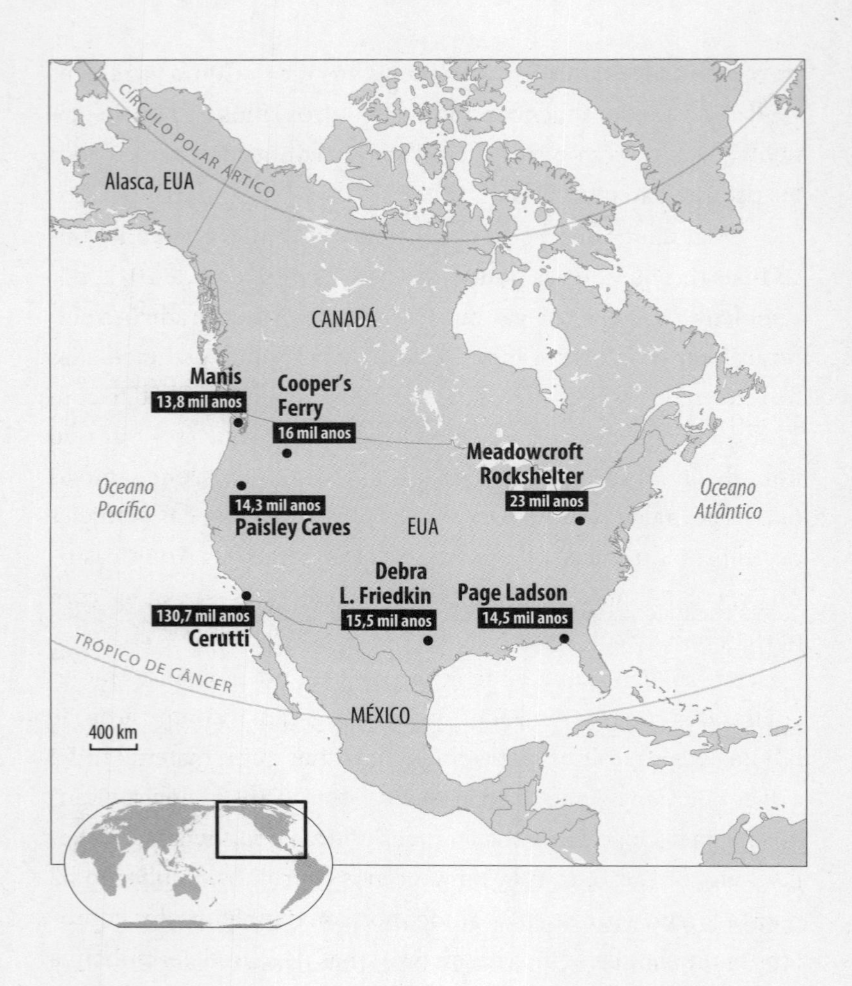

tuado no oeste de Idaho, no noroeste dos Estados Unidos, a cerca de quinhentos quilômetros em linha reta de Paisley Caves. Ali foram encontrados artefatos pertencentes à Tradição Pedunculada do Oeste cuja idade podia passar de 16 mil anos. Situado na confluência de um rio com um córrego, ambos na bacia do rio Colúmbia, o sítio foi escavado pela equipe do arqueólogo Loren Davis, da Universidade Estadual do Oregon.

Em 1997, durante seu doutorado, Davis escavou uma pequena área de dois por dois metros e encontrou ali o que parecia ser um esconderijo contendo treze ferramentas de pedra, incluindo quatro pontas de projétil pedunculadas, além de centenas de restos de produção de ferramentas e dezenas de ossos de pequenos roedores e outros mamíferos. Talvez tenham sido estocadas como uma precaução para um futuro incerto e, ao que parece, só foram recuperadas milênios depois. Há vários exemplos de esconderijos desse tipo associados à cultura Clovis, mas aquele era apenas o segundo caso documentado com pontas pedunculadas, conforme notaram Davis e colegas num artigo de 2014 na revista *American Antiquity*.[7]

O estudo de 2014 não trouxe evidências conclusivas quanto à idade das ferramentas, porém. Para isso, seria preciso esperar as novas escavações de Cooper's Ferry feitas entre 2009 e 2018 e relatadas em 2019 na *Science*.[8] A equipe de Davis datou o sítio com carbono-14 e com luminescência opticamente estimulada e concluiu que a ocupação teve início entre 15,3 mil anos e 16,6 mil anos atrás. Nas novas escavações, os arqueólogos norte-americanos encontraram quase duzentas ferramentas de pedra ou lascas derivadas da sua fabricação, com destaque para fragmentos de duas pontas de projétil pedunculadas. Elas estavam em camadas com idade contemporânea ou anterior à do povo de Clovis.

Mas os novos achados não bastaram para convencer Stuart Fiedel, Vance Haynes e outros pesquisadores que mantêm viva a polícia de Clovis. Ao analisar os resultados de Cooper's Ferry, eles afirmaram num artigo de 2021 que as evidências de ocupação antiga daquele sítio não eram conclusivas e que só havia provas inequívocas da presença humana ali posteriores à cultura Clovis.[9]

No fim de 2022, porém, surgiram novas provas que confrontaram os argumentos de Fiedel e seus colegas e confirmaram a antiguidade da ocupação de Cooper's Ferry. Ao escavar uma nova área no mesmo sítio, o grupo de Davis encontrou mais catorze pontas de projétil pedunculadas inteiras ou fragmentadas, em camadas com idades entre 15,7 mil e 16 mil anos atrás. Com isso, a Tradição Pedunculada do Oeste se firmou como a mais antiga tradição tecnológica conhecida na América do Norte, com uma implicação clara: as pontas acanaladas de Clovis não foram as primeiras ferramentas fabricadas pelos americanos.[10]

Ao descrever os achados mais recentes, os autores notaram semelhanças entre os artefatos de Cooper's Ferry e pontas de projétil pedunculadas encontradas no Japão entre 16 mil e 13 mil anos atrás, que derivam de uma tradição cultural ainda mais antiga encontrada naquela região. Davis e seus colegas viram nessa afinidade tecnológica um sinal de conexão cultural entre os primeiros americanos e povos que habitavam o nordeste da Ásia.

Fosse qual fosse a origem das ferramentas encontradas em Cooper's Ferry, uma coisa estava certa: havia populações humanas estabelecidas na América do Norte ao sul das grandes geleiras antes que o corredor entre elas estivesse aberto, o que só aconteceria a partir de 13,8 mil anos atrás. Portanto, os fabricantes daquelas pontas pedunculadas deviam ter chegado até ali margeando o litoral pacífico. Os primeiros americanos teriam vindo de barco, fazendo navegação de cabotagem rumo ao sul, parando eventualmente nas faixas litorâneas de terra firme formadas à medida que a grande geleira que cobria o norte do litoral pacífico recuava no fim da Era do Gelo.

Se pensarmos na rota costeira seguida pelos primeiros americanos como uma grande autoestrada, propôs Davis, o rio Colúmbia — que deságua perto da atual fronteira entre Estados Unidos e Canadá — seria a primeira saída disponível desde a Beríngia. "A explicação mais parcimoniosa em que acreditamos é que as pessoas vieram pela costa do Pacífico e, quando chegaram à foz do rio Colúmbia, encontraram a primeira rota viável para o interior do continente ao sul das geleiras", disse o arqueólogo à *National Geographic.*[11]

Se acaso ainda houvesse arqueólogos em dúvida sobre se a cultura Clovis tinha sido a primeira do continente, a posição ficou bem mais difícil de ser sustentada após as escavações feitas no vale de um riacho — o Buttermilk Creek — no centro do Texas, onde há um complexo de sítios arqueológicos. O local foi ocupado por grupos humanos ao longo de muito tempo, talvez por se tratar de um local próximo de um curso d'água e de um afloramento de sílex, matéria-prima que eles usavam para construir suas ferramentas.

Em dois sítios daquela região, arqueólogos encontraram artefatos de uma tradição tecnológica desconhecida em camadas de sedimento que estavam abaixo de níveis em que havia ferramentas típicas da cultura Clovis. Isso era uma prova de que, antes que os fabricantes das pontas acanaladas ocupassem aquele local, passaram por ali um ou mais grupos que produziam ferramentas diferentes.

Um desses sítios é chamado de Debra L. Friedkin, em homenagem a uma integrante da família a quem pertenciam aquelas terras, e foi escavado a partir de 2006 pela equipe do arqueólogo norte-americano Michael Waters, da Universidade do Texas A&M. Camada após camada, sua equipe encontrou artefatos típicos de várias tradições, como Pré-histórico Tardio, Arcaico Tardio, Arcaico Recente, Paleoíndio, Folsom, Clovis e, abaixo dela, uma cultura ainda mais antiga. Como não havia amostras orgânicas disponíveis para datação segura, o sítio teve sua idade calculada com dezenas de medições usando luminescência opticamente estimulada. A idade das camadas mais antigas com sinais de ocupação humana chegava a 15,5 mil anos, conforme relataram Waters e colegas em 2011 na *Science.*[12]

Em meio a centenas de artefatos escavados nas camadas pré-Clovis do sítio, a equipe de Waters encontrou doze pontas de projétil inteiras ou fragmentadas. Trata-se das armas mais antigas já encontradas na América do Norte. "Praticamente todos os sítios pré-Clovis têm ferramentas de pedra, mas pontas de lança ainda não tinham sido encontradas", disse Waters ao *Texas A&M Today*.[13]

As pontas não eram acanaladas e nem pareciam ter parentesco tecnológico direto com as ferramentas de Clovis, encontradas em camadas mais recentes do mesmo sítio. Mas o grupo acredita que uma delas em especial — uma ponta de lança com cerca de cinco centímetros na forma de um triângulo isósceles, encontrada numa camada com 14 mil anos de idade — poderia ser a avó das pontas de Clovis, pois tinha sido fabricada com técnicas similares. As pontas daquele nível eram na maioria pedunculadas, mas diferentes das de Paisley Caves e Cooper's Ferry.

Uma ocorrência parecida já tinha sido observada no sítio Gault, situado a 250 metros de Debra Friedkin e escavado pela equipe do arqueólogo norte-americano Thomas Williams, da Universidade Estadual do Texas. Ali também havia artefatos da cultura Clovis e, numa camada inferior, estavam algumas pontas de projétil pedunculadas que não pertenciam a qualquer tradição lítica conhecida. Sua idade foi estimada em pelo menos 16 mil anos, mas podia chegar até 20 mil anos, conforme anunciaram Williams e colegas em 2018 na *Science Advances*.[14]

Com base nos achados de Debra Friedkin e Gault, Waters e colegas propuseram que os primeiros grupos humanos a entrar no continente americano usavam pontas de projétil pedunculadas. Para eles, a Tradição Pedunculada do Oeste — que apareceu depois da data em que aqueles sítios texanos foram ocupados — pode ter sido criada por grupos que continuaram a fazer pontas pedunculadas mesmo depois da expansão do povo de Clovis. Talvez as duas tradições culturais fossem fruto de migrações distintas para o continente americano, conforme postularam num artigo de 2018 também na *Science Advances*.[15]

Michael Waters, o arqueólogo à frente da equipe que escavou Debra Friedkin, também participou da escavação de outros dois sítios que trouxeram evidências robustas da presença humana anterior a Clovis na América do Norte. O pesquisador promoveu uma nova análise do material encontrado no sítio de Manis, no estado de Washington, no extremo noroeste dos Estados Unidos. No final dos anos 1970, tinham sido achados ali ossos de um mastodonte que parecia ter sido abatido por humanos: havia lascas de pedra junto a um osso longo, e outros ossos tinham marcas de corte que podiam ter sido feitas por ferramentas. O indício mais convincente era um fragmento da ponta de uma flecha ou lança que estava incrustado numa costela do animal. A ponta do projétil era feita de osso ou chifre e tinha entrado mais de dois centímetros na costela — provavelmente foi essa a causa da morte do mastodonte.

Os arqueólogos que escavaram o material afirmaram inicialmente que sua idade era de 14 mil anos, mas a data nunca foi plenamente aceita. Waters promoveu novas datações por carbono-14 e mostrou que eles não estavam equivocados: o animal tinha sido abatido há 13,8 mil anos, mais de meio milênio antes de Clovis. Trabalhando em parceria com o laboratório de Eske Willerslev, Waters conseguiu identificar a espécie da qual vinha o osso usado para fabricar a ponta de projétil. Ironicamente, tratava-se de outro mastodonte que havia sido abatido ou encontrado morto pelos humanos e que agora ajudava à sua revelia a matar um de seus pares, conforme os cientistas anunciaram em 2011.[16] Num estudo posterior, o grupo de Waters chegou a fazer uma reconstituição tridimensional do objeto que feriu o animal — um artefato que em nada lembrava as pontas acanaladas.[17]

Ao apresentar seus resultados, os cientistas lembraram outros dois sítios no estado do Wisconsin, à beira dos Grandes Lagos, com evidências de matança de mamutes por humanos. Nos dois casos, ferramentas de pedra foram encontradas junto aos ossos dos mamutes, mas não havia pontas de projétil. Os dois casos são anteriores a Clovis: o sítio Schaefer tem 14,2 mil anos, e o sítio Hebior, 14,8 mil anos. Se os humanos tiveram alguma contribuição para a extinção daqueles bichos, notaram os autores, seu impacto foi mais prolongado do que se imaginava, e certamente não houve uma blitzkrieg como Paul Martin havia proposto quando formulou sua síntese da primazia de Clovis.

O outro sítio anterior a Clovis estudado por Waters — Page Ladson — fica na Flórida, no sudeste dos Estados Unidos, no extremo oposto do sítio Manis. Não era um sítio de escavação trivial: Page Ladson está a nove metros de profundidade debaixo d'água, numa cavidade com sessenta metros de diâmetro formada pela erosão da água no rio Aucilla. No final da Era do Gelo, porém, tratava-se de um lago que servia como fonte de água para pessoas e outros animais.

O sítio foi encontrado por acaso, quando um mergulhador se deparou com grandes ossos de um primo extinto do elefante no rio Aucilla. Explorações do sítio nos anos 1980 e 1990 encontraram oito artefatos de pedra supostamente associados com ossos de mastodonte, em depósitos com mais de 14 mil anos de idade. Mas a antiguidade da presença humana ali foi contestada, e, por isso, Waters se associou à equipe de Jessi Halligan, uma especialista em arqueologia subaquática da Universidade do Estado da Flórida, para investigar o sítio de Page Ladson entre 2012 e 2014.

Nas escavações subaquáticas os arqueólogos trajam roupa de mergulho, mas o princípio do trabalho permanece o mesmo — remover as camadas sedimentares em busca de vestígios de ocupação humana, só que com o auxílio de bombas e mangueiras para a retirada dos sedimentos. Os pesquisadores encontraram ali um número pequeno de ferramentas, mas que lhes pareceu uma prova inequívoca da presença humana antiga naquela localidade. A peça mais notável era um fragmento de uma lâmina bifacial feita com um pedaço de sílex que estava numa camada com 14,5 mil anos, junto com outras lascas de pedra.

No artigo que descreveu os achados, publicado em 2016 na *Science Advances*, os autores afirmaram que, naquela época, os grupos humanos já estavam bem adaptados ao ambiente e sabiam onde encontrar água, caça, plantas e matéria-prima para artefatos.[18] E isso na Flórida, a milhares de quilômetros da rota costeira pacífica pela qual se supõe que os humanos tenham adentrado o continente. Devia ter levado algum tempo até que chegassem ali, se adaptassem ao ambiente e tomassem pé dos recursos disponíveis.

O retrato que se forma quando juntamos as peças trazidas pelos sítios escavados por Waters e outros arqueólogos é nítido: os grupos humanos estavam espalhados por toda a América do Norte pelo menos um milênio antes de o povo de Clovis começar a fabricar suas pontas acanaladas. Havia sinais robustos da presença humana em estados do noroeste (Washington, Oregon e Idaho), do centro-oeste (Wisconsin), do centro-sul (Texas) e do sudeste (Flórida) dos Estados Unidos (e também na Pensilvânia, no nordeste, se considerarmos Meadowcroft Rockshelter). Em todos eles, as ocupações humanas datam de pelo menos cerca de 14 mil anos atrás e, em alguns casos, recuam até milênios antes disso.

Esses sítios pré-Clovis têm ainda algo em comum: eles foram apresentados à comunidade de arqueólogos na segunda década do século XXI, quando a ideia da primazia do povo de Clovis já tinha sido desbancada por Monte Verde e os especialistas estavam em busca de uma nova narrativa consensual para explicar a ocupação do continente americano. Nos anos 2010, falar numa ocupação humana de 15 mil ou 16 mil anos na América do Norte já não era mais sacrilégio, e os cientistas que escavaram esses sítios não enfrentaram a mesma hostilidade com que James Adovasio foi recebido quando apresentou Meadowcroft aos colegas.

Além disso, a nova geração de sítios pré-Clovis da América do Norte se beneficiou também dos avanços tecnológicos da arqueologia. Escavados com técnicas de ponta, esses sítios estão blindados de algumas críticas metodológicas feitas a seus equivalentes descobertos no século passado. Page-Ladson, o sítio escavado com métodos da arqueologia subaquática, é um bom exemplo disso. "Temos artefatos claros, que foram escavados meticulosamente e estavam todos no lugar", disse Michael Waters à *National Geographic* em 2016. Eles estavam num contexto geológico sólido, coberto por quatro metros de sedimentos e por uma camada de conchas que selou completamente o depósito, continuou o arqueólogo. "Temos 71 datas de radiocarbono ao longo de toda a sequência. Se as pessoas não acreditarem nesse sítio, elas não vão acreditar em mais nada."[19]

De fato, Page-Ladson e os outros novos sítios foram aceitos sem maior resistência por boa parte dos arqueólogos, diferentemente da recepção reservada a Meadowcroft, Topper e toda a geração anterior de sítios pré-Clovis na América do Norte. Mas a ruptura do paradigma não deu legitimidade automática a qualquer sítio pré-Clovis.

Que o diga o paleontólogo Thomas Deméré, do Museu de História Natural de San Diego, na Califórnia, que analisou ossos de mastodonte encontrados junto a uma estrada nos arredores de San Diego. Sua análise concluiu que eles apresentavam sinais inequívocos de que tinham sido quebrados por humanos — possíveis artefatos também foram achados junto aos fósseis. Até aí, nada de surpreendente; o problema todo está na idade do material, datado com a técnica de urânio/tório. Ao que tudo indica, o mastodonte morreu há cerca de 130,7 mil anos, quando o *Homo sapiens* nem sequer tinha saído da África. Se as marcas encontradas nos ossos eram mesmo fruto da ação humana, o mais provável é que tivessem sido feitas por um *Homo erectus* ou por alguma outra espécie extinta. O sítio foi batizado com o sobrenome do paleontólogo que descobriu os fósseis, Richard Cerutti.

Junto aos ossos, os cientistas encontraram também grandes blocos de pedra que representavam um enigma geológico. Isso porque os restos do mastodonte foram achados numa camada de sedimentos finos, mas os processos geológicos que geralmente levam à formação desses sedimentos não permitiriam que pedras daquele tamanho fossem depositadas naquela camada. "Como essa pedra foi parar ali?", pergunta Deméré segurando a rocha com as duas mãos num vídeo que gravou para a revista *Nature* sobre a descoberta.[20] Só poderia ser obra de humanos. Para ele, aquelas pedras deviam ter servido como martelo e bigorna para humanos que quebraram os ossos do mastodonte, quem sabe em busca do tutano ou de matéria-prima para a fabricação de artefatos (não havia marcas de descarnamento nos ossos).

Ciente do potencial bombástico dessa conclusão, Deméré tentou se blindar de críticas. Associado ao arqueólogo Steven Holen, do Centro para Pesquisa Paleolítica Americana, e outros colegas, ele alegou que as marcas encontradas nos ossos não eram compatíveis com as que teriam sido deixadas por animais carnívoros. Conduziram ainda análises que apontaram vestígios do uso das ferramentas de pedra e fizeram até um experimento em que quebraram fêmures de animais contemporâneos — vaca e elefante — com uma grande pedra presa num tronco (o vídeo está disponível na internet).[21] Os cientistas notaram que as marcas do impacto na pedra eram compatíveis com as encontradas em Cerutti. Argumentaram também que vértebras e costelas do mastodonte

— bem mais frágeis que os fêmures — tinham sido encontradas intactas, um sinal de que os ossos tinham sido deliberadamente escolhidos para a quebra.

Os argumentos convenceram os editores da *Nature*, que publicou o artigo de Holen, Deméré e colegas em 2017.[22] Mas, como Niède Guidon bem sabe, a chancela de uma das mais prestigiosas revistas científicas do mundo não bastou para conferir antiguidade ao sítio arqueológico, e poucos especialistas se convenceram da validade de Cerutti.

As refutações vieram pela imprensa e na própria literatura técnica. A primeira delas saiu menos de três meses depois, na revista *PaleoAmerica*, e teve como coautores figurões da arqueologia norte-americana como Tom Dillehay e David Meltzer. Os cientistas contestaram a estratigrafia, a análise das marcas de corte e a origem dos artefatos encontrados na Califórnia. "Alegações extraordinárias requerem evidências extraordinárias, e isso não foi fornecido para a origem arqueológica do sítio de mastodonte Cerutti", escreveram.[23]

A própria *Nature* abriu as páginas para uma refutação do estudo californiano publicada em 2018 e assinada pelo arqueólogo Joseph Ferraro, da Universidade Baylor, no Texas, e outros cinco colegas. Eles alegaram que as marcas encontradas nos ossos de mastodonte podiam perfeitamente ter sido produzidas por equipamentos modernos de construção (o sítio foi encontrado durante obras para o isolamento acústico da rodovia). Notaram ainda que padrões parecidos já tinham sido observados em ossos de mamute quebrados por máquinas desse tipo.[24]

Holen, Deméré e seus colegas publicaram réplicas às duas contestações e sustentaram sua interpretação original dos achados. Apesar disso, Cerutti continua sendo visto com muita reticência pela comunidade, e com razão: sua idade é dezenas de milhares de anos mais antiga do que as datas mais controversas já propostas para a ocupação do continente. Aceitar essas evidências implicaria mudar radicalmente a história dos primeiros americanos e da própria expansão humana pelo planeta. Não há muitos arqueólogos dispostos a tanto. "Dado tudo que sabemos, [essa data] não faz nenhum sentido", resumiu David Meltzer numa entrevista de 2018 à *Nature*. "Você não vai dar uma guinada de 180 graus na opinião das pessoas a menos que tenha uma evidência incontestável, e não é o caso aqui."[25]

Mesmo sem Cerutti, o resto da América do Norte viu surgirem nas últimas décadas evidências incontestáveis de uma ocupação mais antiga do que o limite cronológico imposto pela primazia de Clovis, que vigorou por muitas décadas. Assim como acontecia na América do Sul, também na América do Norte havia cada vez mais indícios robustos da presença humana por volta de 14 mil ou 15 mil anos atrás. Da mesma forma, tanto no Norte quanto no Sul, não há um modelo que explique os processos de povoamento a partir das relações de parentesco tecnológico entre as diferentes tradições líticas encontradas nesses sítios.

18. O DNA de Clovis

Anzick, Montana, Estados Unidos

Entre as dezenas de sítios arqueológicos em que foram achadas ferramentas fabricadas pelo povo de Clovis, um único tinha também remanescentes humanos: Anzick, situado nas imediações do vilarejo de Wilsall, em Montana, na beira das Montanhas Rochosas, no noroeste dos Estados Unidos. Ali foi encontrado o sepultamento de um menino logo abaixo de pontas acanaladas e outros artefatos. O material não foi encontrado no contexto de uma escavação arqueológica, no entanto. Foi descoberto em 1968, durante atividades de construção civil na área onde um antigo abrigo rochoso havia colapsado. O sítio estava nas proximidades de um córrego a quase dois quilômetros do vilarejo. Situado numa propriedade privada, acabou batizado com o sobrenome dos donos da terra.

Um homem chamado Ben Hargis estava coletando cascalho com um trator quando notou um depósito de sedimentos com consistência de pólvora e resolveu usar o material para preencher buracos na estrada. No meio da operação, notou que havia ferramentas de pedra lascada em meio aos sedimentos. No fim do expediente, Hargis convocou sua esposa e um casal de amigos para recolher os artefatos daquele depósito. Numa única noite, eles coletaram mais de cem ferramentas e fragmentos de um crânio humano pintados de ocre. Não tinham como saber, mas estavam diante de um conjunto de artefatos típicos da cultura Clovis, dentre as quais se destacavam oito pontas acanaladas e hastes de osso com as quais elas eram acopladas a lanças.

Após a descoberta, o arqueólogo Dee Taylor, da Universidade de Montana, foi ao sítio e constatou que já não havia mais praticamente nada para ser escavado e que a coleta dos amadores tinha provavelmente misturado os sedimentos de diferentes níveis, o que comprometia a qualidade da informação que se poderia tirar dali. Em 1971, Larry Lahren e Robson Bonnichsen, dois arqueólogos do Canadá, voltaram ao sítio e encontraram mais ossos pintados de ocre que pareciam ser do mesmo indivíduo. Lahren esteve em Anzick mais uma vez em 1999, quando conseguiu visitar o sítio com Ben Hargis e as outras três pessoas que haviam coletado o material três décadas antes. Em depoimento ao arqueólogo, elas relataram que as ferramentas tinham sido achadas empilhadas, bem próximas umas às outras, dentro de uma cova com pouco menos de um metro quadrado. Lahren e Bonnichsen estudaram as hastes de osso encontradas em Anzick num artigo de 1974,[1] mas foi preciso esperar até o começo do século seguinte para que fosse publicada a primeira datação e análise dos remanescentes humanos encontrados junto com as pontas de Clovis, feita pelos arqueólogos Douglas Owsley e David Hunt, do Instituto Smithsonian.[2]

Os ossos pertenciam a um menino que morreu antes de completar dois anos, chamado pelos arqueólogos de Anzick-1. Ele foi sepultado junto com cem artefatos de pedra e quinze de osso. Tanto os fósseis quanto os artefatos estavam pintados de ocre. A datação mostrou que Anzick-1 viveu há cerca de 12,6 mil anos, no final da era de Clovis. Para Owsley e Hunt, é impossível dizer por que aquela criança tinha sido sepultada com um conjunto tão impressionante de ferramentas ou que lugar ela ocupava dentro de seu grupo. A seis metros dali, foram encontrados fragmentos de crânio de uma segunda criança, esta com idade entre seis e oito anos. Mas não estavam pintados de ocre ou associados a ferramentas, e nem eram contemporâneas: Anzick-2 viveu cerca de 9,5 mil anos atrás.

A associação do menino com a cultura Clovis foi questionada por alguns arqueólogos. Além de os remanescentes humanos e as ferramentas não terem sido encontrados no seu contexto original, a datação das hastes feitas de osso mostrou que elas eram ligeiramente mais velhas que os ossos do menino. Isso poderia ser um sinal de que não tinham sido enterrados juntos e de que ele não era, afinal, um representante do povo de Clovis.

Para passar a questão a limpo, um grupo conduzido pela arqueóloga chilena Lorena Becerra-Valdivia, da Universidade de Oxford, no Reino Unido, promoveu novas datações do material feitas com técnicas mais robustas de pré-tratamento. A análise mostrou que, afinal, Anzick-1 era um pouco mais velho — tinha por volta de 12,8 mil anos de idade — e contemporâneo, portanto, das ferramentas de osso. Para os cientistas, Anzick-1 pertencia ao povo de Clovis, conforme concluíram num artigo de 2018.[3] A maior parte dos arqueólogos considera que a associação é válida e que os remanescentes humanos foram de fato sepultados com as ferramentas.

No começo da década passada, o grupo do geneticista Eske Willerslev, da Universidade de Copenhague, teve a ideia de tentar extrair DNA do menino de Anzick, o que poderia revelar informações inéditas sobre o perfil genético do povo de Clovis. Willerslev tinha sequenciado o DNA antigo de outros esqueletos e vinha trazendo peças importantes para entender a ocupação das Américas. Em janeiro de 2014, ele havia publicado com seus colegas na *Na-*

ture o artigo sobre o menino de Mal'ta; um mês depois, eles apresentaram na mesma revista o estudo dedicado a Anzick-1, o primeiro americano da Era do Gelo a ter seu genoma inteiramente sequenciado.[4]

Numa análise preliminar, os cientistas conseguiram isolar o DNA mitocondrial do menino usando amostras do interior do osso temporal, na parte interna do crânio. O mtDNA de Anzick-1 pertencia a um haplogrupo que só é encontrado nos povos indígenas americanos, espalhados pela costa pacífica das Américas do Norte e do Sul. Depois disso, os pesquisadores sequenciaram o genoma completo, obtido a partir de fragmentos do crânio e de uma costela. A análise confirmou que Anzick-1 tem mais parentesco com os povos indígenas americanos do que com qualquer outra população contemporânea. Além disso, a criança era também aparentada com o menino de Mal'ta.

Anzick-1 tem mais afinidade com grupos encontrados hoje nas Américas Central e do Sul do que na do Norte. O cenário que os pesquisadores consideram mais provável para explicar esse resultado postula que houve em algum momento anterior à cultura Clovis uma bifurcação genealógica na população que primeiro ocupou o continente americano: o ramo de Anzick tem mais parentesco com os povos atuais das Américas Central e do Sul, e o outro ramo tem mais afinidade com os indígenas da América do Norte. O estudo concluiu também que alguns povos indígenas americanos atuais são descendentes diretos do povo de Clovis. Àquela altura já estava claro que eles não eram os primeiros americanos, mas aquele estudo parecia indicar que seus genes de fato haviam se espalhado pelo continente.

O estudo do genoma do menino de Anzick foi um dos primeiros a mostrar o potencial do chamado osso petroso para os estudos de DNA antigo. Não há um osso com esse nome nos manuais de anatomia, porém: essa é a forma como os especialistas chamam a parte interna do osso temporal, situada junto à cóclea, no ouvido interno. Trata-se de uma região com o formato de uma pequena pirâmide que é uma das partes mais duras e densas do esqueleto humano, responsável por proteger estruturas delicadas envolvidas na audição e no equilíbrio corporal. Por isso, o osso petroso preserva em média cem vezes mais DNA do que outros ossos, de acordo com uma estimativa do geneticista norte-americano David Reich, da Universidade Harvard.[5]

O uso do osso petroso para extração de material genético é um dos fatores que levaram ao grande salto que a arqueogenética deu na primeira década deste século, que Reich chamou de a "revolução do DNA antigo".[6] Mas esse impulso não teria sido possível se não houvesse o chamado sequenciamento de nova geração, que permitiu analisar genomas de forma mais rápida, precisa e barata a partir de 2005. A nova tecnologia foi rapidamente aplicada para o estudo do DNA antigo e aumentou em várias ordens de grandeza a quantidade de material extraído e analisado.

Para se ter uma ideia do impacto dessa inovação, basta comparar a quantidade de pares de bases nitrogenadas que se sucedem na molécula de DNA — simbolizadas pelas iniciais A, T, C e G — que era possível sequenciar antes e depois dessa inovação. Até o advento da nova geração de sequenciamento, o estudo de DNA antigo que tinha levantado o maior número de dados cobria quase 27 mil pares de bases do genoma do urso-das-cavernas, que se extinguiu no fim da Era do Gelo.[7] Meses após a introdução da nova tecnologia, um artigo anunciou o sequenciamento de 13 milhões de pares de bases do mamute lanoso — um salto de quase quinhentas vezes na quantidade de dados obtidos.[8]

O grande volume de informação genética disponível também tornou possível outro pilar da revolução do DNA antigo: a autenticação da antiguidade do material genético. No processo de extração do DNA de um fóssil, isolar as moléculas preservadas não é o maior desafio técnico. O que assombra arqueogeneticistas é a contaminação por material genético moderno.

Encontradas nos aerossóis suspensos no ar e nas superfícies de todo tipo, as moléculas de DNA são praticamente onipresentes, vindas não só de seres humanos, mas também de outros animais, plantas, fungos e bactérias presentes no ambiente. Impedir a contaminação de um fóssil por DNA moderno é uma impossibilidade prática, e os estudos pioneiros feitos na área provavelmente padecem todos desse problema. Em vez disso, os cientistas decidiram concentrar seus esforços na criação de métodos capazes de identificar a contaminação e distinguir o DNA moderno do antigo.

A molécula de DNA tem um mecanismo próprio de autorreparo que é capaz de reverter processos de degradação variados sofridos pela molécula. Porém, esse mecanismo para de funcionar depois que um organismo morre e, dali em diante, os processos de degradação do DNA se acumulam sem qualquer tipo de correção, como se ela fosse enferrujando com o passar do tempo. A identificação dos padrões de degradação nas moléculas preservadas em fósseis é um fator que permite distinguir o DNA moderno do antigo, o que deu mais confiabilidade aos estudos de arqueogenética.

Mas saber identificar as moléculas de DNA antigo não garante que elas serão encontradas: pelo contrário, cerca de metade das tentativas de extração termina em fracasso. Os cientistas hoje sabem algumas das condições que favorecem a preservação do DNA antigo. A presença de algumas bactérias e o tipo de sítio em que o material foi encontrado, por exemplo, são fatores determinantes — ambientes mais isolados, como cavernas, favorecem a preservação do DNA antigo. Solos mais ácidos e úmidos e temperaturas mais altas fazem com que o DNA se degrade mais rapidamente, e por isso é mais difícil obter material genético de fósseis encontrados em regiões tropicais. "Pense em como você guarda a comida em sua casa", propôs o geneticista alemão Johannes Krause numa entrevista. "Você vai deixá-la na geladeira, e não em cima da mesa."

Na defesa de sua tese de doutorado na USP, em janeiro de 2022, o geneticista Tiago Ferraz discutiu os fatores físicos, químicos e biológicos que determinam o potencial de se obter DNA antigo de um determinado fóssil. "Alguns sítios têm uma preservação maravilhosa, independentemente da idade do indivíduo, e outros são mais complicados, como é o caso dos sítios do Nordeste e da região amazônica", afirmou Ferraz durante a arguição. Pode haver grandes variações na preservação de material entre indivíduos encontrados num mesmo sítio ou ainda entre ossos diferentes de um mesmo indivíduo, continuou o cientista. "Basicamente é o acaso."

A defesa de Tiago Ferraz foi um marco simbólico para a arqueogenética no Brasil, porque ele inaugura a primeira geração de pesquisadores brasileiros treinados com as novas técnicas de extração e autenticação de DNA antigo. Ferraz fez seu doutorado na USP, sob a orientação conjunta da geneticista Tábita Hünemeier e do arqueólogo André Strauss. O pesquisador gaúcho passou dois anos no Instituto Max Planck da Ciência da História Humana, na Alemanha, um dos berços da revolução do DNA antigo, sob a mentoria de Johannes Krause e Cosimo Posth.

Numa entrevista em 2021, Ferraz explicou que o material genético antigo é extraído do pó do osso. Para tanto, é inevitável transformar o osso em pó. "Todas as análises começam com um processo destrutivo", disse o geneticista.[9] No caso de um crânio que tenha se mantido relativamente íntegro, os cientistas tentam colher amostras do osso petroso por meio de uma incisão feita por uma broca fina, de forma a preservar a integridade do fóssil. Mas os resultados são melhores quando o acesso à peça é irrestrito.

"Quando temos a permissão dos arqueólogos para destruir o material, cortamos o osso de forma longitudinal, para poder ver os canais auditivos e fazer a amostragem direto na cóclea, no ponto mais denso", afirmou Ferraz. Nesses casos, antes da amostragem os pesquisadores devem fazer uma tomografia tridimensional do fóssil, de forma a preservar informações sobre sua morfologia que permitam construir uma réplica tridimensional no futuro.

Uma quantidade pequena de pó de osso basta para extrair o DNA — de trinta a cinquenta miligramas, segundo Ferraz, um volume bem menor que o de uma pitada de sal. A amostra é misturada a um reagente que se liga a moléculas de DNA, sejam elas modernas ou antigas. Em seguida, o material genético humano é isolado daquele proveniente de outros organismos. Na etapa da análise dos dados, por fim, os pesquisadores identificam as moléculas antigas e descartam as sequências provenientes do DNA moderno que contaminaram a amostra.

Os estudos de DNA antigo deram mais resolução à história do povoamento do continente. Eles reforçaram a hipótese de que os ancestrais dos primeiros americanos são uma população que ficou isolada na Beríngia e se espalhou muito rapidamente depois de chegar ao novo continente, conforme já tinham apontado os estudos genéticos dos povos indígenas contemporâneos.

A confirmação veio num estudo de 2016 que analisou o DNA mitocondrial de 92 esqueletos encontrados na América do Sul e no México, com idades que iam até 8,6 mil anos.[10] O trabalho foi conduzido por Bastien Llamas, da Universidade de Adelaide, na Austrália, em colaboração com o grupo de David Reich. Os cientistas concluíram que os ancestrais dos primeiros americanos pararam de trocar genes com outras populações asiáticas em algum momento entre 24,9 mil e 18,4 mil anos atrás, se isolando dali em diante. Os resultados confirmaram também que, por volta de 16 mil anos atrás, houve um salto no tamanho da população e uma explosão da diversidade genética dos primeiros americanos — um indício de que eles tinham ocupado um território inabitado. Portanto, o período de isolamento na Beríngia teria durado entre 2,4 mil e 9 mil anos.

A pesquisa concluiu ainda que a população fundadora tinha cerca de 2 mil mulheres e que seu tamanho aumentou sessenta vezes num intervalo de três milênios. Por fim, a comparação com o DNA mitocondrial de indígenas contemporâneos confirmou que a colonização europeia a partir do século XVI levou a uma redução drástica da diversidade genética dos povos originários.

A revolução do DNA antigo chegou para os fósseis brasileiros no fim de 2018, com a publicação simultânea de dois estudos que analisaram o material genético extraído de esqueletos escavados na região de Lagoa Santa. Eram estudos independentes conduzidos pelos dois mais importantes laboratórios de arqueogenética do mundo, e ambos com pesquisadores brasileiros entre os autores — incluindo André Strauss, da USP, o único cientista a assinar os dois trabalhos.

Um deles saiu na *Science* e foi coordenado por Eske Willerslev, tendo entre os autores os geneticistas Fabrício Rodrigues dos Santos, da UFMG, e Thomaz Pinotti, que fez seu doutorado sob orientação de Willerslev e Santos.[11] O grupo do dinamarquês sequenciou o genoma completo de quinze indivíduos encontrados em sítios que vão do Alasca à Patagônia, incluindo cinco que haviam sido escavados por Peter Lund na Gruta do Sumidouro nos anos 1840, cuja idade ia de 9,8 mil a 10,4 mil anos.

Já o outro trabalho, publicado na *Cell*, foi fruto de uma colaboração envolvendo os grupos de David Reich, de Johannes Krause e de André Strauss. Os geneticistas Tiago Ferraz e Tábita Hünemeier e os arqueólogos Rodrigo Oliveira e Danilo Bernardo figuram entre os autores.[12] O estudo analisou marcadores genéticos no DNA antigo de 49 indivíduos coletados em sítios arqueológicos espalhados pelo continente americano — incluindo sete esqueletos escavados na Lapa do Santo pelas equipes de Strauss e de Walter Neves, da USP, com idades entre 9,1 mil e 10,2 mil anos.

Os dois estudos ampliaram muito a quantidade de informação disponível sobre o DNA antigo nas Américas. De uma vez, os trabalhos acrescentavam informações sobre dezenas de indivíduos — até ali, o menino de Anzick era dos raros genomas disponíveis de esqueletos encontrados nas Américas. Oito anos após a descrição do primeiro genoma antigo de *Homo sapiens* pelo grupo de Willerslev, o número de esqueletos que tinham tido DNA extraído no continente americano passava de duzentos.

O DNA antigo mostrou que a população que veio da Beríngia se dividiu em dois grandes ramos por volta de 15,7 mil anos atrás. O primeiro deles ficou na América do Norte, ocupando parte do território que hoje pertence ao Canadá e ao Alasca. O segundo ramo é o que se expandiu em direção ao sul e povoou o resto do continente americano. Os genes dessa linhagem se espalharam num padrão que lembra uma estrela que irradia em várias direções, e não como os galhos de uma árvore, como crescem tipicamente as populações de territórios já ocupados. Isso indica que esse grupo povoou o continente de forma extremamente rápida — Willerslev e seus colegas estimam que os humanos se espalharam pela América do Norte num intervalo de alguns séculos e que em menos de dois milênios já tinham ocupado a América do Sul.

As informações sobre o DNA dos grupos que povoaram Lagoa Santa eram aguardadas há muito tempo por arqueólogos brasileiros, já que permitiriam finalmente esclarecer se os povos de Luzia pertenciam a uma população biologicamente distinta daquela que deu origem aos povos indígenas atuais, conforme postulara Walter Neves em seu modelo de ocupação das Américas. Por causa das características que mediu em crânios de vários sítios pelo continente afora, Neves via os habitantes de Lagoa Santa como representantes de uma primeira leva migratória que povoou as Américas, com indivíduos mais aparentados com populações que hoje vivem na África e na Oceania. Só depois o continente seria povoado por povos de traços asiáticos que são os ancestrais dos povos indígenas contemporâneos.

No entanto, o DNA antigo dos indivíduos de Lagoa Santa mostrou que eles não pertenciam a uma população biologicamente distinta, o que representou um golpe duro para a hipótese de Neves. Em vez disso, eles tinham uma origem genética comum com a maior parte dos povos indígenas atuais das Américas, e não têm qualquer parentesco com populações antigas da África ou da Oceania. Chegaram ao continente junto com a principal leva migratória que rapidamente se disseminou pelo território. O estudo "acaba com a ideia dos dois componentes biológicos", conforme declarou na ocasião ao *Jornal da USP* a geneticista Tábita Hünemeier, coautora do trabalho.[13]

As análises feitas por Neves e outros bioantropólogos para contar a história das populações partiam do pressuposto de que a morfologia dos crânios era um marcador seguro para se reconstituir a ancestralidade. Apesar disso, os estudos genéticos estavam mostrando que os mesmos genes podiam produzir crânios com uma grande variedade de formatos e que as diferenças medidas nos estudos craniométricos correspondiam aos extremos dessas variações — essa hipótese havia sido proposta por pesquisadores do Brasil e da Argentina em 2008.[14] "A gente está muito longe de entender as bases genéticas da variação craniofacial", disse-me Tábita Hünemeier. "A influência ambiental é muito grande."

Ao que tudo indica, a hipótese de Neves estava errada. Ironicamente, parte das evidências que acabaram por refutá-la veio de esqueletos escavados no Projeto Origens, que ele tinha arquitetado justamente para conseguir mais elementos que pudessem provar seu modelo. A hipótese foi descartada por estudos assinados por André Strauss, um ex-aluno muito admirado por Neves. Nesse caso, prevaleceu a genética, que o bioantropólogo vinha criticando por causa do espaço central que ela passou a assumir na explicação do povoamento das Américas.

"É muito difícil para mim admitir isso, mas meu modelo de ocupação da América só vai deslanchar mesmo se vier alguma comprovação da área de biologia molecular, principalmente de DNA fóssil", disse Neves numa entrevista dada em 2017 — um ano antes da publicação dos estudos que analisaram o genoma dos indivíduos de Lagoa Santa. Quando voltou ao assunto, numa entrevista de 2021, o bioantropólogo não se deu por vencido e não considera que a palavra final tenha sido dada. "A interpretação de dados de DNA também está sujeita a muitos erros", afirmou.

Já o bioantropólogo Mark Hubbe, ex-aluno de Neves que o ajudou a desenvolver o modelo dos dois componentes biológicos e hoje é pesquisador da Universidade Estadual de Ohio, disse numa entrevista que a hipótese não estava correta — não necessariamente por causa da genética, mas porque era esquemática demais e ignorava os processos de miscigenação e diferenciação entre as diferentes populações que ocuparam o continente. "Nossos modelos são muito simplistas ao tentar descrever as dinâmicas populacionais como duas grandes levas migratórias", afirmou. Talvez tenha havido de fato dois grupos biologicamente distintos na origem da diversidade dos indígenas americanos. "Mas não acho que foram eventos estanques isolados que nunca se comunicaram entre si."

Mas é fato que a craniometria, técnica que os bioantropólogos empregaram ao longo da carreira para estabelecer relações de ancestralidade, perdeu espaço com o crescimento da arqueogenética. Esse método permite, é verdade, uma janela para a ancestralidade de certos indivíduos que a genética não tem como acessar, como nos casos em que o DNA não foi preservado nos fósseis, notou Hubbe. "Isso é particularmente importante quando consideramos dinâmicas populacionais que resultaram na perda de linhagens ao longo do tempo", afirmou.

Com o DNA antigo, contudo, os cientistas passaram a ter acesso diretamente às instruções genéticas por trás da diversidade morfológica observada nas medições dos crânios. "O DNA é infinitamente mais qualificado do que a morfologia para fazer inferências sobre ancestralidade", disse André Strauss. As medidas dos crânios e outros marcadores indiretos que os cientistas sempre usaram para inferir as relações entre as populações frequentemente os levavam a conclusões enganosas, continuou o arqueólogo. Para ele, os estudos de DNA antigo finalmente deram à arqueologia um teste de paternidade confiável. "Agora conseguimos dizer quem é pai de quem, que é uma parte fundamental da história humana."

Diante das novas evidências, Strauss mandou fazer outra reconstituição facial a partir de um crânio antigo de Lagoa Santa, para dar aos antigos habitantes da região um rosto mais alinhado com os últimos resultados da genética. A ideia era substituir a imagem de Luzia, elaborada nos anos 1990, que tem características que lembram os povos africanos e australomelanésios. A nova reconstituição foi realizada pela antropóloga forense britânica Caroline Wilkinson, da Liverpool John Moores University. O trabalho se baseou no crânio do sepultamento 26 da Lapa do Santo — o primeiro caso de decapitação das Américas. A nova cara dos povos de Lagoa Santa elaborada por Wilkinson é um rosto de morfologia mais generalizada que o de Luzia, com traços que poderiam dar origem a toda a diversidade encontrada nos povos indígenas contemporâneos. A imagem, porém, não viralizou como a reconstituição original e está longe de substituir Luzia no imaginário popular quando se fala nos primeiros brasileiros.

O genoma dos esqueletos de Lagoa Santa, que tinham até 10,4 mil anos, mostrou ainda que eles tinham forte afinidade genética com o menino de Anzick, que por sua vez tinha 12,8 mil anos (alguns indivíduos da Gruta do Sumidouro e da Lapa do Santo, inclusive, pertenciam ao mesmo haplogrupo de DNA mitocondrial). O mesmo parentesco foi observado também num esqueleto de quase 12 mil anos encontrado em Los Rieles, no Chile, e num outro de 9,3 mil anos, escavado em Belize, na América Central.

As implicações dessa constatação eram surpreendentes. O que o DNA antigo parecia mostrar é que, embora as pontas de Clovis não tenham se espalhado para além dos Estados Unidos e do México, os genes de seus fabricantes foram mais longe, até a América do Sul. Para Cosimo Posth e seus colaboradores, esse achado "sustenta a hipótese de que uma expansão do povo que espalhou a cultura Clovis na América do Norte afetou também a América Central e a do Sul".[15] No artigo, os cientistas sugerem que a difusão das pontas de lança do tipo rabo de peixe poderia fazer parte dessa mesma expansão, o que poderá ser confirmado caso se consiga um dia extrair DNA de um remanescente humano associado a ferramentas desse tipo.

A afinidade entre o genoma de Anzick-1 e o de indivíduos antigos encontrados na América do Sul deu munição aos poucos defensores da primazia de Clovis que tinham sobrado, como o arqueólogo norte-americano Stuart Fiedel. Para ele, o DNA do menino de Anzick era a prova cabal de que o paradigma que reinou no século XX continuava vivo. "Clovis veio primeiro, afinal de contas", escreveu Fiedel num artigo de 2017 na *Quaternary International*;[16] poucos de seus colegas concordariam com essa alegação.

Mas é possível olhar de outra forma para os resultados do DNA antigo. Enxergar no genoma de Anzick-1 a roupa nova do paradigma de Clovis talvez seja fruto de um viés causado pela quantidade limitada de informação que temos sobre os primeiros americanos. Os indivíduos de Lagoa Santa e Los Rieles se parecem com Anzick-1, mas são aparentados também com o homem de Spirit Cave, um indivíduo que viveu há 10,7 mil anos e foi encontrado em 1940 por um casal de arqueólogos numa caverna no Nevada, no noroeste dos Estados Unidos.

O homem de Spirit Cave morreu com cerca de quarenta anos e foi sepultado coberto por uma manta de pele de coelho e calçado com mocassins, além de ter o corpo mumificado. No mesmo sítio foram encontradas também ferramentas da Tradição Pedunculada do Oeste, uma cultura distinta de Clovis e anterior a ela, conforme mostrariam os achados de Cooper's Ferry. Alguns estudiosos sugeriram que os fabricantes dos dois tipos de ferramentas pertenciam a grupos biologicamente distintos, mas o DNA antigo mostrou que eles talvez fossem aparentados.

"Vamos supor que não tivéssemos o genoma de Anzick-1", propôs o geneticista Thomaz Pinotti numa entrevista. "Nesse caso, diríamos que foi o povo da Tradição Pedunculada do Oeste que deu origem a Lagoa Santa?" Na verdade, argumentou Pinotti, todos esses sítios são parte de uma expansão muito rápida de uma população ancestral da qual derivam tanto o povo de Clovis quanto o homem de Spirit Cave e os demais indivíduos conhecidos. A tendência de olhar para Anzick-1 como ancestral dos demais se explica apenas porque é o genoma mais antigo que conhecemos.

Se encontrarmos DNA associado aos sítios com 14 mil anos ou mais no continente americano, o mesmo parentesco provavelmente será observado, aposta Pinotti.

O estudo de Posth e colegas revelou também que o povo de Clovis não é ancestral dos indígenas sul-americanos contemporâneos. Em algum momento, os descendentes do menino de Anzick na América do Sul foram substituídos por outra população. Isso aconteceu há pelo menos 9 mil anos — essa é a idade do indivíduo mais antigo em cujo DNA não havia afinidade com Anzick-1, encontrado em Cuncaicha, no Peru. Nas amostras brasileiras, os sinais de continuidade genética com os povos indígenas atuais só aparecem em remanescentes de idade mais recente, como no sambaqui de Moraes, no vale do Ribeira, no estado de São Paulo, com cerca de 5,8 mil anos.

Por fim, o genoma do menino de Anzick foi um golpe duro para a hipótese dos solutrenses, segundo a qual os fabricantes das pontas de Clovis eram descendentes de grupos vindos desde a Europa após cruzar o Atlântico margeando as geleiras. Não havia no DNA daquele menino qualquer sinal de ancestralidade europeia. Para os autores, isso bastou para que considerassem refutada a possibilidade de que Clovis tivesse origem numa migração europeia. Aquele estava longe de ser o primeiro estudo genético a contrariar a hipótese solutrense. Em 2008, um estudo do DNA mitocondrial de povos indígenas americanos feito pelo grupo de Sandro Bonatto, da Pontifícia Universidade Católica do Rio Grande do Sul, já tinha concluído que o modelo solutrense não tinha respaldo na genética.[17] Muitos outros chegaram a conclusões parecidas.

Os cientistas, porém, sabem bem que a ausência de evidências não significa evidência da ausência e, por isso, nenhum estudo genético pode cravar que não houve uma ou mais migrações pelo Atlântico. O que foi mostrado é que não há qualquer contribuição europeia nos genomas modernos e antigos de nativos americanos estudados até aqui, conforme alegou Thomaz Pinotti, da UFMG, que em 2020 publicou um artigo sobre o tema com Fabrício Rodrigues dos Santos.[18] "Em nenhum momento dissemos que não houve esse contato solutrense", disse-me Pinotti. "A genética deixa muito claro que, se houve contato, ele não deixou nenhum descendente."

Os primeiros remanescentes humanos encontrados no Brasil a terem DNA antigo recuperado foram estudados em laboratórios estrangeiros. As amostras de DNA antigo dos indivíduos da Gruta do Sumidouro foram extraídas no Centro de Geogenética da Universidade de Copenhague, coordenado por Eske Willerslev — os fósseis já pertenciam à coleção do Museu de História Natural da Dinamarca, para onde tinham sido enviados por Peter Lund. Já as amostras da Lapa do Santo tiveram o DNA isolado na Universidade de Tübingen, na Alemanha, onde trabalha o geneticista Cosimo Posth, primeiro autor do estudo publicado na *Cell*.

O envio de fósseis para análise no exterior tem sido um padrão para pesquisadores de países em desenvolvimento desde o início da revolução do DNA antigo. A situação configura uma nova dimensão do colonialismo científico e alimenta uma tendência que o arqueólogo André Strauss caracterizou como a "comoditização das amostras", num processo em que pesquisadores dos países desenvolvidos entram com a expertise e a tecnologia, e os cientistas das nações periféricas fornecem os remanescentes humanos para análise. Nessa dinâmica, os fósseis são enviados para análise no exterior e, em troca, os pesquisadores do Sul global recebem resultados que nem sempre atendem às principais perguntas que eles gostariam de responder em seu contexto arqueológico.

A inauguração do Laboratório de Arqueogenética da USP, prevista para 2023, veio atenuar a assimetria e oferecer a pesquisadores brasileiros e latino-americanos uma possibilidade de escapar a essa lógica. Coordenado pelo arqueólogo André Strauss e pela geneticista Tábita Hünemeier, o laboratório é o primeiro na América do Sul a contar com a tecnologia de ponta para extração e autenticação de DNA antigo. Antes mesmo da inauguração, cientistas do Peru e da Argentina já tinham manifestado a intenção de usar os equipamentos da USP para extrair DNA de fósseis. "A expectativa é que o laboratório se transforme num polo regional de atração e que apresente uma alternativa à hegemonia dos grandes centros de pesquisa", disse Strauss, que idealizou a iniciativa e costurou a parceria entre a USP e o Instituto Max Planck, que viabilizou o projeto. Durante a temporada de seu doutorado que passou na Alemanha, Tiago Ferraz aprendeu a adotar os protocolos de extração e certificação de DNA antigo desenvolvidos ali. Voltou com a missão de treinar pesquisadores locais para adotar a nova tecnologia.

Agora os cientistas brasileiros não precisam mais enviar fósseis para o exterior caso queiram tentar extrair seus genes. "O argumento que costumávamos usar ao pedir ao Iphan autorização para mandar amostras para fora do Brasil é justamente que não havia nenhum laboratório no país que pudesse realizar essas análises", disse Thomaz Pinotti.

O Laboratório de Arqueogenética tem 96 metros quadrados e fica no Museu de Arqueologia e Etnologia, no campus da USP em São Paulo. Visitei o espaço em dezembro de 2021, antes de sua inauguração, e por isso o ambiente ainda não estava impregnado com o cheiro de água sanitária típico dos laboratórios de DNA antigo. Quase metade da superfície é ocupada pelo chamado *clean lab* (laboratório limpo), onde acontece a manipulação dos remanescentes humanos. Esse espaço conta com equipamentos e protocolos que visam a minimizar a contaminação das amostras por DNA moderno. O *clean lab* é compartimentado em ambientes separados, cada um reservado para uma etapa de extração e processamento do DNA antigo, e conta com um sistema de pressurização e purificação do ar — quando se abre uma porta, o ar flui para fora, evitando a entrada de moléculas de DNA do ambiente externo. Os pesquisadores são obrigados a vestir equipamentos de segurança, com dupla camada de proteção, e qualquer objeto que for trazido para a área limpa é submetido a um banho de luz ultravioleta que destrói moléculas de DNA.

Os remanescentes humanos escavados recentemente pelo grupo de Strauss na Lapa do Santo e na Lapa do Boquete estão entre as amostras que primeiro serão sequenciadas no laboratório. O arqueólogo também pretende examinar o DNA do Homem de Confins — um esqueleto coletado nos anos 1930 na Lapa Mortuária de Confins, na região de Lagoa Santa. O espécime foi encontrado junto a fósseis de grandes mamíferos extintos, o que sugeriu que era muito antigo, mas não pôde ser diretamente datado. Seus remanescentes eram parte do acervo do Museu de História Natural e Jardim Botânico da UFMG e foram provavelmente destruídos no incêndio de 2020, mas por sorte Strauss tinha retirado amostras do crânio para extração de DNA meses antes.

Outros espécimes destruídos nesse incêndio e no que dizimou as coleções do Museu Nacional não tiveram a mesma sorte. O caso de Anzick ilustra a importância de se conservarem os vestígios arqueológicos para que futuras tecnologias possam revelar informações que antes estavam inacessíveis. Quando Anzick-1 foi descoberto, ainda não era possível extrair DNA de fósseis e ainda não se fazia a datação com espectrometria de massa, capaz de apontar com precisão a idade da amostra. Graças à preservação dos remanescentes — que deve muito aos esforços de Larry Lahren —, foi possível aplicar os novos métodos décadas depois e, com eles, obter peças novas e valiosas para explicar a ocupação das Américas. No caso dos fósseis destruídos nos incêndios dos museus brasileiros, essa informação se perdeu para sempre.

19. Sangue ancestral

Terra Indígena Sete de Setembro, Rondônia, Brasil

A mais recente reviravolta na história da ocupação das Américas veio em 2015, quando uma análise genética apontou que três povos indígenas brasileiros têm em seu DNA sequências que hoje só são encontradas no genoma de povos nativos da Oceania e do Sudeste Asiático. Os pesquisadores ainda não sabem explicar o que significa esse sinal genético e nem como ele foi parar no DNA dos indígenas brasileiros, mas ele já está mudando a forma como a ciência descreve os primeiros americanos.

A existência da chamada população Y, como foi batizado o grupo que tinha originalmente esse sinal genético, foi revelada por cientistas norte-americanos e brasileiros. Eles encontraram as sequências misteriosas no DNA dos Paiter-Suruí e dos Karitiana, de Rondônia, e dos Xavante, no Mato Grosso. Antes de mergulharmos nos detalhes e nas implicações desta descoberta, contudo, é importante nos debruçarmos sobre a forma como ela foi feita.

Os Paiter-Suruí, os Karitiana e os Xavante são protagonistas involuntários da história da ocupação do continente. Em sua maioria, os indígenas ignoram que carregam em seus genes pistas valiosas para elucidar a identidade dos primeiros americanos. O material genético usado na descoberta da população Y foi coletado no século passado e continua a ser usado em estudos científicos de várias disciplinas, embora os indígenas não sejam informados sobre os resultados dessas pesquisas.

Algumas das amostras de sangue por trás da descoberta da população Y foram coletadas em 1987 numa expedição conduzida pelo epidemiologista canadense de origem taiwanesa Francis Black, da Universidade Yale, nos Estados Unidos. Desde os anos 1960, Black vinha colhendo material de povos indígenas brasileiros, a fim de entender como seus anticorpos reagem a doenças infecciosas como a pólio, a rubéola ou o sarampo.

Naquele momento, ele e outros cientistas brasileiros e estrangeiros enxergavam nas populações indígenas isoladas janelas que davam acesso ao passado biológico da humanidade. Black veio pela primeira vez ao Brasil em 1966, com o intuito de testar uma vacina contra o sarampo entre os Tiriyó, que vivem no noroeste do Pará. Em suas diversas incursões a terras indígenas do Brasil, o norte-americano chegou a colher material de cerca de 2500 indivíduos pertencentes a vinte povos diferentes.

Os primeiros artigos científicos publicados a partir da análise do sangue dos Paiter-Suruí e dos Karitiana saíram em 1991, mas não trouxeram muitos detalhes sobre como foi feita a coleta.[1] No caso dos Paiter-Suruí, o canadense colheu amostras de sangue de pelo menos 46 indivíduos de uma aldeia com trezentas pessoas; já dos Karitiana, foram amostras de ao menos 77 indivíduos de uma aldeia com 130 habitantes.

As amostras foram armazenadas no laboratório do geneticista de populações Kenneth Kidd, também de Yale. Ali, Judith Kidd, esposa e colaboradora do pesquisador, submeteu-as a um processo que permite imortalizar as células. O procedimento consiste em infectar os linfócitos B — um tipo de célula de defesa presente no sangue — com um vírus (no caso, o de Epstein-Barr), o que faz com que eles passem a se multiplicar indefinidamente. A técnica de imortalização fez com que o material genético dos povos originários brasileiros continuasse disponível para pesquisa ao longo de décadas, à revelia dos indígenas.

Linhagens celulares dos Paiter-Suruí e dos Karitiana ficaram armazenadas no laboratório de Kidd, que foi fechado depois que o pesquisador se aposentou, em 2016. Faziam parte das amostras de 47 populações de todo o mundo que foram rotineiramente estudadas ali por mais de três décadas. Além disso, o geneticista cedeu linhagens celulares desses povos indígenas para o Projeto da Diversidade do Genoma Humano (PDGH), e foi dali que saiu parte do material usado na análise que descobriu a população Y.

O PDGH tem o propósito de manter um banco genético representativo das diferentes populações humanas do planeta a fim de investigar sua história e diversidade. Foi idealizado nos anos 1990 pelo geneticista italiano Luigi Luca Cavalli-Sforza, que havia sido o supervisor de Kenneth Kidd em seu pós-doutorado na Universidade Stanford. A iniciativa reúne linhagens celulares de 1050 indivíduos pertencentes a 52 populações de todos os continentes — incluindo 24 linhagens dos Karitiana e 21 dos Paiter-Suruí. As amostras ficam armazenadas no Centro de Estudo do Polimorfismo Humano da Fundação Jean Dausset, em Paris, e são enviadas a pesquisadores que as solicitarem. Já tinham sido distribuídas a mais de duzentos cientistas e gerado centenas de publicações científicas até 2023, de acordo com o site da fundação. Na prática, é como se o DNA dos Paiter-Suruí, dos Karitiana e das demais populações representadas no banco de dados do projeto tivesse virado domínio público para os cientistas.

As linhagens celulares do PDGH estão na base de uma explosão dos estudos genéticos sobre a variabilidade humana. "Com esse painel se abriu a história da humanidade em nível genômico", disse a geneticista Maria Cátira Bortolini, da UFRGS, uma das autoras do estudo que identificou a população Y. "Ele rendeu frutos enormes para o conhecimento da humanidade."

Alguns povos indígenas, no entanto, viram no PDGH o risco de que seus dados genéticos pudessem ser usados contra seus próprios interesses, e apelidaram a iniciativa de "Projeto Vampiro". Para eles, a empreitada era uma nova roupagem para as práticas colonialistas com que sempre haviam sido tratados pelos não indígenas. "Não nos opomos ao progresso", disse Rodrigo Contreras, representante do Conselho Mundial dos Povos Indígenas, numa reportagem de 1994 na revista *Science*. "O que nos preocupa é o comportamento de colonização."[2]

Os criadores do projeto alegam que só foram incluídas no banco do PDGH amostras para as quais houvesse evidências suficientes de consentimento informado por parte das populações envolvidas.[3] Em outras palavras, os doadores precisavam ser informados sobre o destino que seria dado ao seu material biológico e sobre o que seria feito com ele, e tinham que concordar com isso de forma livre e espontânea. No entanto, o site do projeto não tem documentos que registrem o consentimento.

No caso brasileiro, cabia à Fundação Nacional dos Povos Indígenas (Funai) autorizar a visita de Francis Black e a coleta de material biológico. Não se sabe ao certo o que foi dito aos indígenas e nem de que forma foi dado seu consentimento. Terão sido informados de que células do seu sangue poderiam ser imortalizadas e continuar sendo usadas em pesquisas científicas ao longo de décadas, mesmo que a pessoa de quem foram retiradas tivesse morrido?

Em fevereiro de 2023, visitei a Terra Indígena Sete de Setembro, onde vivem os Paiter-Suruí, em busca de pistas que ajudassem a reconstituir um dos episódios de coleta de sangue que estão na origem da descoberta da população Y. A terra indígena ocupa uma área de 248 mil hectares na divisa entre Rondônia e Mato

Grosso. Seu nome não é alusivo à Independência do Brasil, mas sim à data oficial do contato entre os Paiter-Suruí e representantes do governo, no ano de 1969. Já o nome do povo indígena junta *Paiter*, que é a forma como eles se referem a si próprios (quer dizer "gente de verdade", "nós mesmos"), com *Suruí*, denominação que lhes foi dada após o contato. A população dos Paiter-Suruí era de 1375 indivíduos em 2014, último ano para o qual há dados do Instituto Socioambiental.

Estive na aldeia Lapetanha, que é uma das 27 aldeias espalhadas pela Terra Indígena Sete de Setembro e fica a cerca de cinquenta quilômetros da cidade de Cacoal, em Rondônia. Conversei ali com dois casais que fazem parte do grupo de anciões desse povo indígena e tinham lembranças de episódios de coleta de sangue no passado: o casal Mopiry Suruí e Mapidkin Suruí, ambos de 62 anos; e Agamenon Gamasakaka Suruí, de 58 anos, casado com Elza Goopgog Suruí, de 53 — a única dos quatro que nasceu após o contato. Seus depoimentos foram dados em tupi-mondé, língua falada pelos Paiter-Suruí, com interpretação consecutiva de Luan Mopib Gorten Suruí, que é filho de Agamenon.

A coleta de sangue feita por Francis Black em 1987 não foi a única envolvendo esse povo indígena. Representantes dos Paiter-Suruí relataram às pesquisadoras Eliane Moreira e Gysele Amanajás ter a memória de pelo menos três episódios em que pesquisadores brasileiros e estrangeiros estiveram na terra indígena para colher seu sangue.[4] Nas conversas que tive em 2023, os entrevistados evocaram uma coleta liderada pelo ecólogo e antropólogo Carlos Coimbra Jr., da Escola Nacional de Saúde Pública (ENSP), ligada à Fundação Oswaldo Cruz, feita numa data que eles não souberam determinar. Suas reminiscências não se referem ao episódio que nos interessa aqui, mas são representativas dos sentimentos despertados nos indígenas pela coleta de sangue por cientistas.

De acordo com esses relatos, Coimbra Jr. e sua equipe estiveram três vezes na terra indígena, a pretexto de ajudar a identificar e combater malária, tuberculose e outras doenças. Na terceira visita, os cientistas coletaram sangue e fezes de todos os indígenas, conforme o depoimento de Mopiry. Ele ficou impressionado com o volume tirado. “Não foi pouco, não, foi bastante sangue que foi coletado”, afirmou. Em retribuição pelo material coletado, os pesquisadores distribuíram miçangas e vermífugos entre os indígenas. Aquela foi a última vez que os Paiter-Suruí se lembram de ter ouvido falar do pesquisador. “Depois que coletou o sangue de todos os indígenas da aldeia, ele foi para o Rio de Janeiro e não voltou mais”, disse Mopiry.

Os entrevistados não lembravam detalhes sobre como deram seu consentimento para aquela ou para qualquer outra coleta de sangue. Alguns indígenas estavam com medo, mas foram convencidos a participar sob o argumento de que era para seu próprio bem. “Os mais velhos falavam que algo de ruim podia acontecer com eles”, disse Mopiry. Agamenon contou que ele próprio não queria ter seu sangue tirado, mas se sentiu obrigado a fazê-lo. “A comunidade entendia e achava que era bom para eles”, afirmou. “Só que não voltou o resultado.”

O sumiço dos cientistas e a falta de resultados daquela coleta foram motivo de queixas que ouvi dos Paiter-Suruí em relação ao episódio. Agamenon disse que a história doía em sua alma. “Por que nosso sangue foi embora e não voltou nenhum resultado?”, questionou. “Fomos enganados pelos pesquisadores.”

As histórias que os indígenas contam sobre de onde vêm e como chegaram ao território que hoje habitam não costumam interessar aos cientistas ou ser citadas nos artigos acadêmicos sobre o povoamento das Américas. Mas essas narrativas poderiam trazer pistas relevantes para desvendar os processos de ocupação, como defende Paulette Steeves, uma arqueóloga de ascendência Cree e Métis, povos nativos que vivem no Canadá.

No caso dos Paiter-Suruí, eles sabem que não vieram da região onde vivem hoje. "Temos uma história segundo a qual viemos de onde nasce o sol", disse Mapidkin. Seria, portanto, do leste. Os Paiter-Suruí contam que viviam na região de Cuiabá, mas foram expulsos pelos homens brancos e assim foram parar em Rondônia, conforme escreveu a antropóloga Betty Mindlin, que estudou esse povo indígena em seu doutorado.[5] Ouvi deles também a história de que alguns de seus antepassados chegaram a conhecer o mar (a Terra Indígena Sete de Setembro está a 1900 quilômetros do oceano Atlântico e a 1200 quilômetros do Pacífico, com a cordilheira dos Andes no meio do caminho).

Os primeiros americanos são os Paiter-Suruí, de acordo com sua mitologia. Eles contam que foram criados por Pálop, que quer dizer "Nosso Pai". Os humanos tinham sido criados uma primeira vez e devorados pelas onças, que guardaram seus ossos numa maloca, conforme conta a história que ouvi dos Paiter-Suruí naquela tarde e que está registrada numa coleção de mitos reunidos num livro por Mindlin.[6] Pálop recorreu à ajuda de um veado para roubar de volta os ossos humanos das onças. Soprando-os com a fumaça de um cigarro, fez renascerem primeiro os Paiter-Suruí, em seguida os outros povos indígenas e, por fim, os homens brancos.

"Nós somos os primeiros humanos a serem criados", disse-me Agamenon Gamasakaka Suruí. "Eu sei que a minha ancestralidade é a primeira do continente." Em simetria com o desinteresse dos cientistas por suas narrativas, ele próprio não dá muita bola para a explicação dos arqueólogos e geneticistas para o povoamento do continente. "As histórias que os meus pais contavam já falam de onde os Paiter vêm, qual é sua raça e que cultura eles têm."

Mas os Paiter-Suruí, especialmente os mais jovens, abraçam o olhar da ciência para sua ancestralidade. Txai Suruí, a ativista socioambiental que ficou conhecida após discursar na abertura da

Conferência do Clima de Glasgow em 2021, gosta de citar estudos que mostram que os Paiter-Suruí ocupam a Amazônia há muitos milênios. Seu irmão Oyexiener Suruí ficou curioso ao saber que ele e seus parentes carregam no DNA um sinal que pode reescrever a história dos primeiros americanos. Especulou se a população Y não poderia corresponder a um clã perdido de seu povo. (Os Paiter-Suruí formam uma sociedade estruturada em clãs; já houve mais de dez clãs no passado, dos quais sobraram apenas quatro após o contato.) Tanto Txai quanto Oyexiener são filhos de Almir Narayamoga Suruí, cacique-geral dos Paiter-Suruí. Almir é um biólogo e ambientalista interessado por inovação. Sob sua liderança, os Paiter-Suruí se tornaram o primeiro povo indígena do mundo a vender créditos de carbono.

Outro aspecto da cultura indígena que costuma ser ignorado pelos cientistas que colhem amostras para estudar seu DNA é o significado que cada povo dá ao sangue e à sua coleta. Se o ato de tirar sangue não é problemático para os Paiter-Suruí, a imortalização das suas células é bem mais complicada. Isso porque, para eles, é inconcebível que esse material continue disponível depois que seu doador morre. Isso pode ter acontecido com as amostras colhidas por Francis Black há quase quarenta anos, mas não se pode dizer com certeza, já que as amostras são anonimizadas.

Os Paiter-Suruí têm regras rígidas a observar em caso de morte. "Não podemos falar o nome ou pegar objetos de uma pessoa que faleceu, ou então seu espírito pode se vingar", disse Agamenon. Houve um tempo em que os pertences de uma pessoa que morria eram queimados, e às vezes ainda são enterrados junto com ela, explicou Mopiry. "Imagina o sangue." Para ele, a ideia de continuar usando para pesquisa linhagens celulares de um indivíduo morto é "inaceitável".

Almir Narayamoga Suruí me disse que, caso os Paiter-Suruí tivessem sido informados, no ato da coleta de sangue, que suas células continuariam à disposição dos cientistas mesmo depois que os doadores tivessem morrido, jamais teriam consentido. "Os Suruí nunca iriam deixar que isso acontecesse", afirmou. "[Os cientistas] disseram que iriam analisar com exames as doenças que os Suruí tinham, por isso eles deixaram que tirassem o sangue." O cacique-geral era adolescente em 1987 e não se lembra das coletas de sangue conduzidas por Francis Black ou por outros cientistas.

Por todas essas reticências, os Paiter-Suruí prefeririam que as linhagens celulares disponíveis para pesquisa deixassem de ser usadas pelos cientistas, e que as amostras lhes fossem devolvidas. Mopiry, no que dependesse dele, autorizaria a realização de estudos que buscam esclarecer a origem dos primeiros americanos. "Eu gostaria de entender, com esse estudo científico, de onde vem a ancestralidade dos Paiter", afirmou. "Mas, depois dos resultados, eles poderiam nos devolver os dados."

Carlos Coimbra Jr., o pesquisador citado no relato dos Paiter-Suruí, de fato esteve várias vezes na Terra Indígena Sete de Setembro. A primeira delas foi em 1979, quando era estudante de graduação em biologia. Em seu doutorado em antropologia, Coimbra Jr. estudou como a adoção do cultivo de café afetou a saúde e a ecologia dos Paiter-Suruí. Na Escola Nacional de Saúde Pública, no Rio de Janeiro, ele criou em 1992 um grupo de pesquisa dedicado a investigar a saúde, a epidemiologia e a antropologia dos povos indígenas. Ele está aposentado, mas o grupo segue em atividade.

Coimbra Jr. e outros integrantes do grupo fizeram "inúmeras viagens de campo" à Terra Indígena Sete de Setembro desde 1990, conforme o relato de Ricardo Ventura Santos, que tem trajetória parecida com a de seu colega e colaborador: também se formou em biologia na Universidade de Brasília e fez doutorado no fim dos anos 1980 na Universidade de Indiana em Bloomington, nos Estados Unidos, trabalhando com os Paiter-Suruí e outros povos indígenas. Santos também é pesquisador da ENSP e do Museu Nacional.

Numa entrevista por e-mail, Santos disse que um estudo conduzido pelo grupo no começo dos anos 1990 permitiu identificar os casos de uma doença que estava acometendo os Paiter-Suruí, a paracoccidioidomicose. Como ela é pouco conhecida pelos agentes de saúde, seus casos estavam sendo diagnosticados como tuberculose. O diagnóstico da doença é feito com exame de sangue, e por isso os pesquisadores coletaram amostras dos Paiter-Suruí. Os casos mais graves foram levados para o Rio de Janeiro, onde foram acolhidos por Coimbra Jr. e tratados num hospital da Fiocruz. O estudo "salvou vidas indígenas", escreveu Santos.

O antropólogo afirmou que Coimbra Jr. cultivou laços de amizade e afeto com os Paiter-Suruí, com quem continua a interagir até hoje, e que é visto como amigo e aliado por lideranças desse povo. Deu a entender que a menção a Coimbra Jr. nas recordações dos Paiter-Suruí poderia ser fruto de um engano. "Não se pode descartar que pode haver, por parte dos sujeitos de pesquisa (indígenas ou não indígenas), compreensões que 'misturam' fatos históricos", escreveu.

De acordo com Santos, o estudo de 1990 foi a último do grupo em que houve coleta de sangue dos Paiter-Suruí para exames epidemiológicos. O pesquisador não esclareceu, porém, como foi feito o consentimento informado, quantos indivíduos tiveram o sangue coletado e que fim tiveram as amostras após a realização dos testes.

Em julho de 1996, Santos e Coimbra Jr. denunciaram que amostras de DNA dos Paiter-Suruí e dos Karitiana estavam à venda na internet. Participando de um congresso de bioantropologia nos Estados Unidos, os dois visitaram o estande do Coriell Cell Repositories, do Instituto Coriell de Pesquisa Médica, uma instituição científica norte-americana sem fins lucrativos. O Coriell abriga uma coleção de milhares de amostras de DNA e linhagens celulares humanas, patrocinada por um dos Institutos Nacionais de Saúde (NIH) dos Estados Unidos, com o objetivo de embasar o estudo de doenças genéticas e das variações entre as populações. Em seu site, era possível encomendar, por 85 dólares, linhagens de células sanguíneas em cultura de origem Paiter-Suruí ou Karitiana (se o interessado preferisse levar apenas sequências de DNA, sairia por até 55 dólares).

As amostras vinham da mesma coleta de 1987 que deu origem às linhagens do Projeto da Diversidade do Genoma Humano. No começo dos anos 1990, o geneticista Kenneth Kidd, de Yale, forneceu para a coleção abrigada pelo Coriell cinco linhagens celulares dos Karitiana e outras cinco dos Paiter-Suruí, ampliando ainda mais o acesso dos cientistas ao DNA dos povos indígenas brasileiros. A partir dali, o Coriell passou a distribuir o material a pesquisadores interessados mediante o pagamento de uma taxa.

Santos e Coimbra revelaram a prática no Boletim do Instituto Socioambiental,[7] e a denúncia logo virou notícia no *Jornal do Brasil* e em vários outros veículos.[8] A repercussão do caso ajudou a catalisar a criação de duas comissões parlamentares que investigaram a denúncia junto com outros casos de exploração ilegal de plantas e material genético na Amazônia, caracterizados como exemplos de biopirataria.

O Coriell se manifestou em uma dessas comissões, depois de procurado pela Embaixada do Brasil em Washington. Alegou que as amostras estavam destinadas exclusivamente para pesquisa científica sem finalidade comercial e que não estavam à venda; o valor cobrado por elas cobria apenas os custos de manutenção, a embalagem e o envio do material. Afirmou ainda que suas coleções de DNA só tinham amostras colhidas obedecendo às normas do país de origem, e que todas elas requeriam o consentimento informado dos doadores.[9]

As coletas de sangue feitas no passado, trazidas à tona pela denúncia de venda de DNA indígena, deixaram lembranças traumáticas entre os Karitiana, conforme registrou o antropólogo Felipe Ferreira Vander Velden. Em seu mestrado, defendido em 2004 na Universidade Estadual de Campinas (Unicamp), Velden investigou a interpretação dos Karitiana para os episódios de coleta de sangue, após passar três meses na terra indígena conduzindo entrevistas sobre o caso.[10] As lembranças da vinda de Francis Black são difusas, mas eles têm recordações mais nítidas de uma coleta feita em 1996 pelo médico e bioantropólogo Hilton Pereira da Silva — e que reverberam em vários aspectos os relatos que ouvi dos Paiter-Suruí. Os Karitiana também se sentiram enganados e se frustraram com o sumiço dos cientistas após a coleta de sangue.

Silva foi à terra indígena acompanhando uma equipe de cinegrafistas britânicos. Tinham autorização da Funai para fazer um documentário, mas não para tirar sangue dos indígenas. Ele conta que, quando os Karitiana souberam que ele era médico, lhe pediram ajuda, já que havia mais de seis meses não recebiam qualquer assistência. Diante da precariedade do estado de saúde dos indígenas, decidiu tirar sangue de dezenas deles e levar para Belém para diagnosticar doenças num laboratório (nunca chegou a fazer os exames, porque as amostras não foram armazenadas em condições adequadas). Entendeu que, por se tratar de um atendimento médico emergencial, não precisava pedir autorização. Os Karitiana não ouviram mais falar do pesquisador ou do seu sangue.

Esse episódio aconteceu pouco antes da denúncia de que o Coriell estava comercializando sangue de povos indígenas brasileiros. Com a repercussão do caso, o Ministério Público Federal entrou com uma ação civil pública na justiça contra Silva em nome dos Karitiana. O pesquisador não tinha a ver com o sangue que estava à venda na internet, mas a Justiça entendeu que ele precisava de autorização para fazer a coleta, e condenou-o a pagar

50 mil reais de indenização aos indígenas — a sentença definitiva foi dada em 2022 pelo Superior Tribunal de Justiça, e não cabe mais recurso.

As coletas de sangue feitas por Francis Black não deixaram registros conhecidos nas instituições do governo brasileiro. Numa reportagem de 2007 do jornal *The New York Times* sobre o caso dos Karitiana, um representante da Funai disse que não havia na fundação registro de qualquer pedido de permissão para a realização da pesquisa e para a coleta de amostras.[11] Em sua pesquisa, Velden também buscou documentos relativos a esse episódio, sem sucesso.

Isso não quer dizer que a coleta tenha sido feita de forma ilegal — pode ser que os documentos em questão tenham se perdido. Francis Black e sua equipe dificilmente visitariam as terras indígenas brasileiras para a coleta de sangue sem o conhecimento das autoridades. O consentimento informado provavelmente foi obtido de forma oral, na forma de uma autorização coletiva dada pelo cacique ou por alguma outra liderança.

Hoje cientistas interessados em coletar material biológico dos povos indígenas brasileiros precisam cumprir uma série de formalidades, graças a um marco legal estabelecido a partir de 1996, após a denúncia da venda do DNA Paiter-Suruí e Karitiana. A constituição de bancos de DNA e linhagens celulares de origem indígena está condicionada à "expressa concordância da comunidade envolvida", conforme uma resolução de 2000 que regulamenta as pesquisas com povos indígenas da Comissão Nacional de Ética em Pesquisa (Conep).[12] Mas a norma nada diz sobre as linhagens formadas com amostras colhidas antes da existência da resolução, como é o caso do laboratório de Kidd, do PDGH e do Instituto Coriell.

* * *

Os Yanomami abriram um precedente para a repatriação de material biológico coletado de forma questionável. Em 2015, eles conseguiram negociar o retorno de amostras de sangue que tinham sido coletadas nos anos 1960 e estavam armazenadas em instituições de pesquisa norte-americanas. As amostras tinham sido colhidas por uma equipe liderada por dois cientistas norte-americanos, o geneticista James Neel e o antropólogo Napoleon Chagnon. Relatos da imprensa falavam em até 12 mil amostras armazenadas na Universidade Estadual da Pensilvânia, nas universidades de Michigan e Emory, além do Instituto Nacional de Câncer de Maryland.[13]

Com o sangue coletado, os cientistas pretendiam investigar se haveria uma base genética para o comportamento violento dos Yanomami. Em seus estudos, Chagnon caracterizou esses indígenas pelo viés da violência e estigmatizou-os como um "povo feroz" — expressão que usou no título de um livro que escreveu sobre os Yanomami, um best-seller antropológico que esteve na origem de uma das mais acirradas controvérsias da antropologia nos Estados Unidos.[14]

Os argumentos e métodos de Chagnon foram criticados no livro *Trevas no Eldorado*,[15] lançado pelo jornalista Patrick Tierney em 2000. Tierney alegou que Chagnon e Neel tinham testado uma vacina sem consentimento e espalhado uma epidemia de sarampo entre os Yanomami, dentre outras acusações graves de má conduta científica. A maior parte das acusações acabou se mostrando exagerada ou infundada, mas outras investigações revelaram uma série de práticas antiéticas e condenáveis.

O livro teve um efeito colateral não planejado: foi por meio dele que os Yanomami souberam que havia sangue de seus parentes guardado em outro hemisfério, e decidiram reivindicá-lo de volta, por meio do Ministério Público Federal. Os trâmites burocráticos se arrastaram por mais de uma década, e só em 2015 os Yanomami recuperaram mais de 3 mil amostras de sangue que estavam em duas instituições diferentes.

Assim como era o caso com os Paiter-Suruí e os Karitiana, também para os Yanomami a existência em algum laboratório de sangue insepulto de pessoas mortas é um fato perturbador e representa uma violação grave de princípios cosmológicos. "Para que um Yanomami possa morrer, é preciso que todas as partes que compõem a pessoa sejam destruídas", conforme escreveu a antropóloga Hanna Limulja.[16] O escritor Davi Kopenawa explicou a aflição do seu povo numa carta que mandou ao Ministério Público cobrando a devolução do sangue de seus parentes armazenado nas geladeiras norte-americanas: "Nosso costume é chorar os mortos, queimar corpos e destruir tudo que usaram e plantaram. Não pode sobrar nada, senão o povo fica com raiva e o pensamento não fica tranquilo".[17]

Kopenawa foi ele próprio um dos Yanomami que tiveram o sangue coletado pelos norte-americanos quando tinha cerca de dez anos, muito antes de se tornar uma das mais importantes lideranças de seu povo. Após articular a devolução do sangue, Kopenawa participou do ritual de sepultamento das amostras devolvidas quase meio século após a coleta.

No caso dos Yanomami, foi possível chegar às amostras originais com o material colhido nos anos 1960. Já para os Paiter-Suruí e para os Karitiana, o que existe são linhagens celulares imortalizadas a partir das amostras. Não são mais as mesmas células coletadas nos anos 1980, o que não impede que tenham um significado cultural importante para os indígenas.

Para o sociólogo da ciência Mark Munsterhjelm, da Universidade de Windsor, no Canadá, o uso das linhagens celulares imortalizadas é uma forma de objetificação dos povos indígenas. As linhagens imortais podem ser trocadas ou vendidas, como commodities, conforme notou Munsterhjelm, que estudou o caso dos Karitiana. Para ele, o uso continuado dessas amostras para pesquisa é um caso de "violência ontológica e epistemológica" por parte dos cientistas.[18]

Reconstituir a chegada dos humanos às Américas é contar a história dos ancestrais dos povos indígenas contemporâneos. Apesar disso, os povos originários costumam ser deixados à margem desse debate, do qual têm participado principalmente como fornecedores de material biológico para estudo dos cientistas, que não se interessam por ouvir sua perspectiva sobre a própria origem.

Se quisermos contar a história da ocupação das Américas de modo a incluir a perspectiva dos povos indígenas, é fundamental romper com práticas de pesquisa que os objetificam e começar a considerar seus interesses na forma como as pesquisas são concebidas e executadas.

Um número cada vez maior de estudiosos tem questionado a forma como essa história vem sendo contada e reivindica o protagonismo indígena na investigação da origem de seus antepassados, como uma maneira de descolonizar a arqueologia e as outras disciplinas envolvidas no estudo da ocupação das Américas. É o caso de Paulette Steeves, pesquisadora Universidade Algoma, no Canadá, e autora do primeiro livro dedicado à questão escrito a partir da perspectiva dos povos originários.[19] Para ela, essa é uma maneira de descolonizar a arqueologia, disciplina que foi marcada pelo apagamento das narrativas indígenas sobre o próprio passado.

Para Steeves, uma manifestação desse silenciamento é a rejeição das ocupações mais antigas das Américas, que negam a possibilidade de uma história indígena profunda no continente. "Não se trata apenas de uma disputa sobre sítios arqueológicos, mas de uma batalha pelos vínculos dos indígenas com um passado antigo numa terra colonizada", escreveu Steeves em 2015.[20]

Almir Narayamoga Suruí me disse que, quando a venda do sangue de seu povo pela internet veio à tona, por ocasião da CPI da Biopirataria, ele acionou o Ministério Público Federal a fim de solicitar a devolução do material. No entanto, a iniciativa não deu em nada, e ele nunca mais teve notícia de seus desdobramentos. Quando soube, em 2023, que o material continuava à disposição dos cientistas, ele disse que gostaria de solicitar ajuda para recuperar as amostras tanto ao MPF quanto ao recém-criado Ministério dos Povos Indígenas.

Tanto os Paiter-Suruí quanto os Karitiana já manifestaram sua contrariedade com essa situação em mais de uma circunstância. "Na comunidade científica se sabe — ou se está negando saber — que esses povos indígenas não querem que suas células imortalizadas continuem a ser usadas para pesquisas", disse-me a historiadora da ciência norte-americana Rosanna Dent, que é professora da Universidade Rutgers e investiga os estudos genéticos feitos com povos indígenas brasileiros.

Dent ressaltou que as ferramentas disponíveis para os biólogos naquela época eram muito diferentes das análises de DNA contemporâneas. "Você pode ter tido o consentimento informado das populações estudadas, mas não havia tecnologia para fazer o que eles estão fazendo agora", afirmou Dent. Para ela, a atitude mais ética a se tomar seria voltar a consultar as comunidades sobre o material. "É preciso fazer um processo de atualização do consentimento informado para uso daquelas amostras."

As linhagens celulares imortalizadas derivadas do sangue dos Paiter-Suruí e dos Karitiana que foram estabelecidas no laboratório de Kenneth Kidd ainda estão na Universidade Yale. "Até onde eu saiba, elas continuam armazenadas, mas não estão mais sendo usadas", disse-me o geneticista numa entrevista em 2023, quando ele estava com 81 anos. Kidd não soube informar, porém, o paradeiro atual das amostras ou quem é o responsável por elas. Ele disse que não sabia, até aquela entrevista, que os indígenas brasileiros estavam contrariados com o fato de que células de parentes seus continuavam guardadas num laboratório norte-americano. O geneticista afirmou ainda que o consentimento informado indicava que as amostras seriam replicadas — uma alegação que carece de confirmação documental. "Não creio que tenhamos usado o termo 'linhagem celular', porque o termo não teria significado na língua deles, mas tudo isso estava no consentimento informado, e os povos originários envolvidos não fizeram qualquer objeção", afirmou Kidd. "Nenhum mal foi feito a esses povos, e nunca houve dinheiro envolvido no uso das linhagens", acrescentou.

O material gerado no laboratório de Kidd segue à disposição de pesquisadores do mundo todo no PDGH. Numa entrevista concedida por e-mail, a bióloga Hélène Blanché-Koch, responsável pela gestão do banco de linhagens celulares do PDGH, em Paris, disse compreender que os Paiter-Suruí e os Karitiana estejam contrariados com a existência das linhagens celulares de seus parentes. "Como não temos informações que permitam estabelecer um vínculo entre uma pessoa e uma linhagem celular estabelecida, não podemos dar seguimento a demandas individuais de retirada do consentimento", escreveu Blanché-Koch. "No entanto, poderíamos destruir as linhagens celulares se recebermos um pedido oficial do governo brasileiro ou de um representante oficial dessas populações."

Até o fim de março de 2023, uma página do site do Instituto Coriell de Pesquisa Médica oferecia um conjunto com amostras genéticas de 24 indivíduos de doze populações diferentes, incluindo os dois povos indígenas de Rondônia, mediante uma taxa de 129 dólares para propósitos acadêmicos ou de 217 dólares para fins comerciais. Falando em nome do Coriell, a diretora de relações públicas do instituto escreveu que as amostras dos Paiter-Suruí e dos Karitiana foram retiradas de seu catálogo "quando surgiram preocupações". Segundo ela, isso teria acontecido só em 2015. No entanto, a denúncia de que o material biológico dos indígenas brasileiros estava à venda foi feita nos anos 1990. O Coriell estava ciente das "preocupações" desde essa época, tanto que enviou um representante para depor na comissão parlamentar que investigou a denúncia. Questionada sobre a página do site que oferecia em 2023 DNA dos dois povos de Rondônia, inclusive para fins comerciais, algo que o Coriell sempre negou, a diretora de relações públicas afirmou que a página tinha ficado no ar por engano e que a partir dessa página não teria sido possível encomendar as amostras, já que elas não estavam mais no catálogo desde 2015.

20. O enigma Ypykuéra

Terra Indígena Wedezé, Mato Grosso, Brasil

No final do século XIX, parecia que a física havia se esgotado, como se já tivesse descoberto tudo que havia para descobrir. Havia apenas duas nuvens a turvar seu céu azul, como disse o físico escocês William Thomson, conhecido como Lorde Kelvin, numa reunião da Royal Society em 1900. As nuvens a que ele se referia eram resultados de experimentos que as leis conhecidas não conseguiam explicar, como o efeito fotoelétrico e a propriedade exibida pelos átomos de absorverem ou emitirem luz apenas em certas frequências. Para resolver esses problemas, porém, foi preciso criar a mecânica quântica e a relatividade restrita, duas teorias que abalaram os alicerces da física e levaram a inovações que mudaram a cara do mundo em que vivemos, tornando possíveis os computadores, a energia nuclear e a exploração espacial.

Guardadas as proporções, os estudos genéticos dos primeiros americanos também sofreram um abalo importante na segunda década do século XXI. Ali também o céu era de brigadeiro em 2012, quando um estudo mapeou a ancestralidade dos povos indígenas contemporâneos. Descendiam todos de uma mesma população de origem asiática, conforme concluiu o geneticista norte-americano David Reich, da Universidade Harvard, junto com colegas brasileiros e de outros países.

A tempestade se iniciou em 2014, quando o estudo genômico do menino de Mal'ta mostrou que parte da ancestralidade dos primeiros americanos vinha de grupos que já não eram mais encontrados na Sibéria. A tormenta ganhou força em 2015, com a descoberta da população Y, que mostrou que deveria haver mais de uma população na origem da diversidade genética dos indígenas americanos.

Publicado em julho de 2015 na revista *Nature*, o estudo foi liderado por Reich e teve como coautores pesquisadores da USP, da UFRGS e da UFPR.[1] A assinatura genética da população Y — ou o "sinal australasiano", no jargão dos cientistas — foi descoberta após a análise de trechos do genoma de 63 indivíduos de 21 povos indígenas americanos. Ele apareceu apenas nas amostras dos três grupos brasileiros, e corresponde a uma pequena fração de seu genoma, de até 3%. Ainda assim, era o suficiente para que não pudesse ser explicado pelos modelos usados até então para explicar o povoamento do continente. Afora esses povos, o sinal genético só era encontrado em populações nativas da Austrália e da Nova Guiné, na Oceania, e das Ilhas Andaman, no Sudeste Asiático.

Quando a geneticista Tábita Hünemeier identificou esse padrão numa análise, sua primeira reação foi atribuí-lo a algum erro: aquele sinal era contraintuitivo demais para ser verdade. A pesquisadora da USP tentou fazer correções estatísticas para ver se o sinal desaparecia, mas ele se manteve irredutível. "É um sinal real, mas muito fraco", disse Hünemeier numa entrevista. Pelo visto, os Paiter-Suruí, os Karitiana e os Xavante tinham uma população misteriosa entre seus ancestrais.

Reich propôs inicialmente batizá-la de "população X". A geneticista Maria Cátira Bortolini, pesquisadora da UFRGS que também assina o estudo, não gostou da proposta e teve a ideia de sugerir um nome de origem indígena. Hünemeier, que tinha sido sua aluna de doutorado, foi vasculhar um dicionário de tupi que havia na casa de uma tia e descobriu a palavra *ypykuéra*, que quer dizer "ancestral". Inspiradas no termo, elas propuseram chamar o grupo misterioso de "população Y".

Num primeiro momento, Reich encontrou o sinal australasiano nas amostras de DNA dos Paiter-Suruí e dos Karitiana disponíveis na coleção do Projeto da Diversidade do Genoma Humano, que tinham sido derivadas do sangue coletado por Francis Black em 1987. O geneticista foi então atrás dos colaboradores brasileiros em busca de ampliar a quantidade de amostras testadas para confirmar o resultado contraintuitivo e tentar entender sua origem.

Quando Reich procurou Bortolini, a geneticista gaúcha sugeriu que fossem investigados também povos indígenas que falam idiomas pertencentes a um outro tronco linguístico — afinal, tanto os Paiter-Suruí quanto os Karitiana falam línguas do tronco Tupi, o que pode ser um indicativo de parentesco genético. "Se aquele fosse mesmo um sinal antigo, provavelmente não estaria restrito ao tronco Tupi", ela pensou consigo mesma.

Bortolini teve a ideia de buscar o sinal na coleção de amostras biológicas que o geneticista gaúcho Francisco Salzano coletou ao longo de sua carreira, entre as décadas de 1950 e 1990. Armazenada na UFRGS, onde Salzano trabalhava, a coleção tem amostras de sangue, saliva e outros materiais colhidos junto a cerca de 120 comunidades espalhadas pelo território brasileiro. "Trata-se de um banco histórico com um valor inestimável, que abrange muitas populações que não existem mais", disse Tábita Hünemeier.

Salzano consentiu em participar do estudo e ceder material da sua coleção para análise. Bortolini selecionou as amostras e Hünemeier — que fazia então pós-doutorado na UFRGS — cuidou de prepará-las para que fossem analisadas no laboratório de Reich em Harvard. O estudo analisou o material genético de 48 indivíduos pertencentes a nove povos indígenas obtido a partir da coleção de Salzano: os Arara e os Aparai, do Pará; os Guarani e os Guarani-Kaiowá, do Mato Grosso do Sul; os Zoró, os Karitiana e os Paiter-Suruí, de Rondônia; os Urubu Kaapor, do Maranhão; e os Xavante, do Mato Grosso.

A análise confirmou a presença do sinal Y no genoma dos Karitiana e Paiter-Suruí, agora testados com amostras diferentes. A surpresa é que ele foi identificado também de forma nítida no DNA dos Xavante, que vivem num bioma diferente — o cerrado — e, além disso, falam um idioma do tronco Macro-Jê. O achado dava mais pistas para os pesquisadores situarem a chegada dos Ypykuéra nas Américas. "A gente viu o sinal em povos indígenas que falam idiomas de dois troncos linguísticos que se separaram há pelo menos 4 mil anos, então teria que ser um sinal antigo", disse Hünemeier.

Há pouco mais de 22 mil Xavante no Brasil, de acordo com dados de 2020 do Instituto Socioambiental. Eles estão espalhados por nove terras indígenas demarcadas a partir dos anos 1970. Vivem na região da Serra do Roncador, no leste do Mato Grosso, uma área muito afetada desde os anos 1980 pelo avanço da fronteira da soja. Seu expoente mais conhecido é Mário Juruna, o primeiro indígena do Brasil a ser eleito deputado federal, em 1982.

Na primeira metade do século XX, os Xavante eram retratados na imprensa como um povo agressivo e refratário a tentativas de contato. A reputação foi alimentada por episódios em que eles mataram missionários salesianos e funcionários do Serviço de Proteção aos Índios — órgão do governo federal substituído pela Funai no fim dos anos 1960 — que haviam tentado fazer contato. Em 1946, no entanto, um grupo de Xavantes decidiu estabelecer relações diplomáticas com representantes do governo, o que foi noticiado por jornais e revistas como um êxito na tentativa de "pacificar" os povos indígenas, no âmbito da Marcha para o Oeste, criada pelo Estado Novo.

Em 1962, dezesseis anos após o contato, o geneticista Francisco Salzano foi à Terra Indígena Wedezé com a equipe liderada por seu colega norte-americano James Neel, professor da Universidade de Michigan. Os dois cientistas vinham conduzindo estudos genéticos com povos indígenas do Brasil, que constituíram a base de uma metodologia para estudos genéticos humanos elaborada pela Organização Mundial da Saúde, com a qual Neel vinha trabalhando desde 1959.

A Terra Indígena Wedezé ocupa uma área de 146 mil hectares no município de Cocalinho, no leste do Mato Grosso, não muito distante do rio Araguaia, que marca a fronteira com Goiás. Neel afirmou ter escolhido essa terra indígena por seu caráter intocado, mas a facilidade de acesso foi um fator determinante — ela ficava na ponta de uma pista de pouso, conforme apontou a norte-americana Rosanna Dent em sua tese de doutorado em história e sociologia da ciência na Universidade da Pensilvânia.[2]

Dent conta que, no dia em que chegaram à terra indígena, os cientistas foram encontrar o cacique Apöwẽ e o resto da comunidade, para lhes apresentar o estudo que pretendiam fazer e oferecer presentes. Explicaram o propósito de suas pesquisas ao conselho de homens daquela aldeia, que consentiu com o projeto. O voluntário número um foi Apöwẽ, um líder carismático de extensa prole cujos genes despertavam particular interesse dos cientistas.

Ao longo de uma temporada de dez dias entre os Xavante, os pesquisadores colheram sangue e saliva dos indígenas, fizeram exames físicos e tiraram medidas antropométricas, além de conduzir entrevistas para reconstituir a genealogia e a história demográfica daquele povo. Depois dos Xavante, Salzano foi estudar os Kayapó e os Terena. Junto com Neel, o gaúcho visitaria nas décadas seguintes dezenas de comunidades indígenas na Amazônia.

O artigo de 2015 que relatou a descoberta do sinal Y em amostras colhidas por Salzano informa que o material foi coletado com aprovação da Comissão Nacional de Ética em Pesquisa, a Conep, por meio da resolução de número 123/98. A resolução em questão não está disponível em seu site (a um pedido feito via Lei de Acesso à Informação, a comissão respondeu que não possui o documento solicitado). Maria Cátira Bortolini disse numa entrevista que a resolução 123/98 é um parecer elaborado em termos genéricos que autoriza a realização de "estudos em nível de DNA" e "antropológicos" do material coletado, e que o documento não menciona os povos que participaram da coleta. (A pesquisadora se recusou a me enviar uma cópia da resolução.)

Nas coletas feitas por Salzano, teria havido consentimento por parte dos grupos envolvidos, ainda que fosse manifestado de forma oral. Mas, assim como aconteceu com as amostras colhidas por Francis Black, também no caso do material coletado pelo geneticista gaúcho, não se sabe quais foram os termos desse consentimento, e nem se ele autoriza as análises genômicas que hoje são feitas com esse material e que não existiam no século passado. Da mesma forma, não se sabe se Salzano levou em conta preocupações como a dos Paiter-Suruí e dos Yanomami, para quem os remanescentes de seus parentes devem ser destruídos depois que eles morrem.

Também nesse caso, Rosanna Dent defende que os povos indígenas sejam novamente consultados pelos cientistas, caso estes queiram continuar usando as amostras em suas pesquisas. "Salzano sempre teve aprovação formal para seus estudos e fez tudo de forma legal", disse Dent. "Mas sabemos que o que foi legal naquele momento talvez não seja ético dentro do nosso sistema agora, e talvez nunca tenha sido ético no sistema dos povos indígenas." A historiadora da ciência considera problemático o uso em pesquisas atuais das amostras coletadas décadas atrás, por mais que tenham interesse histórico. "O valor histórico só pode ser realizado de maneira ética, levando em conta o presente e o futuro daqueles povos."

Depois que Salzano morreu, em 2018, a UFRGS submeteu à Conep um projeto que transforma o acervo coletado pelo gaúcho num biobanco formalmente constituído, e aguarda sua aprovação. Enquanto não sai uma definição institucional sobre o status das amostras, seu uso em pesquisas científicas deve ficar suspenso, conforme me disse Bortolini, que atua como guardiã informal da coleção enquanto ela não tem seu status institucional regularizado.

Sabemos da população Y pelas marcas que ela deixou nos genes de povos atuais. Os Ypykuéra não existem mais de uma forma não misturada. Em outras palavras, trata-se de uma população-fantasma — assim como os ancestrais do menino de Mal'ta.

Os geneticistas que identificaram o sinal Y se viram às voltas com o desafio de interpretar o que ele significava, e de onde vinham os Ypykuéra. Tábita Hünemeier acredita que o sinal já teria chegado diluído nas Américas. "Ele entrou provavelmente com alguns indivíduos miscigenados e foi se mantendo pela dinâmica demográfica da América do Sul, em que pequenas populações vão endocruzando muito", afirmou. "Deve ter sumido em muitas populações, mas se manteve em algumas."

Os cientistas descartaram que os Ypykuéra fossem uma população da Oceania que cruzou o Pacífico até chegar à costa oeste da América do Sul: os dados eram incompatíveis com o tipo de rastro que um tal grupo teria deixado no genoma dos povos nativos atuais. O mais provável é que a população Y corresponda a um grupo que viveu na Ásia e que deu origem tanto a grupos que viriam a ocupar a Oceania quanto a outros que seguiriam para a Beríngia e depois para as Américas.

Nem todos os povos que ficaram isolados na Beríngia durante o Último Máximo Glacial deviam trazer essa ancestralidade, caso contrário o sinal ypykuéra seria encontrado de forma mais generalizada nos povos indígenas contemporâneos. "Tudo tem a ver com a heterogeneidade dos povos que chegaram à Beríngia e a partir dali se dispersaram pelo continente americano", disse-me Maria Cátira Bortolini.

No mesmo dia em que saiu o artigo da *Nature* apresentando a descoberta da população Y, foi publicado na *Science* um estudo feito por uma equipe independente relatando observações de um sinal parecido.[3] O artigo da *Science* apontava uma afinidade genética entre alguns povos indígenas americanos — em particular os Paiter-Suruí — com as populações australomelanésias. O estudo foi feito pelo grupo de Eske Willerslev, da Universidade de Copenhague, a partir da análise do genoma tanto de indivíduos contemporâneos quanto de remanescentes humanos com até 6 mil anos de idade encontrados em sítios arqueológicos das Américas do Sul e do Norte. As amostras dos indígenas brasileiros também vinham do Projeto da Diversidade do Genoma Humano.

A análise do grupo de Willerslev apontou que a contribuição genética que explicaria o parentesco com os australomelanésios deve ter acontecido após o povoamento inicial pelos ancestrais dos povos indígenas. Para eles, os resultados reforçavam a hipótese de uma origem siberiana comum para todos os povos nativos americanos, com contribuições posteriores associadas aos asiáticos do leste e aos australomelanésios. Nesse ponto, divergiam dos pesquisadores brasileiros e norte-americanos que, ao observar um sinal parecido, concluíram que ele era a prova de que havia duas populações fundadoras das Américas.

Ainda não está claro qual desses cenários explica melhor a contribuição dos Ypykuéra para a diversidade genética americana. Mas o sinal Y tinha aparecido em estudos de grupos independentes que tinham examinado conjuntos diferentes de amostras usando métodos distintos de análise genômica. Era mais uma indicação de que ele não era um artefato estatístico, mas representava uma afinidade real que nem os geneticistas nem os arqueólogos são capazes de explicar satisfatoriamente.

A identificação de uma população fundadora com um pé na Oceania parecia dar razão ao bioantropólogo Walter Neves, que propusera nos anos 1980 a hipótese do povoamento das Américas por dois povos biologicamente distintos. Primeiro teriam vindo os paleoíndios, com crânios similares aos dos australomelanésios, e depois os ancestrais dos povos indígenas atuais, que têm mais afinidade com os asiáticos. A população Y poderia muito bem corresponder aos paleoíndios de Neves. Seria Luzia uma ypykuéra?

"Essa população Y nada mais é que o povo de Luzia", disse-me Neves em 2017. Fazia sentido aparente, mas havia algumas incoerências: de acordo com a interpretação do grupo de Eske Willerslev, a população Y tinha chegado depois dos beringianos que se transformaram nos primeiros americanos — exatamente o oposto do que postulara Neves. "Associar o sinal ypykuéra com qualquer morfologia paleoamericana é uma furada", disse Maria Cátira Bortolini.

Naquele momento, ainda não tinham sido divulgados os resultados dos estudos de DNA antigo com fósseis de Lagoa Santa que acabaram mostrando que os povos de Luzia não correspondiam a uma população biologicamente distinta. Os dois estudos publicados em 2018 não só lançaram uma pá de cal sobre o modelo de Neves, mas também ampliaram o mistério em relação à população Y. Como o sinal ypykuéra era aparentemente antigo, havia a expectativa de que ele fosse encontrado nos indivíduos de Lagoa Santa. Entre os doze esqueletos mineiros que tiveram seu DNA antigo analisado — cinco indivíduos encontrados por Lund na Gruta do Sumidouro e sete escavados na Lapa do Santo por Neves e André Strauss —, apenas três ou quatro tiveram o genoma sequenciado com uma cobertura grande o bastante para avaliar a presença do sinal Y; e, dentre eles, o sinal apareceu em um único indivíduo. Para complicar, ele correspondia a cerca de 3% do genoma, proporção parecida à encontrada nos povos contemporâneos.

Não parecia muito coerente: se aquele fosse mesmo um sinal antigo, como acreditavam os cientistas, ele devia aparecer com mais intensidade nos indivíduos de Lagoa Santa, e se diluiria com o passar do tempo até chegar à proporção encontrada atualmente em alguns povos nativos. A presença do sinal fraco num único indivíduo com 10,4 mil anos de idade e a sua ausência em todos os demais genomas de idade parecida analisados até então eram um enigma que os cientistas não sabiam resolver.

A população Y poderia quem sabe corresponder a um grupo humano que entrou no continente americano antes da população beringiana que deu origem à maior parte dos povos indígenas contemporâneos. No livro *Origin: A Genetic History of the Americas*, a hipótese foi listada pela geneticista norte-americana Jennifer Raff como uma das explicações possíveis para a origem dos Ypykuéra, mas não há evidências que a sustentem.

Outro mistério que faltava explicar era a ausência do sinal Y na América do Norte. Mas um fator pode ter contribuído para isso. Há muito poucas amostras disponíveis de DNA indígena de povos da América do Norte. Isso porque eles são extremamente resistentes a ceder material biológico para estudos científicos. Nenhum povo indígena dos Estados Unidos ou do Canadá, por exemplo, contribuiu com o Projeto da Diversidade do Genoma Humano. Essa desconfiança foi motivada pela conduta inescrupulosa de alguns cientistas, graças a episódios como o que aconteceu com os Havasupai, que vivem junto ao Grand Canyon, no sudoeste dos Estados Unidos.

Em 2010, a Justiça norte-americana determinou que os Havasupai recebessem uma compensação financeira pelo uso indevido de amostras de sangue de 151 indivíduos. O material tinha sido coletado em 1989 por cientistas da Universidade do Estado do Arizona que pretendiam investigar se havia uma explicação genética para a alta prevalência de diabetes entre aquele povo. Os cientistas não encontraram uma resposta satisfatória para a pergunta, mas acharam por bem ceder as amostras para colegas que investigavam outras questões não contempladas na autorização original de uso do material biológico.

Carletta Tilousi, integrante dos Havasupai, ficou sabendo disso quando assistiu à defesa de uma tese de doutorado que tinha investigado o genoma de seu povo. Ela se chocou ao ver o pesquisador falar de como o DNA dos parentes dela trazia rastros da sua migração desde a Ásia — uma alegação que contrariava a história de origem dos Havasupai, segundo a qual eles foram criados no Grand Canyon. "Como esse cara ousa contestar a nossa identidade usando o nosso próprio sangue, o nosso DNA?", questionou Tilousi em entrevista ao *Phoenix New Times* em 2004.[4]

Como não tinham dado autorização para aquela pesquisa, os Havasupai levaram o caso à Justiça — e ganharam. O órgão responsável pela gestão da universidade foi obrigado a pagar uma indenização de 700 mil dólares aos indígenas e a lhes devolver as amostras de material coletado, que foram recebidas numa cerimônia ritual.

O caso alimentou a desconfiança que os cientistas despertavam nos indígenas dos Estados Unidos. A beligerância que se criou de parte a parte foi parar na Justiça em outra batalha judicial que opôs os povos indígenas aos cientistas. O caso envolveu um esqueleto com cerca de 8,5 mil anos encontrado em 1996 às margens do rio Columbia, na cidade de Kennewick, no noroeste dos Estados Unidos. O indivíduo ficou conhecido na imprensa como o "Homem de Kennewick", mas os Umatilla — que vivem no Oregon e alegavam que aquele homem era seu ancestral — chamaram-no de Oid-p'ma Natitayt, ou "O Ancião".

Os povos nativos reivindicaram os remanescentes do Ancião para que pudessem sepultá-lo novamente. Estavam amparados numa lei promulgada em 1990 que ficou conhecida pela sigla em inglês NAGPRA [Native American Graves Protection and Repatriation Act, Lei de proteção e repatriação de túmulos indígenas americanos]. Essa lei obrigou museus, universidades e outras instituições federais a consultar os povos originários sobre os artefatos e remanescentes humanos mantidos em suas coleções — e a devolver esse material caso os indígenas assim o desejassem.

Mas um grupo de cientistas tentou impedi-los na Justiça, alegando que o crânio tinha traços que não indicavam parentesco com os indígenas atuais. Um juiz deu ganho de causa aos pesquisadores, proibiu o sepultamento e autorizou-os a estudar o material, à revelia dos indígenas. Embora não tenham conseguido extrair DNA da amostra naquele momento, os cientistas publicaram um volume de 670 páginas com os resultados da análise do esqueleto.[5]

Anos depois, o grupo de Eske Willerslev foi autorizado a tentar novamente retirar material genético daquele esqueleto — e dessa vez conseguiu, graças aos avanços nas técnicas de recuperação do DNA antigo. Os resultados, publicados em 2015, deram razão aos povos originários: embora a morfologia craniana sugerisse o contrário, o Ancião é, sim, aparentado com os indígenas contemporâneos afinal.[6] E ele de fato é um ancestral das Tribos Confederadas da Reserva Colville, um dos cinco grupos indígenas que reivindicavam o esqueleto do Ancião — e o único que consentiu em ceder amostras de saliva para o sequenciamento do seu genoma pela equipe de Willerslev. Com base nos resultados, os grupos que afirmavam ser descendentes do Ancião ganharam o direito de reaver e sepultar seus remanescentes, o que só aconteceu mais de vinte anos após a descoberta do esqueleto.

O episódio é sintomático da profunda desconfiança dos povos indígenas norte-americanos em relação aos pesquisadores. "A ciência não tem sido boa para nós", declarou ao *New York Times* em 2015 James Boyd, líder das Tribos Colville.[7]

Já no Brasil, não se vê a mesma beligerância entre indígenas e cientistas, por mais que as coletas de sangue do passado tenham provocado trauma e rancor em povos como os Yanomami, os Paiter-Suruí e os Karitiana. Uma hipótese que poderia explicar isso é o fato de que os indígenas brasileiros precisam lutar por direitos básicos que seus pares dos Estados Unidos já conquistaram. As pautas urgentes são temas como a demarcação de terras ou a expulsão de grileiros e do garimpo ilegal. "O controle do passado é uma baixa prioridade nesse momento para os indígenas brasileiros", avalia o bioantropólogo Mark Hubbe, da Universidade Estadual de Ohio.

Outro fator a se levar em conta é que, no Brasil, houve um alinhamento entre indígenas e pesquisadores sem paralelo na América do Norte. Muitas vezes, estudos feitos por antropólogos fundamentaram pedidos para a demarcação de terras indígenas, que começou a ser feita durante a ditadura militar. "Pesquisadores como Manuela Carneiro da Cunha ou Eduardo Viveiros de Castro nunca abriram mão de ter uma produção científica de alto nível e ao mesmo tempo exercer uma militância política muito forte", disse-me numa entrevista o arqueólogo Eduardo Góes

Neves, da USP. "Por muito tempo os pesquisadores foram porta-vozes dos indígenas, mas não são mais, pois os próprios indígenas estão tomando esse lugar. É importante que tenham sido, porque isso criou uma aliança."

O caso do Ancião foi um marco importante para a arqueologia das Américas, ao sinalizar que as pesquisas com remanescentes humanos não podem mais ser feitas de forma divorciada dos interesses dos povos indígenas, como foi o caso por muito tempo. Para Eske Willerslev, a ficha caiu em 2011, quando sua equipe publicou na *Science* o sequenciamento do genoma de um aborígene australiano. O DNA foi extraído de um tufo de cabelo do começo do século XX que era parte do acervo da Universidade de Cambridge, no Reino Unido. A análise concluiu que os aborígenes atuais são descendentes dos primeiros grupos que ocuparam a Austrália, e que essa é uma das populações contínuas mais antigas que existem fora da África.[8]

A descoberta era muito relevante para entender a história da dispersão do *Homo sapiens* pelo planeta. Mas teria sido feita de forma ética? O primeiro autor do estudo, o geneticista dinamarquês Morten Rasmussen, da Universidade de Copenhague, alegou que fora um erro não ter pedido aos aborígenes contemporâneos autorização antes de estudar a amostra, e ameaçou abandonar o estudo. Após ouvir o colega, Willerslev foi à Austrália consultar-se com o conselho que representa os aborígenes da região de onde vinha o tufo de cabelo e pedir a eles a permissão para publicar seus resultados.

O episódio mudou de vez o entendimento de Willerslev sobre o que pode ou não ser pesquisado. "Meu ponto de vista era que a história humana pertence a todos nós, porque estamos todos conectados, e que nenhum povo tem o direito de interromper nosso entendimento da história humana", disse o dinamarquês ao *New York Times* em 2016.[9] Mas as histórias de violência colonialista que Willerslev ouviu dos aborígenes o convenceram de que seria legítimo abrir mão de estudar a amostra se esse fosse o desejo daquele povo. "Algo que é correto do ponto de vista legal não é necessariamente correto do ponto de vista ético", afirmou.

Se as amostras coletadas por Francisco Salzano e Francis Black tivessem sido devolvidas a seus donos, provavelmente não conheceríamos a população Y. Mas o conhecimento científico justifica que se atropelem os interesses de um povo? Para Willerslev, a resposta ficou clara depois que ele começou a visitar as comunidades cujo genoma estava estudando. "Ou você faz [o estudo] com a concordância deles, ou não faz", disse o geneticista em 2020 ao podcast *Tides of History*.[10]

A postura de Willerslev marca uma ruptura em relação a gerações anteriores de geneticistas, que agiam como se o avanço da ciência justificasse passar por cima dos interesses das populações envolvidas. Num texto de 2003, Salzano manifestou a preocupação de que as demandas burocráticas dos comitês normativos acabassem por dificultar ou mesmo inviabilizar as pesquisas genéticas dos povos indígenas. "Todo um novo conjunto de possibilidades está se abrindo para a ciência, mas seria uma pena se elas não pudessem ser testadas usando as amostras biológicas atuais", escreveu o geneticista.[11]

Em 2010, geneticistas liderados pelo mineiro Fabrício Rodrigues dos Santos, da UFMG, voltaram a visitar os Xavante para coletar material biológico, só que em condições diferentes das expedições científicas do século passado às terras indígenas. Santos foi o coordenador na América do Sul do Projeto Genográfico, uma iniciativa promovida pela National Geographic Society, pela IBM e pela Fundação Waitt com a finalidade de investigar as origens da humanidade a partir do exame do DNA de populações do mundo inteiro.

As coletas dos Xavante para o Projeto Genográfico aconteceram na Terra Indígena Pimentel Barbosa, também no Mato Grosso. Antes de começar a coleta, Santos e seus colegas encontraram lideranças de várias esferas para explicar a finalidade do projeto e obter o consentimento informado — que, desta vez, foi dado individualmente e por escrito. "Fomos aos Xavante quatro vezes até fazer a primeira amostragem", disse-me Santos. "Teve muita conversa antes." Os cientistas se comprometeram a usar o material apenas em pesquisas históricas e genealógicas, abrindo mão expressamente de fazer qualquer estudo biomédico com o DNA indígena.

Não foi colhido sangue nesse projeto: o DNA era extraído de células do interior da bochecha colhidas com um raspador de papel. No Brasil, Santos e seu grupo tiraram amostras de 110 indivíduos de mais de vinte povos indígenas. Tinham autorização do Conselho Nacional de Ética em Pesquisa para sequenciar apenas o cromossomo Y e o DNA mitocondrial. Mas o grupo coletou amostras de povos indígenas de outros países sul-americanos, e nesse caso pôde sequenciar o genoma completo dos participantes. O Projeto Genográfico foi formalmente encerrado em 2019 e deu origem a muitos artigos científicos, mas ainda há dados por ser publicados.

Outro diferencial desse projeto em relação às coletas do século XX era o retorno dos pesquisadores às terras indígenas para apresentar e discutir os resultados — ou "fazer a devolutiva", conforme o jargão dos cientistas. Num encontro com um povo do Peru, o grupo chegou a um argumento que Santos gosta de repetir nas conversas com os povos indígenas para justificar a importância dos estudos de ancestralidade: "Muito da história indígena foi apagada, mas a história que está no DNA não tem como apagar".

No caso do estudo que descobriu a população Y, porém, os resultados não foram compartilhados com os indígenas. Tábita Hünemeier, uma das autoras da pesquisa, alega que, nesse caso, não houve devolutiva porque ela não havia sido prevista no ato da coleta, feita várias décadas antes. Como os cientistas tampouco tomaram a iniciativa de comunicar aquele achado aos donos das amostras, os indígenas brasileiros seguem alheios ao seu papel na história do povoamento do continente.

Fabrício Rodrigues dos Santos não está totalmente correto ao dizer que a história contada pelo DNA não pode ser apagada. O DNA não conta toda a história dos indígenas nas Américas, porque a maior parte da população nativa do continente não sobreviveu ao genocídio promovido pelos europeus depois que invadiram e colonizaram o continente americano a partir do final do século XV. E, com os indígenas, foi-se também boa parte de seu patrimônio genético.

Um estudo de 2019 conduzido pelo climatologista Alexander Koch, do University College London, no Reino Unido, estimou que a população indígena em 1492, quando chegaram os primeiros europeus, era de cerca de 60,5 milhões de indivíduos. A invasão levou essa população ao colapso: 55 milhões deles — ou 90% do contingente pré-contato — foram dizimados em pouco mais de cem anos, em decorrência de doenças com as quais os indígenas nunca tinham tido contato até então, guerras ou fome.[12] De acordo com esse mesmo estudo, a escala da matança foi tão grande que afetou até o clima global: as roças abandonadas pelos indígenas mortos foram tomadas por vegetação secundária, a ponto de aumentar a captura de gás carbônico da atmosfera e contribuir para a diminuição da temperatura global média em 0,15°C entre 1577 e 1694.

Um rastro genético do genocídio indígena pode ser detectado no DNA dos Maxakali, que vivem em Minas Gerais — eram pouco mais de 2 mil em 2014, segundo dados do Instituto Socioambiental. De acordo com o geneticista Thomaz Pinotti, eles pertencem todos ao mesmo haplogrupo de DNA mitocondrial, o que é algo totalmente atípico. "Dá para dizer que a população toda em algum momento foi reduzida a um pequeno bando familiar que descendia da mesma mulher", disse o pesquisador.

A consequência do extermínio em escala continental para o estudo da ocupação das Américas é que a população originária que sobreviveu ao massacre provavelmente não é representativa da diversidade genética dos povos nativos que estavam nas Américas em 1492, o que limita o alcance das conclusões a que se pode chegar estudando o genoma dos indígenas contemporâneos. "Se quisermos contar a história da ocupação do continente usando genomas modernos, o massacre dessas populações tem que ser incluído nas análises, e nem sempre a gente faz isso", reconheceu Pinotti.

Com a matança de nove em cada dez indígenas que habitavam o continente, perderam-se pistas valiosas que poderiam explicar quem era a população Y. Some-se a isso o número limitado de esqueletos antigos disponíveis e teremos a medida da limitação do nosso conhecimento sobre os primeiros americanos. Pode ser que as amostras estudadas até aqui não sejam representativas de toda a diversidade dos povos que chegaram ao continente. "Estamos usando cerca de uma dúzia de genomas ao longo de um intervalo de 20 mil anos para tentar entender os movimentos, acasalamentos, nascimentos e mortes de um número incalculável de pessoas", escreve Jennifer Raff.[13]

O mistério envolvendo a população Y ganhou nitidez em 2021, quando Tábita Hünemeier e seus colegas decidiram buscar o sinal genético numa amostra ainda maior de populações. O grupo analisou dados do genoma de 383 indivíduos da América do Sul, um número sem precedentes para estudos do tipo no continente, e concluiu que o sinal ypykuéra não estava limitado aos três grupos em que havia sido identificado inicialmente, conforme anunciou na revista *PNAS*.[14] O sinal apareceu também no genoma dos Chotuna, que vivem no litoral do Peru; dos Piapoco, na Colômbia; dos Guarani-Kaiowá, no Mato Grosso do Sul; dos Arara, no Pará; e de outros grupos. Mais uma vez, o estudo foi realizado com amostras de povos indígenas brasileiros pertencentes à coleção coletada ao longo da carreira por Francisco Salzano, que já estava morto quando o artigo foi publicado (Hünemeier afirmou que os dados referentes a essas amostras foram gerados em 2016, antes da morte do geneticista).

"O que a gente vê é o sinal muito espalhado pela América do Sul", disse Hünemeier. "Tem nos Andes, na Amazônia, na costa do Pacífico." A assinatura genética ypykuéra está presente em populações que falam idiomas de troncos distintos, o que sugere que a população Y chegou ao continente antes da separação desses grupos. O sinal apareceu especialmente forte nos Xavante e em povos que vivem no litoral pacífico.

Para Hünemeier, essa é uma evidência de que a população Y se espalhou pelas Américas avançando rumo ao sul pela costa do Pacífico e entrou para o interior em diferentes pontos do continente. Essa explicação poderia justificar por que o sinal genético não foi identificado em populações das Américas Central e do Norte. Para a geneticista, esse padrão foi também o que lhe permitiu fazer as pazes com os resultados contraintuitivos do estudo de 2015. "Aí as coisas começaram a fazer sentido para mim", afirmou. "Até então estava tudo muito solto, embora eu fosse coautora do trabalho."

A geneticista acredita que os resultados devem levar os pesquisadores a mudar o entendimento da ocupação do continente.

"A gente pensava o povoamento das Américas de forma muito simplista, feito em uma grande leva migratória seguida por outras ondas menores", disse Hünemeier. "Parece que foram sucessivas ondas, todas vindas do mesmo lugar, mas em tempos distintos." Os resultados sugerem ainda que a população da Beríngia era maior e mais diversa do que se pensava, continuou.

Se o panorama está um pouco mais nítido agora do que estava em 2015, quando a população Y foi descoberta, ainda é cedo para se ter uma visão consolidada do conjunto. Novos dados talvez permitam reduzir as muitas dúvidas que ainda há sobre a população Y. Mais respostas devem vir com o sequenciamento de novos genomas modernos e antigos, e não só do continente americano. "Amostras muito antigas das populações certas da Sibéria nos ajudariam a desatar esse nó", aposta Thomaz Pinotti. Enquanto isso, o parentesco de alguns indígenas americanos com os Ypykuéra continua sendo "um dos eventos mais intrigantes e pouco conhecidos da história humana", conforme definiram Tábita Hünemeier e seus colaboradores no artigo de 2021.[15] Enquanto esse mistério não for desvendado, vai ser difícil entender na totalidade o processo de ocupação das Américas.

21. Um objeto extraordinário

Vale da Pedra Furada, Piauí, Brasil

A novidade mais surpreendente vinda da Serra da Capivara nos últimos anos foi a descoberta de um artefato "inteiramente inesperado" de 24 mil anos encontrado no Vale da Pedra Furada, o sítio descoberto pela arqueóloga Gisele Felice. Sua existência foi revelada em março de 2021 num estudo publicado na revista *PLOS One* assinado por Eric Boëda, coordenador da Missão Franco-Brasileira no Piauí, e outros 27 autores. O artigo destaca o objeto extraordinário no título e é todo construído em torno dele, algo inusual na literatura arqueológica.[1]

O artefato em questão é uma grande placa de pedra encontrada numa camada de sedimentos depositada no início do Último Máximo Glacial, conforme atestado por datações de carbono-14 e luminescência opticamente estimulada. O Vale da Pedra Furada continuou a ser escavado após a publicação dos primeiros resultados em 2014. Sete anos depois, as escavações haviam atingido 2,70 metros de profundidade numa área de vinte metros quadrados. As datas iam ficando mais antigas à medida que a escavação alcançava níveis mais profundos, conforme se espera em contextos sem perturbação. Em 2021, havia indícios de ocupação humana em camadas com 41 mil anos de idade — é a data mais antiga encontrada na Serra da Capivara depois da retomada dos trabalhos pelo grupo de Boëda.

A placa de pedra encontrada ali não estava numa camada tão antiga, porém. Ela foi feita de um tipo fino de arenito encontrado no maciço da Serra da Capivara, o arenito siltoso. A placa tem quase três centímetros de espessura, com duas superfícies paralelas de formato vagamente hexagonal. Seu tamanho fica a meio caminho entre o de um celular e um tablet, com até 21 centímetros de comprimento e 18,5 centímetros de largura. Designado no artigo científico por seu número de registro nas escavações — 255 660 —, o artefato era excepcional pela matéria-prima utilizada, por seu tamanho, forma e volume.

A peça foi escavada em 2017, disse-me Boëda numa entrevista dois dias após a publicação do artigo. "Quando a encontramos, todo mundo parou o que estava fazendo." Sua reação foi soltar um palavrão e se perguntar, boquiaberto, o que diabos era aquilo. "Ela é totalmente única." O artefato estava quebrado em três grandes pedaços encaixados, e outro fragmento se partiu no momento em que a peça foi retirada dos sedimentos. Conforme notaram os autores, o artefato não se parece com nada que tenha sido encontrado em qualquer sítio arqueológico das Américas.

As bordas daquela placa foram modificadas em torno de toda a peça, com exceção da base. Isso é um sinal de que ela talvez fosse manejada pela base, ou talvez tivesse um pedúnculo pelo qual poderia ser encabada de alguma forma. A análise do artefato permitiu aos cientistas reconstituir as diferentes etapas de transformação das bordas e mostrou que trechos distintos têm marcas de uso distintas em diferentes momentos da história daquele objeto, sugerindo que ele pode ter mudado de função ao longo do tempo.

Para os autores, a origem humana daquela placa é irrefutável, e de fato é difícil pensar em toda a sequência de eventos naturais necessários para resultar num tal objeto. "É incontestável", disse Boëda. Resta entender com qual finalidade e em que contexto a placa era usada. Os cientistas não fizeram qualquer especulação a esse respeito no artigo. Perguntei a Boëda se ele tinha ideia de para que servia aquele objeto. O francês disse que, num primeiro momento, suspeitou que se tratasse de um tipo de pá, mas a análise do uso da peça não corroborou a ideia. Além disso, a placa tem bordas denticuladas que não fariam muito sentido numa pá. A análise microscópica das bordas mostrou que a ferramenta tinha sido usada, mas não trouxe maiores detalhes sobre sua função.

Quando perguntei a Boëda se seria possível imaginar algum uso ritualístico daquela placa, ele disse que até conseguia enxergar o objeto preso num bastão nas mãos de um xamã, mas que não havia elementos que sustentassem essa hipótese. "Eu não quis usar o termo 'simbólico'", disse o francês. "A única coisa que temos é que se trata de uma elaboração intencional, com seleção da matéria-prima e construção da peça."

Se a função da placa não estava clara, sua presença no sítio não pareceu absurda ao arqueólogo francês Antoine Lourdeau, que participou das primeiras escavações do Vale da Pedra Furada, mas deixou a Missão Franco-Brasileira no Piauí antes da descoberta do objeto. "Em outro contexto mais recente, todo mundo classificaria [esse artefato] como um objeto para moer, que é bem clássico em outros contextos pré-históricos", disse Lourdeau. O francês lembrou que os recursos vegetais são um elemento central nas ocupações antigas da América do Sul. "Poderia ser um objeto para quebrar coquinhos ou esmagar fibras ou pigmentos", arriscou.

No mesmo estudo que apresentou a notável placa de arenito siltoso, o grupo de Eric Boëda relatou que tinha observado, pela primeira vez num sítio da Serra da Capivara, uma distinção formal entre os tipos de ferramentas encontrados nas diferentes fases de ocupação. Para eles, isso era uma prova de que os grupos humanos que passaram por ali ao longo de milênios não fabricaram sempre artefatos do mesmo jeito, ao contrário do que alegavam os críticos que questionavam as ocupações antigas no Piauí. Na verdade, esses grupos tinham "uma panóplia de objetos que refletem uma cultura material rica e diversificada, como a de qualquer outra sociedade humana", concluíram os autores.[2]

O objeto 255 660 contrastava com os artefatos de fabricação simples encontrados na Serra da Capivara. Na extensa literatura de contestação à antiguidade dos sítios do Piauí, a falta de sofisticação das ferramentas já foi usada como argumento para questionar sua origem humana. O debate muitas vezes foi capturado pela classificação dos artefatos em unifaciais — ou modificados de um só lado, como a maior parte dos seixos lascados da Serra da Capivara — ou bifaciais — trabalhados em ambos os lados, como as pontas de Clovis.

Num gesto que soa provocador, Boëda e seus colegas não perderam a oportunidade de notar que o artefato 255 660 era bifacial e que talvez fosse a mais antiga ferramenta desse tipo encontrada nas Américas. Alegaram ainda que essa categoria vem sendo usada de forma indiscriminada e pouco criteriosa. "Se usamos o termo, devemos também começar a nos interessar pelo conjunto completo de artefatos que se enquadram nessa denominação, e não apenas pelos mais espetaculares", escreveram.[3]

O acúmulo de dados vindos do Vale da Pedra Furada e de outros novos sítios da Serra da Capivara levou pesquisadores que antes questionavam a antiguidade daquelas ocupações a aceitá-las. Foi o caso do arqueólogo André Prous, da UFMG, o crítico dos achados do Boqueirão da Pedra Furada que foi processado por Niède Guidon. Prous é o autor de *Arqueologia brasileira*, o livro de referência mais completo dedicado ao tema. Na primeira edição, de 1992, Prous notou que a antiguidade das datações do Boqueirão da Pedra Furada ainda era questionada.[4] Quando lançou em 2019 uma edição revista e ampliada do livro, porém, o autor se mostrou convencido da origem antrópica dos artefatos encontrados na Toca da Tira Peia, revelados em 2013. "Os achados da Toca da Tira Peia parecem demonstrativos de uma presença humana há mais de 20 mil anos, o que reforça a credibilidade dos demais sítios com seixos talhados da Serra da Capivara", escreveu Prous.[5]

Outros críticos que também passaram a admitir a presença humana antiga no Piauí são Adriana Schmidt Dias, da UFRGS, e Lucas Bueno, da UFSC. Quando os primeiros resultados do Vale da Pedra Furada foram anunciados em 2014, a dupla publicou um artigo questionando sua validade, alegando se tratar de "mais do mesmo jogo entre rochas e datas" — no dossiê de cinco comentários publicado pela *Antiquity*, os brasileiros eram os únicos a bater de frente com as conclusões principais do estudo.[6]

Seis anos depois, Dias e Bueno haviam mudado de posição em relação aos achados arqueológicos da Serra da Capivara, conforme registraram no periódico espanhol *Boletín Americanista*, num artigo assinado também pelo arqueólogo Andrei Isnardis, da UFMG. Publicado em 2020, o estudo admitia como válidas as ocupações antigas de Santa Elina e dos novos sítios da Serra da Capivara. Os autores afirmaram que, apesar das críticas que o trabalho havia recebido no passado, "nos últimos anos se acumulou um conjunto de dados cada vez mais robustos que permitem confirmar uma ocupação arqueológica confiável desde o Último Máximo Glacial".[7]

Por trás desse convencimento, está um projeto de pesquisa feito em conjunto pelos pesquisadores brasileiros com colegas franceses a fim de entender o povoamento das Américas a partir dos sítios arqueológicos brasileiros. Bueno, Dias e Isnardis eram os participantes brasileiros dessa cooperação, junto com Claide Moraes, pesquisador da Universidade Federal do Oeste do Pará, envolvido com a retomada das escavações na Caverna da Pedra Pintada, na Amazônia. Do lado francês, participaram Denis Vialou e Águeda Vilhena-Vialou, que haviam escavado Santa Elina, e Antoine Lourdeau, que participou da equipe de Boëda que retomou as escavações na Serra da Capivara.

No âmbito desse projeto, os pesquisadores fizeram visitas de campo a Santa Elina e aos sítios arqueológicos da Serra da Capivara, do Vale do Peruaçu e de Monte Alegre, e examinaram pessoalmente as coleções de material escavado ali (visitaram também sítios e museus na França). "Fomos convertidos pelo poder de Santa Elina, que é um sítio sem precedente mesmo", afirmou Adriana Dias, quando lhe pedi para comentar a mudança de posição numa entrevista. "É muito diferente você apenas ler os relatórios publicados e ir a campo e ver as coleções. É outra percepção."

Outros participantes do projeto deram depoimentos semelhantes. "A possibilidade de visitar os sítios, conhecer as coleções, estar com as pessoas que trabalharam ali e entender o contexto local mudou de fato a nossa perspectiva em relação às datas mais antigas e ao contexto geral da discussão sobre o povoamento no Brasil", disse Bueno. "Alguma dubiedade que pudesse haver na interpretação do material lítico ou alguma insegurança que as publicações pudessem deixar saíram de cena quando vimos o material", afirmou Isnardis.

De acordo com o arqueólogo da UFMG, o contato com o material foi especialmente importante no caso de Santa Elina, em que as publicações sobre o sítio não traziam muito detalhamento na descrição e análise dos artefatos. "Tivemos a chance de ver as coisas lascadas e aí não tem dúvida: é intencional", afirmou. Já na Serra da Capivara, o que ajudou a mudar o cenário foi que o foco saiu do Boqueirão da Pedra Furada, continuou Isnardis. "A conversa passou a integrar outros sítios, onde foi feita uma análise tecnológica consistente que mostrou que [o material lascado] não é acidental ou casual."

Não foram só as visitas que ajudaram no convencimento dos colegas. Os pesquisadores tiveram tempo para conversar e pensar juntos nos cenários dos primeiros povoamentos e elaborar hipóteses coletivas. "A aceitação foi fruto de um trabalho humano mais que científico", avaliou Antoine Lourdeau. Juntos, os arqueólogos analisaram as coleções, visitaram os sítios e discutiram cenários de ocupação, num processo transformador para todos. "Era um grupo muito coeso", disse Bueno. "Nem todo mundo pensa exatamente igual em relação a isso, mas conseguimos lidar com as divergências e ter um diálogo franco." Entre outros frutos, o projeto rendeu o artigo de 2020 e um livro ainda não publicado.

A visita a sítios antigos no sul da França ajudou o grupo a refletir sobre como se deu a ocupação de áreas pouco habitadas ou desconhecidas e a rever o próprio jeito como pensavam o povoamento. "O primeiro passo é trazer essa discussão para o plural", disse Bueno. "São povoamentos, são diversas formas de interagir e de deixar essa interação registrada na paisagem. Temos que quebrar essa ideia de que existe um modelo só de povoamento e um único tipo de registro."

Nesse processo, os pesquisadores acabaram tomando consciência de vieses que traziam em suas pesquisas. Perceberam, por exemplo, que são raros os sítios arqueológicos brasileiros escavados até chegar a camadas muito antigas, do final da Era do Gelo. "A gente se deu conta de que camadas que poderiam ter mais de 14 mil anos são raríssimas entre os sítios escavados no Brasil", disse Isnardis. Dentre os poucos exemplos cuja escavação chegou a níveis muito antigos, a maior parte encontrou sinais de ocupação humana nessas camadas, como foi o caso em Santa Elina e na Serra da Capivara. "Faltam-nos áreas escavadas com mais de 14 mil anos para podermos dizer que não havia presença humana nessa época", resumiu Isnardis.

Mas a aceitação da antiguidade da Serra da Capivara não invalida as críticas que Dias e Bueno fizeram no artigo de 2014 na *Antiquity*. "As publicações desse contexto não dão conta de explicar aspectos cruciais para sustentarmos de forma mais consistente as ocupações antigas e, por isso, a visita aos sítios e o contato com as pessoas foram fundamentais, pois aí entendemos uma série de lacunas que estão nesses artigos e que pudemos ver presencialmente", afirmou Bueno.

Da mesma forma, o arqueólogo da UFSC ainda considera válida a provocação segundo a qual o grupo que estuda a Serra da Capivara tem uma fixação com pedras e datas e passa ao largo de discussões mais frutíferas sobre a identidade e a cultura dos povos que ocuparam a Serra da Capivara. "Nosso interesse é tentar entender o modelo de povoamento, como os espaços foram colonizados, como os territórios foram negociados, como as identidades foram construídas", disse-me Adriana Schmidt Dias numa entrevista em 2014. "Reduzir a discussão a esse enfoque simplista só empobrece a beleza do objeto." Na avaliação de Dias e Bueno, para ir além das datas e pedras é preciso incorporar à discussão do povoamento questões sobre os desafios que aqueles grupos humanos enfrentavam no cotidiano, como o conhecimento do ambiente e da acessibilidade de recursos.

Quando entrevistei Antoine Lourdeau pela primeira vez, em 2013, ele ainda fazia parte da Missão Arqueológica Franco-Brasileira no Piauí e reconheceu que os trabalhos de seu grupo ainda eram muito centrados nas datas de ocupação. Para ele, isso se devia ao fato de o paradigma da primazia de Clovis ainda não ter sido completamente superado naquele momento. Ele torcia então para que a barreira da data ficasse para trás a fim de que eles pudessem atacar as questões antropológicas que lhe interessavam mais. "O grande lance é tentar entender quem estava aqui, como viviam, como se deslocavam e qual era a relação desses povos com as sociedades que vieram depois", afirmou Lourdeau. Quando voltei ao assunto ao entrevistá-lo novamente em 2022, ele disse que é exatamente esse tipo de questões que ele tem investigado desde que deixou o grupo de Boëda e passou a estudar sítios na região Sul do Brasil de ocupação bem mais recente, de até 12 mil anos.

Outra crítica recorrente aos trabalhos de Boëda é a ausência de uma explicação para a presença humana tão antiga no Piauí. O grupo franco-brasileiro ainda não propôs um modelo de povoamento que dê conta daqueles sítios antigos e que os integre aos demais achados arqueológicos no continente. "Vejo valor limitado em saber que há um sítio na América do Sul com datas de até 50 mil anos, a menos que ele possa ser situado dentro de um quadro teórico mais abrangente", escreveu o arqueólogo Richard Sutter, da Universidade Purdue Fort Wayne, num artigo de revisão sobre o povoamento da América do Sul publicado em 2021.[8]

Os sítios antigos da Serra da Capivara também são questionados pelo fato de não haver outras ocupações de idade parecida espalhadas pelo continente. Mas talvez as evidências sejam raras porque de fato não existem muitos outros sítios contemporâneos àqueles a serem descobertos. Para muitos estudiosos, uma assinatura arqueológica discreta como aquela é o que se esperaria encontrar de uma fase pioneira de exploração do território, feita por grupos reduzidos de humanos e em torno de lugares específicos.

* * *

A publicação de dados inéditos e a conquista de novos aliados para defender a antiguidade das ocupações antigas no Piauí e no Mato Grosso não estancaram os questionamentos a esses sítios. Em seu artigo de 2021, que saiu no *Journal of Archaeological Research*, Richard Sutter rejeitou em bloco os resultados mais recentes dos sítios da Serra da Capivara e afirmou que não havia evidências convincentes da presença humana na América do Sul antes do Último Máximo Glacial. Alegou ainda que o "ceticismo saudável" motivado pelo estudo inadequado dos sítios não era o mesmo que sua rejeição. "O escrutínio e a interrogação acadêmica são parte normal do discurso científico", escreveu. O autor também disse suspeitar que os macacos-prego tivessem feito alguns dos artefatos atribuídos a humanos. "Em última análise, é responsabilidade dos arqueólogos que estão fazendo alegações extraordinárias documentar de forma convincente as diferenças entre as ferramentas humanas e aquelas feitas pelos macacos-prego."[9]

O capítulo mais recente dessa discussão que parece condenada a nunca terminar foi travado em 2021 nas páginas de um periódico francês, o *Bulletin de la Société Préhistorique Française*. O debate foi desencadeado por um artigo publicado pelo arqueólogo Yan Axel Gómez Coutouly, pesquisador da Universidade Panthéon Sorbonne que se especializou nas ferramentas encontradas em sítios arqueológicos do Alasca. Coutouly contestou a origem humana dos sítios arqueológicos da Serra da Capivara retomando argumentos que já tinham sido propostos em críticas anteriores. Voltou a citar os macacos-prego, além de contestar os métodos adotados pelos arqueólogos para selecionar e descartar supostos artefatos e questionar a ausência de ferramentas produzidas com outras matérias-primas além do quartzo e do quartzito. Em sua avaliação, os seixos lascados encontrados na região deviam ser geofatos produzidos por uma série de fatores naturais.[10]

No entanto, é de estranhar que Coutouly tenha investido a maior parte de sua energia argumentativa para refutar o Boqueirão da Pedra Furada, o sítio mais controverso da região, que já foi amplamente debatido e sobre o qual praticamente não há dados novos desde 2001, quando a tese de doutorado de Fabio Parenti foi publicada. O autor não se alongou muito sobre os novos sítios escavados pela equipe de Boëda, aos quais dedicou menos de duas das 26 páginas do artigo (excluindo as referências bibliográficas). "Novos sítios, mesma ladainha: continuamos sem ferramentas, sem dados, sem contexto e sem demonstração",[11] concluiu assim o texto, numa referência irônica ao título de um artigo de 2018 da equipe de Boëda.[12]

Entre as réplicas ao artigo de Coutouly publicadas na mesma revista, a mais contundente foi assinada por Antoine Lourdeau. O arqueólogo francês apontou fragilidades e omissões no raciocínio de seu colega. Entre outros argumentos, detalhou por que as lascas involuntárias produzidas pelos macacos-prego não podem ser confundidas com os artefatos encontrados na Serra da Capivara e alegou que havia, sim, ferramentas fabricadas com outros materiais além do quartzo e quartzito.[13] Ao discutir o recrudescimento das críticas nos últimos anos numa entrevista, Lourdeau disse enxergar o fenômeno como uma reação aos novos dados sobre a Serra da Capivara que vêm sendo publicados desde 2013. "Os sítios mais antigos na região estão mais visíveis, graças, entre outros, aos trabalhos liderados pelo Eric", disse o francês.

Além das críticas de natureza arqueológica, as ocupações muito antigas da Serra da Capivara encontram resistência também porque não se encaixam muito bem na história que a genética vem contando sobre a ocupação das Américas. Os estudos de DNA criaram um novo impasse em relação àqueles sítios. Eles mostram que os povos indígenas americanos atuais descendem de grupos humanos que entraram no continente em algum momento entre 16 mil e 20 mil anos atrás. Nesse caso, como poderia ser possível que houvesse ocupações humanas anteriores ao Último Máximo Glacial na Serra da Capivara e em Santa Elina?

Uma coisa não invalida necessariamente a outra, mas se havia grupos humanos nesses sítios muito antigos, eles não são os ancestrais dos indígenas de hoje. Em outras palavras, esses povos representam um beco sem saída da genealogia humana. Na formulação da geneticista Maria Cátira Bortolini, da UFRGS, seriam uma população que não teve sucesso reprodutivo. "Os bem-sucedidos foram os sibero-beringianos e os Ypykuéra", disse-me a pesquisadora numa entrevista. "Eles colonizaram o continente e seus descendentes estão aí."

Nem todos os geneticistas ficam confortáveis com a ideia de uma população que não deixou descendentes. Isso porque mesmo espécies extintas como os neandertais e os denisovanos — os malsucedidos de seu tempo — deixaram rastros no genoma das populações atuais que ajudam a retraçar sua história. Por que os grupos que habitaram Santa Elina e a Serra de Capivara não deixaram pista alguma? "O que o DNA antigo mostrou até agora é que ninguém some sem deixar rastro", disse Thomaz Pinotti, estudioso do DNA dos primeiros americanos.

Mas não seria exatamente o caso dos vikings? Esses povos nórdicos sabidamente estiveram na Groenlândia e no Canadá no século XI, mas não parecem ter deixado rastros no DNA dos povos indígenas atuais. Na verdade, alegou Pinotti, não há amostras de DNA disponíveis dos povos indígenas daquela região que permitam confirmar ou negar a hipótese. Além disso, os vikings na América do Norte estavam em contingente bem menor e durante um intervalo muito mais curto do que os grupos humanos espalhados por vários pontos da América do Sul, como Santa Elina e a Serra da Capivara. "Parece pouco provável imaginar que essa população desapareceu", disse o geneticista.

No livro *Origin: A Genetic History of the Americas*, a geneticista norte-americana Jennifer Raff propõe outros dois cenários para conciliar os estudos do DNA com uma ocupação humana das Américas anterior ao Último Máximo Glacial. Uma hipótese seria que esses grupos fossem a fonte do sinal Y: nesse caso, a Serra da Capivara e Santa Elina teriam sido ocupadas pelos Ypykuéra. Outra possibilidade seria que esse povo deixou, sim, uma herança genética detectável, só que ela ainda não foi encontrada nos esqueletos que já tiveram seu DNA extraído.[14]

Confrontado com a incompatibilidade entre os estudos genéticos e arqueológicos, Lourdeau evocou justamente essa terceira opção e a limitação das amostras genéticas disponíveis, notando que a população Y só foi descoberta recentemente. "Essa população talvez tenha uma irmã Z ou X que ainda não está visível e que pode aparecer com a multiplicação dos dados", afirmou. "Não devemos esquecer que as conclusões que tiramos são baseadas em muito poucos dados e que devemos sempre deixar a porta aberta a novidades que nos obriguem a renegociar nossas interpretações."

O arqueólogo André Strauss, da USP, é descrente da hipótese de uma ocupação antiga da Serra da Capivara que tenha deixado uma assinatura arqueológica discreta ao longo de dezenas de milhares de anos e da qual nunca foi encontrado um dente sequer. Se assim fosse, seria um evento único na história humana. "Que fase exploratória é essa que dura tanto tempo? Em nenhum outro lugar do mundo o *Homo sapiens* passou dezenas de milhares de anos com uma densidade demográfica mínima, que beira a invisibilidade", disse Strauss. Depois que saíram da África, os humanos modernos colonizaram a Eurásia em 5 mil anos, continuou o arqueólogo. "Esses caras não eram bobos, eles sabiam o que estavam fazendo."

Num estudo de 2022 que considerou as contribuições dos estudos dos genes e dos esqueletos para determinar a antiguidade da presença humana no território brasileiro, Strauss avaliou que a literatura disponível apontava para um povoamento inicial das Américas posterior ao Último Máximo Glacial. Para o arqueólogo, a existência de uma ocupação antiga que não tenha deixado rastros genéticos é um cenário improvável, e o ônus da prova deveria recair sobre aqueles que o defendem.[15]

O Último Máximo Glacial virou um marco cronológico central para o debate sobre a ocupação das Américas. Esse período começou por volta de 26 mil anos atrás e terminou há cerca de 19 mil anos. Foi justamente no final do Último Máximo Glacial, por volta de 20 mil ou 21 mil anos atrás, que a população ancestral dos povos indígenas atuais se separou dos beringianos. O DNA antigo e contemporâneo dos nativos americanos mostra que eles descendem dessa população, que passou um período isolada e entrou no continente após o final do Último Máximo Glacial.

Em muitas medidas, o Último Máximo Glacial se tornou um novo teto cronológico aceitável para o povoamento das Américas, substituindo a barreira de Clovis — os 13 mil anos que por muito tempo foram a velocidade da luz da arqueologia americana. Se antes de Monte Verde os arqueólogos se dividiam entre aqueles que aceitavam ou não os sítios pré-Clovis, o novo marco que polariza os especialistas é a aceitação ou não de uma ocupação anterior ao Último Máximo Glacial. Os locais com datas anteriores a esse limite são todos considerados controversos: é o caso dos sítios da Serra da Capivara, mas também de Santa Elina, do Arroyo del Vizcaíno ou de Cerutti. Desde que o paradigma da primazia de Clovis foi desbancado, em 1997, outros sítios anteriores a Clovis foram aceitos sem maiores questionamentos — na América do Sul a lista inclui Huaca Prieta e Arroyo Seco 2 —, mas nenhum deles é anterior ao Último Máximo Glacial.

A quebra de paradigma deu liberdade aos pesquisadores para pensarem novos modelos de povoamento que integrassem as evidências disponíveis e dessem conta dos pontos fora da curva que a primazia de Clovis não conseguia explicar. A fixação de um novo limite temporal deixa de fora os sítios mais antigos que não se encaixam na explicação. "Estamos sempre querendo substituir uma certeza pela outra. Parece que temos dificuldade de lidar com o fato de que a incerteza faz parte do processo de produção do conhecimento", afirmou Lucas Bueno. Para ele, não cabe aos estudiosos encaixar à força os dados arqueológicos num esquema proposto pela genética. "Estamos há anos questionando o modelo de Clovis que tentava fazer exatamente isso e agora vamos substituí-lo por outro modelo?"

Seria um erro substituir a barreira dos 13 mil anos por outro limite cronológico igualmente dogmático, argumentou Jennifer Raff em *Origin*. "Devemos aprender as lições do paradigma equivocado da primazia de Clovis e não descartar uma evidência apenas porque ela não se encaixa no modelo que defendemos", escreveu a geneticista.[16]

O impasse criado pela incompatibilidade entre os sítios muito antigos e as conclusões dos estudos de DNA aguçou uma tensão velada entre arqueólogos e geneticistas que investigam a história dos primeiros americanos. Alguns arqueólogos se ressentem do que percebem como uma perda de protagonismo nesse debate. A ocupação das Américas de repente ganhou uma visibilidade que raras vezes teve na imprensa e nas revistas científicas mais tradicionais, por obra de estudos conduzidos por cientistas que até pouco tempo antes eram alheios a essa discussão. Os geneticistas recém-chegados nem sempre eram familiarizados com a literatura da nova disciplina e ganharam a fama de apresentar como grandes descobertas fatos que os arqueólogos há tempos davam por certos.

Para complicar, a chegada dos estudos de DNA invadiu a literatura arqueológica com um jargão impenetrável para quem não tivesse familiaridade com a bioquímica, gerando em alguns arqueólogos um sentimento de frustração e de alienação em relação ao próprio objeto de estudo. Num intervalo de poucas décadas, passou a ser preciso entender de haplogrupos, taxas de mutação e técnicas de sequenciamento de genomas para se contar a história da ocupação do continente.

O bioantropólogo Mark Hubbe, da Universidade Estadual de Ohio, compilou 120 artigos de genética sobre a ocupação das Américas que tinham sido publicados entre 2007 e 2017 — uma média de um por mês. Se tivesse atualizado o levantamento, Hubbe encontraria provavelmente uma média ainda maior, já que os estudos do gênero continuaram saindo em profusão desde então — apresentando muitas vezes modelos de ocupação incompatíveis entre si. "Chegamos a um nível de especialização que tornou difícil para nós cruzarmos as fronteiras", avaliou. Para ele, o grande desafio dos estudos sobre o povoamento das Américas é achar um meio de conectar os dados surgidos das diferentes disciplinas e promover um diálogo entre elas.

Seja como for, a chegada da genética ao debate é um caminho sem volta. Ainda não há um modelo consensual para substituir a primazia de Clovis, mas dificilmente um novo paradigma vai se impor se não for coerente com os resultados dos estudos do DNA antigo e contemporâneo. Num intervalo de poucas décadas, a genética se tornou uma ferramenta indispensável para contar a história do povoamento das Américas.

Cabe aos pesquisadores do campo negociar o papel de cada disciplina na formulação do novo paradigma. "A genética dá contribuições importantes, mas ela não pode ser considerada um árbitro desse debate", afirmou Antoine Lourdeau. O arqueólogo francês lembrou que, quando a primazia de Clovis estava vigente, o árbitro para invalidar alguns sítios eram estudos geológicos ou paleoambientais que determinam quando se abriu a passagem para as Américas pelo interior do continente. "Nunca são os dados arqueológicos no sentido estrito que são decisivos para a questão da cronologia."

Lourdeau ressaltou que o DNA é capaz de resgatar informações que não estão ao alcance dos arqueólogos e que são importantes para contar a história dos primeiros povoamentos. "Só a genética permite estabelecer vínculos entre os indivíduos do ponto de vista biológico", afirmou. Mas há também pontos relevantes para a ocupação que os estudos do DNA são incapazes de acessar. "A genética responde à questão 'quem', enquanto a cultura material responde às questões 'o quê', 'como' e 'por quê'", escreveram Eric Boëda e seus colegas no artigo de 2021 na *PLOS One*. "O que faríamos se só tivéssemos os dados genéticos para falar sobre os humanos e a humanidade?"[17]

O ideal, portanto, é que as duas disciplinas caminhem lado a lado e junto com muitas outras para resolver as questões que permanecem sem resposta em relação ao povoamento das Américas. "Cada disciplina deve ter consciência de seus próprios limites e não tentar impor à outra um limite qualquer", disse Lourdeau. Arqueologia e genética têm suas regras e abordagens, e as histórias que elas contam sobre a ocupação do continente só poderiam ser distintas. "Temos que aceitar e trabalhar com isso."

Andrei Isnardis, o arqueólogo da UFMG que participou do projeto junto com Lourdeau, está confortável em viver com a divergência. A visita aos sítios e às coleções de Santa Elina e da Serra da Capivara o deixou convencido de que houve uma ocupação do continente anterior ao Último Máximo Glacial. "Tudo bem que a genética aponte para uma ocupação não tão antiga", afirmou.

"Não será a primeira e nem a oitava vez que a gente diverge da genética. Nós vamos continuar estudando."

Para Tábita Hünemeier, geneticista da USP que estuda o povoamento das Américas, as duas disciplinas trazem visões diferentes e complementares para o mesmo problema. "A genética é só mais uma ferramenta para conseguirmos entender esse processo, assim como os métodos de datação", disse. Thomaz Pinotti acrescentou que o trabalho conjunto precisa ser pautado pela confiança mútua. Para ele, os geneticistas têm a obrigação de seguir os consensos definidos pela arqueologia, pela linguística e pelas outras disciplinas envolvidas no estudo do povoamento. "Sou incompetente para avaliar as evidências da Serra da Capivara", afirmou. "Se a comunidade como um todo decidir que um sítio é indiscutível, temos que incluir isso nas nossas modelagens."

"Quem conta a história é o arqueólogo", afirmou André Strauss, que tem uma perspectiva multidisciplinar sobre a questão — ele fez graduação em geologia e ciências sociais, mestrado em genética e doutorado em arqueologia. Em sua avaliação, não é a genética que vai ter a palavra final sobre a antiguidade da presença humana nas Américas. "A resolução desse debate virá por uma descoberta arqueológica — ou pela sua ausência — nos próximos anos", aposta Strauss.

Enquanto a resolução não vem, arqueólogos, geneticistas e outros pesquisadores envolvidos no debate continuam às voltas com as contradições entre as evidências disponíveis. Sinais da presença humana anterior ao Último Máximo Glacial continuam a surgir, tanto na América do Sul quanto na do Norte. Os sítios da Serra da Capivara estão longe de ser um ponto isolado no mapa.

22. Antes do frio extremo

Chiquihuite, Zacatecas, México

Os estudos genéticos parecem apontar para um povoamento das Américas há menos de 20 mil anos, mas novos sítios com ocupações que datam do Último Máximo Glacial ou mesmo de antes desse período continuam a aparecer pelo continente. Em agosto de 2020, no primeiro ano da pandemia de covid-19, a novidade veio do México, mais precisamente da caverna Chiquihuite, localizada no estado de Zacatecas, no centro-norte do país. Após escavações conduzidas pelo arqueólogo Ciprian Ardelean, da Universidade Autônoma de Zacatecas, cientistas concluíram que o local foi ocupado por grupos humanos há pelo menos 31 mil anos, conforme relataram em artigo na *Nature*.[1]

Os achados eram notáveis não só por sua idade, mas também pelo ambiente daquele sítio arqueológico, numa caverna localizada 2740 metros acima do nível do mar, o que mostra que as pessoas que ocuparam o local deviam estar adaptadas à altitude e aos recursos das montanhas. Decerto levavam uma vida muito diferente daquela que tinham os grupos que habitaram as grandes planícies da América do Norte e que se alimentavam dos grandes mamíferos da Era do Gelo.

Situada num maciço calcário, Chiquihuite é uma caverna com duas grandes câmaras interconectadas, cada uma delas com mais de cinquenta metros de largura e quinze metros de altura. Depois que uma sondagem preliminar em 2012 encontrou sinais de uma ocupação antiga, Ardelean e sua equipe decidiram fazer uma escavação mais ampla. Em 2016 e 2017, eles encontraram quase 2 mil artefatos de pedra, incluindo na conta lascas e ferramentas formais, numa área escavada de 62 metros quadrados, que chegou a três metros de profundidade.

O sítio teve dezenas de amostras datadas por carbono-14 e por luminescência opticamente estimulada. As idades obtidas eram coerentes entre si e batiam com a sequência de camadas de sedimentos, indo das mais recentes às mais antigas. Os artefatos se concentravam em dois níveis principais, um antes e outro depois do Último Máximo Glacial. A maior parte deles estava numa camada com datas entre 12,2 mil e 16,6 mil anos. Mas havia também ferramentas em níveis mais antigos, cuja idade máxima foi estipulada entre 33,1 mil e 31,4 mil anos, pelo menos cinco milênios antes do Último Máximo Glacial. Eram contemporâneos dos grupos que naquele momento estavam em Yana RHS, na Sibéria, construindo estatuetas de Vênus e costurando agasalhos com agulhas de marfim.

As peças encontradas em Chiquihuite incluíam artefatos unifaciais e bifaciais, produzidos com uma tecnologia que não variou muito ao longo do tempo e que era distinta das tradições conhecidas nas Américas, conforme alegaram os autores. As ferramentas eram feitas de um tipo de calcário diferente daquele encontrado na caverna. Por isso, os pesquisadores acreditam que foram levadas até lá. “É difícil pensar em como essas rochas diferentes chegaram lá sem serem carregadas por seres humanos”, disse a arqueóloga britânica Jennifer Watling, pesquisadora do Museu de Arqueologia e Etnologia da USP e coautora do estudo, numa entrevista feita na semana de publicação do artigo.[2]

O estudo de Chiquihuite reuniu 28 pesquisadores de várias especialidades, vindos de seis países. Além de Watling, assinam o trabalho outros dois pesquisadores da USP, o paleoecólogo Paulo de Oliveira, do Instituto de Geociências, e a palinóloga Vanda de Medeiros, sua aluna de doutorado. Oliveira e Medeiros estudaram as amostras de pólen encontradas nas escavações; já Watling analisou os fitólitos, como são chamados microvestígios de plantas encontrados em sítios arqueológicos.

A análise da britânica reforçou a ideia de que a caverna de Chiquihuite tinha sido ocupada ao final da Era do Gelo. "Achei fitólitos de palmeiras, que são um enigma", disse Watling. Aquele não é o hábitat natural das palmeiras. "Elas gostam de condições quentes e úmidas", continuou a arqueóloga. Nos dias de hoje, um único tipo de palmeira ocorre nas montanhas de Zacatecas, mas em altitudes de no máximo 2 mil metros, bem abaixo do nível onde fica a caverna. Sua área de ocorrência até poderia ter se expandido em épocas mais quentes, mas o período em questão era próximo do auge da Era do Gelo, em que a temperatura global estava alguns graus mais baixa que a atual. Nessas condições, a área de ocorrência natural das palmeiras deveria estar ainda mais distante de Chiquihuite. "As palmeiras não podem ter chegado ali de forma natural", continuou Watling. É provável que tenham sido levadas por humanos, seja para construir algum artefato, seja para se alimentar delas. "Para nós, esse é outro indício da presença humana naquela caverna."

Entre os autores do artigo da *Nature* figura também o geneticista Eske Willerslev, da Universidade de Copenhague. O dinamarquês aplicou ao sítio mexicano uma ferramenta promissora para os estudos de arqueogenética: a análise de DNA ambiental.

A ideia é que, se um determinado sítio foi ocupado por humanos, eles possivelmente deixaram moléculas de DNA em fios de cabelo, restos de pele ou fluidos corporais. Quando o sítio se formou, parte delas pode ter ficado preservada nos sedimentos. Os estudos de DNA ambiental fazem uma busca no atacado por fragmentos de material genético de várias espécies nos sedimentos escavados num sítio arqueológico.

O grupo de Willerslev descobriu em 2022 todo um ecossistema que havia no norte da Groenlândia há 2 milhões de anos ao estudar o material genético preservado no solo congelado. Os cientistas identificaram o DNA de mais de 135 espécies, muitas das quais não tinham deixado fósseis. A região abrigava uma floresta boreal povoada por mastodontes, renas, roedores, gansos, lebres. Aquele era um feito extraordinário, conforme os próprios autores reconheceram ao relatar a descoberta na *Nature* em 2022.[3] Os avanços do campo despertam a expectativa de que os estudos de DNA ambiental possam ajudar a resolver alguns enigmas da ocupação das Américas.

Em Chiquihuite, essa análise identificou material genético de uma espécie extinta de cavalo, de ursos, morcegos e roedores, mas não encontrou qualquer sinal de DNA humano. Os pesquisadores frisaram que isso não invalidava as evidências das ocupações antigas daquele local, já que a probabilidade de recuperar DNA humano daquele ambiente era baixa.

Se as datas de Chiquihuite eram válidas, isso implicava em praticamente dobrar a época em que a presença humana era admitida no continente. Mas era cedo para considerar que aqueles resultados estavam inscritos em pedra. Como os pesquisadores que investigam a ocupação das Américas bem sabem, não basta publicar os resultados na *Nature* para que sejam automaticamente aceitos pelos colegas. E com Chiquihuite não foi diferente.

Nem todos os arqueólogos aceitaram aquela ocupação tão antiga na América do Norte. Assim como tinha sido nos sítios da

Serra da Capivara, as críticas diziam respeito à origem humana dos artefatos encontrados. Para alguns pesquisadores, eles poderiam ter sido produzidos por uma série de processos naturais. Como os autores não fizeram uma análise formal completa do material lítico escavado, não tinham argumentos muito elaborados para refutar essa crítica. "Consideramos que a presença de verdadeiras ferramentas não foi demonstrada", escreveu em 2021 o arqueólogo francês Yan Axel Gómez Coutouly.[4]

Outra contestação à validade do sítio foi publicada naquele ano na revista *PaleoAmerica*, assinada por vinte autores liderados por James Chatters, do Proyecto Arqueológico Subacuático Hoyo Negro, no México. Entre os coautores do artigo estavam nomes como Stuart Fiedel e Vance Haynes, dois dos mais destacados líderes da polícia de Clovis — que continua mobilizada, embora o paradigma em que ela se forjou tenha sido destronado há mais de duas décadas. Após analisar à distância o material lítico de Chiquihuite, os autores concluíram que se tratava de geofatos.[5] Na mesma edição da revista, Ciprian Ardelean e seus colegas refutaram um a um os argumentos dos críticos,[6] mas a antiguidade da caverna mexicana continua em aberto.

Na semana da publicação do artigo, entrevistei o arqueólogo da USP André Strauss, que não participou do estudo. Na ocasião, Strauss disse que os artefatos lhe passavam a sensação de que não eram casuais e que nunca um outro contexto arqueológico muito antigo nas Américas tinha lhe parecido tão convincente quanto aquele. A complexidade e a padronização dos artefatos contavam a favor da origem humana do material. "O trabalho é muito sólido, e meu palpite é que será aceito pela comunidade internacional", afirmou.[7]

No entanto, ao abordar novamente o sítio mexicano numa entrevista um ano depois, Strauss parecia menos convencido das ocupações antigas. As análises de DNA ambiental é que o faziam olhar para os resultados com mais reticência. O arqueólogo notou que já havia a possibilidade de recuperar material genético de cavernas ocupadas por neandertais ou denisovanos. Em Chiquihuite, Willerslev e seus colegas resgataram material genético de várias espécies. "Ou seja, não é um problema de preservação de DNA antigo", argumentou Strauss. "Minha conclusão, nesse caso, é que não tinha ninguém ali."

Com Chiquihuite no mapa, os sítios da América do Sul anteriores ao Último Máximo Glacial já não pareciam mais tão absurdos. Se havia gente nas montanhas do interior do México há mais de 30 mil anos, ficava mais fácil imaginar grupos humanos em Santa Elina ou na Serra da Capivara alguns milênios depois. Esses sítios sul-americanos tinham sido habilmente escavados e analisados, mas eram frequentemente refutados pelos colegas, quando não solenemente ignorados. Era como se fossem "velhos demais para ser verdade", conforme notou a antropóloga canadense Ruth Gruhn, da Universidade de Alberta, num comentário publicado na *Nature*. "Os achados da caverna Chiquihuite devem trazer uma nova apreciação dessa questão."[8]

Ainda assim, o estudo da equipe de Ardelean não faz qualquer referência aos sítios anteriores ao Último Máximo Glacialda América do Sul. O francês Eric Boëda, que liderou a escavação de vários desses sítios na Serra da Capivara, ficou furioso com a omissão. "Há uma recusa sistemática de levar em conta a literatura recente produzida sobre a América do Sul", lamentou Boëda numa entrevista na semana da publicação do artigo. Ele se queixou da falta de diálogo dos autores, mas disse não ter qualquer objeção à validade daquele sítio.

A crítica foi formalizada num artigo que o francês publicou naquele ano na *PaleoAmerica* junto com outros oito colegas, incluindo Ruth Gruhn e o casal Denis Vialou e Águeda Vilhena Vialou, estudiosos de Santa Elina.[9] Os autores notaram que várias das características da indústria lítica de Chiquihuite já tinham sido observadas em outros sítios pré-Último Máximo Glacial da América do Sul. Em Santa Elina, por exemplo, também há artefatos fabricados com calcário; na Serra da Capivara, há ferramentas com retoques mínimos e uma indústria lítica que pouco evoluiu com o tempo — nada disso era uma exclusividade do sítio mexicano.

A novidade mais recente e espetacular no debate sobre a ocupação das Américas foi a descoberta de pegadas humanas de quase 23 mil anos encontradas no Parque Nacional de White Sands, nos Estados Unidos, divulgada em setembro de 2021. O parque de White Sands abriga uma grande extensão de dunas de areias claras feitas de gipsito e fica no Novo México, a pouco mais de trezentos quilômetros de Blackwater Draw, o sítio onde foram encontradas as primeiras pontas de Clovis. As pegadas foram deixadas à beira de um lago que secou desde então, e algumas delas estavam em excelente estado de conservação, com a impressão perfeita do calcanhar e da polpa dos dedos.

Milhares de pegadas já foram identificadas no Parque Nacional de White Sands. Elas se formaram quando aquelas pessoas caminharam em terreno úmido e arenoso, na beira do lago, e depois foram preenchidas por sedimentos. As primeiras foram descobertas em 2009 por David Bustos, um dos gerentes do parque. Algumas das trilhas são instantâneos que nos transportam para o momento preciso de uma caminhada ambientada no auge da Era do Gelo. Seguindo uma delas é possível acompanhar o mesmo indivíduo caminhando ao longo de quilômetros; uma cena mostra provavelmente um pai ou uma mãe carregando uma criança que em dado momento é posta no chão, para que caminhe por si só; podemos ainda seguir uma pessoa ao lado de um cachorro, ou ver o instante em que uma preguiça-gigante parece se afastar de um grupo de humanos.

Uma amostra de 61 pegadas foi analisada por cientistas britânicos e norte-americanos num artigo publicado na revista *Science* que teve como primeiro autor o geólogo Matthew Bennett, da Universidade de Bournemouth, no Reino Unido.[10] Elas foram encontradas em sete superfícies diferentes e teriam sido deixadas por pelo menos dezesseis pessoas, conforme concluíram os cientistas. Analisando as marcas, os autores puderam inferir detalhes como a altura ou a velocidade dos caminhantes — eram, em sua maioria, adolescentes ou crianças. "As crianças tendem a ser mais enérgicas, elas são mais brincalhonas, pulam para cima e para baixo", disse ao *New York Times* a paleontóloga Sally Reynolds, coautora do estudo.[11]

Escavações feitas nas superfícies onde estavam as pegadas não levaram à descoberta de artefatos, o que não chega a ser surpreendente. Aquele não era um acampamento ou um sítio em que as pessoas se reuniam para preparar comida ou fabricar instrumentos; era simplesmente um ponto de passagem à beira do lago. "Nem sempre as pessoas tinham a boa vontade de jogar artefatos por onde andavam", disse numa entrevista a arqueóloga Mercedes Okumura, da USP, ao comentar os achados.

Nas mesmas camadas de sedimentos em que estavam as pegadas descritas no artigo, os cientistas encontraram também vestígios de plantas aquáticas da espécie *Ruppia cirrhosa* e usaram suas sementes para datar aquelas superfícies. Os resultados mostraram que as pegadas foram feitas em diferentes momentos entre 21,1 mil e 22,9 mil anos atrás.

A ideia era quase subversiva: havia humanos caminhando pelo Novo México em pleno Último Máximo Glacial, quase 10 mil anos antes de o povo de Clovis começar a fazer suas pontas de projétil acanaladas. E fatalmente atrairia resistência de alguns arqueólogos. Mas a origem humana daquelas pegadas era inegável: seria preciso muito contorcionismo retórico para defender que aqueles pés tão bem definidos e preservados pertenciam a qualquer outra espécie. O contexto dos sedimentos em que elas foram encontradas tampouco era motivo de preocupação. A datação é que se mostraria o calcanhar de aquiles do artigo — e o ponto em que os críticos concentraram sua artilharia.

A incerteza se deve ao fato de que plantas aquáticas como a *Ruppia cirrhosa* estão sujeitas a um fenômeno que pode afetar a datação por carbono-14. No lago, elas poderiam em teoria absorver átomos de carbono de origem inorgânica provenientes de rochas no entorno e diluídos na água. Alguns deles podem, em tese, ser bem mais antigos do que os átomos de carbono presentes na atmosfera naquele momento. Por isso, havia o risco de que a datação por carbono-14 apontasse uma idade artificialmente mais velha do que a idade real da planta.

Bennett e seus colegas estavam cientes dessa fragilidade e tentaram descartar a possibilidade de contaminação. Para eles, o fato de as datações estarem todas em sequência, sem grandes discrepâncias, era um sinal de que não teria havido contaminação. Além disso, numa área contígua eles encontraram um pedaço de carvão — que não está sujeito a essa contaminação — na mesma camada em que havia também sementes de *Ruppia*. Testaram as duas amostras e encontraram idades parecidas, um sinal de que a datação das sementes não tinha sido deturpada.

A precaução não foi o suficiente na avaliação do arqueólogo David Madsen, da Universidade de Nevada. Num artigo publicado em 2022 na *Science* com outros três colegas, ele concluiu que, por causa do risco de contaminação, havia dúvida quanto à idade de White Sands. Como desde os primórdios da controvérsia sobre a antiguidade humana no continente, a dimensão retórica do debate continuava muito central: "Não estamos convencidos de que a cronologia de radiocarbono [de White Sands] é definitivamente confiável", escreveram Madsen e seus colegas.[12] Notaram também que os resultados não eram compatíveis com o cenário de povoamento inicial do continente desenhado pelos estudos genéticos.

Em outro artigo, publicado meses depois na revista *Quaternary Research*, Madsen e outros colegas resolveram datar um espécime contemporâneo de *Ruppia* para provar seu argumento.[13] A amostra tinha sido coletada em 1947 e estava depositada no herbário da Universidade do Novo México. O resultado da datação apontou que ela tinha 7300 anos e seria vários milênios mais velha que sua idade real, mostrando como as datações de carbono-14 dessa planta podem ser problemáticas.

Ao rebater as críticas que saíram na *Science*, Bennett e seus colegas insistiram que a possibilidade de contaminação teria sido descartada e reiteraram suas conclusões. Para os autores, estava claro que, se a descoberta daquelas pegadas era incompatível com os resultados dos estudos de DNA antigo e contemporâneo, o problema era da genética. Eles escreveram que os achados de White Sands "devem ser julgados por seu próprio mérito científico, e não por concordar ou não com achados anteriores".[14] Em vez disso, os arqueólogos reticentes é que deveriam reexaminar seus dados e hipóteses sobre o povoamento das Américas à luz daquela descoberta.

Um argumento que ajudaria a reforçar a antiguidade de White Sands seria a datação do sítio por um método independente que confirmasse a idade daquelas pegadas. O grupo de Bennett chegou a fazer datação por urânio/tório, mas os resultados tinham uma margem de erro muito ampla, que não permitia confirmar ou refutar as datas de carbono-14. A menos que surjam novos dados ou que os cientistas tentem datar o sítio com um terceiro método, como a luminescência opticamente estimulada, a controvérsia sobre White Sands não deve terminar tão cedo.

Nem o grupo de Ciprian Ardelean nem o de Matthew Bennett propuseram um modelo de povoamento do continente que explicasse a ocupação de Chiquihuite e de White Sands antes ou durante o Último Máximo Glacial. Mas não havia grandes obstáculos do ponto de vista das rotas de passagem, já que tanto o caminho pelo litoral do Pacífico quanto o do interior do continente estavam desobstruídos nos milênios que antecederam o Último Máximo Glacial.

Os dois novos sítios norte-americanos acumularam mais argumentos em favor de uma ocupação do continente durante ou anterior ao Último Máximo Glacial. Mas nenhum deles trouxe uma bala de prata, um argumento arqueológico incontestável para demonstrar a presença humana antiga nas Américas. Cada um escorregava num dos pilares convencionados para a aceitação de um sítio arqueológico — a origem humana dos artefatos em Chiquihuite e a datação em White Sands.

Além disso, nos dois casos continuava a haver uma incompatibilidade com os estudos genéticos, a mesma que pesava também sobre os sítios muito antigos da América do Sul. Falando de White Sands, a geneticista norte-americana Jennifer Raff formulou no livro *Origin* um argumento que vale para todos os sítios americanos com mais de 20 mil anos: "Se for um sítio legítimo, vamos ter muito trabalho pela frente".[15]

O impasse provocado por Chiquihuite, White Sands e outras ocupações antigas evidencia a dificuldade de se fazer qualquer tipo de síntese sobre o povoamento inicial das Américas. Mas as incertezas não devem nos desestimular a tentar passar a limpo o que sabemos e o que não sabemos a esse respeito em 2023.

O ponto de entrada por onde os primeiros grupos humanos chegaram à América do Norte talvez seja o único ponto pacífico nessa discussão. Os pioneiros vieram da Ásia, do nordeste da Sibéria, conforme apontam resultados de estudos arqueológicos, genéticos, linguísticos e bioantropológicos. Não há evidências que sustentem explicações alternativas, como a ocupação por grupos humanos que vieram da África, atravessando o oceano Atlântico, conforme defende Niède Guidon. Dennis Stanford e Bruce Bradley propuseram que, além da ocupação pela Sibéria, houve grupos humanos que chegaram à América do Norte vindos do sudoeste da Europa, margeando as geleiras que havia no Atlântico Norte. Estudos de DNA antigo e contemporâneo parecem descartar a ideia — a chamada hipótese solutrense —, que segue com seus adeptos apesar disso.

Daí em diante, cada aspecto da ocupação das Américas está sujeito a contestação e negociação. A data da primeira entrada no continente é o cerne das controvérsias, porque dela dependem vários outros pontos que são focos de disputa. As hipóteses propostas desde os anos 1960 para explicar esse processo se encaixam em três grandes modelos, conforme propuseram num artigo de 2020 os argentinos Luciano Prates, Gustavo Politis e Ivan Perez.[16]

O primeiro desses modelos é o da cronologia curta, que postula uma entrada pouco antes de 13 mil anos atrás. Essa é a hipótese associada ao paradigma Clovis First, segundo a qual essa seria a primeira tradição cultural de grande extensão na América do Norte, praticada por povos que rapidamente se espalharam até a América do Sul. Embora ainda conte com um pequeno contingente de adeptos (em número cada vez mais escasso), esse modelo de ocupação é incapaz de explicar satisfatoriamente dezenas de sítios anteriores a Clovis encontrados em vários pontos do continente, alguns dos quais são consensualmente aceitos pela comunidade.

O segundo modelo de ocupação das Américas é o que os autores argentinos chamam de "Clovis Second", ou Clovis em segundo lugar. Nesse cenário, a entrada no continente aconteceu antes de Clovis, mas depois do Último Máximo Glacial, em algum momento entre 18,5 mil e 13 mil anos atrás, e que por isso foi chamado de "modelo pós-glacial" por Antoine Lourdeau e Lucas Bueno.[17] Esse modelo permite acomodar muitos sítios pré-Clovis aceitos sem maior resistência nas Américas do Sul — como Arroyo Seco 2 e Huaca Prieta — e do Norte — como Paisley Caves e Cooper's Ferry. É também o cenário que se encaixa melhor com os estudos genéticos que apontam uma entrada entre 20 mil e 16 mil anos atrás. Herdeiro em certa medida da primazia de Clovis, esse é o modelo que representa hoje o *mainstream* da arqueologia da Américas.

Por fim, o terceiro modelo de ocupação é o da cronologia longa, no qual o continente foi povoado há mais de 19 mil anos, no auge da Era do Gelo ou mesmo antes disso. Esse é o único cenário compatível com Chiquihuite e White Sands, mas também com Santa Elina e com os sítios da Serra da Capivara. Alguns arqueólogos dirão que é o único capaz de explicar a grande diversidade linguística e tecnológica encontrada na América do Sul por volta de 13 mil anos atrás. Nesse caso, a julgar pelos dados disponíveis hoje, provenientes de estudos do DNA antigo e contemporâneo, os grupos responsáveis pelas ocupações pré-Último Máximo Glacial não parecem ter deixado descendentes entre os povos indígenas atuais.

A rota de ocupação inicial empregada pelos primeiros americanos é outro ponto de disputa e depende de quando eles entraram no continente. Caso tenham chegado após o fim do Último Máximo Glacial, conforme postula o modelo Clovis Second, decerto vieram margeando o litoral Pacífico, pois o acesso pelo interior estava bloqueado por geleiras. Nesse cenário, eles vieram rumo ao sul fazendo navegação de cabotagem, parando em ilhas e praias que não estivessem tomadas pelo gelo e tirando seu sustento dos ecossistemas marinhos e costeiros. Caso tenham chegado antes do Último Máximo Glacial, conforme define o modelo da cronologia longa, os primeiros americanos teriam também a seu dispor uma rota de acesso pelo interior do continente, já que havia naquele momento uma passagem entre as grandes geleiras da América do Norte.

A data da chegada dos primeiros grupos humanos à América do Sul depende de qual cenário de ocupação escolhermos. Se o modelo adotado for o Clovis Second, com uma entrada após o Último Máximo Glacial, a entrada na América do Sul deve ter acontecido por volta de 15,5 mil anos atrás. Essa é a conclusão a que chegaram os três autores argentinos após uma análise quantitativa de centenas de datas antigas de carbono-14. A análise dos arqueólogos reforça o modelo Clovis Second, o que não chega a ser surpreendente, já que o modelo estatístico executado por eles não foi alimentado com as datas dos sítios pré-Último Máximo Glacial, que não são consideradas válidas pelos autores. Já se adotarmos o modelo da cronologia longa, a entrada na América do Sul recua para um momento incerto anterior ao Último Máximo Glacial — a presença humana nesse continente remonta a pelo menos 41 mil anos atrás, se forem válidos os vestígios encontrados no Vale da Pedra Furada.

Por fim, a identidade dos primeiros americanos também é outro ponto sem resposta definitiva. A genética parecia ter resolvido essa questão alguns anos atrás, ao mostrar que os povos indígenas americanos atuais descendem de uma população que vinha do cruzamento de grupos vindos do leste da Ásia e de uma população siberiana com raízes no oeste da Eurásia. Essa população parece ter se isolado de outros grupos ao longo de alguns milênios durante o Último Máximo Glacial, provavelmente na Beríngia, embora ainda não haja confirmação arqueológica desse isolamento sugerido pelos estudos genéticos.

A convicção formada em torno dessas conclusões foi parcialmente abalada depois da descoberta da população Y em 2015. Alguns povos sul-americanos têm afinidade genética com grupos que hoje vivem na Oceania e Sudeste da Ásia e ainda não há uma explicação satisfatória para esse parentesco. Essa constatação veio mostrar como ainda é incompleto o retrato genético dos primeiros americanos que somos capazes de traçar. Caso venha a acontecer, a resolução desse enigma provavelmente vai trazer pistas para esclarecer também a data de entrada no continente — e vice-versa.

Sítios anteriores a Clovis foram recebidos com menos resistência depois do reconhecimento da antiguidade de Monte Verde. Mas nem sempre uma comissão de arqueólogos notáveis se reúne para visitar um sítio e chegar a um consenso sobre sua validade, como foi o caso no Chile, mas também em Blackwater Draw ou no Boqueirão da Pedra Furada. Não há uma lista oficial dos sítios considerados válidos pela comunidade, e os mapas com as ocupações mais antigas das Américas podem diferir bastante a depender de quem for seu autor.

Feitas essas ressalvas, é possível dizer que os sítios antigos mais amplamente aceitos do continente têm idade na casa dos 16 mil anos na América do Norte — com Cooper's Ferry e Gault — e dos 15 mil anos na América do Sul, em Huaca Prieta, embora ainda sejam objeto de alguma contestação. O que as evidências mostram com clareza é que, por volta de 13 mil anos atrás, o continente americano estava amplamente ocupado de norte a sul. Havia grupos humanos em ambientes muito diferentes, explorando recursos variados e adaptados a um mundo que já não era novo para eles.

O contraste entre o número escasso de sítios com mais de 16 mil anos e a explosão arqueológica que se verifica a partir de 13 mil anos intriga alguns arqueólogos. "Por que a gente só achou meia dúzia de pontos isolados depois de mais de um século de pesquisas formais em busca desses vestígios? O que diabos faz dessa ocupação tão esparsa?", questionou numa entrevista o bioantropólogo Mark Hubbe, da Universidade Estadual de Ohio. Ainda assim, Hubbe acredita que há pontos fora da curva o suficiente para apontar na direção de uma ocupação antiga das Américas.

Os sítios mais antigos poderiam representar uma etapa pioneira e menos densa de ocupação do continente e, por isso, seriam mais escassos, mas esse continua sendo um ponto contencioso entre os estudiosos. Mesmo os vestígios mais remotos conhecidos não foram deixados pelos primeiros americanos — ao menos não pelos primeiríssimos. "As datas mais antigas certamente não são o momento inicial da ocupação", disse-me o arqueólogo Lucas Bueno, da UFSC. "Elas têm a ver com a intensificação da interação das pessoas com o ambiente, que é um processo que depende do tempo de familiarização com os lugares."

Se não temos acesso aos vestígios deixados pelos pioneiros, isso se deve a um fenômeno que os cientistas chamam de invisibilidade arqueológica. As primeiras populações a entrar no continente talvez fossem grupos pequenos, de vinte a trinta pessoas, conforme postulou Tom Dillehay no livro *The Settlement of the Americas.*[18] Como se tratava de grupos pouco numerosos e com alta mobilidade, ainda não encontramos sítios arqueológicos com seus vestígios. É provável que eles nem sequer existam, pois a própria formação de um sítio já é um evento raro. "Na melhor das hipóteses, temos acesso a grupos que já estavam assentados há centenas, senão milhares de anos", estimou Hubbe.

Se não está claro se os humanos entraram nas Américas antes ou depois do Último Máximo Glacial, uma coisa que parece bem resolvida entre os arqueólogos é que o povo de Clovis não foi o primeiro a ocupar o continente. O modelo da primazia de Clovis foi desbancado em 1997, com o reconhecimento da ocupação de Monte Verde há mais de 14 mil anos. Para retomar os termos do filósofo da ciência Thomas Kuhn, a derrocada desse paradigma foi motivada pela sua incapacidade de explicar o número cada vez maior de anomalias — no caso, sítios do fim da Era do Gelo que apareciam sem parar nas Américas do Sul e do Norte.

Em muitas medidas, a conferência Paleoamerican Odyssey, realizada em 2013 em Santa Fé, sacramentou esse consenso, com a discussão aberta de sítios pré-Clovis e um espaço apenas marginal dedicado aos cientistas que ainda sustentam o paradigma derrubado. Os anais da conferência registram a forma como a comunidade passava a enxergar o lugar do povo de Clovis na história cultural das Américas. Longe de estarem no começo dessa trajetória, os fabricantes das pontas acanaladas pareciam ter vivido num ponto intermediário de um longo percurso, conforme argumentaram Dennis Stanford e Bruce Bradley — os idealizadores da hipótese solutrense — e outros dois colegas.[19] Talvez seja hora de parar de chamar de "pré-Clovis" todas as ocupações do continente anteriores a essa cultura, já que o termo sugere haver uma conexão entre esses povos que ainda falta demonstrar, conforme argumentaram Michael Waters e Thomas Stafford Jr.[20]

Mas que não se jogue fora o bebê com a água do banho: rejeitar a primazia de Clovis não significa negar a importância ou a excepcionalidade dessa cultura. O povo de Clovis pode não ter sido o primeiro do continente, mas ainda assim criou "o complexo tecnológico mais velho arqueologicamente visível, bem definido e relativamente homogêneo na América do Norte", conforme afirmaram Vance Holliday e Shane Miller, ainda nos anais da conferência de Santa Fé. "É também a ocupação mais extensa geograficamente em qualquer período no registro arqueológico das Américas."[21]

Ainda assim, a primazia de Clovis continua sem um substituto. Não surgiu até agora um paradigma capaz de dar conta de todas as anomalias e de unificar o campo em torno de uma explicação consensual. Nenhum dos dois modelos que competem atualmente pela hegemonia dos estudiosos dá conta de explicar todos os resultados recentes. Como um cobertor curto, cada um deles dá conta de algumas das anomalias, mas deixa outras incoerências sem solução. O modelo Clovis Second, com uma entrada há menos de 19 mil anos, não consegue explicar os sítios contemporâneos do Último Máximo Glacial; o modelo da cronologia longa acomoda esses sítios, mas é incapaz de situar os seus ocupantes na árvore genealógica dos primeiros americanos.

Não há saída aparente para esse impasse, ao menos com as peças dispostas atualmente no tabuleiro. A solução passa necessariamente por mais dados. Só será possível construir uma narrativa coerente que consiga juntar os pontos fora da curva com o estudo de mais sítios arqueológicos, mais remanescentes humanos, mais genomas antigos e contemporâneos. Enquanto isso, a arqueologia da ocupação das Américas continuará sendo um campo em busca de paradigma.

Na pesquisa para a reportagem que está na origem deste livro, ouvi de Mark Hubbe que a maior parte das perguntas envolvendo os primeiros americanos — quem eram, de onde vieram, quando chegaram e como viviam — continuava sem resposta.[22] Quando cheguei ao final desta investigação, voltei a entrevistá-lo. Muita água tinha passado sob a ponte desde nosso encontro em Santa Fé, nove anos antes, e elementos importantes haviam sido acrescentados ao panorama da ocupação das Américas. Perguntei a Hubbe em que medida o panorama de incerteza que ele tinha descrito havia mudado de 2013 para cá.

"A questão agora não é tanto como responder essas perguntas, mas por que a gente não consegue respondê-las e quais aspectos estamos olhando pelo ângulo errado", disse o bioantropólogo. Um primeiro ponto que ele propôs para explicar esse fracasso é a tendência dos pesquisadores de enxergar como um processo homogêneo o povoamento das Américas, que com seus 42,5 milhões de quilômetros quadrados cobrem uma área quase do tamanho da Ásia, que tem 44,6 milhões de quilômetros quadrados. Esse olhar enviesado estaria nos levando a fazer as perguntas erradas, acredita Hubbe. "Herdamos essa prática de ver as Américas como um bloco monolítico, o que nos leva a tentar explicar sua ocupação como um só processo, feito por um só grupo que veio da Eurásia e continuou andando até chegar na América do Sul", disse o cientista. "Na verdade, são grupos que vão se adaptando a esse ambiente pouco a pouco, indo e voltando, até chegar ao processo e ocupação do espaço todo em 2 mil anos, senão mais."

Olhar para o povoamento como um processo plural talvez ajude a explicar a discrepância entre os diferentes modelos apresentados pelos geneticistas para explicar o povoamento das Américas. "A cada vez que você pega um conjunto de dados diferentes, chega a modelos que favorecem um cenário diferente", disse Hubbe. Talvez porque ainda não seja possível traçar um modelo que dê conta do povoamento de todo o continente, mas apenas modelos menos abrangentes que explicam o povoamento de diferentes regiões, continuou o pesquisador. "Enquanto a gente pensar nas Américas como um todo, vai ser muito difícil encontrar uma explicação consensual."

É preciso ainda enxergar o povoamento do continente como um processo dinâmico e contínuo. É fácil perder a Beríngia de vista quando se pensa no trajeto dos povos pioneiros e de seus descendentes à medida que se espalhavam pelo continente. Mas é provável que sucessivos grupos humanos tenham continuado a fazer aquela travessia para entrar no continente ao longo de milênios.

Pensar no povoamento das Américas como um processo esquemático talvez seja um reflexo induzido pelos mapas usados para ilustrar esse processo, que situam os sítios mais antigos conhecidos e usam flechas entre eles sinalizando os movimentos populacionais. No entanto, essas representações são uma simplificação grosseira e favorecem uma visão ingênua do processo de dispersão humana. As flechas nos mapas nos afastam das pessoas que fizeram a escolha de permanecer num lugar ou de sair dali e dos fatores por trás dessa decisão, argumentou Lucas Bueno. Além disso, sugerem que, para aqueles povos, o movimento era um imperativo. "As setas dão a ideia de que as pessoas que cruzaram o continente tinham um objetivo em mente: 'não vou parar de andar até chegar ao fim do mundo'", acrescentou Mark Hubbe.

Os pontos que representam os sítios arqueológicos nos mapas, por sua vez, não dizem muito sobre a grande diversidade de ambientes e recursos disponíveis em cada um deles. "Como se dá essa colonização? Como esses grupos vão mapeando esses lugares tão diferentes?", questionou a arqueóloga Mercedes Okumura. Em cada um daqueles lugares, as pessoas tiveram de aprender a conhecer o que havia para comer, onde podiam encontrar água e matéria-prima para a confecção de artefatos. "Tudo isso se perde muito quando a gente apresenta o mapa."

Outro imperativo fundamental para que se possa pensar de forma mais plural o povoamento do continente é tentar nos distanciar das distorções alimentadas ao longo de décadas pela forma como a questão foi enxergada a partir da América do Norte. O paradigma da primazia de Clovis, formulado e sustentado por arqueólogos dos Estados Unidos, condicionou os pesquisadores a postular que os primeiros americanos se comportariam todos como os fabricantes das pontas acanaladas. A validade de sítios arqueológicos antigos passou a ser julgada a partir do tipo de vestígios que os arqueólogos esperavam encontrar de um acampamento de caçadores de grandes mamíferos. As pontas de projétil bifaciais associadas com remanescentes da megafauna extinta se tornaram o padrão-ouro para validar uma ocupação antiga, e vestígios que se distanciavam dessa expectativa tinham mais dificuldade de convencer os especialistas.

A própria definição dos critérios usados para aceitar ou não a validade de um sítio privilegiava um tipo específico de artefatos e eliminava, de cara, muitos dos lugares antigos que talvez tivessem vestígios das etapas iniciais do povoamento do continente, conforme argumentou Lucas Bueno num artigo de 2019.[23] Na medida em que privilegiava vestígios que pudessem ser datados, a régua imposta por pesquisadores norte-americanos acabou levando os arqueólogos a valorizar ocupações típicas não dos processos iniciais de povoamento, mas sim de uma fase posterior, quando os ambientes e os recursos disponíveis já estavam bem conhecidos e mapeados. Como efeito colateral, os critérios acabavam por marginalizar laboratórios com menos recursos, incapazes de bancar as datações e análises caras exigidas pelos especialistas para validar um sítio.

No entanto, essas exigências acabaram por lançar dúvida sobre sítios que apresentavam vestígios de uma ocupação fugaz, com poucas ferramentas produzidas de forma expedita — que era precisamente o que se poderia esperar dos lugares ocupados pelas populações pioneiras. Além disso, elas pareciam não levar em conta a diversidade de modos de vida que os povos das Américas manifestaram nos diferentes ambientes aos quais se adaptaram. Não havia por que julgar os frequentadores da Caverna da Pedra Pintada, que se sustentavam com os fartos recursos da floresta amazônica, com a mesma régua aplicada aos caçadores de grandes mamíferos que viveram no norte do continente.

"A maioria dos modelos elaborados para se pensar o povoamento das Américas é oriunda de áreas temperadas", disse-me Lucas Bueno. O problema é que os habitantes das áreas tropicais do continente não tinham os mesmos hábitos dos caçadores-coletores que habitavam as regiões mais frias. "E grande parte dos contextos em ambientes temperados é marcada pela escassez de recursos e pela especialização em recursos específicos, enquanto no ambiente tropical acontece o inverso e temos um contexto de abundância", continuou o arqueólogo. "Isso gera outros tipos de comportamento e ritmos de deslocamento." Ambientes diferentes produzem também vestígios distintos no registro arqueológico. No meio tropical, a maior parte dos recursos era de material perecível que não se preservou. Por isso é problemático esperar dos sítios tropicais mais antigos o mesmo tipo de material encontrado nas zonas mais frias.

Para Bueno, esse tipo de exigência é um sintoma do lugar periférico que é comumente reservado à arqueologia sul-americana nos debates sobre o povoamento do continente. No modelo de ocupação que vigorou na maior parte do século passado, a América do Sul era um mero território a ser conquistado pelo povo de Clovis, sem muita atenção para a diversidade de ambientes que encontrariam por aqui. Era uma terra que receberia e absorveria as invenções feitas na América do Norte, centro irradiador da diversidade cultural de todo o continente.

No entanto, os vestígios encontrados nos sítios sul-americanos não podiam ser mais diferentes dos artefatos fabricados pelo povo de Clovis. A arqueóloga Adriana Schmidt Dias, UFRGS, viu na diversidade cultural sul-americana uma subversão da ordem ditada pela polícia de Clovis. "Não existe pecado ao lado de baixo do equador", ela escreveu num artigo de 2019, citando a canção de Chico Buarque.[24]

Em diálogo com Lucas Bueno e outros colegas, Dias vem tentando promover uma visão do povoamento articulada a partir dos trópicos, que permita aos arqueólogos sul-americanos se desvencilhar do lugar periférico que convencionalmente ocuparam nesse debate. "Queremos criar um espaço para apresentar as especificidades do contexto local que não sejam dependentes do que acontece na Europa ou na América do Norte", disse Bueno. "Não queremos criar uma história isolada, mas apenas que tenhamos as condições de observar essas especificidades." Nesse caso, acredita o arqueólogo, talvez faça mais sentido dialogar com os estudiosos que investigam sítios nas zonas tropicais da África e da Ásia.

Uma história do povoamento contada a partir da América do Sul é o antídoto para a camisa de força que o paradigma da primazia de Clovis impôs aos achados arqueológicos encontrados na porção meridional do continente. O caminho para descolonizar a arqueologia sul-americana passa pela adoção de critérios mais flexíveis para aceitar ocupações antigas e pela abertura para novas possibilidades.

Esse caminho só será plenamente cumprido se a arqueologia do povoamento for compreendida como uma história profunda dos povos indígenas americanos. Para isso é preciso que esses povos e suas histórias de origem sejam trazidos para o debate. "Todos os grupos ameríndios têm suas narrativas sobre quando, como e por que chegaram às Américas", disse Bueno. "É um desafio para a arqueologia incorporar essas narrativas na discussão sobre povoamento e promover esse diálogo."

Por frustrante que possa parecer, este livro chega ao fim sem uma resposta clara para as perguntas que nos levaram a visitar sítios arqueológicos e terras indígenas nas Américas do Sul e do Norte. Houve um tempo em que os arqueólogos souberam contar com mais convicção a história dos primeiros americanos, quando chegaram e por que caminhos se espalharam pelo continente. Hoje sabemos muito mais detalhes sobre o povoamento inicial do continente, e ao mesmo tempo temos muito mais dúvidas.

Como toda controvérsia sem resolução, a ocupação das Américas é uma história dinâmica, que vai ganhando contornos diferentes a cada nova evidência que surge. As peças mais interessantes do quebra-cabeça são as que nos fazem enxergar que a figura que vai sendo formada não é exatamente aquela que tínhamos em mente até então. Foi assim com a Gruta do Sumidouro, com Blackwater Draw, com Monte Verde. Aconteceu também com o DNA antigo do menino de Mal'ta e com o sangue dos Paiter-Suruí, dos Karitiana e dos Xavante em que foi identificado o sinal genético ypykuéra.

Esta é uma história em construção. Em vários momentos da preparação deste livro precisei voltar a capítulos que já estavam consolidados para mencionar resultados de estudos que tinham acabado de sair. As pegadas de White Sands ainda não tinham sido reveladas quando esbocei a primeira versão do roteiro para este livro. A história contada aqui saiu muito diferente daquela que eu teria escrito em 2014, quando surgiu a ideia. Peças fundamentais foram colocadas no quebra-cabeça desde então, tanto que boa parte dos livros e artigos consultados na pesquisa ainda não tinha sido publicada.

Novas peças vão continuar a surgir. Outros sítios arqueológicos e terras indígenas virão contar detalhes que ainda desconhecemos. Alguns deles talvez mudem novamente a imagem do quebra-cabeça, e é certo que isso aconteça caso a controvérsia sobre a ocupação das Américas venha a ser pacificada. Por esse prisma, a história que você acaba de ler está fadada a ser desatualizada.

Mas meu propósito aqui não era só discutir quem eram e quando chegaram os primeiros americanos. A ideia era também lançar um olhar sobre como os arqueólogos e outros cientistas constroem suas convicções e negociam quais evidências são válidas para reconstituir o passado profundo da espécie humana em nosso continente. A controvérsia sobre a ocupação das Américas segue em aberto, mas a expectativa é que esse mergulho pelos principais aspectos da polêmica nos ajude a entender por que as novas peças que vêm aí serão aceitas — ou não — como parte legítima do quebra-cabeça.

Agradecimentos

Este livro é fruto de conversas com 59 pessoas que entrevistei ao longo de onze anos, em parte no processo de pesquisa para o livro, em parte na apuração de reportagens publicadas na revista *piauí* — a relação completa dos nomes se encontra nas Fontes. Entre os entrevistados há representantes dos povos indígenas e pesquisadores de várias disciplinas envolvidas no estudo da ocupação inicial das Américas. Muitos deles foram entrevistados em mais de uma ocasião e me ajudaram também com a indicação de fontes e leituras e com a resolução de dúvidas pontuais ao longo da pesquisa. O livro não existiria sem a generosidade dessas pessoas, a quem deixo meus agradecimentos especiais.

Visitei sítios arqueológicos no Brasil e no Peru e pude observar de perto o trabalho de campo dos pesquisadores, o que me permitiu entender a natureza da prática arqueológica com uma riqueza que a literatura científica é incapaz de transmitir. Agradeço aos pesquisadores que me levaram a campo e me autorizaram a acompanhar as escavações: André Strauss, Astolfo Araujo, Eliane Chim, Gisele Daltrini Felice, Marcia Arcuri, Niède Guidon, Rodrigo Elias de Oliveira e Walter Neves.

Na pesquisa para o livro, visitei também a Terra Indígena Sete de Setembro, onde vivem os Paiter-Suruí, a fim de tentar entender como se deu a coleta de algumas das amostras de sangue a partir das quais foi descoberta a existência da população Y. Sou muito grato aos amigos que me ajudaram a concretizar essa viagem: Almir Narayamoga Suruí, Clederson Mopigbar Messias Suruí, Gabriel Uchida, Hellen Suruí, Luan Mopib Gorten Suruí, Neidinha Bandeira, Oyexiener Suruí e Txai Suruí. Agradeço ainda à Companhia das Letras, que custeou minha viagem a Rondônia.

Sou grato aos editores que acolheram o projeto desde o início e a toda a equipe da Companhia envolvida na sua realização conduzida com profissionalismo exemplar. Muito obrigado especialmente a Beatriz Antunes, Otavio Marques da Costa, Ricardo Teperman e Yasmin Santos — e a André Conti, pelas conversas que ajudaram a dar forma à ideia inicial do livro há quase dez anos.

O livro não existiria sem o apoio financeiro do Instituto Serrapilheira, que viabilizou que eu me dedicasse integralmente a este projeto nos meses iniciais de sua realização. Muito obrigado a Hugo Aguilaniu e a Natasha Felizi pela aposta no projeto, e a Raika Moisés pelo apoio e diálogo ao longo do processo.

A história que contei neste livro começou a tomar forma nas páginas da *piauí*. Após a reportagem original sobre a controvérsia em torno da Serra da Capivara, publiquei ali outras matérias que exploraram aspectos variados ligados à ocupação inicial das Américas. Agradeço aos editores que me deram espaço para contar essas histórias e que refinaram meu olhar para elas com seus comentários e observações: Alcino Leite Neto, André Petry, Armando Antenore, Fernando de Barros e Silva, João Moreira Salles e Mario Sergio Conti.

Este não é um livro acadêmico, mas o olhar que apresento sobre a ciência e suas controvérsias lança mão de conceitos e ferramentas metodológicas que aprendi a usar cursando mestrado e doutorado em História das Ciências e das Técnicas e Epistemologia na UFRJ. Sou grato aos meus orientadores e mentores acadêmicos: Henrique Cukierman, Ildeu de Castro Moreira, Ivan da Costa Marques e Luisa Massarani.

Muito obrigado a Rafael Cariello pelo diálogo estimulante que levou à definição da estrutura dos capítulos. Roberto Kaz também fez comentários preciosos após a leitura do manuscrito. O livro contou ainda com a leitura atenta dos arqueólogos André Strauss e Eduardo Góes Neves e do geneticista Thomaz Pinotti, a quem agradeço pelas observações fundamentais para minimizar as imprecisões ao longo do texto. Naturalmente, nenhum deles tem qualquer responsabilidade pelos erros do livro, que são todos meus. A Pinotti, devo ainda a ideia espirituosa para o título.

Muito obrigado, por fim, a uma série de amigos, colegas e colaboradores que contribuíram de formas variadas para a realização do livro, seja com a indicação de fontes, com diálogos provocadores ou com ajuda em tarefas de todo tipo ao longo da pesquisa: Adriana Alves, Alexandra Elbakyan, Alyne Costa, Ana Martins Marques, Antonio Pérez-Balarezo, Bianca Tavolari, Bruna Franchetto, Carla Almeida, Cíntia Avelar Palhares, Claudio Angelo, Conrado Esteves, Daniel Arelli, Diana Cristina Lima, Elisangela Prado, Erika Berenguer, Filipe Vargas, Haseena Rajeevan, Isabella Almeida de Oliveira, José Roberto Costa, Juan Carlos Cisneros, Júlia Junqueira Gussoni, Júlia Mesquita, Lauro Mesquita, Luciana Storto, Luciano Cavalcante de Souza Ferreira, Marcelo Lins, Mariana Lacerda, Mariana Zani, Mark Munsterhjelm, Paulo Cesar Boggiani, Paulo Maya, Paulo Werneck, Raquel Aguiar, Raquel Zangrandi, Renato Kipnis, Ronaldo Pelli, Rosa Trakalo, Sara Lana, Sergio Cohn e Yurij Castelfranchi.

Fontes

Adriana Schmidt Dias
Agamenon Gamasakaka Suruí
Águeda Vilhena Vialou
Almir Narayamoga Suruí
André Strauss
Andrei Isnardis
Andrey Nikulin
Anna Roosevelt
Anne-Marie Pessis
Antoine Lourdeau
Astolfo Araujo
Bruce Bradley
Christelle Lahaye
Christiane Lopes Machado
Claide Moraes
Cláudia Rodrigues Carvalho
Courtney Dirks
Danilo Vicensotto Bernardo
Denis Vialou
Edithe da Silva Pereira
Eduardo Góes Neves
Elza Goopgog Suruí
Eric Boëda
Fabio Parenti
Fabrício Rodrigues dos Santos
Felipe Vander Velden
Francisco Salzano (in memoriam)
Gisele Daltrini Felice
Hélène Blanché
Hilton Pereira da Silva
Jennifer Watling
Johannes Krause
Kenneth Kidd
Lucas Bueno

Luís Beethoven Piló (in memoriam)
Mapidkin Suruí
Marcia Arcuri
Maria Cátira Bortolini
Marília Xavier Cury
Mark Hubbe
Mercedes Okumura
Michael Waters
Mopiry Suruí
Niède Guidon
Pedro da Glória
Putira Sacuena
Ricardo Ventura Santos
Richard Fariña
Rodrigo Elias de Oliveira
Rosanna Dent
Rui Murrieta
Sergio Danilo Pena
Stuart Fiedel
Tábita Hünemeier
Thomaz Pinotti
Tiago Falótico
Tiago Ferraz da Silva
Tom Dillehay
Walter Neves

Notas

“RÉQUIEM PARA CLOVIS” [pp. 9-23]

1. Thomas S. Kuhn, *A estrutura das revoluções científicas*. 5. ed. São Paulo: Perspectiva, 2000.

2. N. Guidon; G. Delibrias, “Carbon-14 Dates Point to Man in the Americas 32,000 Years Ago”. *Nature*, n. 321, jun. 1986.

3. Bruno Latour, *Ciência em ação: Como seguir cientistas e engenheiros sociedade afora*. São Paulo: Editora Unesp, 2000.

4. Bernardo Esteves, “Os seixos da discórdia”. *piauí*, n. 88, jan. 2014. Disponível em: <https://piaui.folha.uol.com.br/materia/os-seixos-da-discordia/>. Acesso em: 5 abr. 2023.

5. Christelle Lahaye et al., “Human Occupation in South America by 20,000 BC: The Toca da Tira Peia Site”. *Journal of Archaeological Science*, n. 40, 2013.

6. Tom Dillehay, “Entangled knowledge: Old Trends and New Thoughts in First South American Studies”. In: Kelly E. Graf; Caroline V. Ketron; Michael R. Waters (Orgs.), *Paleoamerican Odyssey*. College Station: Center for the Study of the First Americans, 2013, pp. 377-95.

7. D. Meltzer; J. Adovasio; T. Dillehay, “On a Pleistocene Human Occupation at Pedra Furada, Brazil”. *Antiquity*, v. 68, n. 261, 1994.

8. Adriana Schmidt Dias, “Um réquiem para Clovis”. *Boletim do Museu Paraense Emílio Goeldi. Ciências Humanas*, v. 14, n. 2, maio/ago. 2019.

1. UM DINAMARQUÊS EM LAGOA SANTA [pp. 29-40]

1. Peter Wilhelm Lund, "Notice sur des ossements humains fossiles, trouvés dans une caverne du Brésil". *Brésil: Sciences Humaines et Sociales*, n. 21, 2022.

2. Ibid.

3. Apud Birgitte Holten; Michael Sterll, "Peter Wilhelm Lund — vida e objetivos". In: Pedro da-Gloria; Walter A. Neves; Mark Hubbe (Orgs.), *Lagoa Santa: História das pesquisas arqueológicas e paleontológicas*. São Paulo: Annablume Arqueológica, 2016, pp. 19-354.

4. Ibid.

5. Birgitte Holten; Michael Sterll, *Peter Lund e as grutas com ossos em Lagoa Santa*. Belo Horizonte: Editora UFMG, 2011.

6. Walter Alves Neves; Luís Beethoven Piló, *O povo de Luzia: Em busca dos primeiros americanos*. São Paulo: Globo, 2008.

7. Apud Aleš Hrdlička, *Early Man in South America*. Smithsonian Institution Bureau of American Ethnology, Bulletin 52. Washington: Government Printing Office, 1912.

8. Ibid.

9. Apud Lund, 2022, op. cit., p. 2.

10. Walter Alves Neves; Luís Beethoven Piló, "Solving Lund's Dilemma: New AMS Dates Confirm that Humans and Megafauna Coexisted at Lagoa Santa". *Current Research in the Pleistocene*, v. 20, pp. 57-60, 2003.

11. Apud Birgitte Holten; Michael Sterll 2011, op. cit.

2. A CONQUISTA DO GLOBO [pp. 41-59]

1. Céline M. Vidal et al., "Age of the Oldest Known *Homo sapiens* from Eastern Africa". *Nature*, v. 601, n. 7894, jan. 2022.

2. Jean-Jacques Hublin et al., "New Fossils from Jebel Irhoud, Morocco and the Pan-African Origin of *Homo sapiens*". *Nature*, n. 546, jun. 2017. Daniel Richter et al., "The Age of the Hominin Fossils from Jebel Irhoud, Morocco, and the Origins of the Middle Stone Age". *Nature*, n. 546, jun. 2017.

3. Ewen Callaway, "Oldest *Homo sapiens* Fossil Claim Rewrites Our Species' History". *Nature*, 2017. Disponível em : <https://www.nature.com/articles/nature.2017.22114>. Acesso em: 19 jul. 2023.

4. Ian Sample, "Oldest *Homo sapiens* Bones Ever Found Shake Foundations of the Human Story". *The Guardian*, 7 jun. 2017. Disponível em: <https://www.theguardian.com/science/2017/jun/07/oldest-homo-sapiens-bones-ever-found-shake-foundations-of-the-human-story>. Acesso em: 5 abr. 2023.

5. Giancarlo Scardia et al., "Chronologic Constraints on Hominin Dispersal

Outside Africa Since 2.48 Ma from the Zarqa Valley, Jordan". *Quaternary Science Reviews*, v. 219, set. 2019.

6. Maria Beltrão, *Le Peuplement de l'Amérique du Sud — essai d'archéologie: Une Approche interdisciplinaire*. Paris: Riveneuve, 2008.

7. Thomas D. Dillehay, *The Settlement of the Americas: A New Prehistory*. Nova York: Basic Books, 2000.

8. Israel Hershkovitz et al., "The Earliest Modern Humans Outside Africa". *Science*, v. 359, n. 6374, jan. 2018.

9. Cosimo Posth et al., "Deeply Divergent Archaic Mitochondrial Genome Provides Lower Time Boundary for African Gene Flow into Neanderthals". *Nature Communications*, n. 8, jul. 2017.

10. Wu Liu et al., "The Earliest Unequivocally Modern Humans in Southern China". *Nature*, n. 526, out. 2015.

11. Chris Clarkson et al., "Human Occupation of Northern Australia by 65,000 Years Ago". *Nature*, n. 547, jul. 2017.

12. Jean-Jacques Hublin et al., "Initial Upper Palaeolithic *Homo sapiens* from Bacho Kiro Cave, Bulgaria". *Nature*, n. 581, maio 2020.

13. Ludovic Slimak et al., "Modern Human Incursion into Neanderthal Territories 54,000 Years Ago at Mandrin, France". *Science*, v. 8, n. 6, fev. 2022.

14. Sally McBrearty; Alison S. Brooks, "The Revolution That Wasn't: A New Interpretation of the Origin of Modern Human Behavior". *Journal of Human Evolution*, v. 39, n. 5, nov. 2000.

15. Johannes Krause; Thomas Trappe, *A jornada dos nossos genes: Uma história da humanidade e de como as migrações nos tornaram quem somos*. Rio de Janeiro: Sextante, 2022.

16. Bernardo Esteves, "Na ponta do dedo". *piauí*, n. 195, dez. 2022. Disponível em: <https://piaui.folha.uol.com.br/materia/na-ponta-do-dedo/>. Acesso em: 5 abr. 2023.

17. Xijun Ni et al., "Massive Cranium from Harbin in Northeastern China Establishes a New Middle Pleistocene Human Lineage". *The Innovation*, v. 2, n. 100 130, ago. 2021.

18. Elizabeth Kolbert, "Sleeping with the Enemy". *The New Yorker*, 15 ago. 2011. Disponível em: "https://www.newyorker.com/magazine/2011/08/15/sleeping-with-the-enemy>. Acesso em: 5 abr. 2023.

3. NA ANTESSALA DAS AMÉRICAS [pp. 60-72]

1. Vladimir Pitulko et al., "Human Habitation in Arctic Western Beringia

Prior to the LGM". In: Kelly E. Graff; Caroline V. Ketron; Michael R. Waters (Org.), *Paleoamerican Odyssey*. College Station: Center for the Study of the First Americans, 2013.

2. V. V. Pitulko et al., "The Yana RHS Site: Humans in the Arctic Before the Last Glacial Maximum". *Science*, v. 303, n. 5654, jan. 2004.

3. A. Westgren, "Award Ceremony Speech". *The Nobel Prize*, 1960. Disponível em: <https://www.nobelprize.org/prizes/chemistry/1960/ceremony-speech/>. Acesso em: 5 abr. 2023.

4. Apud A. G. M. Araújo, "Paleoenvironments and Paleoindians in Eastern South America". In: Dennis Stanford; Alison Stenger (Org.), *Pre-Clovis in the Americas: International Science Conference Proceedings*. Washington, DC: Smithsonian Institution, 2014.

5. Jorie Clark et al., "The Age of the Opening of the Ice-Free Corridor and Implications for the Peopling of the Americas". *PNAS*, v. 119, n. 14, mar. 2022.

6. K. R. Fladmark, "Routes: Alternate Migration Corridors for Early Man in North America". *American Antiquity*, v. 44, n. 1, jan. 1979.

7. Jon M. Erlandson et al., "The Kelp Highway Hypothesis: Marine Ecology, the Coastal Migration Theory, and the Peopling of the Americas". *The Journal of Island and Coastal Archaeology*, v. 2, n. 2, out. 2007.

8. Alia J. Lesnek et al., "Deglaciation of the Pacific Coastal Corridor Directly Preceded the Human Colonization of the Americas". *Science Advances*, v. 4, n. 5, maio 2018.

9. Daryl W. Fedje; Heiner Josenhans, "Drowned Forests and Archaeology on the Continental Shelf of British Columbia, Canada". *Geology*, v. 28, n. 2, fev. 2000.

10. Lauriane Bourgeon; Ariane Burke; Thomas Higham, "Earliest Human Presence in North America Dated to the Last Glacial Maximum: New Radiocarbon Dates from Bluefish Caves, Canada". *PLOS One*, jan. 2017.

11. Richard S. Vachula et al., "Sedimentary Biomarkers Reaffirm Human Impacts on Northern Beringian Ecosystems During the Last Glacial Period". *Boreas*, v. 49, n. 3, jul. 2020.

4. A REVOLUÇÃO DO DNA ANTIGO [pp. 73-90]

1. J. D. Watson; F. H. Crick, "Molecular Structure of Nucleic Acids: A Structure for Deoxyribose Nucleic Acid". *Nature*, n. 171, abr. 1953.

2. Morten Rasmussen et al., "Ancient Human Genome Sequence of an Extinct Palaeo-Eskimo". *Nature*, n. 463, fev. 2010.

3. Maanasa Raghavan et al., "Upper Paleolithic Siberian Genome Reveals Dual Ancestry of Native Americans". *Nature*, n. 505, nov. 2013.

4. Johannes Krause; Thomas Trappe, op. cit.

5. Rebecca L. Cann; Mark Stoneking; Allan C. Wilson, "Mitochondrial DNA and Human Evolution". *Nature*, n. 325, jan. 1987.

6. Svante Pääbo, "Molecular Cloning of Ancient Egyptian Mummy DNA". *Nature*, n. 314, abr. 1985.

7. David Reich, *Who We Are and How We Got Here: Ancient DNA and the New Science of the Human Past*. Nova York: Pantheon, 2018.

8. Fabrício R. Santos et al., "The Central Siberian Origin for Native American Y Chromosomes". *American Journal of Human Genetics*, v. 64, fev. 1999.

9. Patrick Wyman, "Ancient DNA and the Human Story: Interview with Geneticist Eske Willerslev". *Tides of History* [podcast], 16 jul. 2020. Disponível em: <https://wondery.com/shows/tides-of-history/episode/5629-ancient-dna-and-the human-story-interview-with-geneticist-eske-willerslev/>. Acesso em: 5 abr. 2023.

10. Sandro L. Bonatto; Francisco M. Salzano, "A Single and Early Migration for the Peopling of the Americas Supported by Mitochondrial DNA Sequence data". *PNAS*, v. 94, n. 5, mar. 1997.

11. Erika Tamm et al., "Beringian Standstill and Spread of Native American Founders". *PLOS One*, set. 2007.

12. Thomaz Pinotti et al., "Y Chromosome Sequences Reveal a Short Beringian Standstill, Rapid Expansion, and Early Population Structure of Native American Founders". *Current Biology*, v. 29, n. 1, jan. 2019.

13. Jennifer Raff, *Origin: A Genetic History of the Americas*. Nova York: Twelve, 2022.

14. Kurly Tlapoyawa, "Peopling the Americas with Dr. Jennifer Raff!". *Tales from Aztlantis* [podcast], 15 mar. 2022. Disponível em: <https://talesfromaztlantis.com/?episode=episode-25-peopling-the-americas-w-dr-jennifer-raff>. Acesso em: 5 abr. 2023.

15. Angela R. Perri et al., "Dog Domestication and the Dual Dispersal of People and Dogs into the Americas". *PNAS*, v. 118, n. 6, jan. 2021.

16. David Reich et al., "Reconstructing Native American Population History". *Nature*, n. 488, jul. 2012.

17. Christy G. Turner, "Dentochronological Separation Estimates for Pacific Rim Populations". *Science*, v. 232, n. 4754, maio 1986.

18. Joseph H. Greenberg, *Language in the Americas*. Redwood City: Stanford University Press, 1987.

19. Joseph H. Greenberg; Christy G. Turner II; Stephen L. Zegura Greenberg, "The Settlement of the Americas: A Comparison of the Linguistic, Dental, and Genetic Evidence". *Current Anthropology*, v. 27, n. 5, dez. 1986.

20. Lyle Campbell, *American Indian Languages: The Historical Linguistics of Native America*. Oxford: Oxford University Press, 2000.

21. Johanna Nichols, "Linguistic Diversity and the First Settlement of the New World". *Language*, v. 66, n. 3, set. 1990.

22. Charles W. Petit, "Rediscovering America". *US News & World News Report*, 10 dez. 1998. Disponível em: <http://www.bluecorncomics.com/petit.htm>. Acesso em: 5 abr. 2023.

23. Lyle Campbell, op. cit.

24. Ibid.

5. DOS PAMPAS PARA O MUNDO [pp. 91-101]

1. Apud Irina Podgorny; Gustavo Politis, "It Is Not All Roses Here: Ales Hrdlicka's Travelog and His Visit to Buenos Aires in 1910". *Revista de História da Arte e Arqueologia,* 2000.

2. Aleš Hrdlička, *Early Man in South America*. Smithsonian Institution Bureau of American Ethnology, Bulletin 52. Washington: Government Printing Office, 1912.

3. David J. Meltzer, *The Great Paleolithic War: How Science Forged an Understanding of America's Ice Age Past*. Chicago: University of Chicago Press, 2015.

4. Irina Podgorny; Gustavo Politis, op. cit.

5. Aleš Hrdlička, op. cit.

6. A observação é de Irina Podgorny e Gustavo Politis, da Universidad Nacional de La Plata, que consultaram os diários de Hrdlička, depositados no Instituto Smithsonian. Irina Podgorny; Gustavo Politis, op. cit.

7. Aleš Hrdlička, op. cit.

8. James M. Adovasio; Jake Page, *Os primeiros americanos: Em busca do maior mistério da arqueologia*. Rio de Janeiro: Record, 2011.

9. David J. Meltzer, op. cit.

10. Jennifer Raff, op. cit.

11. Aleš Hrdlička, op. cit.

12. Gustavo G. Politis; Gustavo Barrientos; Thomas W. Stafford Jr., "Revisiting Ameghino: New ^{14}C Dates from Ancient Human Skeletons from the Argentine Pampas". In: Denis Vialou (Org.), *Peuplements et Préhistoire en Amériques*. Paris: Comité des Travaux Historiques et Scientifiques, 2011.

6. NASCE UM PARADIGMA [pp. 102-14]

1. Apud David J. Meltzer, *First Peoples in a New World: Colonizing Ice Age America*. Berkeley: University of California Press, 2009.

2. David J. Meltzer. *The Great Paleolithic War*, op. cit.

3. Apud David J. Meltzer, *First Peoples in a New World*, op. cit.

4. Jason Pentrail, "The Clovis Projectile Point and Experimental Archaeology". *Seven Ages Audio Journal* [podcast], 9 maio 2022. Disponível em: <https://sevenages.org/podcasts/the-clovis-projectile-point-and-experimental-archaeology-saaj-54/>. Acesso em: 5 abr. 2023.

5. David J. Meltzer, *First Peoples in a New World*, op. cit.

6. Dennis J. Stanford; Bruce A Bradley, *Across Atlantic Ice: The Origin of America's Clovis Culture*. Berkeley: University of California Press, 2012.

7. Apud R. E. Taylor, "The Beginnings of Radiocarbon Dating in American Antiquity". *American Antiquity*, v. 50, n. 2, abr. 1985.

8. C. Vance Haynes Jr., "Fluted Projectile Points: Their Age and Dispersion". *Science*, v. 145, n. 3639, set. 1964.

9. Paul S. Martin, "The Discovery of America". *Science*, v. 179, n. 4077, mar. 1973.

10. James M. Adovasio; Jake Page, *Os primeiros americanos*, op. cit.

11. Thomas D. Dillehay, *The Settlement of the Americas*, op. cit.

7. A POLÍCIA DE CLOVIS [pp. 115-26]

1. James M. Adovasio; Jake Page, *Os primeiros americanos*, op. cit., p. 190.

2. Eliot Marshall, "Clovis Counterrevolution". *Science*, v. 249, n. 4970, ago. 1990.

3. James M. Adovasio et al., "Yes Virginia, It Really Is That Old: A Reply to Haynes and Mead". *American Antiquity*, v. 45, n. 3, jan. 2017.

4. Vance Haynes, "The Calico Site: Artifacts or Geofacts". *Science*, v. 181, n. 4097, jul. 1973.

5. David J. Meltzer, *First Peoples in a New World*, op. cit.

6. Thomas S. Kuhn, *A estrutura das revoluções científicas*, op. cit.

7. Bruce Bradley; Dennis Stanford, "The North Atlantic Ice-Edge Corridor: A Possible Palaeolithic Route to the New World". *World Archaeology*, v. 36, n. 4, dez. 2004. Id., "The Solutrean-Clovis Connection: Reply to Straus, Meltzer and Goebel". *World Archaeology*, v. 38, n. 4, dez. 2006. Id., *Across Atlantic Ice: The Origin of America's Clovis Culture*. Berkeley: University of California Press, 2012.

8. Michael B. Collins et al., "North America before Clovis: Variance in Temporal/Spatial Cultural Patterns, 27,000-13,000 cal yr BP". In: Kelly E. Graf; Caroline V. Ketron; Michael R. Waters (Orgs.), *Paleoamerican Odyssey*, op. cit.

9. Brian Vastag, "Radical Theory of First Americans Places Stone Age Europeans in Delmarva 20,000 Years Ago". *The Washington Post*, 29 fev. 2012. Disponível em: <https://www.washingtonpost.com/national/health-science/radical-theory-of-first-americans-places-stone-age-europeans-in-delmarva-20000-years-ago/2012/02/28/gIQA4mriiR_story.html>. Acesso em: 5 abr. 2023.

10. David Madsen, "A Framework for the Initial Occupation of the Americas". *PaleoAmerica*, n. 1, 2015.

8. OS SEIXOS DA DISCÓRDIA [pp. 127-51]

1. Solange Bastos, *O paraíso é no Piauí: A descoberta arqueológica de Niède Guidon*. Rio de Janeiro: Família Bastos Editora, 2010.

2. Elizabeth Drévillon, *Le Secret de la roche percée — Niède Guidon: L'Aventurière de la préhistoire*. Paris: Fayard, 2011.

3. N. Guidon; G. Delibrias, op. cit.

4. Warwick Bray, "Finding the Earliest Americans: Nature". *Nature*, v. 321, n. 726, jun 1986.

5. Fabio Parenti, *Le Gisement quaternaire de la Toca do Boqueirão da Pedra Furada (Piauí, Brésil) dans le contexte de la préhistoire américaine: Fouilles, stratigraphie, chronologie, evolution culturelle*. Paris: École de Hautes Études en Sciences Sociales (EHESS), 1993. Tese (Doutorado em Arqueologia).

6. H. Valladas et al., "TL Age-Estimates of Burnt Quartz Pebbles from the Toca do Boqueirão da Pedra Furada". *Quaternary Science Reviews*, v. 22, n. 10-3, maio 2003.

7. A. Araújo et al., "Hookworms and the Peopling of America". *Cad. Saúde Pública*, v. 4, n. 2, jun. 1988.

8. Carla Almeida; Vivian Teixeira, "Sem recursos e sem solução". *Ciência Hoje*, 20 jul. 2006. Disponível em: <https://cienciahoje.org.br/acervo/sem-recursos-e-sem-solucao-3/>. Acesso em: 5 abr. 2023.

9. Renato Grandelle, "Parque da Serra da Capivara, no Piauí, está ameaçado". *O Globo*, 17 jul. 2015. Disponível em: <https://oglobo.globo.com/brasil/sustentabilidade/parque-da-serra-da-capivara-no-piaui-esta-ameacado-1-16800318>. Acesso em: 5 abr. 2023.

10. Douglas Vieira, "Eu não aguento mais". *Trip*, 25 maio 2018. Disponível

em: <https://revistatrip.uol.com.br/trip/niede-guidon-responsavel-pelo-sitio-arqueologico-da-serra-da-capivara-quer-largar-tudo>. Acesso em: 5 abr. 2023.

11. Pedro Ignacio Schmitz, "Prehistoric Hunters and Gatherers of Brazil". *Journal of World Prehistory*, v. 1, n. 1, mar. 1987.

12. Robert G. Bednarik, "On the Pleistocene Settlement of South America". *Antiquity*, v. 63, n. 238, mar. 1989.

13. Thomas F. Lynch, "Glacial-Age Man in South America: A Critical Review". *American Antiquity*, v. 55, n. 1, jan. 1990.

14. David J. Meltzer, *First Peoples in a New World*, op. cit.

15. Ibid.

16. Thomas D. Dillehay, *The Settlement of the Americas*, op. cit.

17. David J. Meltzer; James M. Adovasio; Tom D. Dillehay, "On a Pleistocene Human Occupation at Pedra Furada". *Antiquity*, v. 68, n. 261, 1994.

18. N. Guidon; A.-M. Pessis, "Falsehood or Untruth". *Antiquity*, v. 70, n. 268, 1996.

19. Apud Thomas D. Dillehay, *The Settlement of the Americas*, op. cit.

20. André Prous, "O povoamento da América visto do Brasil: Uma perspectiva crítica". *Revista USP*, n. 34, 1997.

21. Marcelo Leite, "O país sem pré-história: A falha arqueológica do Brasil". *Folha de S.Paulo*, 19 mar. 2000. Disponível em: <https://www1.folha.uol.com.br/fsp/mais/fs1903200003.htm>. Acesso em: 5 abr. 2023.

22. Walter Neves; Eduardo Neves. "Pedra Furada". *Folha de S.Paulo*, 29 jan. 1995. Disponível em: <https://www1.folha.uol.com.br/fsp/1995/1/29/opiniao/10.html>. Acesso em: 5 abr. 2023.

23. Solange Bastos, op. cit.

9. A CARA DE LUZIA [pp. 152-69]

1. André Prous, "As muitas arqueologias das Minas Gerais". *Revista Espinhaço*, n. 3, 2013, pp. 36-54. Disponível em: <https://doi.org/10.5281/zenodo.3967688>. Acesso em: 12 jun. 2023.

2. Ibid., "Na terra de Luzia, futuro e passado em jogo". *piauí*, 9 nov. 2021. Disponível em: <https://piaui.folha.uol.com.br/na-terra-de-luzia-futuro-e-passado-em-jogo/>. Acesso em: 5 abr. 2023.

3. Ibid., "As missões arqueológicas desenvolvidas na região de Lagoa Santa na segunda metade do século XX". In: Pedro Da-Gloria; Walter A. Neves; Mark Hubbe (Org.), *Lagoa Santa*, op. cit.

4. Walter A. Neves et al., "Lapa Vermelha IV Hominid 1: Morphological Affinities of the Earliest Known American". *Genetics and Molecular Biology*, v. 22, n. 4, 1999.

5. Walter Alves Neves; Luís Beethoven Piló, *O povo de Luzia*, op. cit.

6. Annette Laming-Emperaire et al., "Missions archéologiques franco-brésiliennes de Lagoa Santa, Minas Gerais, Brésil — Le grand abri de Lapa Vermelha". *Revista de Pré-História*, n. 1, 1979.

7. Fausto Luiz de Souza Cunha; Martha Locks Guimarães, "Posição geológica do Homem de Lagoa Santa no grande abrigo da Lapa Vermelha Emperaire". *Coleção Museu Paulista: Série Ensaios*, v. 2, 1978.

8. James Feathers et al., "How Old Is Luzia: Luminescence Dating and Stratigraphic Integrity at Lapa Vermelha". *Geoarchaeology*, v. 25, n. 4, jul./ago. 2010.

9. André Strauss, "As práticas mortuárias na região de Lagoa Santa". In: Pedro Da-Gloria; Walter A. Neves; Mark Hubbe (Org.), *Lagoa Santa*, op. cit.

10. Walter A. Neves et al., "Lapa Vermelha IV Hominid 1", op. cit.

11. Thomas D. Dillehay, *The Settlement of the Americas*, op. cit.

12. André Prous. "As missões arqueológicas desenvolvidas na região de Lagoa Santa na segunda metade do século XX". In: Pedro Da-Gloria; Walter A. Neves; Mark Hubbe (Org.), *Lagoa Santa*, op. cit.

13. Paul Rivet, *Les Origines de l'homme américain*. Paris: Gallimard, 1943.

14. Bernardo Esteves, "O evolucionista". *piauí*, n. 134, nov. 2017. Disponível em: <https://piaui.folha.uol.com.br/materia/o-evolucionista/>. Acesso em: 5 abr. 2023.

15. Walter A. Neves; Hector M. Pucciarelli, "Morphological Affinities of the First Americans". *Journal of Human Evolution*, v. 21, n. 4, out. 1991, pp. 261-73.

16. Ibid., "Extra-Continental Biological Relationships of Early South American Human Remains: A Multivariate Analysis". *Ciência e Cultura*, n. 41, 1989.

17. Bernardo Esteves, "O evolucionista", op. cit.

18. Sheila Mendonça de Souza; Andersen Liryo, "Contribuições do Museu Nacional ao estudo de Lagoa Santa na segunda metade do século XX". In: Pedro Da-Gloria; Walter A. Neves; Mark Hubbe (Org.), *Lagoa Santa*, op. cit.

19. André Prous, "Na terra de Luzia, futuro e passado em jogo", op. cit.

20. Claudia Rodrigues-Carvalho; Hilton P. Silva, "Questões não respondidas, novas indagações e perspectivas futuras". In: Claudia Rodrigues-Carvalho; Hilton P. Silva (Org.), *Nossa origem — O povoamento das Américas: Visões multidisciplinares*. Rio de Janeiro: Vieira & Lent, 2006, p. 194.

10. MORRE UM PARADIGMA [pp. 170-83]

1. James M. Adovasio; Jake Page, *Os primeiros americanos*, op. cit.

2. Thomas D. Dillehay, *The Settlement of the Americas*, op. cit.

3. Tom D. Dillehay; Michael B. Collins, "Early Cultural Evidence from Monte Verde in Chile". *Nature*, n. 332, mar. 1988.

4. Tom D. Dillehay, *Monte Verde: A Late Pleistocene Settlement in Chile*. v. 1: *Paleoenvironment and Site Context*. Washington: Smithsonian Institution Press, 1989.

5. David J. Meltzer, *First Peoples in a New World*, op. cit.

6. Thomas F. Lynch, "Glacial-Age Man in South America: A Critical Review", op. cit.

7. Tom D. Dillehay, *Monte Verde: A Late Pleistocene Settlement in Chile*. v. 2: *The Archeological Context*. Washington: Smithsonian Institution Press, 1997.

8. David J. Meltzer, *First Peoples in a New World*, op. cit.

9. Nicholas J. Saunders, "Site Reading". *Nature*, n. 392, mar. 1998. Disponível em: <https://www.nature.com/articles/32337>. Acesso em: 19 jul. 2023.

10. David J. Meltzer et al., "On the Pleistocene Antiquity of Monte Verde, Southern Chile". *American Antiquity*, v. 62, n. 4, out. 1997.

11. John Noble Wilford, "Human Presence in Americas Is Pushed Back a Millennium". *The New York Times*, 11 fev. 1997. Disponível em: <http://www.nytimes.com/1997/02/11/science/human-presence-in-americas-is-pushed-back-a-millennium.html>. Acesso em: 5 abr. 2023.

12. Stuart Fiedel, "Artifact Provenience at Monte Verde: Confusion and Contradictions". *Scientific American Discovering Archaeology*, nov./dez. 1999.

13. David J. Meltzer, *First Peoples in a New World*, op. cit.

14. Tom D. Dillehay et al., "Monte Verde: Seaweed, Food, Medicine, and the Peopling of South America". *Science*, v. 320, n. 5877, maio 2008.

15. Tom D. Dillehay et al., "New Archaeological Evidence for an Early Human Presence at Monte Verde, Chile". *PLOS One*, nov. 2015.

16. Ibid.

11. MUITO ALÉM DO BOQUEIRÃO [pp. 184-207]

1. Christelle Lahaye et al., "Human Occupation in South America by 20,000 BC: The Toca da Tira Peia Site", op. cit.

2. Fabio Parenti, op. cit.

3. Eric Boëda et al., "New Data on a Pleistocene Archaeological Sequence in South America: Toca do Sítio do Meio". *PaleoAmerica*, v. 2, n. 4, 2016.

4. Gisele Daltrini Felice, *Sítio Toca do Boqueirão da Pedra Furada, Piauí-*

-Brasil: Estudo comparativo das estratigrafias extra sítio. Recife: Universidade Federal de Pernambuco, 2000. Dissertação (Mestrado em História).

5. Eric Boëda et al., "A New Late Pleistocene Archaeological Sequence in South America". *Antiquity*, n. 88, 2014.

6. C. Lahaye et al., "Another Site, Same Old Song: The Pleistocene-Holocene Archaeological Sequence of Toca da Janela da Barra do Antonião-North, Piauí, Brazil". *Quaternary Geochronology*, v. 29, 2018.

7. Michael Marshall, "Humans May Have Reached the Americas 22,000 Years Ago". *NewScientist*, 25 abr. 2013. Disponível em: <http://www.newscientist.com/article/dn23441-humans-may-have-reached-the-americas-22000-years-ago.html>. Acesso em: 5 abr. 2023.

8. Bruce Bower, "Disputed Finds Put Humans in South America 22,000 Years Ago". *ScienceNews*, 13 mar. 2013. Disponível em: <https://www.sciencenews.org/article/disputed-finds-put-humans-south-america-22000-years-ago>. Acesso em: 19 jul. 2023.

9. Michael R. Waters, "Late Pleistocene Exploration and Settlement of the Americas by Modern Humans". *Science*, v. 365, n. 6449, jul. 2019.

10. Stuart J. Fiedel, "Did Monkeys Make the Pre-Clovis Pebble Tools of Northeastern Brazil?". *PaleoAmerica*, v. 3, n. 1, 2017.

11. Tomos Proffitt et al., "Wild Monkeys Flake Stone Tools". *Nature*, n. 539, out. 2016.

12. Tiago Falótico et al., "Three Thousand Years of Wild Capuchin Stone Tool Use". *Nature Ecology & Evolution*, v. 3, jun. 2019.

13. Antonio Pérez-Balarezo; Marcos Paulo Ramos, "Les Peuplements antérieurs à 20 000 ans en Amériques: Un Guide pour les non-américanistes". *Bulletin de la Société Préhistorique Française*, v. 118, n. 4, out./dez. 2021.

14. Simon Romero, "Discoveries Challenge Beliefs on Humans' Arrival in the Americas". *The New York Times*, 28 mar. 2014. Disponível em: <http://www.nytimes.com/2014/03/28/world/americas/discoveries-challenge-beliefs-on-humans-arrival-in-the-americas.html>. Acesso em: 5 abr. 2023.

15. Fabio Parenti et al., "Genesis and Taphonomy of the Archaeological Layers of Pedra Furada Rock-Shelter, Brazil". *Quaternaire*, v. 29, n. 3, 2018.

16. Eric Boëda et al., "The Late-Pleistocene Industries of Piauí, Brazil: New Data". In: Kelly E. Graf; Caroline V. Ketron; Michael R. Waters (Org.), *Paleoamerican Odyssey*, op. cit.

17. Luis A. Borrero, "Con lo mínimo: Los debates sobre el poblamiento de América del Sur". *Intersecciones en Antropología*, v. 16, n. 1, jun. 2015.

18. André Strauss et al., "Human Skeletal Remains from Serra da Capivara,

Brazil: Review of the Available Evidence and Report on New Findings". In: Katerina Harvati; Gerhard Jäger; Hugo Reyes-Centeno (Org.), *New Perspectives on the Peopling of the Americas. Words, Bones, Genes, Tools: DFG Center for Advanced Studies Series*, 2018.

19. Lumila Paula Menéndez et al., "Morphometric Affinities and Direct Radiocarbon Dating of the Toca dos Coqueiros' Skull". *Scientific Reports*, v. 12, maio 2022.

20. Tom D. Dillehay, "Standards and Expectations". *Antiquity*, n. 88, 2014.

21. Hubert Forestier, "New World, New Models". *Antiquity*, n. 88, 2014.

22. James Feathers, "Is Dating an Issue?". *Antiquity*, n. 88, 2014.

23. Kjel Knutsson, "'Simple' Need Not Mean 'Archaic'". *Antiquity*, n. 88, 2014.

24. Adriana Schmidt Dias & Lucas Bueno, "More of the Same". *Antiquity*, n. 88, 2014.

12. NO CORAÇÃO DA AMÉRICA DO SUL [pp. 208-17]

1. Águeda Vilhena Vialou; Denis Vialou, "Manifestações simbólicas em Santa Elina, Mato Grosso, Brasil". *Bol. Mus. Para. Emílio Goeldi. Ciênc. Hum.*, Belém, v. 14, n. 2, maio/ago. 2019.

2. Águeda Vilhena Vialou et al., "Découverte de Mulodontinae dans un habitat préhistorique daté du Mato Grosso (Brésil): l'abri rupestre de Santa Elina". *Comptes Rendues de la Académie des Sciences de Paris*, v. 320, série II a, 1995.

3. Denis Vialou et al., "Peopling South America's Centre: The Late Pleistocene Site of Santa Elina". *Antiquity*, v. 91, n. 358, 2017.

4. Águeda Vilhena Vialou; Denis Vialou, "Abrigo pré-histórico Santa Elina, Mato Grosso; habitats e arte rupestre". *Revista do Instituto de Pré-História da USP*, n. 8, 1989.

5. Águeda Vilhena Vialou, "Occupations humaines et faune éteinte du Pléistocène au centre de l'Amérique du Sud: L'Abri rupestre Santa Elina, Mato Grosso, Brésil". In: Denis Vialou (Org.), *Peuplements et préhistoire en Amériques*. Paris: Comité des Travaux Historiques et Scientifiques, 2011.

6. Lucas Bueno; Adriana Dias, "Povoamento inicial da América do Sul: Contribuições do contexto brasileiro". *Estudos Avançados*, n. 83, 2015.

7. Walter Alves Neves; Luís Beethoven Piló, *O povo de Luzia*, op. cit.

8. Richard C. Sutter, "The Pre-Columbian Peopling and Population Dispersals of South America". *Journal of Archaeological Research*, v. 29, 2021.

9. Luis A. Borrero, "Con lo mínimo", op. cit.

10. Thais R. Pansani et al., "Evidence of Artefacts Made of Giant Sloth Bones in Central Brazil Around the Last Glacial Maximum". *Proceedings of the Royal Society* B, v. 290, jul. 2023.

11. Sarah Schmidt, "Colar de ossos de preguiça-gigante de 25 mil anos é pista de interação com humanos". *Pesquisa Fapesp*, 17 jul. 2023. Disponível em: <https://revistapesquisa.fapesp.br/colar-de-ossos-de-preguica-gigante-de-25-mil-anos-e-pista-de-interacao-com-humanos>. Acesso em: 19 jul. 2023.

12. Águeda Vilhena Vialou, op. cit.

13. OS POVOS DE LUZIA [pp. 218-32]

1. Bernardo Esteves, "O evolucionista", op. cit.

2. Astolfo Gomes de Mello Araujo, *Por uma arqueologia cética: Ontologia, epistemologia, teoria e prática da mais interdisciplinar das disciplinas*. Curitiba: Prismas, 2019.

3. Canal USP, "Registro de escavação arqueológica na Lapa do Santo". Disponível em: <https://youtu.be/hoK5yVqco4k>. Acesso em: 5 abr. 2023.

4. André Menezes Strauss, *As práticas mortuárias dos caçadores-coletores pré-históricos da região de Lagoa Santa: Lapa do Santo*, São Paulo: USP, 2010, Dissertação (Mestrado em Biociências).

5. André Strauss et al., "Early Holocene Ritual Complexity in South America: The Archaeological Record of Lapa do Santo". *Antiquity*, v. 90, n. 354, 2016.

6. André Strauss et al., "The Oldest Case of Decapitation in the New World (Lapa do Santo, East-Central Brazil)". *PLOS One*, set. 2015.

7. André Strauss, "As práticas mortuárias na região de Lagoa Santa". In: Pedro Da-Gloria; Walter A. Neves; Mark Hubbe (Org.), *Lagoa Santa*, op. cit.

8. Maria Guimarães, "Cenas de um sítio arqueológico". *Pesquisa Fapesp*, n. 251, jan. 2017. A reportagem é acompanhada de um vídeo. Disponível em: <https://youtu.be/ryIOG-0ygXw>. Acesso em: 5 abr. 2023.

9. Walter Alves Neves; Luís Beethoven Piló, "Solving Lund's Dilemma", op. cit.

10. Walter A. Neves; Mark Hubbe Neves, "Cranial Morphology of Early Americans from Lagoa Santa". *PNAS*, v. 102, n. 51, dez. 2005.

11. Walter A. Neves et al., "Rock Art at the Pleistocene-Holocene Boundary in Eastern South America". *PLOS One*, fev. 2012.

12. *Programa do Jô*, 16 mar. 2012. Disponível em <https://globoplay.globo.com/v/1861234/>. Acesso em: 30 jul. 2023.

14. À VONTADE NA AMAZÔNIA [pp. 233-49]

1. Alfred Russel Wallace, *Viagens pelo Amazonas e Rio Negro*. Brasília: Edições do Senado Federal, 2004.

2. A. C. Roosevelt et al., "Paleoindian Cave Dwellers in the Amazon. The Peopling of the Americas". *Science*, v. 272, n. 5260, abr. 1996.

3. Ibid.

4. Patricia Decia, "Brasileiro primitivo veio pela praia". *Folha de S.Paulo*, 21 abr. 1996. Disponível em: <https://www1.folha.uol.com.br/fsp/1996/4/21/mais!/30.html>. Acesso em: 5 abr. 2023.

5. John Dorfman, "The Amazon Trail". *Discover Magazine*, maio 2022. Disponível em: <https://www.discovermagazine.com/planet-earth/the-amazon-trail>. Acesso em: 5 abr. 2023.

6. Reinaldo José Lopes, "As cidades perdidas da Amazônia". *Superinteressante*, 13 abr. 2018. Disponível em: <https://super.abril.com.br/historia/a-civilizacao perdida-da-amazonia/>. Acesso em: 5 abr. 2023.

7. John Noble Wilford, "Scientist at Work: Anna C. Roosevelt; Sharp and to the Point in Amazonia". *The New York Times*, 23 abr. 1996. Disponível em: <https://www.nytimes.com/1996/04/23/science/scientist-at-work-anna-c-roosevelt-sharp-and-to-the-point-in-amazonia.html>. Acesso em: 5 abr. 2023.

8. C. Vance Haynes Jr. et al., "Dating a Paleoindian Site in the Amazon in Comparison with Clovis Cuture". *Science*, v. 275, n. 5308, 1997.

9. A. C. Roosevelt et al., "Response to: Dating a Paleoindian Site in the Amazon in Comparison with Clovis Cuture". *Science*, v. 275, n. 5308, 1997.

10. A. C. Roosevelt et al., "Eighth Millennium Pottery from a Prehistoric Shell Midden in the Brazilian Amazon". *Science*, v. 254, n. 5308, dez. 1991.

11. Eduardo Góes Neves, "Arqueólogos brigam pela idade dos primeiros passos humanos no Brasil". *Folha de S.Paulo*, 21 abr. 1996. Disponível em: <https://www1.folha.uol.com.br/fsp/1996/4/21/mais!/25.html>. Acesso em: 5 abr. 2023.

12. Edithe da Silva Pereira; Claide de Paula Moraes, "A cronologia das pinturas rupestres da Caverna da Pedra Pintada". *Bol. Mus. Para. Emílio Goeldi. Ciênc. Hum.*, Belém, v. 14, n. 2, maio/ago. 2019.

13. Christopher Sean Davis, "Solar-Aligned Paleoindian Pictographs Painel de Pilao Monte Alegre Brazil". *PLOS One*, dez. 2016.

14. Eurico Theofilo Miller, "A cultura cerâmica do tronco tupi no alto Ji-Paraná: Algumas reflexões teóricas, hipotéticas e conclusivas". *Revista Brasileira de Linguística Antropológica*, v. 1, n. 1, 2009.

15. Dalva Alberge, "'Sistine Chapel of the Ancients' Rock art Discovered in Remote Amazon Forest". *The Guardian*, 29 nov. 2020. Disponível em: <https://www.theguardian.com/science/2020/nov/29/sistine-chapel-of-the-ancients-rock-art-discovered-in-remote-amazon-forest>. Acesso em: 5 abr. 2023.

15. ESTÁ TUDO DOMINADO [pp. 250-61]

1. André Prous; Monica Carsalad Schlobach, "Sepultamentos pré-históricos do Vale do Peruaçu". *Revista do Museu de Arqueologia e Etnologia*, n. 7, 1997.

2. André Prous; Emilio Fogaça, "Archaeology of the Pleistocene-Holocene Boundary in Brazil". *Quaternary International*, v. 53-4, 1999.

3. Astolfo G. M. Araujo, "On Vastness and Variability: Cultural Transmission, Historicity, and the Paleoindian Record in Eastern South America", *Anais da Academia Brasileira de Ciências*, v. 87, n. 2, 2015.

4. Id., *Por uma arqueologia cética*, op. cit.

5. Adriana Schmidt Dias, "Um réquiem para Clovis", op. cit.

16. DIVERSIDADE AO SUL DO EQUADOR [pp. 262-77]

1. Tom D. Dillehay et al., "A Late Pleistocene Human Presence at Huaca Prieta, Peru, and Early Pacific Coastal Adaptations". *Quaternary Research*, n. 77, mar. 2012.

2. Tom D. Dillehay et al., "Simple Technologies and Diverse Food Strategies of the Late Pleistocene and Early Holocene at Huaca Prieta, Coastal Peru". *Science Advances*, v. 3, n. 5, maio 2017.

3. "Coastal Peru Was Rest Stop for Early Americans, Archaeologists Say". *SciNews*, 25 maio 2017. Disponível em: <http://www.sci-news.com/archaeology/peru-early-americans-04891.html>. Acesso em: 5 abr. 2023.

4. Tom D. Dillehay, "Entangled Knowledge: Old Trends and New Thoughts in First South American Studies". In: Kelly E. Graf; Caroline V. Ketron; Michael R. Waters (Org.), *Paleoamerican Odyssey*, op. cit.

5. Gustavo G. Politis et al., "The Arrival of *Homo sapiens* into the Southern Cone at 14,000 Years Ago". *PLOS One*, San Francisco, v. 11, n. 9, e0162870, 2016.

6. Michael R. Waters, Thomas Amorosi; Thomas W. Stafford Jr., "Redating Fell's Cave and the Chronological Placement of the Fishtail Projectile Point". *American Antiquity*, v. 80, n. 2, abr. 2015.

7. Luciano Prates e Ivan Perez, "Late Pleistocene South American megafaunal extinctions associated with rise of Fishtail points and human population". *Nature Communications*, v. 12, abr. 2021.

8. Juliet E. Morrow; Toby A. Morrow, "Geographic Variation in Fluted Projectile Points: A Hemispheric Perspective". *American Antiquity*, v. 64, n. 2, abr. 1999.

9. Hugo Nami, "Investigaciones actualísticas para discutir aspectos tecnicos de los cazadores-recolectores del Tardiglacial: el problema Clovis-Cueva Fell". *Anales del Instituto de la Patagonia*, n. 25, 1997.

10. Bernardo Esteves, "A marca da preguiça". *piauí*, n. 200, maio 2023. Disponível em: <https://piaui.folha.uol.com.br/materia/marca-da-preguica/>. Acesso em: 30 jul. 2023.

11. Richard A. Fariña et al., "Arroyo del Vizcaíno, Uruguay: A Fossil-Rich 30-ka-Old Megafaunal Locality with Cut-Marked Bones". *Proceedings of the Royal Society B*, Londres, v. 281, n. 1774, 20132211, 2014.

12. Rafael Suárez et al., "Archaeological Evidences Are Still Missing: A Comment on Fariña et al. Arroyo del Vizcaíno". *Proceedings of the Royal Society B*, n. 281, 2014.

13. Richard A. Fariña, "Bone Surface Modifications, Reasonable Certainty, and Human Antiquity in the Americas: The Case of the Arroyo Del Vizcaíno Site". *American Antiquity*, n. 80, v. 1, 2015, pp. 193-200.

14. Manuel Domínguez-Rodrigo et al., "Deep Classification of Cut-Marks on Bones from Arroyo del Vizcaíno". *Proceedings of the Royal Society B*, n. 288, 2021.

15. Vance Haynes, "Paleoenvironments and Cultural Diversity in Late Pleistocene South America: A Reply to Bryan". *Quaternary Research*, v. 4, n. 3, 1974.

16. Alan L. Bryan et al., "An El Jobo Mastodon Kill at Taima-taima, Venezuela". *Science*, v. 200, 1978.

17. Richard C. Sutter, "The Pre-Columbian Peopling and Population Dispersals of South America", op. cit.

18. Thomas D. Dillehay, *The Settlement of the Americas*, op. cit.

19. Gaspar Morcote-Ríos et al., "Colonisation and Early Peopling of the Colombian Amazon during the Late Pleistocene and the Early Holocene". *Quaternary International*, v. 578, mar. 2021, pp. 5-19.

20. Luciano Prates; Gustavo G. Politis; S. Ivan Perez, "Rapid Radiation of Humans in South America after the Last Glacial Maximum: A Radiocarbon-Based Study". *PLOS One*, jul. 2020.

17. UM COCÔ DA ERA DO GELO [pp. 278-93]

1. M. Thomas P. Gilbert et al., "DNA from Pre-Clovis Human Coprolites in Oregon, North America". *Science*, v. 320, n. 5877, maio 2008.

2. Maggie Fox, "Ancient Feces Indicates Earlier American Origins". *Reuters*, 3 abr. 2008. Disponível em: <https://www.reuters.com/article/us-humans-feces-idUSN0334600720080403>. Acesso em: 5 abr. 2023.

3. Paul Goldberg; Francesco Berna; Richard I. Macphail Goldberg, "Comment on DNA from Pre-Clovis Human Coprolites in Oregon". *Science*, v. 325, n. 5937, jul. 2009.

4. Hendrik Poinar et al., "Comment on DNA from Pre-Clovis Human Coprolites in Oregon, North America". *Science*, v. 325, n. 5937, jul. 2009.

5. Dennis L. Jenkins et al., "Clovis Age Western Stemmed Projectile Points and Human Coprolites at the Paisley Caves". *Science*, v. 337, n. 6091, jul. 2012.

6. Lisa-Marie Shillito et al., "Pre-Clovis Occupation of the Americas Identified by Human Fecal Biomarkers in Coprolites from Paisley Caves, Oregon". *Science Advances*, v. 6, n. 29, jul. 2020.

7. Loren G. Davis; Alex J. Nyers; Samuel C. Willis, "Context, Provenance and Technology of a Western Stemmed Tradition Artifact Cache from the Cooper's Ferry Site". *American Antiquity*, v. 79, n. 4, 2014.

8. Loren G. Davis et al., "Late Upper Paleolithic Occupation at Cooper's Ferry, Idaho, USA, ~16,000 years ago". *Science*, v. 365, n. 6456, ago. 2019.

9. Stuart J. Fiedel et al., "Pioneers from Northern Japan in Idaho 16,000 Years Ago: A Critical Evaluation of the Evidence from Cooper's Ferry". *PaleoAmerica*, v. 7, n. 1, 2021.

10. Loren G. Davis et al., "Dating of a Large Tool Assemblage at the Cooper's Ferry Site (Idaho, USA) to ~15,785 Cal yr B.P. Extends the Age of Stemmed points in the Americas". *Science Advances*, v. 8, n. 51, dez. 2022.

11. Megan Gannon, "15,000-Year-Old Idaho Archaeology Site Now Among America's Oldest". *National Geographic*, 29 ago. 2019. Disponível em: <https://www.nationalgeographic.com/culture/article/coopers-landing-idaho-site-americas-oldest>. Acesso em: 5 abr. 2023.

12. Michael R. Waters et al., "The Buttermilk Creek Complex and the Origins of Clovis at the Debra L. Friedkin Site". *Science*, v. 331, n. 6024, mar. 2011.

13. Keith Randall, "Oldest Weapons Ever Discovered in North America". *Texas A&M Today*, 24 out. 2018. Disponível em: <https://today.tamu.edu/2018/10/24/texas-am-prof-finds-oldest-weapons-ever-discovered-in-north-america/>. Acesso em: 5 abr. 2023.

14. Thomas J. Williams et al., "Evidence of an Early Projectile Point Technology in North America at the Gault Site". *Science Advances*, v. 4, n. 7, jul. 2018.

15. Michael R. Waters et al., "Pre-Clovis Projectile Points at the Debra L. Friedkin Site, Texas — Implications for the Late Pleistocene Peopling of the Americas". *Science Advances*, v. 4, n. 10, out. 2018.

16. Michael R. Waters et al., “Pre-Clovis Mastodon Hunting 13,800 Years Ago at the Manis Site, WA”. *Science*, v. 334, n. 6054, out. 2011.

17. Michael R. Waters et al., “Late Pleistocene Osseous Projectile Point from the Manis Site, Washington — Mastodon Hunting in the Pacific Northwest 13,900 Years Ago”. *Science Advances*, v. 9, n. 5, fev. 2023.

18. Jessi J. Halligan et al., “Pre-Clovis Occupation 14,550 Years Ago at the Page-Ladson Site, Florida, and the Peopling of the Americas”. *Science Advances*, v. 2, n. 5, maio 2016.

19. Glenn Hodges, “Discovery Points to Earlier Arrival of First Americans”. *National Geographic*, 13 maio 2016. Disponível em: <https://www.nationalgeographic.com/history/article/160513-first-americans-clovis-mastodon-florida-page-ladson>. Acesso em: 5 abr. 2023.

20. Nature Video, “The First Americans: Clues to an Ancient Migration”. Disponível em: <https://youtu.be/HyfSsgCrjb0>. Acesso em: 5 abr. 2023.

21. SD Natural History Museum, “Cerutti Mastodon Site: Story of the Discovery”. Disponível em: <https://youtu.be/GVeOoWmUnLw>. Acesso em: 5 abr. 2023.

22. Steven R. Holen et al., “A 130,000-Year-Old Archaeological Site in Southern California, USA”. *Nature*, n. 544, 2017.

23. Todd J. Braje et al., “Were Hominins in California 130,000 Years Ago”. *PaleoAmerica*, v. 3, n. 3, 2017.

24. Joseph V. Ferraro et al., “Contesting Early Archaeology in California”. *Nature*, n. 554, 2018.

25. Ewen Callaway, “Critics Attack Study that Rewrote Human Arrival in Americas”. *Nature*, 7 fev. 2018, corrigido em: 8 fev. 2018. Disponível em: <https://www.nature.com/articles/d41586-018-01713-y>. Acesso em: 5 abr. 2023.

18. O DNA DE CLOVIS [pp. 294-313]

1. Larry Lahren; Robson Bonnichsen, “Bone Foreshafts from a Clovis Burial in Southwestern Montana”. *Science*, v. 186, n. 4159, out. 1974.

2. Douglas W. Owsley; David R. Hunt; Ian G. Macintyre; M. Amelia Logan, “Clovis and Early Archaic Crania from the Anzick Site”. *Plains Anthropologist*, v. 46, n. 176, maio 2001.

3. Lorena Becerra-Valdivia et al., “Reassessing the Chronology of the Archaeological Site of Anzick”. *PNAS*, v. 115, n. 27, jun. 2018.

4. Morten Rasmussen et al., “The Genome of a Late Pleistocene Human from a Clovis Burial Site in Western Montana”. *Nature*, n. 506, fev. 2014.

5. Chris Palmer, “The Skull’s Petrous Bone and the Rise of Ancient Human DNA: Q & A with Genetic Archaeologist David Reich”. *Biomedical Beat Blog — National Institute of General Medical Sciences*, 11 abr. 2018. Disponível em: <https://biobeat.nigms.nih.gov/2018/04/the-skulls-petrous-bone-and-the-rise-of-ancient-human-dna-q-a-with-genetic-archaeologist-david-reich/>. Acesso em: 5 abr. 2023.

6. David Reich, *Who We Are and How We Got Here*, op. cit.

7. James P. Noonan et al., “Genomic sequencing of Pleistocene cave bears”. *Science*, v. 309, n. 5734, jul. 2005.

8. Hendrik N. Poinar et al., “Metagenomics to Paleogenomics: Large-Scale Sequencing of Mammoth DNA”. *Science*, v. 311, n. 5759, jan. 2006.

9. Bernardo Esteves, “Em busca dos primeiros”. *piauí*, n. 185, fev. 2022. Disponível em: <https://piaui.folha.uol.com.br/materia/em-busca-dos-primeiros/>. Acesso em: 30 jul. 2023.

10. Bastien Llamas et al., “Ancient Mitochondrial DNA Provides High-Resolution Timescale of the Peopling of the Americas”. *Science Advances*, v. 2, n. 4, abr. 2016.

11. J. Víctor Moreno-Mayar et al., “Early Human Dispersals within the Americas”. *Science*, v. 362, n. 6419, nov. 2018.

12. Cosimo Posth et al., “Reconstructing the Deep Population History of Central and South America”. *Cell*, v. 175, n. 5, nov. 2018.

13. Silvana Salles, “DNA antigo conta nova história sobre o povo de Luzia”. *Jornal da USP*, 8 nov. 2018. Disponível em: <https://jornal.usp.br/ciencias/ciencias-biologicas/dna-antigo-conta-nova-historia-sobre-o-povo-de-luzia/>. Acesso em: 5 abr. 2023.

14. Rolando González-José et al., “The Peopling of America: Craniofacial Shape Variation on a Continental Scale and Its Interpretation from an Interdisciplinary View”. *American Journal of Physical Anthropology*, v. 137, n. 2, out. 2008.

15. Cosimo Posth et al., op. cit.

16. Stuart J. Fiedel, “The Anzick Genome Proves Clovis is First, after All”. *Quaternary International*, v. 444, Part B, ju. 2017.

17. Nelson J. R. Fagundes et al., “Mitochondrial Population Genomics Supports a Single Pre-Clovis Origin with a Coastal Route for the Peopling of the Americas”. *American Journal of Human Genetics*, v. 82, n. 3, mar. 2008.

18. Thomaz Pinotti; Fabrício R. Santos, “Genetic Evidence against a Paleolithic European Contribution to Past or Present Native Americans”. *PaleoAmerica*, v. 6, n. 2, 2020.

19. SANGUE ANCESTRAL [pp. 314-32]

1. Francis L. Black, “Reasons for Failure of Genetic Classifications of South Amerind Populations”. *Forensic Research*, 1991; J. R. Kidd et al., “Studies of Three Amerindian Populations Using Nuclear DNA Polymorphisms” *Forensic Research*, 1991; Black, Pandey & Santos, “Evidências baseadas em HLA e IgG sobre as relações intra e intercontinentais das populações nativas da Amazônia”. In: W. A. Neves (Org.), *Origens adaptações e diversidade biológica do homem nativo da Amazônia*, Belém: Museu Paraense Emílio Goeldi, 1991, pp. 55-83.

2. Patricia Kahn, “Genetic Diversity Project Tries Again”, *Science*, v. 266, n. 5186, 1994.

3. Cavalli-Sforza, “The Human Genome Diversity Project: Past, Present and Future”. *Nature Reviews Genetic*, n. 6, v. 4, 2005, pp. 333-40.

4. Eliane Moreira e Gysele Amanajás, “Sangue na internet”, Nota de ensino, 2006. Disponível em: <https://www.academia.edu/14917648/Sangue_na_Internet_Nota_de_Ensino>. Acesso em: 15 jun. 2023.

5. Betty Mindlin. *Nós Paiter — os Suruí de Rondônia*. Petrópolis: Vozes, 1985.

6. Betty Mindlin; Narradores Suruí, *Vozes da origem — Estórias sem escrita: Narrativas dos índios Suruí de Rondônia*. São Paulo: Ática; Iamá, 1996.

7. Ricardo Ventura Santos; Carlos E. A. Coimbra Jr., “Sangue, bioética e populações indígenas”. *Parabólicas*, Instituto Socioambiental, 1996.

8. Alexandre Mansur, “Empresa americana vende DNA de índios”, *Jornal do Brasil*, 18 ago. 1996. Disponível em: <https://documentacao.socioambiental.org/noticias/anexo_noticia/52639_20200915_124450.PDF>. Acesso em: 30 jul. 2023.

9. Câmara dos Deputados, Relatório Final da Comissão Externa Criada para Apurar as Denúncias de Exploração e Comercialização Ilegal de Plantas e Material Genético da Amazônia, 1997.

10. Felipe Ferreira Vander Velden, *Por onde o sangue circula os Karitiana e a intervenção biomédica*, Campinas: Unicamp, 2004. Dissertação (Mestrado em Antropologia Social).

11. Larry Rohter, “In the Amazon, Giving Blood but Getting Nothing”. Disponível em: <https://www.nytimes.com/2007/06/20/world/americas/20blood.html>. Acesso em: 16 jun. 2023.

12. Conselho Nacional De Saúde, Resolução n. 304 de 9 ago. 2000. Disponível em: <https://conselho.saude.gov.br/images/comissoes/conep/documentos/NORMAS-RESOLUCOES/06._Resolu%C3%A7%C3%a3o_304_2000_Povos_Ind%C3%adgenas.pdf>. Acesso em: 20 jun. 2023.

13. Eliane Brum, "A guerra do DNA indígena". *Época*. 6 jun. 1998. Disponível em: <https://terrasindigenas.org.br/noticia/30861>. Acesso em: 19 jul. 2023.

14. Napoleon A. Chagnon, *Yanomamo: The Fierce People*. Boston: Thomson Learning, 1983. 192 pp.

15. Patrick Tierney, *Trevas no Eldorado: Como cientistas e jornalistas devastaram a Amazônia*. Rio de Janeiro: Ediouro, 2002.

16. Hanna Limulja, "Como alcançar o céu Yanomami se a imagem capturada está disseminada na internet?". *Sumaúma*, 26 jan. 2023. Disponível em: <https://sumauma.com/ceu-yanomami-imagem-hutu-mosi-hanna-limulja/>. Acesso em: 15 jun. 2023.

17. Comissão Pró-Yanomami, Seção de notícias, carta de Davi Kopenawa, 11 nov. 2002. Disponível em: <http://www.proyanomami.org.br/v0904/index.asp?pag=noticia&id=1427>. Acesso em: 15 jun. 2023.

18. Mark Munsterhjelm, "Beyond the Line: Violence and the Objectification of the Karitiana Indigenous People as Extreme Other in Forensic Genetics". *International Journal for the Semiotics of Law — Revue Internationale de Sémiotique Juridique*, n. 28, 2015, pp. 289-316.

19. Paulette F. C. Steeves, *The Indigenous Paleolithic of the Western Hemisphere*. Lincoln: University of Nebraska Press, 2021.

20. Paulette Faith Steeves, *Decolonizing Indigenous Histories Pleistocene Archaeology Sites of the Western Hemisphere*. Nova York: Universidade Estadual de Nova York, 2015. Tese (Doutorado em Antropologia), p. 47.

20. O ENIGMA YPYKUÉRA [pp. 333-52]

1. Pontus Skoglund et al., "Genetic Evidence for Two Founding Populations of the Americas". *Nature*, n. 525, 2015, pp. 104-8.

2. Rosanna Dent, *Studying Indigenous Brazil: The Xavante and the Human Sciences, 1958-2015*. Filadélfia: Universidade da Pensilvânia, 2017. Tese (Doutorado em História e Sociologia da Ciência). Disponível em: <https://repository.upenn.edu/edissertations/2255/>. Acesso em: 16 jun. 2023.

3. Maanasa Raghavan et al.,"Genomic Evidence for the Pleistocene and Recent Population History of Native Americans". *Science*, n. 349, 2015.

4. Paulo Rubin, "Indian Givers". *Phoenix New Times*, 27 maio 2004. Disponível em: <https://www.phoenixnewtimes.com/news/indian-givers-6428347>. Acesso em: 5 maio 2023.

5. Jennifer Raff, *Origin*, op. cit.

6. Morten Rasmussen et al., “The Ancestry and affiliations of Kennewick Man”. *Nature*, n. 523, 2015, pp. 455-8. Disponível em: <https://doi.org/10.1038/nature14625>. Acesso em: 16 jun. 2023.

7. Carl Zimmer, “New DNA Results Show Kennewick Man Was Native American”. *The New York Times*, 18 jun. 2015. Disponível em: <https://www.nytimes.com/2015/06/19/science/new-dna-results-show-kennewick-man-was-native-american.html>. Acesso em: 19 jun. 2023.

8. Morten Rasmussen et al., “An Aboriginal Australian Genome Reveals Separate Human Dispersals into Asia”. *Science*, n. 334, 2011, pp. 94-8.

9. Carl Zimmer, “Eske Willerslev Is Rewriting History With DNA”. *The New York Times*, 16 maio 2016. Disponível em: <https://www.nytimes.com/ 2016/05/17/science/eske-willerslev-ancient-dna-scientist.html>. Acesso em: 25 maio 2023.

10. Patrick Wyman, “Ancient DNA and the Human Story: Interview with Geneticist Eske Willerslev”, op. cit.

11. Francisco Salzano, “Why Genetic Studies in Tribal Populations?”. In: Francisco Salzano, Francisco M. & Magdalena A. Hurtado, *Lost Paradises and the Ethics of Research and Publication*. Oxford: Oxford University Press, 2003, pp. 70-85.

12. Alexander Koch et al., “Earth System Impacts of the European Arrival and Great Dying in the Americas after 1492”. *Quaternary Science Reviews*, v. 207, 2019, pp. 13-36.

13. Jennifer Raff, *Origin*, op. cit.

14. Marcos Araújo Castro e Silva et al., “Deep Genetic Affinity Between Coastal Pacific and Amazonian Natives Evidenced by Australasian Ancestry”, *PNAS*, v. 118, n. 14, 2021.

15. Ibid.

21. UM OBJETO EXTRAORDINÁRIO [pp. 353-70]

1. Eric Boëda et al., “24.0 kyr cal BP Stone Artefact from Vale da Pedra Furada: Techno-Functional Analysis”. *PLOS One*, mar. 2021.

2. Ibid.

3. André Prous, *Arqueologia brasileira*. Brasília: Editora UnB, 1992.

4. André Prous, *Arqueologia brasileira: A pré-história e os verdadeiros colonizadores*. Cuiabá: Archaeo; Carlini & Caniato Editorial, 2019, p. 197.

5. Lucas Bueno; Adriana Dias; Andrei Isnardis, “‘Poblamientos plurales’: Discontinuidades y diversidad cultural en el proceso de poblamiento antiguo del este de América del Sur”. *Boletín Americanista*, ano LXX, v. 2, n. 81, 2020.

6. Richard C. Sutter, "The Pre-Columbian Peopling and Population Dispersals of South America", op. cit.

7. Ibid.

8. Yan Axel Gómez Coutouly, "Un Peuplement antérieur à 20 000 ans en Amérique: Le Caractère anthropique des sites de Pedra Furada en question". *Bulletin de la Societé Préhistorique Française*, v. 118, n. 2, 2021.

9. Ibid.

10. C. Lahaye et al., "Another Site, Same Old Song", op. cit.

11. Antoine Lourdeau, "Les Vents du Grand Nord soufflent-ils jusqu'aux Tropiques: Une Réponse à Y. A. Gómez Coutouly". *Bulletin de la Societé Préhistorique Française*, v. 118, n. 4, out./dez. 2021.

12. Jennifer Raff. *Origin: A Genetic History of the Americas*, op. cit.

13. André Strauss, "De Quand Date le peuplement du Brésil?: Contributions osseuses et moléculaires". *Brésil(s): Sciences Humaines et Sociales*, n. 21, 2022.

14. Jennifer Raff. *Origin: A Genetic History of the Americas*, op. cit.

15. Eric Boëda et al., "24.0 Kyr Cal BP Stone Artefact from Vale da Pedra Furada", op. cit.

22. ANTES DO FRIO EXTREMO [pp. 371-94]

1. Ciprian F. Ardelean et al., "Evidence of Human Occupation in Mexico around the Last Glacial Maximum". *Nature*, n. 584, jul. 2020.

2. Bernardo Esteves, "Americanos 15 mil anos mais velhos". *piauí*, 22 jul. 2020. Disponível em: <https://piaui.folha.uol.com.br/americanos-15-mil-anos-mais-velhos/>. Acesso em: 5 abr. 2023.

3. Kurt H. Kjær et al., "A 2-Million-Year-Old Ecosystem in Greenland Uncovered by Environmental DNA". *Nature*, n. 612, dez. 2022.

4. Yan Axel Gómez Coutouly, "Un Peuplement antérieur à 20 000 ans en Amérique", op. cit.

5. James C. Chatters et al., "Evaluating Claims of Early Human Occupation at Chiquihuite Cave". *PaleoAmerica*, v. 8, n. 1, 2022.

6. Ciprian F. Ardelean et al., "Chiquihuite Cave and America's Hidden Limestone Industries: A Reply to Chatters et al.". *PaleoAmerica*, v. 8, n. 1, 2022.

7. Bernardo Esteves, "Americanos 15 mil anos mais velhos", op. cit.

8. Ruth Gruhn, "Evidence Grows for Early Peopling of the Americas". *Nature*, 22 jul. 2020.

9. Eric Boëda et al., "The Chiquihuite Cave, a Real Novelty: Observations about the Still-Ignored South American Prehistory". *PaleoAmerica*, v. 7, n. 1, 2021.

10. Matthew R. Bennett et al., "Evidence of Humans in North America during the Last Glacial Maximum". *Science*, v. 373, n. 6562, set. 2021.

11. Carl Zimmer, "Ancient Footprints Suggest Humans Arrived in Americas During Ice Age", *The New York Times*, 23 set. 2021. Disponível em: <https://www.nytimes.com/2021/09/23/science/ancient-footprints-ice-age.html>. Acesso em: 30 jul. 2023.

12. David B. Madsen et al., "Comment on Evidence of Humans in North America during the Last Glacial Maximum". *Science*, v. 375, n. 6577, jan. 2022.

13. Charles G. Oviatt et al., "A Critical Assessment of Claims that Human Footprints in the Lake Otero Basin, New Mexico Date to the Last Glacial Maximum". *Quaternary Research*, v. 111, 2023, pp. 138-47.

14. Jeffrey S. Pigati et al., "Response to Comment on Evidence of Humans in North America during the Last Glacial Maximum". *Science*, v. 375, n. 6577, jan. 2022.

15. Jennifer Raff, *Origin: A Genetic History of the Americas*, op. cit.

16. Luciano Prates; Gustavo G. Politis; S. Ivan Perez, "Rapid Radiation of Humans in South America after the Last Glacial Maximum", op. cit.

17. Antoine Lourdeau; Lucas Bueno, "Pluralité, complexité et profondeur: regards sur les premières présences humaines sur le territoire brésilien", *Brésil(s): Sciences Humaines et Sociales*, n. 21, 2022.

18. Thomas D. Dillehay, *The Settlement of the Americas*, op. cit.

19. Michael B. Collins et al., "North America before Clovis: Variance in Temporal/Spatial Cultural Patterns, 27,000-13,000 cal yr BP". In: Kelly E. Graf; Caroline V. Ketron; Michael R. Waters (Orgs.), *Paleoamerican Odyssey*, op. cit.

20. Michael R. Waters; Thomas W. Stafford Jr., "The First Americans: A Review of the Evidence for the Late-Pleistocene Peopling of the Americas". In: Kelly E. Graf; Caroline V. Ketron; Michael R. Waters (Org.), *Paleoamerican Odyssey*, op. cit.

21. Vance T. Holliday; D. Shane Miller, "The Clovis Landscape". In: Kelly E. Graf; Caroline V. Ketron; Michael R. Waters (Org.), *Paleoamerican Odyssey*, op. cit.

22. Bernardo Esteves, "Os seixos da discórdia", op. cit.

23. Lucas Bueno, "Arqueologia do povoamento inicial da América ou História Antiga da América". *Bol. Mus. Para. Emílio Goeldi. Ciênc. Hum.*, Belém, v. 14, n. 2, maio/ago. 2019.

24. Adriana Schmidt Dias, "Um réquiem para Clovis", op. cit.

Referências bibliográficas

ABUJAMRA, Adriana. *Niède Guidon: Uma arqueóloga no sertão*. Rio de Janeiro: Rosa dos Tempos, 2023.

ADOVASIO, James M.; PAGE, Jake. *Os primeiros americanos: Em busca do maior mistério da arqueologia*. Rio de Janeiro: Record, 2011.

ADOVASIO, James M. et al. "Yes Virginia, It Really is That Old: A Reply to Haynes and Mead". *American Antiquity*, Cambridge, v. 45, n. 3, pp. 588-95, jan. 2017.

AGNOLÍN, Agustín M.; AGNOLÍN, Federico L. "Holocene Capuchin-Monkey Stone Tool Deposits Shed Doubts on the Human Origin of Archeological Sites from the Pleistocene of Brazil". *The Holocene*, Londres, v. 33, n. 2, pp. 245-50, 2022.

AIMOLA; Giulia; ANDRADE, Camila; MOTA, Leidiana; PARENTI, Fabio. "Final Pleistocene and Early Holocene at Sitio do Meio: Stratigraphy and Comparison with Pedra Furada". *Journal of Lithic Studies*, Edinburgh, v. 1, n. 2, pp. 5-24, 2014.

ALBERGE, Dalva. "'Sistine Chapel of the Ancients' Rock Art Discovered in Remote Amazon Forest". *The Guardian*, 29 nov. 2020. Disponível em: <https://www.theguardian.com/science/2020/nov/29/sistine-chapel-of-the-ancients-rock-art-discovered-in-remote-amazon-forest>. Acesso em: 5 abr. 2023.

ALMEIDA, Carla; TEIXEIRA, Vivian. "Sem recursos e sem solução". *Ciência Hoje*, 20 jul. 2006. Disponível em: <https://cienciahoje.org.br/acervo/sem-recursos-e-sem-solucao-3/>. Acesso em: 5 abr. 2023.

ALPASLAN-ROODENBERG, Songül et al. "Ethics of DNA Research on Human Remains: Five Globally Applicable Guidelines". *Nature*, Londres, v. 599, pp. 41-6, 2021.

ARAUJO, A. et al. "Hookworms and the Peopling of America". *Cadernos de Saúde Pública*, Rio de Janeiro, v. 4, n. 2, pp. 226-33, jun. 1988.

ARAUJO, Astolfo G. M. "Sítios arqueológicos, variabilidade cultural e paleoclimas na transição Pleistoceno-Holoceno no Brasil". *Anais do X Congresso da Associação Brasileira de Estudos do Quaternário*. Guarapari: UFES, 2005.

______. "Paleoenvironments and Paleoindians in Eastern South America". In: STANFORD, Dennis; STENGER, Alison (Eds.). *Pre-Clovis in the Americas: International Science Conference Proceedings*. Washington: Smithsonian Institution, 2014. pp. 221-61.

______. "On Vastness and Variability: Cultural Transmission, Historicity, and the Paleoindian Record in Eastern South America". *Anais da Academia Brasileira de Ciências*, Rio de Janeiro, v. 87, n. 2, pp. 1249-58, 2015.

______. *Por uma arqueologia cética: Ontologia, epistemologia, teoria e prática da mais interdisciplinar das disciplinas*. Curitiba: Prismas, 2019.

ARAUJO, Astolfo G. M.; NEVES, Walter Alves (Orgs.). *Lapa das Boleiras: Um sítio paleoíndio do carste de Lagoa Santa*, MG, *Brasil*. São Paulo: Annablume; Fapesp, 2010.

ARAUJO, Astolfo G. M.; NEVES, Walter A.; KIPNIS, Renato. "Lagoa Santa Revisited: An Overview of the Chronology, Subsistence, and Material Culture of Paleoindian Sites in Eastern Central Brazil". *Latin American Antiquity*, Cambridge, v. 23, n. 4, pp. 533-50, 2012.

ARAUJO, Astolfo G. M. et al. "Extreme Cultural Persistence in Eastern-Central Brazil: The Case of Lagoa Santa Paleoindians". *Anais da Academia Brasileira de Ciências*, Rio de Janeiro, v. 90, n. 2, pp. 2501-21, 2017.

ARAUJO, Astolfo G. M. et al. "The Rise and Fall of Alice Boer: A Reassessment of a Purported Pre Clovis Site", 2021. *PaleoAmerica*, College Station, v. 7, n. 2, pp. 99-113, 2021.

ARDELEAN, Ciprian F. et al. "Evidence of Human Occupation in Mexico around the Last Glacial Maximum". *Nature*, Londres, v. 584, pp. 87-92, jul. 2020.

ARDELEAN, Ciprian F. et al. "Chiquihuite Cave and America's Hidden Limestone Industries: A Reply to Chatters et al.". *PaleoAmerica*, College Station, v. 8, n. 1, pp. 17-28, 2022.

ARDILA CALDERÓN, Gerardo Ignacio; POLITIS, Gustavo G. "Nuevos datos para un viejo problema: Investigación y discusiones en torno del poblamiento de América del Sur". *Boletín Museo del Oro*, Bogotá, n. 23, pp. 3-45, 1989.

ARNOLD, J. R.; LIBBY, W. F. "Age Determinations by Radiocarbon Content: Checks with Samples of Known Age". *Science*, Washington, v. 110, n. 2869, pp. 678-80, 1949.

ARROYO, Adrián et al. "Use-Wear and Residue Analysis of Pounding Tools Used by Wild Capuchin Monkeys from Serra da Capivara". *Journal of Archaeological Science: Reports*, Amsterdam, n. 35, 102690, 2021.

ARSUAGA, J. L et al. "Neandertal Roots: Cranial and Chronological Evidence from Sima de los Huesos". *Science*, Washington, v. 344, n. 6190, pp. 1358-63, 2014.

AUBERT, Maxime et al. "Earliest Hunting Scene in Prehistoric Art". *Nature*, Londres, v. 576, pp. 442-5, 2019.

ÁVILA-ARCOS, María C. et al. "Recommendations for Sustainable Ancient DNA Research in the Global South: Voices From a New Generation of Paleogenomicists". *Frontiers in Genetics*, Lausanne, n. 13, 880170, 2022.

AZEVEDO, Frederico A. C. et al. "Equal Numbers of Neuronal and Nonneuronal Cells Make the Human Brain an Isometrically Scaled-Up Primate Brain". *The Journal of Comparative Neurology*, Hoboken, v. 513, n. 5, pp. 532-41, abr. 2009.

BAHN, P.; MÜLLER-BECK, H. J.; FAGAN, B. "Concerned Readers". *Archaeology*, Boston, v. 44, n. 2, pp. 10-11, 1991.

BALZEAU, Antoine; CHARLIER, Philippe. "What do cranial bones of LB1 tell us about *Homo floresiensis*?". *Journal of Human Evolution*, Amsterdam, v. 93, pp. 12-24, 2016.

BARRETO, Cristiana. "A construção de um passado pré-colonial: Uma breve história da arqueologia no Brasil". *Revista USP*, São Paulo, n. 44, pp. 32-51, dez. 1999.

______. "De la Dordogne aux tropiques: Les Missions archéologiques françaises au Brésil". *Brésil(s): Sciences Humaines et Sociales*, Paris, n. 21, 2022.

BAR-YOSEF, Ofer. "The Archaeological Framework of the Upper Paleolithic Revolution". *Diogenes*, Paris, v. 54, n. 2, pp. 3-18, 2007.

BASTOS, Solange. *O paraíso é no Piauí: A descoberta arqueológica de Niède Guidon*. Rio de Janeiro: Família Bastos Editora, 2010.

BECERRA-VALDIVIA, Lorena; HIGHAM, T. "The Timing and Effect of the Earliest Human Arrivals in North America". *Nature*, Londres, v. 584, pp. 93-7, 2020.

BECERRA-VALDIVIA, Lorena et al. "Reassessing the Chronology of the Archaeological Site of Anzick". *PNAS*, Washington, v. 115, n. 27, pp. 7000-3, jun. 2018.

BEDNARIK, Robert G. "On the Pleistocene Settlement of South America". *Antiquity*, Cambridge, v. 63, n. 238, pp. 101-11, mar. 1989.

BELTRÃO, Maria. *Le Peuplement de l'Amérique du Sud : Essai d'archéologie: Une approche interdisciplinaire*. Paris: Riveneuve, 2008.

BENNETT, Matthew R. et al. "Evidence of Humans in North America during the Last Glacial Maximum". *Science*, Washington, v. 373, n. 6562, set. 2021.

BLACK, Francis L. "Reasons for Failure of Genetic Classifications of South Amerind Populations". *Forensic Research*, Detroit, v. 63, n. 6, pp. 763-74, 1991.

BLACK, Francis L.; PANDEY, Janardan; SANTOS, Sidney. "Evidências baseadas em HLA e IgG sobre as relações intra e intercontinentais das populações nativas da Amazônia". In: NEVES, Walter A. (Org.). *Origens, adaptações e diversidade biológica do homem nativo da Amazônia*. Belém: Museu Paraense Emílio Goeldi, 1991. pp. 55-83.

BLACK, Francis L. et al. "Prevalence of Antibody Against Viruses in the Tiriyo, an Isolated Amazonian Tribe". *American Journal of Epidemiology*, Cary, v. 91, n. 4, pp. 430-8, 1970.

BLACK, Francis L. et al. "Evidence for Persistence of Infectious Agents in Isolated Human Populations". *American Journal of Epidemiology*, Cary, v. 100, n. 3, pp. 230-50, 1974.

BOËDA, Eric. "Les Cultures pléistocènes frappées d'anathème (Réponse à Borrero)", 2015.

BOËDA, Eric et al. "The Late-Pleistocene Industries of Piauí, Brazil: New Data". In: GRAF, Kelly E.; KETRON, Caroline V.; WATERS, Michael R. (Eds.). *Paleoamerican Odyssey*. College Station: Center for the Study of the First Americans, 2013. pp. 445-65.

BOËDA, Eric et al. "A New Late Pleistocene Archaeological Sequence in South America". *Antiquity*, Cambridge, v. 88, n. 341, pp. 927-41, 2014.

BOËDA, Eric et al. "The Peopling of South America: Expanding the Evidence". *Antiquity*, Cambridge, v. 88, n. 341, pp. 954-5, 2014.

BOËDA, Eric et al. "New Data on a Pleistocene Archaeological Sequence in South America: Toca do Sítio do Meio". *PaleoAmerica*, College Station, v. 2, n. 4, pp. 286-302, 2016.

BOËDA, Eric et al. "Another 'Critique', Same Old Song: A Brief Rebuttal to Gómez Coutouly". *PaleoAmerica*, College Station, v. 8, n. 1, pp. 11-21, 2021.

BOËDA, Eric et al. "The First Fishtail Point Find in Piauí: Significance and Hypothesis". *PaleoAmerica*, College Station, v. 7, n. 1, pp. 1-6, 2021.

BOËDA, Eric et al. "24.0 Kyr Cal BP Stone Artefact from Vale da Pedra Furada: Techno-Functional Analysis". *PLOS One*, San Francisco, v. 16, n. 3, e0247965, mar. 2021.

BOËDA, Eric et al. "The Chiquihuite Cave, a Real Novelty? Observations about the Still-ignored South American Prehistory". *PaleoAmerica*, College Station, v. 7, n. 1, pp. 1-7, 2021.

BONATTO, Sandro L.; SALZANO, Francisco M. "A Single and Early Migration for the Peopling of the Americas Supported by Mitochondrial DNA Sequence Data". *PNAS*, Washington, v. 94, n. 5, pp. 1866-71, mar. 1997.

BORRERO, Luis Alberto. "Human and Natural Agency: Some Comments on Pedra Furada". *Antiquity*, Cambridge, v. 69, n. 264, pp. 602-3, 1995.

______. "Con lo mínimo: Los debates sobre el poblamiento de América del Sur". *Intersecciones en Antropología*, Olavarría, v. 16, n. 1, pp. 5-38, jun. 2015.

______. "Ambiguity and debates on the early peopling of South America". *PaleoAmerica*, College Station, v. 2, n. 1, pp. 11-21, 2016.

BOURGEON, Lauriane; BURKE, Ariane; HIGHAM, Thomas. "Earliest Human Presence in North America Dated to the Last Glacial Maximum: New Radiocarbon Dates from Bluefish Caves, Canada". *PLOS One*, San Francisco, jan. 2017.

BOWER, Bruce. "Disputed Finds Put Humans in South America 22,000 Years Ago". *ScienceNews*, 13 mar. 2013. Disponível em: <https://www.sciencenews.org/article/disputed-finds-put-humans-south-america-22000-years-ago>. Acesso em: 5 abr. 2023.

BOWLER, James M. et al. "New Ages for Human Occupation and Climatic Change at Lake Mungo, Australia". *Nature*, Londres, v. 421, pp. 837-40, 2003.

BRADLEY, Bruce; STANFORD, Dennis. "The North Atlantic Ice-Edge Corridor: A Possible Palaeolithic Route to the New World". *World Archaeology*, Londres, v. 36, n. 4, pp. 459-78, dez. 2004.

______. "The Solutrean-Clovis Connection: Reply to Straus, Meltzer and Goebel". *World Archaeology*, Londres, v. 38, n. 4, pp. 704-14, dez. 2006.

BRAJE, Todd J. et al. "Were Hominins in California ~130,000 Years Ago?". *PaleoAmerica*, College Station, v. 3, n. 3, pp. 200-2, 2017.

BRAJE, Todd J. et al. "Fladmark +40: What Have We Learned about a Potential Pacific Coast Peopling of the Americas". *American Antiquity*, Cambridge, v. 85, n. 1, pp. 1-21, 2019.

BRAY, Warwick. "Finding the Earliest Americans". *Nature*, Londres, v. 321, p. 726, jun. 1986.

______. "The Palaeoindian Debate". *Nature*, Londres, v. 332, p. 107, 1988.

BROWN, Peter et al. "A new small-bodied hominin from the Late Pleistocene of Flores, Indonesia". *Nature*, Londres, v. 431, pp. 1055-61, out. 2004.

BRUM, Eliane. "A guerra do DNA indígena". *Época*, 6 jun. 2005. Disponível em: <https://terrasindigenas.org.br/noticia/30861>. Acesso em: 20 jun. 2023.

BRUMM, Adam et al. "Oldest Cave Art Found in Sulawesi". *Science Advances*, Washington, v. 7, n. 3, eabd4648, 2021.

BRYAN, Alan L. "Paleoenvironments and Cultural Diversity in Late Pleistocene South America". *Quaternary Research*, v. 3, pp. 237-56, 1973.

BRYAN, Alan L.; GRUHN, Ruth. "Some Difficulties in Modeling the Original Peopling of the Americas". *Quaternary International*, Amsterdam, v. 109-110, pp. 175-9, 2003.

BRYAN, Alan L. et al. "An El Jobo Mastodon Kill at Taima-Taima, Venezuela". *Science*, Washington, v. 200, n. 4347, pp. 1275-7, 1978.

BUENO, Lucas. "Arqueologia do povoamento inicial da América ou História Antiga da América: Quão antigo pode ser um 'Novo Mundo'?". *Boletim do Museu Paraense Emílio Goeldi: Ciências Humanas*, Belém, v. 14, n. 2, pp. 477-95, maio/ago. 2019.

BUENO, Lucas; DIAS, Adriana Schmidt. "Povoamento inicial da América do Sul: Contribuições do contexto brasileiro". *Estudos Avançados*, São Paulo, n. 83, pp. 119-47, 2015.

BUENO, Lucas; DIAS, Adriana Schmidt; ISNARDIS, Andrei. "'Poblamientos plurales': Discontinuidades y diversidad cultural en el proceso de poblamiento antiguo del este de América del Sur". *Boletín Americanista*, Porto Alegre, ano LXX, v. 2, n. 81, pp. 39-61, 2020.

BUENO, Lucas; DIAS, Adriana Schmidt; STEELE, James. "The Late Pleistocene/Early Holocene Archaeological Record in Brazil: A Geo-Referenced Database". *Quaternary International*, Amsterdam, v. 301, pp. 74-93, 2013.

CALDARELLI, Solange Bezerra et al. "Assentamentos a céu aberto de caçadores-coletores datados da transição Pleistoceno final/ Holoceno inicial no sudeste do Pará". *Revista de Arqueologia*, Teresina, v. 18, n. 1, pp. 95-108, 2005.

CALLAWAY, Ewen. "Did humans drive 'hobbit' species to extinction?". *Nature*, 30 mar. 2016. Disponível em: <https://www.nature.com/articles/nature.2016.19651>. Acesso em: 23 jul. 2023.

______. "Oldest *Homo sapiens* Fossil Claim Rewrites Our Species' History". *Nature*, Londres, 7 jun. 2017. Disponível em: <https://doi.org/10.1038/nature.2017.22114>. Acesso em: 7 jun. 2023.

______. "Critics Attack Study that Rewrote Human Arrival in Americas". *Nature*, 7 fev. 2018, corrigido em: 8 fev. 2018. Disponível em: <https://www.nature.com/articles/d41586-018-01713-y>. Acesso em: 5 abr. 2023.

CÂMARA DOS DEPUTADOS. *Relatório final da comissão externa criada para apurar as denúncias de exploração e comercialização ilegal de plantas e material genético da Amazônia*. Brasília, 1997.

______. *Relatório final da CPI da Biopiratari a*. Brasília, 2003.

CAMPBELL, Lyle. *American Indian Languages: The Historical Linguistics of Native America*. Oxford: Oxford University Press, 2000.

CANN, Howard M. et al. "A Human Genome Diversity Cell Line Panel". *Science*, Washington, v. 296, n. 5566, pp. 261-2, 2002.

CANN, Rebecca L.; STONEKING, Mark; WILSON, Allan C. "Mitochondrial DNA and Human Evolution". *Nature*, Londres, v. 325, pp. 31-6, jan. 1987.

CAPODIFERRO, Marco Rosario et al. "Archaeogenomic Distinctiveness of the Isthmo-Colombian Area". *Cell*, Cambridge, v. 184, n. 7, pp. 1706-23, 2021.

CAVALLI-SFORZA, L. Luca. "The Human Genome Diversity Project: Past, Present and Future". *Nature Reviews Genetic*, Londres, v. 6, n. 4, pp. 333-40, 2005.

CHAGNON, Napoleon A. *Yanomamo: The Fierce People*. Boston: Thomson Learning, 1983.

CHARLTON, Sophy; BOOTH, Thomas; BARNES, Ian. "The Problem with Petrous: A Consideration of the Potential Biases in the Utilization of *Pars Petrosa* for Ancient DNA Analysis". *World Archaeology*, Londres, v. 51, n. 4, pp. 574-85, 2020.

CHATTERS, James C. et al. "Evaluating Claims of Early Human Occupation at Chiquihuite Cave". *PaleoAmerica*, College Station, v. 8, n. 1, pp. 1-16, 2022.

CLARK, Jorie et al. "The Age of the Opening of the Ice-Free Corridor and Implications for the Peopling of the Americas". *PNAS*, Washington, v. 119, n. 14, e2118558119, mar. 2022.

CLARK, Peter U. et al. "The Last Glacial Maximum". *Science*, Washington, v. 325, n. 5941, pp. 710-4, 2009.

CLARKSON, Chris et al. "Human Occupation of Northern Australia by 65,000 Years Ago". *Nature*, Londres, v. 547, pp. 306-10, jul. 2017.

CLEMENTE-CONTE, Ignacio; BOËDA, Eric; FARIAS-GLUCHY, María. "Macro- and Micro-Traces of Hafting on Quartz Tools from Pleistocene Sites in the Sierra de Capivara in Piaui (Brazil)". *Quaternary International*, Amsterdam, v. 427B, pp. 206-10, 2017.

"COASTAL Peru was Rest Stop for Early Americans, Archaeologists Say". *SciNews*, 25 maio 2017. Disponível em: <http://www.sci-news.com/archaeology/peru-early-americans-04891.html>. Acesso em: 5 abr. 2023.

COIMBRA Jr., Carlos E. A.; SANTOS, Ricardo Ventura. "Ética e pesquisa biomédica em sociedades indígenas no Brasil". *Cadernos de Saúde Pública*, Rio de Janeiro, v. 12, n. 3, pp. 417-22, set. 1996.

COLLINS, Michael B. et al. "North America before Clovis: Variance in Temporal/Spatial Cultural Patterns, 27,000-13,000 cal yr BP". In: GRAF, Kelly E.; KETRON, Caroline V.; WATERS, Michael R. (Eds.). *Paleoamerican Odyssey*. College Station: Center for the Study of the First Americans, 2013. pp. 521-39.

COMISSÃO PRÓ-YANOMAMI. Seção de notícias, carta de Davi Kopenawa, 11 nov. 2002. Disponível em: <http://www.proyanomami.org.br/v0904/index.asp?pag=noticia&id=1427>. Acesso em: 15 jun. 2023.

CONSELHO NACIONAL DE SAÚDE. Resolução n. 196, de 12 de novembro de 1996.

______. Resolução n. 304, 9 ago. 2000. Disponível em: <https://conselho.saude.gov.br/images/comissoes/conep/documentos/NORMAS-RESOLUCOES/06._Resolu%C3%A7%C3%a3o_304_2000_Povos_Ind%C3%adgenas.pdf>. Acesso em: 20 jun. 2023.

COSTA, Fernando Walter da Silva. *Arqueologia das campinaranas do baixo Rio Negro: Em busca dos pré-ceramistas nos areais da Amazônia Central*. São Paulo: USP, 2009. Tese (Doutorado em Arqueologia).

COUTOULY, Yan Axel Gómez. "Un Peuplement antérieur à 20 000 ans en Amérique? Le Caractère anthropique des sites de Pedra Furada en question". *Bulletin de la Societé Préhistorique Française*, Paris, v. 118, n. 2, pp. 245-75, 2021.

______. "Once more unto the breach, dear friends, once more": réponse à Antoine Lourdeau. *Bulletin de la Societé Préhistorique Française*, Paris, v. 118, n. 4, pp. 770-776, 2021.

COUTOULY, Yan Axel Gómez; HOLMES, Charles E. "The Microblade Industry From Swan Point Cultural Zone 4b: Technological and Cultural Implications From The Earliest Human Occupation in Alaska". *American Antiquity*, Cambridge, v. 83, n. 4, pp. 735-52, 2018.

CUNHA, Fausto Luiz de Souza; GUIMARÃES, Martha Locks. "Posição geológica do Homem de Lagoa Santa no grande abrigo da Lapa Vermelha Emperaire". *Coleção Museu Paulista: Série Ensaios*, São Paulo, v. 2, pp. 275-305, 1978.

CUNHA, Manuela Carneiro da (Org.). *História dos índios do Brasil*. São Paulo: Companhia das Letras, 1992.

CURRY, Andrew. "Ancient Migration: Coming to America". *Nature*, Londres, v. 485, pp. 30-32, 2012.

DA-GLORIA, Pedro; NEVES, Walter A.; HUBBE, Mark (Orgs.). *Lagoa Santa: História das pesquisas arqueológicas e paleontológicas*. São Paulo: Annablume Arqueológica, 2016.

______. "História das pesquisas bioarqueológicas em Lagoa Santa, Minas Gerais, Brasil". *Boletim do Museu Paraense Emílio Goeldi: Ciências Humanas*, Belém, v. 12, n. 3, pp. 919-36, set-dez. 2017.

DAVIS, Christopher Sean. "Solar-Aligned Paleoindian Pictographs at the Paleoindian Site Painel de Pilão along the Lower Amazon River at Monte Alegre, Brazil". *PLOS One*, San Francisco, v. 11, n. 12, e0167692, dez. 2016.

DAVIS, Christopher Sean et al. "Paleoindian Solar and Stellar Pictographic Trail in the Monte Alegre Hills of Brazil: Implications for Pioneering New Landscapes". *Journal of Anthropology and Archaeology*, Amsterdam, v. 5, n. 2, pp. 1-17, 2017.

DAVIS, Loren G.; NYERS, Alex J.; WILLIS, Samuel C. "Context, Provenance and Technology of a Western Stemmed Tradition Artifact Cache from the Cooper's Ferry Site". *American Antiquity*, Cambridge, v. 79, n. 4, pp. 596-615, 2014.

DAVIS, Loren G. et al. "Late Upper Paleolithic Occupation at Cooper's Ferry, Idaho, USA, ~16,000 Years Ago". *Science*, Washington, v. 365, n. 6456, pp. 891-7, ago. 2019.

DAVIS, Loren G. et al. "Dating of a Large Tool Assemblage at the Cooper's Ferry Site (Idaho, USA) to ~15,785 Cal Yr B.P. Extends the Age of Stemmed Points in the Americas". *Science Advances*, Washington, v. 8, n. 51, eade1248, dez. 2022.

DAY, M. H. "Early *Homo sapiens* Remains from the Omo River Region of South--West Ethiopia: Omo Human Skeletal Remains". *Nature*, Londres, v. 222, pp. 1135-8, 1969.

DECIA, Patricia. "Brasileiro primitivo veio pela praia". *Folha de S.Paulo*, 21 abr. 1996. Disponível em: <https://www1.folha.uol.com.br/fsp/1996/4/21/mais!/30.html>. Acesso em: 5 abr. 2023.

DENT, Rosanna. *Studying Indigenous Brazil: The Xavante and the Human Sciences, 1958-2015*. Pensilvânia: University of Pennsylvania, 2017. Tese (Doutorado em História e Sociologia da Ciência). Disponível em: <https://repository.upenn.edu/edissertations/2255/>. Acesso em: 16 jun. 2023.

______. "Subject 01: Exemplary Indigenous Masculinity in Cold War Genetics". *The British Journal for the History of Science*, Cambridge, v. 53, n. 3, pp. 311-32, 2020.

______. "Whose Home Is the Field?". *Isis*, Chicago, v. 113, n. 1, pp. 137-43, 2022.

DENT, Rosanna; SANTOS, Ricardo Ventura. "An Unusual and Fast Disappearing Opportunity: Infectious Disease, Indigenous Populations, and New Biomedical Knowledge in Amazonia". *Perspectives on Science*, Cambridge, v. 25, n. 5, pp. 585-605, 2017.

______. "'An Immense Mosaic': Race Mixing and the Creation of the Genetic Nation in 1960s Brazil". In: ANDERSON, Warwick; ROQUE, Ricardo; SANTOS, Ricardo Ventura (Eds.). *Luso-Tropicalism and Its Discontents: The Making and Unmaking of Racial Exceptionalism*. Oxford: Berghahn Books, 2019. pp. 135-56.

DIAS, Adriana Schmidt. "Diversificar para poblar: El contexto arqueológico brasileño en la transición Pleistoceno-Holoceno". *Complutum*, Madri, v. 15, pp. 249-63, 2004.

______. "Hunter-Gatherer Occupation of South Brazilian Atlantic Forest: Paleoenvironment and Archaeology". *Quaternary International*, Amsterdam, v. 256, pp. 12-8, 2012.

DIAS, Adriana Schmidt. "Um réquiem para Clovis". *Boletim do Museu Paraense Emílio Goeldi: Ciências Humanas*, Belém, v. 14, n. 2, pp. 459-76, maio/ago. 2019.

DIAS, Adriana Schmidt; BUENO, Lucas. "The Initial Colonization of South America Eastern Lowlands: Brazilian Archaeology Contributions to Settlement of America Models". In: GRAF, Kelly E.; KETRON, Caroline V.; WATERS, Michael R. (Eds.). *Paleoamerican Odyssey*. College Station: Center for the Study of the First Americans, 2013. pp. 339-57.

______. "More of the Same". *Antiquity*, Cambridge, n. 88, pp. 943-5, 2014.

DILLEHAY, Tom D. *Monte Verde: A Late Pleistocene Settlement in Chile*. v. 1: *Paleoenvironment and Site Context*. Washington: Smithsonian Institution Press, 1989.

______. *Monte Verde: A Late Pleistocene Settlement in Chile*. v. 2: *The Archeological Context*. Washington: Smithsonian Institution Press, 1997.

______. *The Settlement of the Americas: A New Prehistory*. Nova York: Basic Books, 2000.

______. "Entangled Knowledge: Old Trends and New Thoughts in First South American Studies". In: GRAF, Kelly E.; KETRON, Caroline V.; WATERS, Michael R. (Eds.). *Paleoamerican Odyssey*. College Station: Center for the Study of the First Americans, 2013. pp. 377-95.

______. "Standards and Expectations". *Antiquity*, Cambridge, n. 88, pp. 695-714, 2014.

DILLEHAY, Tom D.; COLLINS, Michael B. "Early Cultural Evidence from Monte Verde in Chile". *Nature*, Londres, v. 332, pp. 150-2, mar. 1988.

DILLEHAY, Tom D. et al. "Monte Verde: Seaweed, Food, Medicine, and the Peopling of South America". *Science*,Washington, v. 320, n. 5877, pp. 784-6, maio 2008.

DILLEHAY, Tom D. et al. "A Late Pleistocene Human Presence at Huaca Prieta, Peru, and Early Pacific Coastal Adaptations". *Quaternary Research*, Amsterdam, v. 77, n. 3, pp. 418-23, mar. 2012.

DILLEHAY, Tom D. et al. "Chronology, Mound-Building and Environment at Huaca Prieta, Coastal Peru, from 13 700 to 4000 Years Ago". *Antiquity*, Cambridge, v. 86, n. 331, 48-70, 2012.

DILLEHAY, Tom D. et al. "New Archaeological Evidence for an Early Human Presence at Monte Verde, Chile". *PLOS One*, San Francisco, v. 10, n. 11, e0141923, nov. 2015.

DILLEHAY, Tom D. et al. "Simple Technologies and Diverse Food Strategies of the Late Pleistocene and Early Holocene at Huaca Prieta, Coastal Peru". *Science Advances*, Washington, v. 3, n. 5, e1602778, maio 2017.

DILLEHAY, Tom D. et al. "New Excavations at the Late Pleistocene Site of Chinchihuapi I, Chile". *Quaternary Research*, Cambridge, v. 92, n. 1, pp. 70-80, 2019.

DINIZ, Débora. "Avaliação ética em pesquisa social: O caso do sangue Yanomami". *Revista Bioética*, Brasília, v. 15, n. 2, pp. 284-97, 2007.

DODSON, Michael; WILLIAMSON, Robert. "Indigenous Peoples and the Morality of the Human Genome Diversity Project". *Journal of Medical Ethics*, Londres, v. 25, pp. 204-8, 1999.

DOMÍNGUEZ-RODRIGO, Manuel et al. "Deep Classification of Cut-Marks on Bones from Arroyo del Vizcaíno". *Proceedings of the Royal Society* B, Londres, v. 288, n. 1954, 20210711, 2021.

DOMÍNGUEZ-RODRIGO, Manuel; BAQUEDANO, Enrique. "Human Agency in the Modification of *Lestodon* Bones at Arroyo del Vizcaíno? A Reply to Holcomb et al. (2022)". *PaleoAmerica*, College Station, v. 8, n. 4, pp. 300-6, 2022.

DORFMAN, John. "The Amazon Trail". *Discover Magazine*, maio 2022. Disponível em: <https://www.discovermagazine.com/planet-earth/the-amazon-trail>. Acesso em: 5 abr. 2023.

DRÉVILLON, Elizabeth. *Le Secret de la roche percée — Niède Guidon: L'Aventurière de la préhistoire*. Paris: Fayard, 2011.

DUARTE, Cristiane Delfina Santos. *A mulher original: Produção de sentidos sobre a arqueóloga Niède Guidon*. Campinas: Unicamp, 2015. Dissertação (Mestrado em Divulgação Científica e Cultural).

DUBOIS, Eugene. "On *Pithecanthropus erectus*: A Transitional form Between Man and the Apes". *The Journal of the Anthropological Institute of Great Britain and Ireland*, Londres, v. 25, pp. 240-55, 1896.

ERLANDSON, Jon M. et al. "The Kelp Highway Hypothesis: Marine Ecology, the Coastal Migration Theory, and the Peopling of the Americas". *The Journal of Island and Coastal Archaeology*, Eugene, v. 2, n. 2, pp. 161-74, 2007.

ESTEVES, Bernardo. "Os seixos da discórdia". *piauí*, n. 88, jan. 2014. Disponível em: <https://piaui.folha.uol.com.br/materia/os-seixos-da-discordia/>. Acesso em: 5 abr. 2023.

______. "O evolucionista". *piauí*, n. 134, nov. 2017. Disponível em: <https://piaui.folha.uol.com.br/materia/o-evolucionista/>. Acesso em: 5 abr. 2023.

______. "Americanos 15 mil anos mais velhos". *piauí*, 22 jul. 2020. Disponível em: <https://piaui.folha.uol.com.br/americanos-15-mil-anos-mais-velhos/>. Acesso em: 5 abr. 2023.

______. "Em busca dos primeiros". *piauí*, n. 185, fev. 2022. Disponível em: <https://piaui.folha.uol.com.br/materia/em-busca-dos-primeiros/>. Acesso em: 30 jul. 2023.

______. "Na ponta do dedo". *piauí*, n. 195, dez. 2022. Disponível em: <https://piaui.folha.uol.com.br/materia/na-ponta-do-dedo/>. Acesso em: 5 abr. 2023.

______. "A marca da preguiça". *piauí*, n. 200, maio 2023. Disponível em: <https://piaui.folha.uol.com.br/materia/marca-da-preguica/>. Acesso em: 30 jul. 2023.

FAGUNDES, Nelson J. R. et al. "Mitochondrial Population Genomics Supports a Single Pre-Clovis Origin with a Coastal Route for the Peopling of the Americas". *The American Journal of Human Genetics*, Cambridge, v. 82, n. 3, pp. 583-92, mar. 2008.

FAITH, J. Tyler; SUROVELL; Todd A.; STANLEY, Steven M. "Synchronous Extinction of North America's Pleistocene Mammals". *PNAS*, Washington, v. 106, n. 49, pp. 20641-5, 2009.

FALÓTICO, Tiago et al. "Three Thousand Years of Wild Capuchin Stone Tool Use". *Nature Ecology & Evolution*, Londres, v. 3, pp. 1034-38, jun. 2019.

FARIÑA, Richard A. "Bone Surface Modifications, Reasonable Certainty, and Human Antiquity in the Americas: The Case of the Arroyo del Vizcaíno Site". *American Antiquity*, Cambridge, n. 80, v. 1, pp. 193-200, 2015.

FARIÑA, Richard A.; CASTILLA, Reynaldo. "Earliest Evidence for Human-Megafauna Interaction in the Americas". In: CORONA-M., Eduardo; ARROYO-CABRALES, Joaquín (Eds.). *Human and Faunal Relationships Reviewed: An Archaeozoological Approach*. Oxford: Archaeopress, 2007. pp. 31-34.

FARIÑA, Richard A. et al. "Among Others, Cut-Marks Are Archaeological Evidence: Reply to Suárez et al". *Proceedings of the Royal Society B*, Londres, v. 281, n. 1795, pp. 1-3, 2014.

FARIÑA, Richard A. et al. "Arroyo del Vizcaíno, Uruguay: A Fossil-Rich 30-ka-Old Megafaunal Locality with Cut-Marked Bones". *Proceedings of the Royal Society B*, Londres, v. 281, n. 1774, 20132211, 2014.

FARIÑA, Richard A. et al. "Hard Facts in an Imperfect Site: The Evidence of Human Presence in the Arroyo del Vizcaíno: Reply to Holcomb et al.". *Paleo America*, College Station, v. 8, n. 4, pp. 307-14, 2022.

FARMER, Jesse R. et al. "The Bering Strait Was Flooded 10,000 Years Before the Last Glacial Maximum". *PNAS*, Washington, v. 120, n. 1, e2206742119, 2022.

FAUSTO, Carlos. *Os índios antes do Brasil*. Rio de Janeiro: Jorge Zahar, 2003.

FAZENDA, Bruno et al. "Cave Acoustics in Prehistory: Exploring the Association of Palaeolithic Visual Motifs and Acoustic Response". *The Journal of the Acoustical Society of America*, Melville, n. 142, pp. 1332-49, 2017.

FEATHERS, James. "Is Dating an Issue?". *Antiquity*, Cambridge, n. 88, pp. 948-50, 2014.

FEATHERS, James et al. "How Old Is Luzia: Luminescence Dating and Stratigraphic Integrity at Lapa Vermelha". *Geoarchaeology*, Londres, v. 25, n. 4, pp. 395-436, jul.-ago. 2010.

FEDJE, Daryl W.; JOSENHANS, Heiner. "Drowned Forests and Archaeology on the Continental Shelf of British Columbia, Canada". *Geology*, Boulder, v. 28, n. 2, pp. 99-102, fev. 2000.

FELICE, Gisele Daltrini. *Sítio Toca do Boqueirão da Pedra Furada, Piauí-Brasil: Estudo comparativo das estratigrafias extra sítio*. Recife: UFPE, 2000. Dissertação (Mestrado em História).

______. "A controvérsia sobre o sítio arqueológico Toca do Boqueirão da Pedra Furada, Piauí, Brasil". *Fumdhamentos*, São Raimundo Nonato, v. 1, n. 2, pp. 143-78, 2002.

FERRARO, Joseph V. et al. "Contesting Early Archaeology in California". *Nature*, Londres, v. 554, pp. E1-E2, 2018.

FERRAZ, Tiago et al. "Genomic history of coastal societies from eastern South America". *Nature Ecology & Evolution*, Londres, jul. 2023.

FIEDEL, Stuart. "Artifact Provenience at Monte Verde: Confusion and Contradictions". *Scientific American Discovering Archaeology*, Washington, pp. 1-23, nov.-dez. 1999.

______. "Initial Human Colonization of the Americas: An Overview of the Issues and the Evidence". *Radiocarbon*, Cambridge, v. 44, n. 2, pp. 407-36, 2002.

______. "The Kennewick Follies: 'New' Theories about the Peopling of the Americas". *Journal of Anthropological Research*, Chicago, v. 60, n. 1, pp. 75-110, 2004.

______. "Did Pre-Clovis People Inhabit the Paisley Caves? (and Why Does It Matter)". *Human Biology*, Detroit, v. 86, n. 1, pp. 69-74, 2014.

______. "Did Monkeys Make the Pre-Clovis Pebble Tools of Northeastern Brazil?". *PaleoAmerica*, College Station, v. 3, n. 1, pp. 6-12, 2017.

______. "The Anzick Genome Proves Clovis Is First, After All". *Quaternary International*, Amsterdam, v. 444, Part B, pp. 4-9, jul. 2017.

FIEDEL, Stuart J. et al. "Pioneers from Northern Japan in Idaho 16,000 Years Ago: A Critical Evaluation of the Evidence from Cooper's Ferry". *PaleoAmerica*, College Station, v. 7, n. 1, pp. 28-42, 2021.

FLADMARK, K. R. "Routes: Alternate Migration Corridors for Early Man in North America". *American Antiquity*, Cambridge, v. 44, n. 1, pp. 55-69, jan. 1979.

FLEGENHEIMER, Nora; WEITZEL, Celeste. "Fishtail Points from the Pampas of South America: Their Variability and Life Histories". *Journal of Anthropological Archaeology*, Amsterdam, n. 45, pp. 142-56, 2017.

FOGAÇA, Emílio. *Mãos para o pensamento: A variabilidade tecnológica de indústrias líticas de caçadores-coletores holocênicos a partir de um estudo de caso*. Porto Alegre: PUC-RS, 2001. Tese (Doutorado em História).

FOGAÇA, Emílio; LOURDEAU, Antoine. "Uma abordagem tecno-funcional e evolutiva dos instrumentos plano-convexos (lesmas) da transição Pleistoceno-Holoceno no Brasil Central". *Fumdhamentos*, São Raimundo Nonato, n. 7, pp. 261-347, 2002.

FONTUGNE, Michel. "New Radiocarbon Ages of Luzia Woman, Lapa Vermelha IV". *Radiocarbon*, Cambridge, v. 55, n. 3, pp. 1187-90, 2013.

FORESTIER, Hubert. "New World, New Models". *Antiquity*, Cambridge, n. 88, pp. 945-8, 2014.

FOX, Maggie. "Ancient Feces Indicates Earlier American origins". *Reuters*, 3 abr. 2008. Disponível em: <https://www.reuters.com/article/us-humans-feces-idUSN0334600720080403>. Acesso em: 5 abr. 2023.

FU, Qiaomei et al. "Genome Sequence of a 45,000-Year-Old Modern Human from Western Siberia". *Nature*, Londres, v. 514, pp. 445-9, 2014.

FUNARI, Pedro Paulo; NOELLI, Francisco Silva. *Pré-história do Brasil*. 4. ed. São Paulo: Contexto, 2020.

GANNON, Megan. "15,000-Year-Old Idaho Archaeology Site Now among America's Oldest". *National Geographic*, 29 ago. 2019. Disponível em: <https://www.nationalgeographic.com/culture/article/coopers-landing-idaho-site--americas-oldest>. Acesso em: 5 abr. 2023.

GARRISON, Nanibaa. "Genomic Justice for Native Americans: Impact of the Havasupai Case on Genetic Research". *Science, Technology, & Human Values*, Thousand Oaks, v. 38, n. 2, pp. 201-23, 2013.

GASPAR, Madu. *A arte rupestre no Brasil*. Rio de Janeiro: Jorge Zahar, 2003.

GILBERT, M. Thomas P. et al. "DNA from Pre-Clovis Human Coprolites in Oregon, North America". *Science*, Washington, v. 320, n. 5877, pp. 786-9, maio 2008.

GITSCHIER, Jane. "All About Mitochondrial Eve: An Interview with Rebecca Cann". *PLOS Genetics*, San Francisco, v. 6, n. 5, e1000959, 2010.

GOLDBERG, Paul; BERNA, Francesco; GOLDBERG, Richard I. Macphail. "Comment on 'DNA from Pre-Clovis Human Coprolites in Oregon'". *Science*, Washington, v. 325, n. 5937, p. 148, jul. 2009.

GÓMEZ COUTOULY, Yan Axel. "'Once More unto the Breach, Dear Friends, Once More': Réponse à A. Lourdeau". *Bulletin de la Société Préhistorique Française*, Paris, v. 118, n. 4, pp. 770-6, 2021.

GÓMEZ COUTOULY, Yan Axel; HOLMES, Charles E. "The Microblade Industry from Swan Point Cultural Zone 4b: Technological and Cultural Implications from the Earliest Human Occupation in Alaska". *American Antiquity*, Cambridge, v. 83, n. 4, pp. 735-52, 2018.

GONZÁLEZ-JOSÉ, Rolando et al. "The Peopling of America: Craniofacial Shape Variation on a Continental Scale and Its Interpretation from an Interdisciplinary View". *American Journal of Physical Anthropology*, Hoboken, v. 137, n. 2, pp. 175-87, out. 2008.

GOWAN, Evan J. et al. "A New Global Ice Sheet Reconstruction for the Past 80 000 Years". *Nature Communications*, Londres, v. 12, 1199, 2021.

GRAF, Kelly E. "Siberian Odyssey". In: ______; KETRON, Caroline V.; WATERS, Michael R. (Eds.). *Paleoamerican Odyssey*. College Station: Center for the Study of the First Americans, 2013. pp. 65-80.

GRAF, Kelly E.; BUVIT, Ian. "Human Dispersal from Siberia to Beringia: Assessing a Beringian Standstill". *Current Anthropology*, Chicago, v. 58, n. S17, pp. S583-S603, 2017.

GRAF, Kelly E.; KETRON, Caroline V.; WATERS, Michael R. (Eds.). *Paleoamerican Odyssey*. College Station: Center for the Study of the First Americans, 2013.

GRANDELLE, Renato. "Parque da Serra da Capivara, no Piauí, está ameaçado". *O Globo*, 17 jul. 2015. Disponível em: <https://oglobo.globo.com/brasil/sustentabilidade/parque-da-serra-da-capivara-no-piaui-esta-ameacado-1-16800318>. Acesso em: 5 abr. 2023.

GRAYSON, Donald K.; MELTZER, David J. "A Requiem for North American Overkill". *Journal of Archaeological Science*, Amsterdam, v. 30, n. 5, pp. 585-93, 2003.

GREENBERG, Joseph H. *Language in the Americas*. Redwood City: Stanford University Press, 1987.

GREENBERG, Joseph H.; TURNER II, Christy G.; ZEGURA, Stephen L. "The Settlement of the Americas: A Comparison of the Linguistic, Dental, and Genetic Evidence". *Current Anthropology*, Chicago, v. 27, n. 5, pp. 477-97, dez. 1986.

GRIFFITHS, Tom. "Travelling in Deep Time: La Longue Durée in Australian History". *Australian Humanities Review*, Canberra, n. 18, 2000.

GROBMAN, Alexander et al. "Preceramic Maize from Paredones and Huaca Prieta". *PNAS*, Washington, v. 109, n. 5, pp. 1755-9, 2011.

GROUCUTT, Huw S. et al. "*Homo sapiens* in Arabia by 85,000 Years Ago". *Nature Ecology & Evolution*, Londres, v. 2, pp. 800-9, 2018.

GRUHN, Ruth. "Evidence Grows that Peopling of the Americas Began More than 20,000 Years Ago". *Nature*, 22 jul. 2020.

GUIDON, Niède. "As ocupações pré-históricas do Brasil (excetuando a Amazônia)". In: CUNHA, Manuela Carneiro da (Org.). *História dos índios do Brasil*. São Paulo: Companhia das Letras, 1992. pp. 37-52.

______. "Recensão (resposta a André Prous)". *Clio Arqueológica*, Recife, n. 12, pp. 223-7, 1997.

______. "Pedra Furada: Uma revisão". *Fumdhamentos*, São Raimundo Nonato, n. 7, pp. 261-347, pp. 379-403, 2002.

GUIDON, Niède; DELIBRIAS, G. "Carbon-14 Dates Point to Man in the Americas 32,000 Years Ago". *Nature*, Londres, n. 321, pp. 769-71, jun. 1986.

GUIDON, Niède; PESSIS, Anne-Marie. "Falsehood or Untruth". *Antiquity*, Cambridge, v. 70, n. 268, pp. 408-15, 1996.

______. "Leviandade ou falsidade? Uma resposta a Meltzer, Adovasio & Dillehay". *Fumdhamentos*, São Raimundo Nonato, v. 1, n. 1, pp. 379-94, 2002.

GUIDON, Niède et al. "Nature and Age of the Deposits in Pedra Furada, Brazil: Reply to Meltzer, Adovasio & Dillehay". *Antiquity*, Cambridge, v. 70, n. 268, pp. 408, 1996.

GUIDON, Niède et al. "Resultados da datação de dentes humanos da Toca do Garrincho". *Clio Arqueológica*, Recife, n. 14, pp. 75-86, 2000.

GUIMARÃES, Maria, "Cenas de um sítio arqueológico". *Pesquisa Fapesp*, São Paulo, n. 251, pp. 56-61, jan. 2017.

GUSICK, Amy E; FAUGHT, Michael K. "Prehistoric Archaeology Underwater: A Nascent Subdiscipline Critical to Understanding Early Coastal Occupations and Migration Routes". In: BICHO, N. et al. (Eds.). *Trekking the Shore: Interdisciplinary Contributions to Archaeology*. Nova York: Springer, 2011. pp. 27-50.

HALLIGAN, Jessi J. et al. "Pre-Clovis Occupation 14,550 Years Ago at the Page-Ladson Site, Florida, and the Peopling of the Americas". *Science Advances*, Washington, v. 2, n. 5, e1600375, maio 2016.

HARMAND, Sonia et al. "3.3-Million-Year-Old Stone Tools from Lomekwi 3, West Turkana, Kenya". *Nature*, Londres, v. 521, pp. 3105, 2015.

HASLAM, Michael et al. "Pre-Columbian Monkey Tools". *Current Biology*, Cambridge, v. 26, n. 13, pp. R521-R522, 2016.

HAYNES JR., C. Vance. "Fluted Projectile Points: Their Age and Dispersion". *Science*, Washington, v. 145, n. 3639, pp. 1408-13, set. 1964.

______. "The Earliest Americans". *Science*, Washington, v. 166, n. 3906, pp. 709-15, 1969.

______. "The Calico Site: Artifacts or Geofacts?". *Science*, Washington, v. 181, n. 4097, pp. 305-10, jul. 1973.

______. "Paleoenvironments and Cultural Diversity in late Pleistocene South America: A Reply to Bryan". *Quaternary Research*, Amsterdam, v. 4, n. 3, pp. 378-82, 1974.

HAYNES JR., C. Vance et al. "Dating a Paleoindian Site in the Amazon in Comparison with Clovis Cuture". *Science*, Washington, v. 275, n. 5308, pp. 1948-52, 1997.

HEINTZMANN, Peter D. et al. "Bison Phylogeography Constrains Dispersal and Viability of the Ice-Free Corridor in Western Canada". *PNAS*, Washington, v. 113, n. 29, pp. 8057-63, 2016.

HERSHKOVITZ, Israel et al. "The Earliest Modern Humans outside Africa". *Science*, Washington, v. 359, n. 6374, pp. 456-9, jan. 2018.

HIGHAM, Tom et al. "The Timing and Spatiotemporal Patterning of Neanderthal Disappearance". *Nature*, Londres, v. 512, pp. 306-9, 2014.

HOCKETT, Bryan; PALUS, Emily. "A Brief History and Perspective on Spirit Cave, Nevada". *PaleoAmerica*, College Station, v. 4, n. 1, pp. 1-7, 2018.

HODGES, Glenn. "Discovery Points to Earlier Arrival of First Americans". *National Geographic*, 13 maio 2016. Disponível em: <https://www.nationalgeographic.com/history/article/160513-first-americans-clovis-mastodon-florida-page-ladson>. Acesso em: 5 abr. 2023.

HOLCOMB, Justin A. et al. "Does the Evidence at Arroyo del Vizcaíno Support the Claim of Human Occupation 30,000 Years Ago?". *PaleoAmerica*, College Station, v. 8, n. 4, pp. 285-99, 2022.

HOLEN, Steven R. et al. "A 130,000-Year-Old Archaeological Site in Southern California, USA". *Nature*, Londres, v. 544, pp. 479-83, 2017.

HOLLIDAY, Vance T.; MILLER, D. Shane. "The Clovis Landscape". In: GRAF, Kelly E.; KETRON, Caroline V.; WATERS, Michael R. (Eds.). *Paleoamerican Odyssey*. College Station: Center for the Study of the First Americans, 2013. pp. 221-45.

HOLTEN, Birgitte; STERLL, Michael. *Peter Lund e as grutas com ossos em Lagoa Santa*. Belo Horizonte: Editora UFMG, 2011.

______. "Peter Wilhelm Lund: Vida e objetivos". In: DA-GLORIA, Pedro; NEVES, Walter A.; HUBBE, Mark (Orgs.). *Lagoa Santa: História das pesquisas arqueológicas e paleontológicas*. São Paulo: Annablume Arqueológica, 2016. pp. 19-35.

HRDLIČKA, Aleš et al. *Early Man in South America*. Bureau of American Ethnology Bulletin, Smithsonian Institution, n. 52. Washington: Government Printing Office, 1912.

HUBBE, Alex; HUBBE, Mark; NEVES, Walter A. "New Late-Pleistocene Dates for the Extinct Megafauna of Lagoa Santa, Brazil". *Current Research in the Pleistocene*, College Station, n. 26, pp. 154-6, 2009.

______. "The Brazilian Megamastofauna of the Pleistocene-Holocene Transition and its Relationship with the Early Human Settlement of the Continent". *Earth-Science Reviews*, Amsterdam, v. 118, pp. 1-10, 2013.

HUBBE, Mark et al. "'Zuzu' Strikes Again: Morphological Affinities of the Early Holocene Human Skeleton from Toca dos Coqueiros". *American Journal of Biological Anthropology*, Hoboken, v. 134, n. 2, pp. 285-91, 2007.

HUBLIN, Jean-Jacques et al. "New Fossils from Jebel Irhoud, Morocco and the Pan-African Origin of *Homo sapiens*". *Nature*, Londres, v. 546, n. 7657, pp. 289-92, jun. 2017.

HUBLIN, Jean-Jacques et al. "Initial Upper Palaeolithic *Homo sapiens* from Bacho Kiro Cave, Bulgaria". *Nature*, Londres, v. 581, pp. 299-302, maio 2020.

HÜNEMEIER, Tábita et al. "Cultural Diversification Promotes Rapid Phenotypic Evolution in Xavánte Indians". *PNAS*, Washington, v. 109, n. 1, pp. 73-7, 2011.

HURT, Wesley R.; VAN DER HAMMEN, Thomas; CORREAL URREGO, Gonzalo. "Preceramic Sequences in the El Abra Rock-Shelters, Colombia". *Science*, Washington, v. 175, n. 4026, pp. 1106-8, 1972.

IOANNIDIS, Alexander G. "Native American Gene Flow into Polynesia Predating Easter Island Settlement". *Nature*, Londres, v. 583, pp. 572–7, 2020.

IRIARTE, José et al. "Ice Age Megafauna Rock Art in the Colombian Amazon". *Philosophical Transactions of the Royal Society B*, Londres, v. 377, n. 1849, 20200496, 2022.

ISNARDIS, Andrei. "Interações e paisagens nas paredes de pedra". *Arquivos do Museu de História Natural e Jardim Botânico da UFMG*, Belo Horizonte, v. 19, pp. 321-70, 2009.

JAKOBSSON, Martin et al. "Post-glacial flooding of the Beringia Land Bridge dated to 11,000 cal yrs BP based on new geophysical and sediment records". *Climate of the Past Discussions*, fev. 2017.

JENKINS, Dennis L. et al. "Clovis Age Western Stemmed Projectile Points and Human Coprolites at the Paisley Caves". *Science*, Washington, v. 337, n. 6091, pp. 223-8, jul. 2012.

JI, Qiang et al. "Late Middle Pleistocene Harbin Cranium Represents a New Homo Species". *Innovation*, Cambridge, v. 2, n. 3, 100132, 2021.

JOYCE, Daniel J. "Chronology and New Research on the Schaefer Mammoth (*Mammuthus primigenius*) Site, Kenosha County, Wisconsin, USA". *Quaternary International*, Amsterdam, v. 142-143, pp. 44-57, 2016.

KAHN, Patricia. "Genetic Diversity Project Tries Again". *Science*, Washington, v. 266, n. 5186, pp. 720-2, 1994.

KAUFMAN, Terrence. "Language History in South America: What We Know and How to Know More". In: PAYNE, Doris L. (Ed.). *Amazonian Linguistics: Studies in Lowland South American Languages*. Austin: University of Texas Press, 1990. pp. 13-67.

KELLY, Robert L.; TODD, Lawrence C. "Coming into the Country: Early Paleoindian Hunting and Mobility". *American Antiquity*, Cambridge, v. 53, n. 2, pp. 231-44, 1988.

KEMP, Brian M. et al. "Genetic Analysis of Early Holocene Skeletal Remains From Alaska and its Implications for the Settlement of the Americas". *American Journal of Biological Anthropology*, Hoboken, v. 132, n. 4, pp. 605-21, 2007.

KIDD, Judith R.; KIDD, Kenneth K.; WEISS, Kenneth M. "Human Genome Diversity Initiative". *Human Biology*, Detroit, v. 65, n. 1, pp. 1-6, 1993.

KIDD, Judith R.; PAKSTIS, Andrew J.; KIDD, Kenneth K. "Global Levels of DNA Variation". In: *Proceedings of the 4th International Symposium on Human Identification 1993*. Madison: Promega, 1993. pp. 21-30.

KIDD, Judith R. et al. "Studies of Three Amerindian Populations Using Nuclear DNA Polymorphisms". *Forensic Research*, Detroit, v. 63, n. 6, pp. 775-94, 1991.

KIMBEL, William H. et al. "The First Skull and Other New Discoveries of *Australopithecus afarensis* at Hadar, Ethiopia". *Nature*, Londres, v. 368, pp. 449-51, 1994.

KINOSHITA, Angela et al. "Dating Human Occupation at Toca do Serrote das Moendas, Piauí, by Electron Spin Resonance and Optically Stimulated Luminescence". *Journal of Human Evolution*, Amsterdam, v. 77, pp. 187-95, 2014.

KIPNIS, Renato et al. "Contribuição para a cronologia da colonização amazônica e suas implicações teóricas". *Revista de Arqueologia*, Teresina, v. 18, n. 1, pp. 81-93, 2005.

KJÆR, Kurt H. et al. "A 2-Million-Year-Old Ecosystem in Greenland Uncovered by Environmental DNA". *Nature*, Londres, n. 612, pp. 283-91, dez. 2022.

KLEIN, Richard G. "Anatomy, Behavior, and Modern Human Origins". *Journal of World Prehistory*, Berlim, v. 9, n. 2, pp. 167-98, 1995.

KNAPP, Michael; HOFREITER, Michael. "Next Generation Sequencing of Ancient DNA: Requirements, Strategies and Perspectives". *Genes*, Basileia, v. 1, n. 2, pp. 227-43, 2010.

KNUTSSON, Kjel. "'Simple' Need Not Mean 'Archaic'". *Antiquity*, Cambrigde, n. 88, pp. 950-3, 2014.

KOCH, Alexander et al. "Earth System Impacts of the European Arrival and Great Dying in the Americas after 1492". *Quaternary Science Reviews*, Nova York, v. 207, pp. 13-36, 2019.

KOLBERT, Elizabeth. "Sleeping with the Enemy". *The New Yorker*, 15 ago. 2011. Disponível em: <https://www.newyorker.com/magazine/2011/08/15/sleeping-with-the-enemy>. Acesso em: 5 abr. 2023.

KRAUSE, Johannes; TRAPPE, Thomas. *A jornada dos nossos genes: Uma história da humanidade e de como as migrações nos tornaram quem somos*. Rio de Janeiro: Sextante, 2022.

KRAUSE, Johannes et al. "The Complete Mitochondrial DNA Genome of an Unknown Hominin from Southern Siberia". *Nature*, Londres, v. 464, pp. 894-7, 2010.

KUHN, Thomas S. *A estrutura das revoluções científicas*. 5. ed. São Paulo: Perspectiva, 2000.

KUITEMS, Margot et al. "Evidence for European Presence in the Americas in AD 1021". *Nature*, Londres, v. 601, pp. 388-91, 2022.

LAHAYE, Christelle et al. "Human Occupation in South America by 20,000 BC: The Toca da Tira Peia Site". *Journal of Archaeological Science*, Amsterdam, v. 40, n. 6, pp. 2840-7, 2013.

LAHAYE, Christelle et al. "New Insights into a Late-Pleistocene Human Occupation in America: The Vale da Pedra Furada Complete Chronological Study". *Quaternary Geochronology*, Amsterdam, v. 30, pp. 1-7, 2015.

LAHAYE, Christelle et al. "Another Site, Same Old Song: The Pleistocene-Holocene Archaeological Sequence of Toca da Janela da Barra do Antonião-North, Piauí, Brazil". *Quaternary Geochronology*, Amsterdam, v. 49, pp. 223-9, 2018.

LAHREN, Larry; BONNICHSEN, Robson. "Bone Foreshafts from a Clovis Burial in Southwestern Montana". *Science*, Washington, v. 186, n. 4159, pp. 147-50, out. 1974.

LAMING-EMPERAIRE, Annette. "Missions archéologiques franco-brésiliennes de Lagoa Santa, Minas Gerais, Brésil: Le Grand abri de Lapa Vermelha". *Revista de Pré-História*, São Paulo, n. 1, pp. 53-89, 1979.

LATOUR, Bruno. *Ciência em ação: Como seguir cientistas e engenheiros sociedade afora*. São Paulo: Editora Unesp, 2000.

LAVALLÉE, Danielle. "Annette Laming-Emperaire (1917-1977)". *Journal de la Société des Américanistes*, Paris, v. 65, pp. 224-6, 1978.

LEITE, Marcelo. "O país sem pré-história: A falha arqueológica do Brasil". *Folha de S.Paulo*, 19 mar. 2000. Disponível em: <https://www1.folha.uol.com.br/fsp/mais/fs1903200003.htm>. Acesso em: 5 abr. 2023.

LESNEK, Alia J. et al. "Deglaciation of the Pacific Coastal Corridor Directly Preceded the Human Colonization of the Americas". *Science Advances*, Washington, v. 4, n. 5, eaar5040, maio 2018.

LEWIN, Roger. "The Unmasking of Mitochondrial Eve". *Science*, Washington, v. 238, n. 4823, pp. 24-26, 1987.

LI, Yu-Chun et al. "Mitogenome Evidence Shows Two Radiation Events and Dispersals of Matrilineal Ancestry from Northern Coastal China to the Americas and Japan". *Cell Reports*, Cambridge, v. 42, n. 5, 112413, 2023.

LIMA, Ana Paula Gonçalves de. *Patrimônio arqueológico de Serranópolis-GO: Reflexões para a busca de uma tutela compartilhada e efetiva*. São Paulo: USP, 2016. Tese (Doutorado em Arqueologia).

LIMULJA, Hanna. "Como alcançar o céu Yanomami se a imagem capturada está disseminada na internet?". *Sumaúma*, 26 jan. 2023. Disponível em: <https://sumauma.com/ceu-yanomami-imagem-hutu-mosi-hanna-limulja/>. Acesso em: 15 jun. 2023.

LINDO, John et al. "The Genomic Prehistory of the Indigenous Peoples of Uruguay". *PNAS Nexus*, Washington, v. 1, n. 2, pgac047, 2022.

LIU, Wu et al. "The Earliest Unequivocally Modern Humans in Southern China". *Nature*, Londres, v. 526, pp. 696-9, out. 2015.

LLAMAS, Bastien et al. "Ancient Mitochondrial DNA Provides High-Resolution Timescale of the Peopling of the Americas". *Science Advances*, Washington, v. 2, n. 4, e1501385, abr. 2016.

LOMBARDO, Umberto et al. "Early Holocene Crop Cultivation and Landscape Modification in Amazonia". *Nature*, Londres, v. 581, pp. 190-3, 2020.

LOPES, Reinaldo José. *1499: O Brasil antes de Cabral*. Rio de Janeiro: HarperCollins, 2017.

______. "As cidades perdidas da Amazônia". *Superinteressante*, 13 abr. 2018. Disponível em: <https://super.abril.com.br/historia/a-civilizacao-perdida-da-amazonia/>. Acesso em: 5 abr. 2023.

LORDKIPANIDZE, David et al. "A Complete Skull from Dmanisi, Georgia, and the Evolutionary Biology of Early *Homo*". *Science*, Washington, v. 342, n. 6156, pp. 326-31, out. 2013.

LOURDEAU, Antoine. *Le Technocomplexe Itaparica*. Paris: Université Paris Ouest Nanterre La Défense, 2010. Tese (Doutorado em Arqueologia).

______. "Lithic Technology and Prehistoric Settlement in Central and Northeast Brazil: Definition and Spatial Distribution of the Itaparica Technocomplex". *PaleoAmerica*, College Station, v. 1, n. 1, pp. 52-67, 2015.

______. "A Serra da Capivara e os primeiros povoamentos sul-americanos: Uma revisão bibliográfica". *Boletim do Museu Paraense Emílio Goeldi: Ciências Humanas*, Belém, v. 14, n. 2, pp. 367-98, maio-ago. 2019.

______. "Les Vents du Grand Nord soufflent-ils jusqu'aux Tropiques: Une Réponse à Y. A. Gómez Coutouly". *Bulletin de la Societé Préhistorique Française*, Paris, v. 118, n. 4, pp. 741-52, out.-dez. 2021.

LOURDEAU, Antoine; BUENO, Lucas. "Pluralité, complexité et profondeur: Regards sur les premières présences humaines sur le territoire brésilien". *Brésil(s): Sciences Humaines et Sociales*, Paris, n. 21, 2022.

LOURDEAU, Antoine et al. "Early Holocene Blade Technology in Southern Brazil". *Journal of Anthropological Archaeology*, Amsterdam, v. 35, pp. 190-201, 2014.

LUND, Peter Wilhelm. "Notice sur des ossements humains fossiles, trouvés dans une caverne du Brésil". *Brésil(s): Sciences Humaines et Sociales*, Paris, n. 21, 2022.

LYNCH, Thomas F. "Glacial-Age Man in South America: A Critical Review". *American Antiquity*, Cambridge, v. 55, n. 1, pp. 12-36, jan. 1990.

MADSEN, David B. "A Framework for the Initial Occupation of the Americas". *PaleoAmerica*, College Station, v. 1, n. 3, pp. 217-50, 2015.

MADSEN, David B. et al. "Comment on 'Evidence of Humans in North America During the Last Glacial Maximum'". *Science*, Washington, v. 375, n. 6577, eabm4678, jan. 2022.

MAIA, Renata Rodrigues. *A tecnologia lítica dos antigos grupos humanos de Carajás: Sítio Capela (PA-AT-337: S11D 47/48*. Belo Horizonte: UFMG, 2017. Dissertação (Mestrado em Arqueologia).

MANSUR, Alexandre. "Empresa americana vende DNA de índios". *Jornal do Brasil*, 18 ago. 1996. Disponível em: <https://documentacao.socioambiental.org/noticias/anexo_noticia/52639_20200915_124450.PDF>. Acesso em: 30 jul. 2023.

MARGULIES, Marcel et al. "Genome Sequencing in Microfabricated High-Density Picolitre Reactors". *Nature*, Londres, v. 437, pp. 376-80, jul. 2005.

MARSHALL, Eliot. "Clovis Counterrevolution". *Science*, Washington, v. 249, n. 4970, pp. 738-41, ago. 1990.

MARSHALL, Michael. "Humans May Have Reached the Americas 22,000 Years Ago". *NewScientist*, 25 abr. 2013. Disponível em: <http://www.newscientist.com/article/dn23441-humans-may-have-reached-the-americas-22000-years-ago.html>. Acesso em: 5 abr. 2023.

MARTIN, Paul S. "The Discovery of America". *Science*, Washington, v. 179, n. 4077, pp. 969-74, mar. 1973.

MASSILANI, Diyendo et al. "Microstratigraphic Preservation of Ancient Faunal and Hominin DNA in Pleistocene Cave Sediments". *PNAS*, Washington, v. 119, n. 1, 2113666118, 2021.

MCBREARTY, Sally; BROOKS, Alison S. "The Revolution that Wasn't: A New Interpretation of the Origin of Modern Human Behavior". *Journal of Human Evolution*, Amsterdam, v. 39, n. 5, pp. 453-563, nov. 2000.

MCDOUGALL, Ian et al. "Stratigraphic Placement and Age of Modern Humans from Kibish, Ethiopia". *Nature*, Londres, v. 433, pp. 733-6, 2005.

MCGRATH, Ann. "Deep Histories in Time, or Crossing the Great Divide". In: ______; JEBB, Mary Anne (Eds.). *Long History, Deep Time: Deepening Histories of Place*. Canberra: ANU Press, 2015. pp. 1-32

MCGRATH, Ann; JEBB, Mary Anne (Eds.). *Long History, Deep Time: Deepening Histories of Place*. Canberra: ANU Press, 2015. pp. 1-32.

MELTZER, David J. *First Peoples in a New World: Colonizing Ice Age America*. Berkeley: University of California Press, 2009.

______. *The Great Paleolithic War: How Science Forged an Understanding of America's Ice Age Past*. Chicago: University of Chicago Press, 2015.

MELTZER, David J.; ADOVASIO, J.; DILLEHAY, T. "On a Pleistocene Human Occupation at Pedra Furada, Brazil". *Antiquity*, Cambridge, v. 68, n. 261, pp. 695-714, 1994.

MELTZER, David J. et al. "On the Pleistocene Antiquity of Monte Verde, Southern Chile". *American Antiquity*, Cambridge, v. 62, n. 4, pp. 659-63, out. 1997.

MENÉNDEZ, Lumila Paula et al. "Morphometric Affinities and Direct Radiocarbon Dating of the Toca dos Coqueiros' Skull". *Scientific Reports*, Londres, v. 12, 7807, maio 2022.

MENÉNDEZ, Lumila Paula et al. "Towards an Interdisciplinary Perspective for the Study of Human Expansions and Biocultural Diversity in the Americas". *Evolutionary Anthropology*, Hoboken, v. 31, n. 2, pp. 62-8, 2022.

MERCIER, N. et al. "Thermoluminescence Date for the Mousterian Burial Site of Es-Skhul, Mt. Carmel". *Journal of Archaeological Science*, Amsterdam, v. 20, n. 2, pp. 169-74, 1993.

MILLER, Eurico. "Pesquisas arqueológicas paleoindígenas no Brasil ocidental". *Estudios Atacameños*, San Pedro de Atacama, n. 8, pp. 39-64, 1987.

______. "A cultura cerâmica do tronco tupi no Alto Ji-Paraná: Algumas reflexões teóricas, hipotéticas e conclusivas". *Revista Brasileira de Linguística Antropológica*, Brasília, v. 1, n. 1, pp. 35-136, 2009.

MINDLIN, Betty. *Nós Paiter: Os Suruí de Rondônia*. Petrópolis: Vozes, 1985.

MINDLIN, Betty; SURUÍ, Narradores. *Vozes da origem: Estórias sem escrita: Narrativas dos índios Suruí de Rondônia*. São Paulo: Ática; Iamá, 1996.

MONGELÓ, Guilherme. "Ocupações humanas do Holoceno inicial e médio no sudoeste amazônico". *Boletim do Museu Paraense Emílio Goeldi: Ciências Humanas*, Belém, v. 15, n. 2, e20190079, 2020.

MORCOTE-RÍOS, Gaspar et al. "Colonisation and Early Peopling of the Colombian Amazon During the Late Pleistocene and the Early Holocene". *Quaternary International*, Amsterdam, v. 578, pp. 5-19, 201.

MOREIRA, Eliane; AMANAJÁS, Gysele. "Sangue na internet". Nota de ensino, 2006. Disponível em: <https://www.academia.edu/14917648/Sangue_na_Internet_Nota_de_Ensino>. Acesso em: 15 jun. 2023.

MORENO-MAYAR, J. Víctor et al. "Genome-wide Ancestry Patterns in Rapanui Suggest Pre-European Admixture with Native Americans". *Current Biology*, Cambridge, v. 24, n. 21, pp. 2518-25, 2014.

MORENO-MAYAR, J. Víctor et al. "Early Human Dispersals within the Americas". *Science*, Washington, v. 362, n. 6419, eaav2621, nov. 2018.

MORENO-MAYAR, J. Víctor et al. "Terminal Pleistocene Alaskan Genome Reveals First Founding Population of Native Americans". *Nature*, v. 553, pp. 203-7, 2018.

MORROW, Juliet E.; MORROW, Toby A. "Geographic Variation in Fluted Projectile Points: A Hemispheric Perspective". *American Antiquity*, Cambridge, v. 64, n. 2, pp. 215-30, abr. 1999.

MOTHÉ, D. et al. "An Artifact Embedded in an Extinct Proboscidean Sheds New Light on Human-Megafaunal Interactions in the Quaternary of South America". *Quaternary Science Reviews*, Amsterdam, v. 229, 106125, 2020.

MUNSTERHJELM, Mark. "Beyond the Line: Violence and the Objectification of the Karitiana Indigenous People as Extreme Other in Forensic Genetics". *International Journal for the Semiotics of Law*, Berlim, n. 28, pp. 289-316, 2015.

MUTTILLO, Brunella et al. "Revisiting the Oldest Known Lithic Assemblages of Colombia: A Review of Data from El Abra and Tibitó (Cundiboyacense Plateau, Eastern Cordillera, Colombia)". *Journal of Archaeological Science: Reports*, Amsterdam, v. 13, pp. 455-65, 2017.

NAMI, Hugo G. "Investigaciones actualísticas para discutir aspectos tecnicos de los cazadores-recolectores del Tardiglacial: El problema Clovis-Cueva Fell". *Anales del Instituto de la Patagonia*, Punta Arenas, n. 25, pp. 151-86, 1997.

______. "Fishtailed Projectile Points in the Americas: Remarks and Hypotheses on the Peopling of Northern South America and Beyond". *Quaternary International*, Amsterdam, v. 578, pp. 47-72, mar. 2021.

NEEL, James V. "Lessons from a 'Primitive' People: Do Recent Data Concerning South American Indians Have Relevance to Problems of Highly Civilized Communities?". *Science*, v. 170, n. 3960, pp. 815-22, 1970.

NEEL, James V. et al. "Studies on the Xavante Indians of the Brazilian Mato Grosso". *The American Journal of Human Genetics*, Cambridge, v. 15, pp. 265-79, 1963.

NEVES, Eduardo Góes. "Arqueólogos brigam pela idade dos primeiros passos humanos no Brasil". *Folha de S.Paulo*, 21 abr. 1996. Disponível em: <https://www1.folha.uol.com.br/fsp/1996/4/21/mais!/25.html>. Acesso em: 5 abr. 2023.

______. *Arqueologia da Amazônia*. Rio de Janeiro: Jorge Zahar, 2006.

______. *Sob os tempos do equinócio: Oito mil anos de história na Amazônia central*. São Paulo: Ubu Editora; Edusp, 2022.

NEVES, Walter A. "A ocupação pré-colonial da América do Sul: Reflexões a partir de um exercício bio-antropológico". *Boletim do Museu Paraense Emílio Goeldi: Antropologia*, Belém, v. 5, pp. 79-103, 1989.

______. "Existe algo que se possa chamar de arqueologia brasileira?". *Estudos Avançados*, v. 29, n. 83, pp. 7-17, 2015.

NEVES, Walter A.; HUBBE, Mark; PILÓ, Luís Beethoven. "Early Holocene Human Skeletal Remains from Sumidouro Cave, Lagoa Santa, Brazil". *Journal of Human Evolution*, Amsterdam, v. 52, pp. 16-30, 2007.

NEVES, Walter A.; HUBBE, Mark. "Cranial Morphology of Early Americans from Lagoa Santa". *PNAS*, Washington, v. 102, n. 51, pp. 18309-14, dez. 2005.

NEVES, Walter A.; PUCCIARELLI, Hector M. "Extra-Continental Biological Relationships of Early South American Human Remains: A Multivariate Analysis". *Ciência e Cultura*, São Paulo, n. 41, pp. 566-75, 1989.

NEVES, Walter A.; PUCCIARELLI, Hector M. "Morphological Affinities of the First Americans". *Journal of Human Evolution*, Amsterdam, v. 21, n. 4, pp. 261-73, out. 1991.

NEVES, Walter Alves; PILÓ, Luís Beethoven. "Solving Lund's Dilemma: New AMS Dates Confirm that Humans and Megafauna Coexisted at Lagoa Santa". *Current Research in the Pleistocene*, College Station, v. 20, pp. 57-60, 2003.

______. *O povo de Luzia: Em busca dos primeiros americanos*. São Paulo: Globo, 2008.

NEVES, Walter; NEVES, Eduardo. "Pedra Furada". *Folha de S.Paulo*, 29 jan. 1995. Disponível em: <https://www1.folha.uol.com.br/fsp/1995/1/29/opiniao/10.html>. Acesso em: 5 abr. 2023.

NEVES, Walter A. et al. "Lapa Vermelha IV Hominid 1: Morphological Affinities of the Earliest Known American". *Genetics and Molecular Biology*, Ribeirão Preto, v. 22, n. 4, pp. 461-69, 1999.

NEVES, Walter A. et al. "Rock Art at the Pleistocene-Holocene Boundary in Eastern South America". *PLOS One*, San Francisco, v. 7, n. 2, e32228, fev. 2012.

NI, Xijun et al. "Massive Cranium from Harbin in Northeastern China Establishes a New Middle Pleistocene Human Lineage". *The Innovation*, Cambridge, v. 2, n. 3, 100130, ago. 2021.

NICHOLS, Johanna. "Linguistic Diversity and the First Settlement of the New World". *Language*, Nova York, v. 66, n. 3, pp. 475-521, set. 1990.

NIKOLSKIY, Pavel; PITULKO, Vladimir. "Evidence from the Yana Palaeolithic Site, Arctic Siberia, Yields Clues to the Riddle of Mammoth Hunting". *Journal of Archaeological Science*, Amsterdam, v. 40, n. 12, pp. 4189-97, 2013.

NIKULIN, Andrey. *Proto-Macro-Jê: Um estudo reconstrutivo*. Brasília: UnB, 2002. Tese (Doutorado em Linguística).

NIKULIN, Andrey; CARVALHO, Fernando O. de. "Estudos diacrônicos de línguas indígenas brasileiras: Um panorama". *Macabéa*, Juazeiro do Norte, v. 8, n. 2, pp. 255-305, 2019.

NOONAN, James P. et al. "Genomic Sequencing of Pleistocene Cave Bears". *Science*, Washington, v. 309, n. 5734, pp. 597-99, 2005.

O'BRIEN, Michael et al. "On Thin Ice: Problems with Stanford and Bradley's Proposed Solutrean Colonisation of North America". *Antiquity*, Cambridge, v. 88, n. 340, pp. 606-13, 2014.

O'BRIEN, Michael et al. "When Did *Homo sapiens* First Reach Southeast Asia and Sahul?". *PNAS*, Washington, v. 115, n. 34, pp. 8482-90, 2018.

O'CONNELL. "When did *Homo sapiens* first reach Southeast Asia and Sahul?". *PNAS*, Washington, v. 115, n. 34, pp. 8482-90, ago. 2018.

O'CONNELL, J. F.; ALLEN, J. "The Process, Biotic Impact, and Global Implications of the Human Colonization of Sahul about 47,000 Years Ago". *Journal of Archaeological Science*, Amsterdam, v. 56, pp. 73-84, 2015.

OLIVEIRA, Rodrigo et al. "An Early Holocene Case of Congenital Syphilis in South America". *International Journal of Osteoarchaeology*, Hoboken, v. 33, n. 1, pp. 164-9, 2023.

OPPENHEIMER, Stephen; BRADLEY, Bruce; STANFORD, Dennis. "Solutrean Hypothesis: Genetics, the Mammoth in the Room". *World Archaeology*, Londres, v. 46, n. 5, pp. 752-74, 2014.

OVIATT, Charles G. et al., "A critical assessment of claims that human footprints in the Lake Otero basin, New Mexico date to the Last Glacial Maximum". *Quaternary Research*, v. 111, pp. 138-47, 2023.

OWSLEY, Douglas W.; HUNT, David R. "Clovis and Early Archaic Crania from the Anzick Site". *Plains Anthropologist*, Lincoln, v. 46, n. 176, pp. 115-24, maio 2001.

PÄÄBO, Svante. "Molecular Cloning of Ancient Egyptian Mummy DNA". *Nature*, Londres, v. 314, pp. 644-5, abr. 1985.

PALMER, Chris. "The Skull's Petrous Bone and the Rise of Ancient Human DNA: Q & A with Genetic Archaeologist David Reich". *Biomedical Beat Blog — National Institute of General Medical Sciences*, 11 abr. 2018. Disponível em: <https://biobeat.nigms.nih.gov/2018/04/the-skulls-petrous-bone-and-the-rise-of-ancient-human-dna-q-a-with-genetic-archaeologist-david-reich/>. Acesso em: 5 abr. 2023.

PANSANI, Thais R. et al. "Evidence of Artefacts Made of Giant Sloth Bones in Central Brazil around the Last Glacial Maximum". *Proceedings of the Royal Society B*, v. 290, jul. 2023.

PARENTI, Fabio. *Le Gisement quaternaire de la Toca do Boqueirao da Pedra Furada (Piauí, Brésil) dans le contexte de la prehistoire americaine. Fouilles, stratigraphie, chronologie, evolution culturelle*. Paris: EHESS, 1993. Tese (Doutorado em Arqueologia). Disponível em: <https://www.theses.fr/1993EHES0305>. Acesso em: 4 abr. 2023.

______. "Problemática da pré-história do Pleistoceno superior no Nordeste do Brasil". *Fumdhamentos,* São Raimundo Nonato, v. 1, n. 1, pp. 15-53, 1996.

PARENTI, Fabio et al. "Pedra Furada in Brazil and its 'Presumed' Evidence". *Antiquity*, Cambridge, v. 70, n. 268, pp. 416-21, 1996.

PARENTI, Fabio et al. "Genesis and Taphonomy of the Archaeological Layers of Pedra Furada Rock-Shelter, Brazil". *Quaternaire*, Rennes, v. 29, n. 3, pp. 255-69, 2018.

PEDERSEN, Mikkel et al. "Postglacial Viability and Colonization in North America's Ice-Free Corridor". *Nature*, Londres, v. 537, pp. 45-9, 2016.

PENA, Sérgio D. "Origin of the Amerindians". *Science*, Washington, v. 283, n. 5410, pp. 2017, 1999.

PENA, Sérgio D. et al. "A Major Founder Y-Chromosome Haplotype in Amerindians". *Nature Genetics*, Londres, v. 11, pp. 15-16, 1995.

PEREIRA, Edithe da Silva; MORAES, Claide de Paula. "A cronologia das pinturas rupestres da Caverna da Pedra Pintada". *Boletim do Museu Paraense Emílio Goeldi: Ciências Humanas*, Belém, v. 14, n. 2, pp. 327-42, maio-ago. 2019.

PEREIRA, Nilza de Oliveira Martins et al. "Demography, Territory, and Identity of Indigenous Peoples in Brazil: The Xavante Indians and the 2000 Brazilian National Census". *Human Organization*, Oklahoma City, v. 68, n. 2, pp. 166-80, 2009.

PEREZ-BALAREZO, Antonio; RAMOS, Marcos Paulo. "Les Peuplements antérieurs à 20 000 ans en Amériques: Un Guide pour les non-américanistes". *Bulletin de la Société Préhistorique Française*, Paris, v. 118, n. 4, pp. 753-69, out./dez. 2021.

PERRI, Angela R. et al. "Dog Domestication and the Dual Dispersal of People and Dogs into the Americas". *PNAS*, Washington, v. 118, n. 6, e2010083118, jan. 2021.

PETIT, Charles W. "Rediscovering America". *US News & World Report*. Disponível em: <http://www.bluecorncomics.com/petit.htm>. Acesso em: 5 abr. 2023.

PIGATI, Jeffrey S. et al. "Response to Comment on 'Evidence of humans in North America during the Last Glacial Maximum'". *Science*, Washington, v. 375, n. 6577, eabm6987, jan. 2022.

PILÓ, Luís Beethoven et al. "Revisitando a Lapa do Sumidouro: Marco paleo-antropológico do Quaternário americano". *Revista Brasileira de Paleontologia*, Rio de Janeiro, v. 7, n. 3, pp. 337-48, set./dez. 2004.

PILÓ, Luís Beethoven et al. "Geochronology, Sediment Provenance, and Fossil Emplacement at Sumidouro Cave". *Geoarchaeology*, Hoboken, v. 20, n. 8, pp. 751-64, 2005.

PINHASI, Ron et al. "Optimal Ancient DNA Yields from the Inner Ear Part of the Human Petrous Bone". *PLOS One*, San Francisco, v. 10, n. 6, e0129102, 2015.

PINOTTI, Thomaz; SANTOS, Fabrício R. "Genetic Evidence against a Paleolithic European Contribution to Past or Present Native Americans". *PaleoAmerica*, College Station, v. 6, n. 2, pp. 135-8, 2020.

PINOTTI, Thomaz et al. "Y Chromosome Sequences Reveal a Short Beringian Standstill, Rapid Expansion, and Early Population Structure of Native American Founders". *Current Biology*, Cambridge, v. 29, n. 1, pp. 149-57, jan. 2019.

PITULKO, Vladimir et al. "The Yana RHS Site: Humans in the Arctic Before the Last Glacial Maximum". *Science*, Washington, v. 303, n. 5654, pp. 52-6, jan. 2004.

PITULKO, Vladimir et al. "Human Habitation in Arctic Western Beringia Prior to the LGM". In: GRAFF, Kelly E.; KETRON, Caroline V.; WATERS, Michael R. (Eds.). *Paleoamerican Odyssey*. College Station: Center for the Study of the First Americans, 2013. pp. 13-44.

PITULKO, Vladimir et al. "Mass Accumulations of Mammoth (Mammoth Graveyards) with Indications of Past Human Activity in the Northern Yana-Indighirka Lowland, Arctic Siberia". *Quaternary International*, Amsterdam, v. 406B, pp. 202-17, 2016.

PLUMMER, Thomas W. et al. "Expanded Geographic Distribution and Dietary Strategies of the Earliest Oldowan Hominins and Paranthropus". *Science*, Washington, v. 379, n. 6632, pp. 561-6, 2023.

PODGORNY, Irina; POLITIS, Gustavo. "It Is Not All Roses Here: Aleš Hrdlička's Travelog and His Visit to Buenos Aires in 1910". *Revista de História da Arte e Arqueologia*, Campinas, n. 3, pp. 95-108, 2000.

POINAR, Hendrik N. et al. "Metagenomics to Paleogenomics: Large-Scale Sequencing of Mammoth DNA". *Science*, Washington, v. 311, n. 5759, pp. 392-4, 2006.

POINAR, Hendrik N. et al. "Comment on 'DNA from Pre-Clovis Human Coprolites in Oregon, North America'". *Science*, Washington, v. 325, n. 5937, p. 148, jul. 2009.

POLITIS, Gustavo G.; BARRIENTOS, Gustavo; STAFFORD JR., Thomas W. "Revisiting Ameghino: New ^{14}C Dates from Ancient Human Skeletons from the Argentine Pampas". In: VIALOU, Denis (Org.). *Peuplements et préhistoire en Amériques*. Paris: Comité des Travaux Historiques et Scientifiques, 2011. pp. 43-53.

POLITIS, Gustavo G. et al. "The Arrival of *Homo sapiens* into the Southern Cone at 14,000 Years Ago". *PLOS One*, San Francisco, v. 11, n. 9, e0162870, 2016.

POSTH, Cosimo et al. "Deeply Divergent Archaic Mitochondrial Genome Provides Lower Time Boundary for African Gene Flow into Neanderthals". *Nature Communications*, Londres, n. 8, p. 16046, jul. 2017.

POSTH, Cosimo et al. "Reconstructing the Deep Population History of Central and South America". *Cell*, Cambridge, v. 175, n. 5, pp. 1185-97, nov. 2018.

POTTER, Ben A. "Current Evidence Allows Multiple Models for the Peopling of the Americas". *Science Advances*, Washington, v. 4, n. 8, eaat5473, 2018.

POWELL, Adam et al. "Late Pleistocene Demography and the Appearance of Modern Human Behavior". *Science*, Washington, v. 324, n. 5932, pp. 1298-301, 2009.

PRAETORIUS, Summer K. "Ice and Ocean Constraints on Early Human Migrations into North America along the Pacific Coast". *PNAS*, Washington, v. 120, n. 7, e2208738120, 2023.

PRASCIUNAS, Mary M. "Mapping Clovis: Projectile Points, Behavior and Bias". *American Antiquity*, Cambridge, v. 76, n. 1, pp. 107-26, 2011.

PRATES, Luciano; PEREZ, S. Ivan. "Late Pleistocene South American Megafaunal Extinctions Associated with Rise of Fishtail Points and Human Population". *Nature Communications*, Londres, v. 12, 2175, 2021.

PRATES, Luciano; POLITIS, Gustavo G.; PEREZ, S. Ivan. "Rapid Radiation of Humans in South America after the Last Glacial Maximum: A Radiocarbon-Based Study". *PLOS One*, San Francisco, v. 15, n. 7, e0236023, jul. 2020.

PROFFITT, Tomos et al. "Wild Monkeys Flake Stone Tools". *Nature*, Londres, v. 539, pp. 85-88, out. 2016.

PROFFITT, Tomos et al. "Wild Macaques Challenge the Origin of Intentional Tool Production". *Science Advances*, Washington, v. 9, n. 10, eade8159, 2023.

PROUS, André. *Arqueologia brasileira*. Brasília: Editora UNB, 1992.

______. "Archeological Analysis of the Oldest Settlements in the Americas". *Revista Brasileira de Genética*, Ribeirão Preto, v. 18, n. 4, pp. 689-99, 1995.

______. "O povoamento da América visto do Brasil: Uma perspectiva crítica". *Revista USP*, São Paulo, n. 34, pp. 8-21, 1997.

______. *O Brasil antes dos brasileiros: A pré-história do nosso país*. 2. ed. Rio de Janeiro: Jorge Zahar, 2007.

______. "As muitas arqueologias das Minas Gerais". *Revista Espinhaço*, Diamantina, v. 2, n. 2, pp. 36-54, 2013.

______. "As missões arqueológicas desenvolvidas na região de Lagoa Santa na segunda metade do século XX". In: DA-GLORIA, Pedro; NEVES, Walter A.; HUBBE, Mark (Orgs.). *Lagoa Santa: História das pesquisas arqueológicas e paleontológicas*. São Paulo: Annablume Arqueológica, 2016. pp. 131-49.

______. *Arqueologia brasileira: A pré-história e os verdadeiros colonizadores*. Cuiabá: Archaeo; Carlini & Caniato Editorial, 2019.

______. "Na terra de Luzia, futuro e passado em jogo". *piauí*, 9 nov. 2021. Disponível em: <https://piaui.folha.uol.com.br/na-terra-de-luzia-futuro-e-passado-em-jogo/>. Acesso em: 5 abr. 2023.

PROUS, André; FOGAÇA, Emilio. "Archaeology of the Pleistocene-Holocene boundary in Brazil". *Quaternary International*, Amsterdam, v. 53-4, pp. 21-41, 1999.

PROUS, André; SCHLOBACH, Mônica Carsalad. "Sepultamentos pré-históricos do Vale do Peruaçu". *Revista do Museu de Arqueologia e Etnologia*, São Paulo, n. 7, pp. 3-21, 1997.

RAFF, Jennifer. *Origin: A Genetic History of the Americas*. Nova York: Twelve, 2022.

RAGHAVAN, Maanasa et al. "Upper Paleolithic Siberian Genome Reveals Dual Ancestry of Native Americans". *Nature*, Londres, v. 505, pp. 87-91, nov. 2013.

RAGHAVAN, Maanasa et al. "Genomic Evidence for the Pleistocene and Recent Population History of Native Americans". *Science*, Washington, v. 349, n. 6250, aab3884, 2015.

RANDALL, Keith. "Oldest Weapons Ever Discovered in North America". *Texas A&M Today*, 24 out. 2018. Disponível em: <https://today.tamu.edu/2018/10/24/texas-am-prof-finds-oldest-weapons-ever-discovered-in-north-america/>. Acesso em: 5 abr. 2023.

RASMUSSEN, Morten et al. "Ancient Human Genome Sequence of an Extinct Palaeo-Eskimo". *Nature*, Londres, v. 463, pp. 757-62, fev. 2010.

RASMUSSEN, Morten et al. "An Aboriginal Australian Genome Reveals Separate Human Dispersals into Asia". *Science*, Washington, v. 334, n. 6052, pp. 94-8, 2011.

RASMUSSEN, Morten et al. "The Genome of a Late Pleistocene Human from a Clovis Burial Site in Western Montana". *Nature*, Londres, v. 506, pp. 225-9, fev. 2014.

RASMUSSEN, Morten et al. "The Ancestry and Affiliations of Kennewick Man". *Nature*, Londres, v. 523, pp. 455-8, 2015.

RASMUSSEN, S. O. et al. "A new Greenland ice core chronology for the last glacial termination". *Journal of Geophysical Research*, Washington, v. 111, mar. 2006.

REICH, David. *Who We Are and How We Got Here: Ancient DNA and the New Science of the Human Past*. Nova York: Pantheon Books, 2018.

REICH, David et al. "Genetic History of an Archaic Hominin Group from Denisova Cave in Siberia". *Nature*, Londres, v. 468, pp. 1053-60, 2010.

REICH, David et al. "Reconstructing Native American Population History". *Nature*, Londres, v. 488, pp. 370-4, jul. 2012.

RENFREW, Colin. *Before Civilization: The Radiocarbon Revolution and Prehistoric Europe*. Londres: Jonathan Cape, 1973.

REZNIKOFF, Iegor. "Sound resonance in prehistoric times: A study of Paleolithic painted caves and rocks". *Journal of the Acoustical Society of America*, Melville, v. 123, n. 5, sup., pp. 4137-41, jun. 2008.

RICHTER, Daniel et al. "The Age of the Hominin Fossils from Jebel Irhoud, Morocco, and the Origins of the Middle Stone Age". *Nature*, Londres, v. 546, n. 7657, pp. 293-6, jun. 2017.

RIEUX, Adrien et al. "Improved Calibration of the Human Mitochondrial Clock Using Ancient Genomes". *Molecular Biology and Evolution*, Oxford, v. 31, n. 10, pp. 2780-92, 2014.

RIVET, Paul. "La Race de Lagoa-Santa chez les populations précolombiennes de l'Équateur". *Bulletins et Mémoires de la Société d'Anthropologie de Paris*, n. 9, pp. 209-74, 1908.

______. *Les Origines de l'homme américain*. Paris: Gallimard, 1943.

RODRIGUES, Eliane dos Santos. "Indígena e o desafio diferenciado". *Revista Tellus*, Campo Grande, v. 19, n. 38, pp. 407-15, 2019.

RODRIGUES-CARVALHO, Claudia; SILVA, Hilton P. "Questões não respondidas, novas indagações e perspectivas futuras". In: ______ (Orgs.). *Nossa origem — O povoamento das Américas: Visões multidisciplinares*. Rio de Janeiro: Vieira & Lent, 2006. pp. 187-95.

ROHTER, Larry. "In the Amazon, Giving Blood but Getting Nothing". *The New York Times*, 20 jun. 2007. Disponível em: <https://www.nytimes.com/2007/06/20/world/americas/20blood.html>. Acesso em: 16 jun. 2023.

ROMERO, Simon. "Discoveries Challenge Beliefs on Humans' Arrival in the Americas". *The New York Times*, 28 mar. 2014. Disponível em: <http://www.nytimes.com/2014/03/28/world/americas/discoveries-challenge-beliefs-on-humans-arrival-in-the-americas.html>. Acesso em: 5 abr. 2023.

ROOSEVELT, Anna Curtenius. "Arqueologia amazônica". In: CUNHA, Manuela Carneiro da (Org.). *História dos índios do Brasil*. São Paulo: Companhia das Letras, 1992. pp. 52-86.

______. "Dating the Rock Art at Monte Alegre". In: STRECKER, M. A.; BAHN, P. (Eds.). *Dating and the Earliest Rock Art*. Oxford: Oxbow Books, 1999. pp. 35-40.

______. "A Historical Memoir of Archaeological Research in Brazil". *Boletim do Museu Paraense Emílio Goeldi: Ciências Humanas*, Belém, v. 4, n. 1, pp. 155-70, 2009.

ROOSEVELT, A. C. et al. "Eighth Millennium Pottery from a Prehistoric Shell Midden in the Brazilian Amazon". *Science*, Washington, v. 254, n. 5308, pp. 1621-24, dez. 1991.

ROOSEVELT, A. C. et al. "Paleoindian Cave Dwellers in the Amazon: The Peopling of the Americas". *Science*, Washington, v. 272, n. 5260, pp. 373-84, abr. 1996.

ROOSEVELT, A. C. et al. "Response to: 'Dating a Paleoindian Site in the Amazon in Comparison with Clovis Culture'". *Science*, Washington, v. 275, n. 5308, 1997.

ROOSEVELT, Anna Curtenius et al. "The Migrations and Adaptations of the First Americans: Clovis and Pre-Clovis Viewed from South America". In: JABLONSKY, Nina G. (Ed.). *The First Americans: The Pleistocene Colonization of the World*. San Francisco: California Academy of Science, 2002. pp. 159-236.

ROUSE, Irving; CRUXENT, José M. "Some Recent Radiocarbon Dates for Western Venezuela". *American Antiquity*, Cambridge, v. 28, n. 4, pp. 537-40, 1963.

ROWE, Marvin W.; STEELMAN, Karen L. "Comment on 'Some Evidence of a Date of First Humans to Arrive in Brazil'". *Journal of Archaeological Science*, Amsterdam, v. 30, n. 10, pp. 1349-51, 2003.

RUBIN, Paulo; "Indian Givers". *Phoenix New Times*, 27 maio 2004. Disponível em: <https://www.phoenixnewtimes.com/news/indian-givers-6428347>. Acesso em: 5 maio 2023.

RUIZ-RAMONI, Damián et al. "The First Fossil *Platyrrhini* from Venezuela: A Capuchin Monkey from the Plio-Pleistocene of El Breal de Orocual". *Journal of Human Evolution*, Amsterdam, v. 105, pp. 127-31, 2017.

SAINT-PIERRE, Michelle de. "Antiquity of mtDNA Lineage D1g from the Southern Cone of South America Supports Pre-Clovis Migration". *Quaternary International*, Amsterdam, v. 444B, pp. 19-25, 2017.

SALLES, Silvana. "DNA antigo conta nova história sobre o povo de Luzia". *Jornal da USP*, 8 nov. 2018. Disponível em: <https://jornal.usp.br/ciencias/ciencias-biologicas/dna-antigo-conta-nova-historia-sobre-o-povo-de-luzia/>. Acesso em: 5 abr. 2023.

SALZANO, Francisco M. "The Blood Groups of South American Indians". *American Journal of Physical Anthropology*, Hoboken, v. 15, n. 4, pp. 555-79, 1957.

______. "Why Genetic Studies in Tribal Populations?". In: ______; HURTADO, Magdalena A. (Eds.). *Lost Paradises and the Ethics of Research and Publication*. Oxford: Oxford University Press, 2003. pp. 70-85.

SALZANO, Francisco M.; HURTADO, A. Magdalena. *Lost Paradises and the Ethics of Research and Publication*. Oxford: Oxford University Press, 2003.

SAMPLE, Ian. "Oldest *Homo sapiens* Bones Ever Found Shake Foundations of the Human Story". *The Guardian*, 7 jun. 2017. Disponível em: <https://www.theguardian.com/science/2017/jun/07/oldest-homo-sapiens-bones-ever-found-shake-foundations-of-the-human-story>. Acesso em: 5 abr. 2023.

SANTOS, Fabrício R. et al. "The Central Siberian Origin for Native American Y Chromosomes". *American Journal of Human Genetics*, Cambridge, v. 64, n. 2, pp. 619-28, fev. 1999.

SANTOS, G. M. et al. "A Revised Chronology of the Lowest Occupation Layer of Pedra Furada Rock Shelter, Piauí, Brazil: The Pleistocene Peopling of the Americas". *Quaternary Science Reviews*, Amsterdam, v. 22, n. 21-22, pp. 2303-10, 2003.

SANTOS, Ricardo Ventura. "Indigenous Peoples, Postcolonial Contexts and Genomic Research in the Late 20th Century: A View from Amazonia". *Critique of Anthopology*, Londres, v. 22, n. 1, pp. 81-104, 2002.

SANTOS, Ricardo Ventura; COIMBRA JR., Carlos E. A. "Sangue, bioética e populações indígenas". *Parabólicas*, Instituto Socioambiental, 1996.

SANTOS, Ricardo Ventura; COIMBRA Jr., Carlos; RADIN, Joanna. "'Why Did They Die?' Biomedical Narratives of Epidemics and Mortality among Amazonian Indigenous Populations in Sociohistorical and Anthropological Contexts". *Current Anthropology*, Chicago, v. 61, n. 4, pp. 441-70, 2020.

SANTOS, Ricardo Ventura; LINDEE, Susan; SOUZA, Vanderlei Sebastião de. "Varieties of the Primitive: Human Biological Diversity Studies in Cold War Brazil (1962-1970)". *American Anthropologist*, Pomona, v. 116, n. 4, pp. 723--35, 2014.

SANTOS, Ricardo Ventura et al. "Varieties of the Primitive: Human Biological Diversity Studies in Cold War Brazil". *American Anthropologist*, v. 116, n. 4, pp. 723-35, 2014.

SANTOS, Tatiana de Lima Pedrosa. "O que vem primeiro, Annette Laming Emperaire ou a Missão Franco-Brasileira?". *Revista Memorare*, Tubarão, v. 2, n. 2, pp. 72-84, 2015.

SAUNDERS, Nicholas J. "Site Reading". *Nature*, Londres, n. 392, pp. 145-6, mar. 1998.

SCARDIA, Giancarlo et al. "Chronologic Constraints on Hominin Dispersal Outside Africa since 2.48 Ma from the Zarqa Valley, Jordan". *Quaternary Science Reviews*, Amsterdam, v. 219, pp. 1-19, set. 2019.

SCHEIB, C. L. et al. "Ancient Human Parallel Lineages Within North America Contributed to a Coastal Expansion". *Science*, Washington, v. 360, v. 6392, pp. 1024-27, 2018.

SCHMIDT, Peter R.; MROZOWSKI, Stephen A. (Eds.). *The Death of Prehistory*. Oxford: Oxford University Press, 2014.

SCHMIDT, Sarah. "Colar de ossos de preguiça-gigante de 25 mil anos é pista de interação com humanos". *Pesquisa Fapesp*, 17 jul. 2023. Disponível em: <https://revistapesquisa.fapesp.br/colar-de-ossos-de-preguica-gigante-de-25-mil-anos-e-pista-de-interacao-com-humanos>. Acesso em: 19 jul. 2023.

SCHMITZ, Pedro Ignacio. "Prehistoric Hunters and Gatherers of Brazil". *Journal of World Prehistory*, Dordrecht, v. 1, n. 1, pp. 53-126, mar. 1987.

SEMAW, Sileshi et al. "2.6 Million-Year-Old Stone Tools and Associated Bones from OGS-6 and OGS-7, Gona, Afar, Ethiopia". *Journal of Human Evolution*, Amsterdam, v. 45, n. 2, pp. 169-77, 2003.

SHILLITO, Lisa-Marie et al. "Pre-Clovis Occupation of the Americas Identified by Human Fecal Biomarkers in Coprolites from Paisley Caves, Oregon". *Science Advances*, Washington, v. 6, n. 29, eaba6404, jul. 2020.

SHOCK, Myrtle Pearl; MORAES, Claide de Paula. "A floresta é o domus: A importância das evidências arqueobotânicas e arqueológicas das ocupações humanas amazônicas na transição Pleistoceno/Holoceno". *Boletim do Museu Paraense Emílio Goeldi: Ciências Humanas*, Belém, v. 14, n. 2, pp. 263-89, maio-ago. 2019.

SHOCK, Myrtle Pearl; WATLING, Jennifer. "Plantes et peuplement: Questions et enjeux relatifs à la manipulation et à la domestication de végétaux au Pléistocène final et à l'Holocène initial au Brésil et en Amazonie". *Brésil(s): Sciences Humaines et Sociales*, Paris, n. 21, 2022.

SIKORA, Martin et al. "The Population History of Northeastern Siberia since the Pleistocene". *Nature*, Londres, v. 570, pp. 182-8, 2019.

SILVA, Anna Cruz de A. P.; SILVA, Hilton. "O direito do pesquisador e a lei: Uma exploração antropológica e jurídica da relação entre o saber, o dizer e o fazer no campo da pesquisa etnográfica". *Revista Anthropológicas*, Recife, v. 19, n. 2, pp. 35-54, 2008.

SILVA, Hilton P. "Bioética e ética de vida: Desafios de campo". *Revista Brasileira de Bioética*, Brasília, v. 2, n. 1, pp. 107-19, 2006.

SILVA, Hilton P.; RODRIGUES-CARVALHO, Claudia (Orgs.). *Nossa origem — O povoamento das Américas: Visões multidisciplinares*. Rio de Janeiro: Vieira & Lent, 2006.

SILVA, Marcos Araújo Castro et al. "Deep Genetic Affinity Between Coastal Pacific and Amazonian Natives Evidenced by Australasian Ancestry". *PNAS*, Washington, v. 118, n. 14, e2025739118, 2021.

SISTIAGA, A. et al. "Steroidal Biomarker Analysis of a 14,000 Years Old Putative Human Coprolite from Paisley Cave". *Journal of Archaeological Science*, Amsterdam, v. 41, pp. 813-7, 2014.

SKOGLUND, Pontus; REICH, David. "A Genomic View of the Peopling of the Americas". *Current Opinion in Genetics & Development*, Amsterdam, v. 41, pp. 27-35, 2016.

SKOGLUND, Pontus et al. "Genetic Evidence for Two Founding Populations of the Americas". *Nature*, Londres, v. 525, pp. 104-8, 2015.

SLIMAK, Ludovic. "Modern Human Incursion into Neanderthal Territories 54,000 Years Ago at Mandrin, France". *Science*, Washington, v. 8, n. 6, fev. 2022.

SMILES, Deondre. "Review Essay: Repatriation and Erasing the Past (Elizabeth Weiss and James W. Springer)". *Transmotion*, Canterbury, v. 7, n. 1, pp. 221-8, 2021.

SOUSA, João Carlos Moreno de. "Lithic Technology of an Itaparica Industry Archaeological Site: The Gruta das Araras Rockshelter". *Journal of Lithic Studies*, Edinburgh, v. 3, n. 1, pp. 87-106, 2016.

SOUSA, João Carlos Moreno de. "The Technological Diversity of Lithic Industries in Eastern South America during the Late Pleistocene-Holocene Transition". In: ONO, Rintaro; PAWLIK, Alfred (Eds.). *Pleistocene Archaeology: Migration, Technology, and Adaptation*. IntechOpen, 2020.

SOUZA, Sheila Mendonça de; LIRYO, Andersen. "Contribuições do Museu Nacional ao estudo de Lagoa Santa na segunda metade do século XX". In: DA-GLORIA, Pedro; NEVES, Walter A.; HUBBE, Mark (Orgs.). *Lagoa Santa: História das pesquisas arqueológicas e paleontológicas*. São Paulo: Annablume Arqueológica, 2016. pp. 131-50.

SOUZA, Sheila M. F. Mendonça de et al. "Revisitando a discussão sobre o Quaternário de Lagoa Santa e o povoamento das Américas: 160 anos de debates científicos". In: SILVA, Hilton P.; RODRIGUES-CARVALHO, Claudia (Orgs.). *Nossa origem — O povoamento das Américas: Visões multidisciplinares*. Rio de Janeiro: Vieira & Lent, 2006. pp. 19-43.

SPLITSTOSER, Jeffrey C. et al. "Early Pre-Hispanic Use of Indigo Blue in Peru". *Science Advances*, Washington, v. 2, n. 9, e1501623, 2016.

STANFORD, Dennis J.; BRADLEY, Bruce A. *Across Atlantic Ice: The Origin of America's Clovis Culture*. Berkeley: University of California Press, 2012.

STEELE, James; POLITIS, Gustavo. "AMS ^{14}C Dating of Early Human Occupation of Southern South America". *Journal of Archaeological Science*, Amsterdam, v. 36, n. 2, pp. 419-29, 2009.

STEEVES, Paulette Faith. *Decolonizing Indigenous Histories: Pleistocene Archaeology Sites of the Western Hemisphere*. Nova York: SUNY, 2015. Tese (Doutorado em Antropologia).

______. *The Indigenous Paleolithic of the Western Hemisphere*. Lincoln: University of Nebraska Press, 2021.

STOTHERT, Karen E.; MOSQUERA, Amelia Sánchez. "Culturas del Pleistoceno Final y el Holoceno Temprano en el Ecuador". *Boletín de Arqueología de la PUCP*, Lima, n. 15, pp. 81-119, 2011.

STRAUSS, André Menezes. *As práticas mortuárias dos caçadores-coletores pré-históricos da região de Lagoa Santa: Lapa do Santo*. São Paulo: USP, 2010. Dissertação (Mestrado em Biociências).

______. "As práticas mortuárias na região de Lagoa Santa". In: DA-GLORIA, Pedro; NEVES, Walter A.; HUBBE, Mark (Orgs.). *Lagoa Santa: História das pesquisas arqueológicas e paleontológicas*. São Paulo: Annablume Arqueológica, 2016. pp. 299-322.

______. "De quand date le peuplement du Brésil? Contributions osseuses et moléculaires". *Brésil(s): Sciences Humaines et Sociales*, Paris, n. 21, 2022.

STRAUSS, André Menezes et al. "The Oldest Case of Decapitation in the New World (Lapa do Santo, East-Central Brazil)". *PLOS One*, San Francisco, v. 10, n. 9, e0137456, set. 2015.

STRAUSS, André Menezes et al. "Early Holocene Ritual Complexity in South America: The Archaeological Record of Lapa do Santo". *Antiquity*, Cambridge, v. 90, n. 354, pp. 1454-73, 2016.

STRAUSS, André Menezes et al. "Human Skeletal Remains from Serra da Capivara, Brazil: Review of the Available Evidence and Report on New Findings". In: HARVATI, Katerina; JÄGER, Gerhard; REYES-CENTENO, Hugo (Eds.). *New Perspectives on the Peopling of the Americas. Words, Bones, Genes, Tools: DFG Center for Advanced Studies Series*. Tübingen: Kern Verlag, 2018. pp. 153-72.

SUÁREZ, Rafael. "The Human Colonization of the Southeast Plains of South America: Climatic Conditions, Technological Innovations and the Peopling of Uruguay and South of Brazil". *Quaternary International*, Amsterdam, v. 431B, pp. 181-93, 2017.

SUÁREZ, Rafael et al. "Archaeological Evidences Are Still Missing: A Comment on Fariña et al. 'Arroyo del Vizcaíno'". *Proceedings of the Royal Society B*, Londres, v. 281, n. 1795, 20140449, 2014.

SUTIKNA, Thomas et al. "Revised stratigraphy and chronology for *Homo floresiensis* at Liang Bua in Indonesia". *Nature*, Londres, v. 532, pp. 366-9, mar. 2016.

SUTTER, Richard C. "The Pre-Columbian Peopling and Population Dispersals of South America". *Journal of Archaeological Research*, Berlim, v. 29, pp. 93-151, 2021.

SZATHMARY, E. J. "mtDNA and the Peopling of the Americas". *The American Journal of Human Genetics*, Cambridge, v. 53, n. 4, pp. 793-99, 1993.

TAMM, Erika et al. "Beringian Standstill and Spread of Native American Founders". *PLOS One*, San Francisco, v. 2, n. 9, e829, set. 2007.

TAYLOR, R. E. "The Beginnings of Radiocarbon Dating in American Antiquity". *American Antiquity*, Cambridge, v. 50, n. 2, pp. 309-25, abr. 1985.

TIERNEY, Patrick. *Trevas no Eldorado: Como cientistas e jornalistas devastaram a Amazônia*. Rio de Janeiro: Ediouro, 2002.

TURNER, Christy G. "Dentochronological Separation Estimates for Pacific Rim Populations". *Science*, Washington, v. 232, n. 4754, pp. 1140-2, maio 1986.

VACHULA, Richard S. "Sedimentary Biomarkers Reaffirm Human Impacts on Northern Beringian Ecosystems During the Last Glacial Period". *Boreas*, Londres, v. 49, n. 3, pp. 514-25, jul. 2020.

VACHULA, Richard S. et al. “Evidence of Ice Age Humans in Eastern Beringia Suggests Early Migration to North America”. *Quaternary Science Reviews*, Amsterdam, v. 205, pp. 35-44, 2019.

VALLADAS, H. et al. “TL Age-Estimates of Burnt Quartz Pebbles from the Toca do Boqueirão da Pedra Furada”. *Quaternary Science Reviews*, Amsterdam, v. 22, n. 10-3, pp. 1257-63, maio 2003.

VAN DER VALK, Tom et al. “Million-Year-Old DNA Sheds Light on the Genomic History of Mammoths”. *Nature*, Londres, v. 591, pp. 265-9, 2021.

VASTAG, Brian. “Radical Theory of First Americans Places Stone Age Europeans in Delmarva 20,000 Years Ago”. *The Washington Post*, 29 fev. 2012. Disponível em: <https://www.washingtonpost.com/national/health-science/radical-theory-of-first-americans-places-stone-age-europeans-in-delmarva-20000-years-ago/2012/02/28/gIQA4mriiR_story.html>. Acesso em: 5 abr. 2023.

VELDEN, Felipe Ferreira Vander. *Por onde o sangue circula: Os Karitiana e a intervenção biomédica*. Campinas: Unicamp, 2004. Dissertação (Mestrado em Antropologia Social).

VELDEN, Felipe Ferreira Vander. “Corpos que sofrem: Uma interpretação karitiana dos eventos de coleta de seu sangue”. Documento de Trabalho n. 12. Porto Velho: Universidade Federal de Rondônia; Escola Nacional de Saúde Pública, 2005.

VENTURINI, Tommaso. “Diving in Magma: How to Explore Controversies with Actor-Network Theory”. *Public Understanding of Science*, Londres, v. 19, n. 3, pp. 258-73, 2010.

VIALOU, Águeda Vilhena. “Occupations humaines et faune éteinte du Pléistocène au centre de l’Amérique du Sud: L’Abri rupestre Santa Elina, Mato Grosso, Brésil”. In: Denis Vialou (Org.). *Peuplements et préhistoire en Amériques*. Paris: Comité des Travaux Historiques et Scientifiques, 2011. pp. 193-208.

VIALOU, Águeda Vilhena; VIALOU, Denis. “Abrigo pré-histórico Santa Elina, Mato Grosso: Habitats e arte rupestre”. *Revista do Instituto de Pré-História da USP*, São Paulo, n. 8, pp. 34-53, 1989.

VIALOU, Águeda Vilhena; VIALOU, Denis. “Manifestações simbólicas em Santa Elina, Mato Grosso, Brasil”. *Boletim do Museu Paraense Emílio Goeldi: Ciências Humanas*, Belém, v. 14, n. 2, pp. 343-66, maio-ago. 2019.

VIALOU, Águeda Vilhena et al. “Découverte de *Mulodontinae* dans un habitat préhistorique daté du Mato Grosso (Brésil): L’Abri rupestre de Santa Elina”. *Comptes Rendues de la Académie des Sciences de Paris*, Paris, v. 320, série II a, pp. 655-61, 1995.

VIALOU, Denis (Org.). *Peuplements et préhistoire en Amériques*. Paris: Comité des Travaux Historiques et Scientifiques, 2011.

VIALOU, Denis et al. “Peopling South America’s Centre: The Late Pleistocene Site of Santa Elina”. *Antiquity*, Cambridge, v. 91, n. 358, pp. 865-84, 2017.

VIDAL, Céline M. et al. “Age of the Oldest Known *Homo sapiens* from Eastern Africa”. *Nature*, Londres, v. 601, pp. 579-83, jan. 2022.

VIEIRA, Douglas. “Eu não aguento mais”. *Trip*, 25 maio 2018. Disponível em: <https://revistatrip.uol.com.br/trip/niede-guidon-responsavel-pelo-sitio--arqueologico-da-serra-da-capivara-quer-largar-tudo>. Acesso em: 5 abr. 2023.

VILLAGRAN, Felipe Ferreira et al. “Formation Processes of the Late Pleistocene Site Toca da Janela da Barra do Antonião” *PaleoAmerica*, College Station, v. 7, n. 3, pp. 1-20, 2021.

VON CRAMON-TAUBADEL, Noreen et al. “Evolutionary Population History of Early Paleoamerican Cranial Morphology”. *Science Advances*, Washington, v. 3, n. 2, e1602289, 2017.

WALKER, James W. P.; CLINNICK, David T. H. “Ten Years of Solutreans on the Ice: A Consideration of Technological Logistics and Paleogenetics for Assessing the Colonization of the Americas”. *World Archaeology*, Londres, v. 46, n. 5, pp. 734-51, 2014.

WALLACE, Alfred Russel. *Viagens pelo Amazonas e Rio Negro*. Brasília: Edições do Senado Federal, 2004.

WATANABE, Shigueo et al. “Some Evidence of a Date of First Humans to Arrive in Brazil”. *Journal of Archaeological Science*, Amsterdam, v. 30, n. 3, pp. 351-4, 2003.

WATERS, Michael R. “Late Pleistocene Exploration and Settlement of the Americas by Modern Humans”. *Science*, Washington, v. 365, n. 6449, eaat5447, jul. 2019.

WATERS, Michael R.; AMOROSI, Thomas; STAFFORD JR., Thomas W. “Redating Fell’s Cave, Chile and the Chronological Placement of the Fishtail Projectile Point”. *American Antiquity*, Cambridge, v. 80, n. 2, pp. 376-86, abr. 2015.

WATERS, Michael R.; STAFFORD JR, Thomas W. “Redefining the Age of Clovis: Implications for the Peopling of the Americas”. *Science*, Washington, v. 315, n. 5815, pp. 1122-6, 2007.

WATERS, Michael R.; STAFFORD JR., Thomas W. “The First Americans: A Review of the Evidence for the Late-Pleistocene Peopling of the Americas”. In: GRAF, Kelly E.; KETRON, Caroline V.; WATERS, Michael R. (Eds.). *Paleoamerican Odyssey*. College Station: Center for the Study of the First Americans, 2013. pp. 543-62.

WATERS, Michael R. et al. “Pre-Clovis Mastodon Hunting 13,800 Years Ago at the Manis Site, WA”. *Science*, Washington, v. 334, n. 6054, pp. 351-3, out. 2011.

WATERS, Michael R. et al. "The Buttermilk Creek Complex and the Origins of Clovis at the Debra L. Friedkin Site". *Science*, Washington, v. 331, n. 6024, pp. 1599-603, mar. 2011.

WATERS, Michael R. et al. "Late Pleistocene Horse and Camel Hunting at the Southern Margin of the Ice-Free Corridor: Reassessing the Age of Wally's Beach, Canada". *PNAS*, Washington, v. 112, n. 14, pp. 4263-7, 2015.

WATERS, Michael R. et al. "Pre-Clovis Projectile Points at the Debra L. Friedkin Site, Texas: Implications for the Late Pleistocene Peopling of the Americas". *Science Advances*, Washington, v. 4, n. 10, eaat4505, out. 2018.

WATERS, Michael R. et al. "Late Pleistocene Osseous Projectile Point from the Manis Site, Washington: Mastodon Hunting in the Pacific Northwest 13,900 Years Ago". *Science Advances*, Washington, v. 9, n. 5, eade9068, fev. 2023.

WATLING, Jennifer et al. "Direct Archaeological Evidence for Southwestern Amazonia as an Early Plant Domestication and Food Production Centre". *PLOS One*, San Francisco, v. 13, n. 7, e0199868, 2018.

WATSON, J. D.; CRICK, F. H. "Molecular Structure of Nucleic Acids: A Structure for Deoxyribose Nucleic Acid". *Nature*, Londres, v. 171, pp. 737-8, abr. 1953.

WESTAWAY, K. E. et al. "An Early Modern Human Presence in Sumatra 73,000-63,000 Years Ago". *Nature*, Londres, v. 548, pp. 322-5, 2017.

WESTGREN, A. "Award Ceremony Speech". *The Nobel Prize*, 1960. Disponível em: <https://www.nobelprize.org/prizes/chemistry/1960/ceremony-speech/>. Acesso em: 5 abr. 2023.

WHEAT, Amber D. "Survey of Professional Opinions Regarding the Peopling of the Americas". *SAA Archaeological Record*, Washington, v. 12, n. 2, pp. 10-14, 2012.

WHITE, Tim D. et al. "Pleistocene *Homo sapiens* from Middle Awash, Ethiopia". *Nature*, Londres, v. 423, pp. 742-7, 2003.

WILFORD, John Noble. "Scientist at Work: Anna C. Roosevelt; Sharp and to the Point in Amazonia". *The New York Times*, 23 abr. 1996. Disponível em: <https://www.nytimes.com/1996/04/23/science/scientist-at-work-anna-c-roosevelt-sharp-and-to-the-point-in-amazonia.html>. Acesso em: 5 abr. 2023.

______. "Human Presence in Americas Is Pushed Back a Millennium". *The New York Times*, 11 fev. 1997. Disponível em: <http://www.nytimes.com/1997/02/11/science/human-presence-in-americas-is-pushed-back-a-millennium.html>. Acesso em: 5 abr. 2023.

WILLERSLEV, Eske et al. "Diverse Plant and Animal Genetic Records from Holocene and Pleistocene Sediments". *Science*, Washington, v. 300, n. 5620, pp. 791-5, 2003.

WILLERSLEV, Eske; MELTZER, David J. "Peopling of the Americas as Inferred from Ancient Genomics". *Nature*, Londres, v. 594, pp. 356-64, 2021.

WILLIAMS, Thomas J. et al. "Evidence of an Early Projectile Point Technology in North America at the Gault Site". *Science Advances*, Washington, v. 4, n. 7, eaar5954, jul. 2018.

WRANGHAM, Richard. *Catching fire — How Cooking Made Us Human*. Londres: Profile Books, 2009.

XAVIER, Fernando César; CAMPELLO, Mauro José. "Direito ao patrimônio genético como direito transindividual: Considerações sobre o caso Sangue Yanomami". *Revista de Bioética y Derecho*, Barcelona, n. 41, pp. 161-169, 2017.

ZHU, Zhaoyu et al. "Hominin Occupation of the Chinese Loess Plateau Since About 2.1 Million Years Ago". *Nature*, Londres, v. 559, pp. 608-12, 2018.

ZIMMER, Carl. "New DNA Results Show Kennewick Man Was Native American". *The New York Times*, 18 jun. 2015. Disponível em: <https://www.nytimes.com/2015/06/19/science/new-dna-results-show-kennewick-man-was-native-american.html>. Acesso em: 19 jun. 2023.

______. "Eske Willerslev Is Rewriting History with DNA". *The New York Times*, 16 maio 2016. Disponível em: <https://www.nytimes.com/2016/05/17/science/eske-willerslev-ancient-dna-scientist.html>. Acesso em: 25 maio 2023.

______. "Crossing from Asia, the First Americans Rushed into the Unknown". *The New York Times*, 8 nov. 2018. Disponível em: <https://www.nytimes.com/2018/11/08/science/prehistoric-migration-americas.html>. Acesso em: 5 abr. 2023.

______. "Ancient Footprints Push Back Date of Human Arrival in the Americas". *The New York Times*, 23 set. 2021. Disponível em: <https://www.nytimes.com/2021/09/23/science/ancient-footprints-ice-age.html>. Acesso em: 30 jul. 2023.

PODCASTS

HANKS, Micah. "Tom Dillehay: Archaeology at Monte Verde". *Seven Ages Audio Journal* [podcast], 31 maio 2020. Disponível em: <https://sevenages.org/podcasts/tom-dillehay-on-archaeology-at-monte-verde-saaj-37/>. Acesso em: 1 ago. 2023.

PENTRAIL, Jason. "The Clovis Projectile Point and Experimental Archaeology". *Seven Ages Audio Journal* [podcast], 9 maio 2022. Disponível em: <https://sevenages.org/podcasts/the-clovis-projectile-point-and-experimental-archaeology-saaj-54/>. Acesso em: 5 abr. 2023.

TLAPOYAWA, Kurly. "Peopling the Americas with Dr. Jennifer Raff!". *Tales from Aztlantis* [podcast], 15 mar. 2022. Disponível em: <https://talesfromaztlan-

tis.com/?episode=episode-25-peopling-the-americas-w-dr-jennifer-raff>. Acesso em: 5 abr. 2023.

WYMAN, Patrick. "Ancient DNA and the Human Story: Interview with Geneticist Eske Willerslev". *Tides of History* [podcast], 16 jul. 2020. Disponível em: <https://wondery.com/shows/tides-of-history/episode/5629-ancient-dna-and-the-human-story-interview-with-geneticist-eske-willerslev/>. Acesso em: 5 abr. 2023.

VÍDEOS

"Cerutti Mastodon Site: Story of the Discovery". SD Natural History Museum, 26 abr. 2017. Disponível em: <https://youtu.be/GVeOoWmUnLw>. Acesso em: 5 abr. 2023.

"O arqueólogo que descobriu o mais antigo desenho rupestre brasileiro". *Programa do Jô*, 16 mar. 2012. Disponível em <https://globoplay.globo.com/v/1861234/>. Acesso em: 30 jul. 2023.

"Os povos de Lagoa Santa". Pesquisa Fapesp, 14 out. 2016. Disponível em: <https://youtu.be/ryIOG-0ygXw>. Acesso em: 5 abr. 2023.

"Registro de escavação arqueológica na Lapa do Santo". Canal USP, 20 maio 2018. Disponível em: <https://youtu.be/hoK5yVqco4k>. Acesso em: 5 abr. 2023.

"The First Americans: Clues to an Ancient Migration". Nature Video, 26 abr. 2017. Disponível em: <https://youtu.be/HyfSsgCrjb0>. Acesso em: 5 abr. 2023.

Créditos das imagens

1. HOLTEN, Birgitte; STERLL, Michael. Peter Lund e as grutas com ossos em Lagoa Santa. Belo Horizonte: Editora UFMG, 2011

2. The Natural History Museum/ Alamy Stock Photo/ Foto Arena

3. Chip Clark, Smithsonian Institution

4. Maxime Aubert, Griffith University

5. Photoshot/ Easypix Brasil

6. Stanislav Butygin, The State Hermitage Museum

7. GODTFREDSEN, NUKA K/ AUTVIS, Brasil, 2023

8. HRDLIČKA, Aleš. Bureau of American Ethnology. Bulletin 52. Plate 35

9. Denver Museum of Nature & Science

10. SMALLWOOD, A. M. Clovis. Technology and Settlement in the American Southeast: Using Biface Analysis to Evaluate Dispersal Models. Am. Antiquity 77, 689–713

11. Daniel Eskridge/ Adobe Stock

12. Arquivo: Equipe Fumdham

13. Bernardo Esteves

14. Cícero Moraes/ Wikimedia Commons

15. Pedras Coloridas: Lorenzo Dotti; Pedras em Preto e Branco: Eric Boëda

16. Tiago Falótico

17. VIALOU, Denis et all. Peopling South America's Centre: The Late Pleistocene Site of Santa Elina. Cambridge University Press, 2017

18. Bernardo Esteves

19. Lapa do Santo — André Strauss

20. Maurício de Paiva

21. Bernardo Esteves

22. Brian Lanker, cortesia de Dennis Jenkins, University of Oregon

23. BOËDA, Eric et al. 24.0 kyr cal BP artefato de pedra do Vale da Pedra Furada, Piauí, Brazil: Techno-functional analysis. 2021

24. André Strauss

25. Emmanuel Laurent/ Eurelios/ Science Photo Library/ Foto Arena

26. NPS Photo

Índice remissivo

Números de páginas em *itálico* referem-se a mapas.

1ª EDIÇÃO [2023] 1 reimpressão

ESTA OBRA FOI COMPOSTA PELO ACQUA ESTÚDIO EM MINION E IMPRESSA
EM OFSETE PELA GRÁFICA HROSA SOBRE PAPEL PÓLEN DA SUZANO S.A.
PARA A EDITORA SCHWARCZ EM JUNHO DE 2024

A marca FSC® é a garantia de que a madeira utilizada na fabricação do papel deste livro provém de florestas que foram gerenciadas de maneira ambientalmente correta, socialmente justa e economicamente viável, além de outras fontes de origem controlada.